有害事象	Grade				
	1	2	3	4	5
全身障害および投与部位の状態 General disorders and administration site conditions					
浮腫	四肢間の差が最も大きく見える部分で, 体積または周長の差が 5-10%; 腫脹または四肢の解剖学的構造が不明瞭になっていることが注意深い診察でわかる	四肢間の差が最も大きく見える部分で, 体積または周長の差が 10-30%; 腫脹または四肢の解剖学的構造が不明瞭なことが診察で容易にわかる; 皮膚の皺の消失; 解剖学的な輪郭の異常が容易にわかる	四肢間の体積の差が>30%; 解剖学的な輪郭の異常が著明である; 身の回りの日常生活動作の制限	—	
	休息により軽快する疲労	休息により軽快しない疲労; 身の回り以外の日常生活動作の制限	休息により軽快しない疲労; 身の回りの日常生活動作の制限を要する	—	
	38.0-39.0℃ (100.4-102.2°F)	>39.0-40.0℃ (102.3-104.0°F)	>40.0℃ (>104.0°F) が≤24時間持続	>40.0℃ (>104.0°F) が>24時間持続	死亡
性浮腫	診察で明らか; 1+の圧痕浮腫	身の回り以外の日常生活動作に支障がある; 内服治療を要する	身の回りの日常生活動作に支障がある; 静脈内投与による治療を要する; 皮膚の離開	生命を脅かす	—
部位血管外	疼痛を伴わない浮腫	症状を伴う紅斑(例: 浮腫, 疼痛, 硬結, 静脈炎)	潰瘍または壊死; 高度の組織損傷; 外科的処置を要する	生命を脅かす; 緊急処置を要する	死亡
感	だるさがある, または元気がない	身の回り以外の日常生活動作を制限するだるさがある, または元気がない状態	身の回りの日常生活動作を制限するだるさがある, または元気がない状態	—	
	軽度の疼痛	中等度の疼痛; 身の回り以外の日常生活動作の制限	高度の疼痛; 身の回りの日常生活動作の制限	—	
免疫系障害 Immune system disorders					
ルギー反応	全身的治療を要さない	内服治療を要する	気管支痙攣; 続発症により入院を要する; 静脈内投与による治療を要する	生命を脅かす; 緊急処置を要する	死亡
フィラキ	—	—	症状のある気管支痙攣; 非経口的治療を要する; アレルギーによる浮腫/血管性浮腫; 血圧低下	生命を脅かす; 緊急処置を要する	死亡
症および寄生虫症 Infections and infestations					
膿疱性皮疹	体表面積の<10%を占める丘疹および/または膿疱で, そう痒や圧痛の有無は問わない	体表面積の10-30%を占める丘疹および/または膿疱で, そう痒や圧痛の有無は問わない; 社会心理学的な影響を伴う; 身の回り以外の日常生活動作の制限; 体表面積の>30%を占める丘疹および/または膿疱で, 軽度の症状の有無は問わない	体表面積の>30%を占める丘疹および/または膿疱で, 中等度または高度の症状を伴う; 身の回りの日常生活動作の制限; 抗菌薬の静脈内投与を要する	生命を脅かす	死亡
炎	爪襞の浮腫や紅斑; 角質の剥脱	局所的治療を要する; 内服治療を要する; 疼痛を伴う爪襞の浮腫や紅斑; 滲出液や爪の剥離を伴う; 身の回り以外の日常生活動作の制限			
血症	—	—	…する		

がん診療と患者医療者間のコミュニケーション	1	骨軟部悪性腫瘍	16
がん薬物療法の基本概念	2	皮膚がん	17
臨床試験	3	原発不明がん	18
肺がん・悪性胸膜中皮腫	4	脳腫瘍	19
乳がん	5	がん性胸膜炎・腹膜炎・髄膜炎・心膜炎	20
頭頸部がん・甲状腺がん	6	感染症対策	21
食道がん	7	がん疼痛の治療と緩和ケア	22
胃がん	8	骨髄抑制	23
大腸がん	9	消化器症状に対するアプローチ	24
肝・胆・膵がん	10	腫瘍随伴症候群，抗悪性腫瘍薬の調製・投与方法	25
神経内分泌腫瘍・消化管間質腫瘍	11	がん治療における救急処置	26
婦人科がん	12	免疫療法の有害事象	27
泌尿器腫瘍	13	がんゲノム医療	28
胚細胞腫瘍	14	抗悪性腫瘍薬の種類	付録1
造血器腫瘍	15	抗悪性腫瘍薬の略名	付録2

がん診療
レジデントマニュアル
第9版

国立がん研究センター内科レジデント 編

編集責任者

後藤　悌　国立がん研究センター中央病院呼吸器内科外来医長

岩佐　悟　国立がん研究センター中央病院先端医療科医長

福原　傑　国立がん研究センター中央病院血液腫瘍科外来医長

松原伸晃　国立がん研究センター東病院乳腺・腫瘍内科医長

丸木雄太　国立がん研究センター中央病院肝胆膵内科

三浦智史　国立がん研究センター東病院緩和医療科科長

森実千種　国立がん研究センター中央病院肝胆膵内科医長

山本　昇　国立がん研究センター中央病院副院長・先端医療科科長

医学書院

がん診療レジデントマニュアル

発 行	1997 年 5 月 15 日	第 1 版第 1 刷
	2000 年 2 月 15 日	第 1 版第 6 刷
	2000 年 11 月 1 日	第 2 版第 1 刷
	2003 年 4 月 1 日	第 2 版第 6 刷
	2003 年 10 月 15 日	第 3 版第 1 刷
	2006 年 3 月 1 日	第 3 版第 6 刷
	2007 年 3 月 15 日	第 4 版第 1 刷
	2009 年 3 月 15 日	第 4 版第 4 刷
	2010 年 6 月 15 日	第 5 版第 1 刷
	2012 年 9 月 1 日	第 5 版第 4 刷
	2013 年 10 月 15 日	第 6 版第 1 刷
	2015 年 3 月 1 日	第 6 版第 2 刷
	2016 年 10 月 15 日	第 7 版第 1 刷
	2017 年 1 月 15 日	第 7 版第 2 刷
	2019 年 10 月 15 日	第 8 版第 1 刷
	2022 年 10 月 15 日	第 9 版第 1 刷©

編　集　国立がん研究センター内科レジデント

発行者　株式会社　医学書院

代表取締役　金原　俊

〒113-8719　東京都文京区本郷 1-28-23

電話　03-3817-5600(社内案内)

印刷・製本　大日本法令印刷

本書の複製権・翻訳権・上映権・譲渡権・貸与権・公衆送信権(送信可能化権を含む)は株式会社医学書院が保有します.

ISBN978-4-260-04976-4

本書を無断で複製する行為(複写,スキャン,デジタルデータ化など)は,「私的使用のための複製」など著作権法上の限られた例外を除き禁じられています.大学,病院,診療所,企業などにおいて,業務上使用する目的(診療,研究活動を含む)で上記の行為を行うことは,その使用範囲が内部的であっても,私的使用には該当せず,違法です.また私的使用に該当する場合であっても,代行業者等の第三者に依頼して上記の行為を行うことは違法となります.

JCOPY　〈出版者著作権管理機構　委託出版物〉

本書の無断複製は著作権法上での例外を除き禁じられています.複製される場合は,そのつど事前に,出版者著作権管理機構(電話 03-5244-5088, FAX 03-5244-5089, info@jcopy.or.jp)の許諾を得てください.

＊「レジデントマニュアル」は株式会社医学書院の登録商標です.

第 9 版の序

　『がん診療レジデントマニュアル』は 1997 年の初版から 25 年の年月を経て，このたび第 9 版を刊行することができた。執筆は国立がん研究センター中央病院と東病院のレジデントとして研鑽する若き腫瘍内科医が担い，編集を両病院のスタッフがする体制は初版から変わっていない。2010 年（第 5 版）にレジデントとして執筆した私も，今版からは編集責任者の長の任を拝命した。

　腫瘍内科の発展に伴い，専門医として学ぶべき知識は指数関数的に増えている。私が専門とする肺がんでは，レジデントとして学んだレジメンの大部分が新規治療に置き換わっただけでなく，細分類によって初回標準治療の種類は 10 倍以上に増えている。このような新しい知識をまんべんなく掲載するように試みたが，最新の知見も巨人の肩の上に立ってこそ理解できると考え，腫瘍内科医として知ってほしい歴史的な経緯についても紹介している。

　患者に最善の治療をするために持つべき知識は増えたものの，医師として記憶できる知識量を増やすことは困難である。この 25 年で進歩したのは腫瘍内科だけではなく，インターネットなどの情報技術はそれ以上の革新的な変化があった。いまでは手元のスマートフォンで莫大な情報にすぐにアクセスすることができる。このような新しい時代には，それに応じた情報の扱いが必要となる。まずは知識の幹となる情報を腫瘍内科医として学んでほしい。この知識は自分なりに解釈を加えて，いつでも取り出せる自分の引き出しに整理しておくものである。新しい情報に遭遇したときには，すぐに自分なりの解釈や理解をして，どの引き出しに入れる知識かを確認しておけば，記憶することができなくても，あとですぐに辿り着くことができる。

　執筆中にもとどまることなく増え続ける新しい知見のすべてを盛り込むことはできなかったが，このマニュアルはそのような基本的な知識を学ぶための土台として使ってもらえればと思う。

2022 年 9 月

国立がん研究センター中央病院呼吸器内科外来医長　　後藤　悌

初版の序

　このマニュアルは内科腫瘍学研修の標準化を意図し，化学療法を中心としたがんの内科的治療を研修するレジデント，研修医を主な対象に，実際の診療に役立つように企画しました．内容は，インフォームド・コンセント，臨床試験，各種疾患の診療，疼痛コントロールなどの緩和医療など，がん診療の現場で問題となる項目について記載されています．各種疾患の診療については，疫学，診断，病期分類，予後因子，治療方法について系統立てて記載し，抗がん剤の選択，投与方法については，標準的治療が確立されている領域では標準的治療を，そうでない領域では国立がんセンター中央病院で行われているいくつかの方法を，なるべく具体的に記述しました．

　日々の研修を通じて，それぞれの担当分野を専門とするスタッフの助言を得，国立がんセンター中央病院の内科系レジデント諸君が全てを執筆し，編集責任者(渡辺亨，勝俣範之，小野裕之，山本信之)が最終稿をレビューしました．不十分な点，不完全な表現などもあるかとは思いますが，今後，読者の皆様のご意見，ご指導を頂き，充実させていきたいと思います．

　がん診療をめぐる諸問題がマスコミなどで取り上げられている昨今，がん診療を正しく理解し，最新の情報を適切に日々の診療に反映させ，患者のためのがん診療を実践する若き medical oncologist 育成のために，このマニュアルが少しでも貢献することを願っています．最後に，このマニュアル作成にあたり，レジデント指導の責任者である国立がんセンター中央病院，垣添忠生院長に厚く感謝致します．また，医学書院の安藤恵さんに大変お世話になりましたことをこの場をかりて御礼申し上げます．

　　平成9年4月

　　　　　　　国立がんセンター中央病院内科医長　　渡辺　亨

歴代編集責任者一覧

【第 1 版】
渡辺 亨　　　　勝俣範之　　　　小野裕之　　　　山本信之

【第 2 版】
渡辺 亨　　　　安藤正志　　　　勝俣範之
小野裕之　　　　山本 昇

【第 3 版】
渡辺 亨　　　　勝俣範之　　　　安藤正志
山本 昇　　　　濱口哲弥　　　　向井博文

【第 4 版】
勝俣範之　　　　安藤正志　　　　山本 昇
中島 光　　　　向井博文

【第 5 版】
勝俣範之　　　　安藤正志　　　　山本 昇
濱口哲弥　　　　金 成元　　　　向井博文

【第 6 版】
山本 昇　　　　森実千種　　　　金 成元
濱口哲弥　　　　向井博文　　　　安藤正志

【第 7 版】
山本 昇　　　　濱口哲弥　　　　向井博文
金 成元　　　　森実千種　　　　後藤 悌

【第 8 版】
岩佐 悟　　　　後藤 悌　　　　福原 傑
松原伸晃　　　　森実千種　　　　山本 昇

目次

略語一覧	x
凡例	xii

1 がん診療と患者医療者間のコミュニケーション — 1

2 がん薬物療法の基本概念 — 10

3 臨床試験 — 33

4 肺がん・悪性胸膜中皮腫 — 49
肺がん……49
悪性胸膜中皮腫……77

5 乳がん — 82

6 頭頸部がん・甲状腺がん — 112
頭頸部がん……112
甲状腺がん……125

7 食道がん — 131

8 胃がん — 141

9 大腸がん — 151

10 肝・胆・膵がん — 174
肝臓がん……174
胆道がん……183
膵がん……191

11 神経内分泌腫瘍・消化管間質腫瘍 — 200
神経内分泌腫瘍……200
消化管間質腫瘍……206

12 婦人科がん — 210
子宮頸がん……210
子宮内膜がん……219
卵巣がん（上皮性卵巣がん）……227

viii 目次

13 泌尿器腫瘍 ——————————————— 242
腎細胞がん……242
膀胱がん/上部尿路がん（腎盂・尿管がん）……251
前立腺がん……257

14 胚細胞腫瘍 ——————————————— 270

15 造血器腫瘍 ——————————————— 281
急性骨髄性白血病……281
骨髄異形成症候群……293
慢性骨髄性白血病……299
急性リンパ性白血病……306
成人 T 細胞白血病/リンパ腫……314
悪性リンパ腫……320
多発性骨髄腫……364
Memo FLT3-ITD と TKD 変異……287
CYP3A 阻害薬併用時のベネトクラクス減量……289
未治療 DLBCL に対する PV-CHP 療法……337

16 骨軟部悪性腫瘍 ——————————————— 384

17 皮膚がん ——————————————— 402

18 原発不明がん ——————————————— 415

19 脳腫瘍 ——————————————— 421

20 がん性胸膜炎・がん性腹膜炎・がん性髄膜炎・
がん性心膜炎 ——————————————— 432
がん性胸膜炎……432
がん性腹膜炎……437
がん性髄膜炎……441
がん性心膜炎……445

21 感染症対策 ——————————————— 448
Memo COVID-19……462

目次 ix

22 がん疼痛の治療と緩和ケア ——————— 463
緩和ケア……463
精神的ケア……480

23 骨髄抑制 ————————————————— 490

24 消化器症状に対するアプローチ ——————— 497

25 腫瘍随伴症候群，抗悪性腫瘍薬の調製・投与方法と
漏出性皮膚障害 ——————————————— 513
腫瘍随伴症候群……513
抗悪性腫瘍薬の調製・投与方法と漏出性皮膚障害……520

26 がん治療における救急処置
―オンコロジック・エマージェンシー ————— 527

27 免疫療法の有害事象 ——————————— 543

28 がんゲノム医療 ————————————— 555

付録 1 抗悪性腫瘍薬の種類 ——————————— 563

付録 2 抗悪性腫瘍薬の略名 ——————————— 621

あとがき ———————————————————— 625
和文索引 ——————————————————— 627
欧文索引 ——————————————————— 640

略語一覧

略語	正式名称	日本語訳
AJCC	American Joint Committee on Cancer	米国対がん合同委員会
ASCO	American Society of Clinical Oncology	米国臨床腫瘍学会
BSC	best supportive care	緩和ケア
CALGB	Cancer and Leukemia Group B	
CAR	chimeric antigen receptor	キメラ抗原受容体
C-CAT	Center for Cancer Genomics and Advanced Therapeutics	がんゲノム情報管理センター
CI	confidence interval	信頼区間
CMR	complete metabolic response	代謝的完全奏効
CR/PR	complete response (remission)/partial response (remission)	完全奏効(寛解)/部分奏効(寛解)
CTZ	chemoreceptor trigger zone	化学受容体引金帯
DFS	disease-free survival	無病生存期間
DLT	dose-limiting toxicity	用量制限毒性
dMMR	deficient mismatch repair	DNA ミスマッチ修復機能欠損
ECOG	Eastern Cooperative Oncology Group	
EFS	event-free survival	無イベント生存期間
EORTC	European Organization for Research and Treatment of Cancer	
ESMO	European Society for Medical Oncology	欧州臨床腫瘍学会
FDA	Food and Drug Administration	米国食品医薬品局
GCP	good clinical practice	医薬品の臨床試験の実施の規準に関する省令
G-CSF	granulocyte colony-stimulating factor	顆粒球コロニー刺激因子
GIST	gastrointestinal stromal tumor	消化管間質腫瘍
GVHD	graft-versus-host disease	移植片対宿主病
HDC/ASCT	high-dose chemotherapy and autologous stem cell transplantation	自家末梢血幹細胞移植併用大量化学療法
HLA	human leukocyte antigen	ヒト白血球抗原
HR	hazard ratio	ハザード比
ICI	immune checkpoint inhibitor	免疫チェックポイント阻害薬
irAE	immune-related adverse event	免疫関連有害事象

略語一覧 | xi

略語	正式名称	日本語訳
ITT	intention-to-treat	
JALSG	Japan Adult Leukemia Study Group	日本成人白血病治療共同研究グループ
JCOG	Japan Clinical Oncology Group	日本臨床腫瘍グループ
KPS	Karnofsky performance status/scale	
LD/ED	limited disease/extensive disease	限局型/進展型
MSI	microsatellite instability	マイクロサテライト不安定性
MSKCC	Memorial Sloan Kettering Cancer Center	
MST	median survival time	生存期間中央値
MTD	maximum tolerated dose	最大耐用量
NCCN	National Comprehensive Cancer Network	
NCI	National Cancer Institute	米国国立がん研究所
NCI-CTC	National Cancer Institute-Common Toxicity Criteria	有害事象共通用語規準
NCI PDQ	National Cancer Institute Physician Data Query	米国国立がん研究所医師情報質問（がん情報データベース）
NSABP	The National Surgical Adjuvant Breast and Bowel Project	
ORR	objective response rate	客観的奏効率
OS	overall survival	全生存期間
PFS	progression-free survival	無増悪生存期間
PS	performance status	
PK/PD	pharmacokinetics/pharmacodynamics	薬物動態/薬力学
RCT	randomized controlled trial	ランダム化比較試験
RD	recommended dose	推奨投与量
RECIST	Response Evaluation Criteria in Solid Tumors	固形がんの治療効果判定規準
RFS	recurrence-free survival	無再発生存期間
RR	response rate	奏効率
RTOG	Radiation Therapy Oncology Group	
SD	stable disease	不変
SD/PD	stable disease/progressive disease	安定/増悪
TKI	tyrosine kinase inhibitor	チロシンキナーゼ阻害薬
UICC	Union for International Cancer Control	国際対がん連合
VEGF	vascular endothelial growth factor	血管内皮細胞成長因子
WBRT	whole-brain radiation therapy	全脳照射

凡例

　治療法に関して信頼度として，★で表記した。

　抗悪性腫瘍薬は本文中では略語を使用しているため，付録の略名一覧(621ページ)を参照されたい。

　また抗悪性腫瘍薬の投与量，投与方法に関しては，投与する前にオリジナル論文をもう一度確認し慎重に投与していただきたい。

★★★：RCT の結果に基づいて，世界的にも標準治療としてコンセンサスが得られている。

　★★：RCT の結果には基づいていないが，ほぼ一般治療として推奨されるコンセンサスが得られている。

　　★：一般的には推奨できるコンセンサスは得られていない("国立がん研究センターではこう治療している"というものを含む)。

謹告

　著者ならびに出版社として，本書に記載されている内容が最新・正確であるように最善の努力をしておりますが，薬の適応症・用法・用量などは，基礎研究や臨床試験，市販後調査によるデータの蓄積により，ときに変更されることがあります。したがって，使いなれない薬の使用に関しては，読者ご自身で十分に注意を払われることを要望いたします。　　　　　　株式会社　医学書院

1 がん診療と患者医療者間の コミュニケーション

■ がん診療におけるコミュニケーション

患者とのコミュニケーションは医療の基本であり，患者の満足度や QOL，医師への信頼度を向上させるなど，患者・医師双方にとってよい効果をもたらす。がん治療医は多忙であるにもかかわらず，がんの告知や再発・進行，積極的抗がん治療の終了，その後の療養の相談，鎮静など，患者の将来への見通しを根底から否定的に変えるようなバッドニュースを日常的に取り扱うため，精神的ストレスが大きく，バーンアウトのリスクをはらんでいる（JCO 2012：30：1235 PMID 22412138）。また，インフォームド・コンセントは「説明と同意」と訳され，医療の前提とされているが，「説明」と「同意」の間には「感情」が存在している。がん治療医は日常的にバッドニュースを取り扱っており，医師は一般的に共感反応が低下している。がん治療医が，患者の「感情」へ配慮した共感的コミュニケーション技術を身につけたり，患者の「感情」への配慮を意識して多職種でアプローチしたりすることは，患者・家族の心理的ストレスの軽減や，治療に対する意欲の維持・増進，治療満足度や医師への信頼の増加につながると考えられる。結果として，医師自身の心理的ストレスの軽減や自己効力感の増進にも寄与すると考えられる。

■ コミュニケーションスキル

患者-医師間のコミュニケーションには，基本的なコミュニケーションから，バッドニュースを伝えること，困難なケースに対応すること，精神疾患に対応すること，など難易度によってさまざまな段階に分けられる。

1 基本的なコミュニケーション

コミュニケーションは，言葉による言語的なメッセージと，表情や姿勢，声の調子，身振り，沈黙などの非言語的なメッセージから構成される。

基本的なコミュニケーションスキルとしては以下の 4 つが挙げられる（コミュニケーション技術研修会テキスト SHARE 3.3 版）。

❶ **環境設定** 静かで快適な部屋を設定，時間厳守，座る位置，挨拶，整容に気を配り，礼儀正しくすることなど。

❷ **話を聞くスキル**　目や顔を見る，相槌を打つ。
❸ **質問するスキル**　まずはオープンクエスチョンを行う。
❹ **共感するスキル**　共感と承認，探索を組み合わせる。
　　共感では，患者の気持ちを繰り返したり，沈黙をしたりする。
　　承認では，患者がそう感じることはもっともであることを伝える。
　　探索では，患者の気持ちや気がかりを探索し理解しようとする。

━○ スキルアップのためのひとこと

　「沈黙」のスキルを，黙って待つという受動的なイメージで考えると，「どのくらいの時間を待てばよいのだろう」と感じるような，少し気まずくて居心地の悪い時間となってしまうことがある。この「沈黙」を「患者の様子を観察する時間」と能動的なイメージで捉えてみよう。バッドニュースによって，患者は，頭が真っ白になったり，何も考えられなくなったりする。その状態から，患者の頭の中では少しずつ思考が再開し，さまざまな疑問が湧いたり，次の話を聞く準備ができたりするようになっていく。そのような過程を，無意識にしぐさとして表現していることがあるため，その観察によって患者の心理状況を類推することができる。例えば，目が泳ぐ，うつむいていたのが顔を上げてきた，家族のほうを向く，同席する看護師に視線を向ける，手を組む，貧乏ゆすり，そわそわ落ち着かない感じ，などである。まずは，上級医の面談に同席する際に，上級医の話す内容を学ぶだけではなく，面談途中の患者の様子も意識して観察すると，新たな気づきが得られるであろう。

2 バッドニュースを伝えるコミュニケーション

　　バッドニュースの伝え方については，米国でコミュニケーションスキルの SPIKES が開発され，推奨されている。本邦では，患者の意向と文化的背景の違いをもとに，本邦のがん患者が望むコミュニケーションの4要素を反映した SHARE プロトコールが開発され，コミュニケーション技術研修会(CST)が行われている。SHARE を用いた CST によって，医師の望ましい行動と自己効力感の増加，患者の抑うつの低下，信頼感の高まりなどが示されている(JCO 2014；32：2166 **PMID** 24912901)。

1) SHARE プロトコール(コミュニケーション技術研修会テキスト SHARE 3.3版，
　　　精神医学 2020；62：1131)

　　バッドニュースを伝える面接は，次の4つの STEP で構成され，それぞれの STEP に Supportive environment(サポーティブな環

境設定，S），How to deliver the bad news（バッドニュースの伝え方，H），Additional information（付加的な情報の提供，A），Reassurance and Emotional support（安心感と情緒的サポートの提供，RE）の要素を取り入れていく。

	面談の主題	重要な要素
STEP 1	準備・基本・面談を開始する「起」	S, H, RE
STEP 2	バッドニュースを伝える「承」	H, RE
STEP 3	治療を含め今後のことについて話し合う「転」	A, RE
STEP 4	面談をまとめる「結」	H, RE

　SHARE の各要素は以下の通りであり，各 STEP に合わせて組み入れる。

- **Supportive environment（サポーティブな環境設定）**
  十分な時間を設定する
  プライバシーが保たれ，落ち着いた環境を設定する
  面談が中断しないように配慮する
  家族の同席を勧める
- **How to deliver the bad news（バッドニュースの伝え方）**
  正直に，わかりやすく，丁寧に伝える
  患者の納得が得られるように説明をする
  はっきりと伝えるが「がん」という言葉を繰り返し用いない
  言葉は注意深く選択し，適切に婉曲的な表現を用いる
  質問を促し，その質問に答える
- **Additional information（付加的な情報の提供）**
  今後の治療方針を話し合う
  患者個人の日常生活への病気の影響について話し合う
  患者が相談や気がかりを話すよう促す
  患者の希望があれば，代替療法やセカンドオピニオン，余命などの話題を取り上げる
- **Reassurance and Emotional support（安心感と情緒的サポートの提供）**
  優しさと思いやりを示す
  患者に感情表出を促し，患者が感情を表出したら受け止める
  家族に対しても患者同様に配慮する
  患者の希望を維持する

「一緒に取り組みましょうね」と言葉をかける

3 回答に困る質問に対するコミュニケーション

　回答に困る質問というのは，多くが「死」に関係するものである。それらの話題を患者から切り出す時には，その背景に心配や気がかりがあるので，そこを丁寧に聴取できるチャンスと捉えるとよい。患者ごとに心配や気がかりは千差万別であり，「死ぬ時は痛みで苦しむのか」「これからどうやって体調が変わっていくのか」「いまの調子がいつまで続くのか」「いつまで元気で歩けるのか」「いまの生活を続けられるのか」「旅行に行けるのか」「将来の孫や子のイベントに参加できるか」「死んだ後に人はどうなるのか（死後の世界の話）」など多岐にわたるため，患者本人に尋ねるほかない。

　よく聞かれる質問に対しては，身近な同僚や緩和ケア医などにお願いして，短時間の模擬面接などを行い，場面を設定して，いくつかの回答の方法を練習しておくことはよいかもしれない。自分が使ったことのない回答方法も練習しておくことで，あるときに自然と使うことができるようになる。以下に例を挙げるが，唯一の正解はないので，上司や同僚，緩和ケア医，精神科医などにも尋ねて自分の回答の幅を増やして対応できるようにしておくことが推奨される。

1)「私はもう死ぬということですね？」「私はもう死ぬということですか？」

　患者の状況，その場のセッティングによって回答は異なる。Stage 4 と告知され，医療者の予測以上に予後を短く見積もり悲嘆されている方や，根治が無理であることを知り，遠くないうちに亡くなってしまうと感じて話される方もいる。患者が一度この言葉を口に出した後，すぐに「やっぱりいいです。聞かなくていいです」と話題を変えてしまうこともある。

- 「とても気になりますよね…」「大事な話だと思います…」などと気持ちを受け止めつつ，「そんなに遠くないうちにその時が来ると思います。（少し間を空けて）心配なことや気になることはありますか？」などと続けることもあるし，「心配なことや気になることはありますか？」とだけ返答することもある。続く返事がない場合には，具体的に「人によっては，・・・（前述の心配・気がかりのいくつか）・・・などいろいろなことを心配される方がいらっしゃいます」などと例を挙げることで，患者が話をつなげやすくすることもある。

- こちらが少し沈黙して非言語的に Yes と伝えることで，患者が Yes と理解することもあれば，医師が困っていると感じ，聞いてはいけなかったと感じてしまうこともある（患者の捉え方に依存してしまうので，できるだけ避けたい方法である）。

2)「私はもうダメということですか？」

1）に似ていると感じるが，「ダメ」という表現が，何を意味するか，こちらが勝手に類推しないほうがよいと思われるため，少し間をおいて「ダメというのはどういうことですか？」などと尋ねてみると，患者の心配や気がかりを引き出しやすくなるだろう。

3)「私はあとどのくらい生きられますか？」

患者がどのような認識でいるかを確認できると，どのように説明するのが適切なのか考えることができる。例えば「とても大事な質問だと思います」や「いちばん気になるところですよね」などの前置きをする/しないの後に，「ご自分では，どのくらいだと感じていらっしゃいますか？」と尋ねてみることは 1 つの方法だろう。そうすると，患者は「・・・（このくらい）・・・ですか？」などと回答することが多いので，こちらが想定する予後と比較して，短く/同じくらい/長く感じていると知ることができる。次にその認識の差があるなかでどのように説明していくかを考えることができる。患者がどのようなタイプかによっても伝え方は異なるだろう。例えば，医師は予後 3 カ月くらいと想定しているが，患者は年単位の予後を考えている場合「とても申し上げにくいことだけど，おそらく，年は難しいだろう，長くて半年，・・・（などと返答しながら患者の表情や様子を観察），・・・実際には，おおよそ 3 カ月くらいだと思っている」などとこちらの予測を伝えることになる。数字でいうことが憚られるようであれば，想定される時期のイベントなどを持ち出し，「桜を見ることは難しいでしょう」などと伝えることもある。伝えた後は，しばらく沈黙して患者の感情や思考が整うのを観察しながら待つことが必要となる。患者の準備ができたら，患者から何らかのサインが発せられるので，沈黙の気まずい雰囲気に負けて，何か言わないと，と無理に話を続けないように心がけるとよい。

■ アドバンス・ケア・プランニング（ACP）

ACP とは，将来の変化に備え，将来の医療およびケアについて，本人を主体にその家族たち，医療・ケアチームが話し合いを繰り返し行い，本人による意思決定を支援するプロセスのことである

（JPSM 2017；53：821 PMID 28062339）。DNAR（do not attempt resuscitation）についての話し合いをさす言葉ではないことや，1回の話し合いで結論し解決することではないこと，時間の経過に伴い本人の意向が変わりうることなどに留意が必要である。

　医師が単独で担えるものではなく，多職種それぞれの専門性を活かして本人・家族の気持ちを引き出しながら，本人・家族に対する情報提供や，医療職含む支援者側での情報共有を行っていくことが必要となる。

　がん治療の経過のなかでは，がんの診断や再発，治療の変更，抗がん薬の最終レジメンへの移行時，積極的がん治療の終了時などが，ACPを開始するタイミングとして考えられる。積極的がん治療の終了時では，患者の病状が悪く十分な話し合いがもてない可能性があることから，体力があり体調がよくさまざまなことを考える余裕があるうちにACPの取り組みを始めることが望ましい。その際，Hope for the best and prepare for the worst（最善を期待して，最悪に備える）という姿勢で話を切り出すことは重要となる。

■ その他，がん治療時期〜終末期に必要なコミュニケーション

1 今後の療養や在宅療養の環境調整について考えていきたい時

　この1〜3カ月程度の体調の変化や，身体機能の変化について具体的に思い出してもらうことは1つの方法となる。例えば，3カ月前に1日1時間散歩できていた方がいまは15分で無理だとか，家で座っている時間や横になっている時間が長くなってきた，などの経時的変化を患者や家族の言葉で引き出すことができるとよい。そうすると，最近のその変化を考えると，これから1カ月後や，3カ月後に体の動きはどうなっているのだろう，と投げかけると，患者や家族から，寝たきりになってしまうかもしれない，とか，通院は難しくなるでしょうね…などの言葉を引き出しやすくなっていく。また，併せて，通院の負担についても言葉を引き出せるように尋ねることで，在宅療養の環境調整を進めやすくなっていく。

2 医療用麻薬について

　患者・家族が医療用麻薬の導入に抵抗を感じる場合は，まずは医療用麻薬に対する思いを確認するとよい。その患者によって，中毒になる，依存になる，副作用が怖い，開始したらやめられない，病気が進んでいる証拠だから嫌などさまざまなことを感じているため，そこに対して回答を行う（JPSM 2006；31：306 PMID 16632078）。

3 食欲低下について

「食べる」ことは「生きる」ことと直結し目に見えやすいため，食欲低下は患者・家族に強いストレスをもたらす。家族が本人に「食え食え」と言い，本人が辛い状況に陥っている場面によく遭遇する。まずは，患者・家族の感じている気持ちについて尋ねる。その後，病状が進行するにつれて食べられなくなっていくことや，最も辛いのは本人であること，無理して食べられるものであれば食べていること，食べたいけどどうしても食べられないという辛さを抱えていることなどを患者・家族に説明することにより，患者が自分の辛さをわかってくれたと感じて，ストレスが軽減する場合がある。患者・家族のストレスを軽減するためにも，食事の工夫や考え方については栄養士とも相談しながら支援していくことになる（JPSM 2020：60：355 **PMID** 32169541）。

4 輸液の減量

身体状況の変化に伴い溢水状態となり，浮腫や咽頭喘鳴などをきたしやすくなるため，輸液量については適切に調整・減量することが望ましい。しかし，患者・家族は輸液に対して治療してもらっているという認識をもっていることが多く，減量に抵抗することがある。まずは，患者の状態の認識や輸液に対する思いを聴き，全身状態や今後の変化の見通し，溢水症状の増悪や出現に対し対応・予防したい旨を説明する。患者・家族が抵抗を感じる場合には同量で継続する。同時に，次の判断の基準（もっと浮腫が悪くなるようなら，喉のごろごろした音が強くなるようなら，など）を本人・家族と共有しておくことで，次のタイミングで調整・減量の話を進めやすくなる（JPSM 1998：15：216 **PMID** 9601155）。

5 鎮静

事前に患者からの言葉を引き出しておくことができると，家族だけではなく，医療者の心理的負担の軽減につながる。特に呼吸困難で鎮静が必要になることが予想される場合は，少し早めの段階で，「息苦しさにはモルヒネを増量して対応していきますが，モルヒネを増量していっても息苦しさが取り切れないような場合には，うとうと眠らせていくことで辛さを感じないようにして和らげていく方法があります。そのような場合に，眠っていくような治療についてあなたはどう思いますか？　使ってもよいと思いますか？」などと話を切り出しておくとよいだろう。患者はその場で決められないこともあるが，一度話を出しておくことで，必要時の話がしやすくな

る。鎮静について家族と話す時は，本人の言葉を伝えることができると，鎮静の決定に関する家族の心理的負担を軽減することができる。

　また，鎮静剤（ミダゾラム）を少量から開始し，患者の状況を見ながら漸増し，至適鎮静深度を目指すような段階的鎮静を予定する場合には，「鎮静開始後に話ができなくなります」という説明が強調されすぎると家族が開始に躊躇しタイミングを逸する場合がある。その場合，「薬を少量から始めて，うとうとする具合や辛さの状況を見ながら，徐々に増量していこうと考えています。増量していって眠ってしまうとお話はできなくなっていきます。薬が多いと感じた時は，薬の量を減らすことはできるので仰ってください」などというような説明は１つの例と考える。

　鎮静は意識レベルを落とすことによって苦痛からの解放を目指すものであり，鎮静により生存期間は短縮しないことが大規模観察研究で示されている（日本緩和医療学会がん患者の治療抵抗性の苦痛と鎮静に関する基本的な考え方の手引き 2018 年版）。

6　終末期の変化

　地域緩和ケア介入研究（OPTIM）で作成された「これからの過ごし方について」の資料［http://gankanwa.umin.jp/pdf/mitori02.pdf］を用いながら説明すると，患者の身体に生じてくる変化について医療者は説明しやすく，家族も理解しやすくなる。

■ 他職種とのコミュニケーション

　がん治療において，医師は医療チームのリーダーとしての役割を担う。しかし，多忙ながん治療医が個人の力で，前述のような患者の気持ちを汲みながら必要とされるケアをすべて提供することは困難である。他職種の専門性を理解し，それぞれの専門性を活かせるような役割を委ね，患者や家族の気持ちや意向を引き出すことによって，より質の高い，満足度の高いがん治療およびケアを提供することが可能となる。そのためには，常に他職種へ敬意をもち，言葉遣いや態度には注意を払うことが求められる。よい医療チームを形成することにより，よりよい治療やケアを患者・家族に提供できることにつながり，がん治療に対する患者・家族の満足や信頼度を向上させるという好循環を形成することができる。

■文献

1) Shanafelt T, et al：Oncologist burnout：causes, consequences, and responses. J Clin Oncol 2012；30：1235-1241 PMID 22412138

2) コミュニケーション技術研修会テキスト SHARE 3.3 版. 日本サイコオンコロジー学会, 2018

3) Fujimori M, et al：Effect of communication skills training program for oncologists based on patient preferences for communication when receiving bad news：a randomized controlled trial. J Clin Oncol 2014；32：2166-2172 PMID 24912901

4) Sudore RL, et al：Defining Advance Care Planning for Adults：A Consensus Definition From a Multidisciplinary Delphi Panel. J Pain Symptom Manage 2017；53：821-832 PMID 28062339

【下津浦　康隆】

2　がん薬物療法の基本概念

■　がん薬物療法とは

　細胞障害性抗がん薬，分子標的薬，ホルモン薬，免疫チェックポイント阻害薬などを用いて，がん細胞の浸潤・増殖・転移を抑制する治療の総称である。近年，新薬開発の進歩は目覚ましく，従来の細胞障害性抗がん薬はもちろん，免疫チェックポイント阻害薬や，ドライバー遺伝子をターゲットとした precision therapy なども治療選択肢に加わっている。治療選択肢が増える一方で，多彩な副作用管理が必要となり，がん薬物療法を専門とする腫瘍内科医の重要性は年々増している。

■　薬剤の種類と作用機序の概略（12〜13 頁図，563 頁付録①参照）

1 　細胞障害性抗がん薬（cytotoxic drug）

　いわゆる抗がん薬であるが，正式名称は"抗悪性腫瘍薬"である。ランダムスクリーニング後に細胞毒を有する薬剤として発見・創薬され，そのあとに標的分子や作用機序が判明したものが多い。

1）アルキル化薬

　DNA 塩基に対しアルキル基を結合させることで DNA 複製を阻害し，抗腫瘍作用を発揮する。

2）白金（プラチナ）製剤

　白金錯体が DNA 鎖内あるいは DNA 鎖間で架橋形成により DNA 合成を阻害し，抗腫瘍作用を発揮する。

3）代謝拮抗薬

　核酸合成過程における必須物質と類似構造をもち，核酸合成の拮抗阻害により抗腫瘍作用を発揮する。

4）トポイソメラーゼ阻害薬

　トポイソメラーゼは DNA を切断・再結合する酵素である。Ⅰ型（トポⅠ）は DNA 2 本鎖の一方だけを切断し，Ⅱ型（トポⅡ）は 2 本とも切断し切断・再結合の反応を阻害する。カンプトテシンに代表されるトポⅠ阻害薬と，トポⅡ阻害薬であるエトポシド（ETP）がある。

5）微小管阻害薬

　有糸分裂時のチュブリンに結合し，細胞分裂阻害により抗腫瘍作

用を発揮する。ビンカアルカロイド，エリブリンは重合阻害，タキサンは脱重合阻害・安定化による抗腫瘍作用を有する。

6）抗腫瘍性抗生物質

さまざまな機序で働き，いくつかの薬剤は DNA 2 本鎖の間に挿入されることにより DNA の複製，mRNA の合成を阻害する。アンスラサイクリン系薬剤，ブレオマイシン（BLM），アクチノマイシン D（ACT-D），マイトマイシン C（MMC）がある。

2 分子標的薬

分子標的薬は，細胞の増殖，浸潤，転移にかかわる分子の働きを阻害することで抗腫瘍効果を示す薬剤である。標的分子が必ずしも腫瘍細胞に特異的ではなく正常細胞にも存在することや，低分子化合物では標的分子以外にも作用すること（オフターゲット効果）により消化器，肝臓，皮膚，肺など多彩な臓器に特徴的な毒性を生じることがある。

1）分子標的薬の種類

❶ **低分子化合物（small molecule）**　細胞内のシグナル伝達分子を標的として抗腫瘍効果を示し，本邦では 50 種類以上の薬が承認されている。低分子化合物の標的分子は 1 つとは限らない（multi-targeted drug）。チロシンキナーゼを阻害する薬剤（tyrosine-kinase inhibitor：TKI）が最も多い。

❷ **モノクローナル抗体（monoclonal antibody）**　受容体またはリガンドと結合することでリガンド-受容体の結合を阻害する。一部のモノクローナル抗体では，免疫細胞を介した抗体依存性細胞介在性傷害作用（antibody-dependent-cellular-cytotoxicity：ADCC）や，補体反応を活性化させる補体依存性細胞傷害作用（complement-dependent cytotoxicity：CDC）も治療効果に関与する。モノクローナル抗体に細胞障害性抗がん薬を結合させることで，標的指向性と殺細胞性をもたせた抗体薬物複合体（antibody-drug conjugate：ADC）も開発され日常臨床で使用されている。

2）分子標的薬の標的による分類

❶ **増殖シグナル伝達阻害薬**　抗体薬はリガンドと受容体の結合の阻害，低分子化合物は細胞内のキナーゼなどを阻害することにより増殖などにかかわるシグナル伝達を阻害する。標的としてEGFR，HER2，ABL，mTOR，ALK，BRAF，MEK，NTRKなどがある。

2 がん薬物療法の基本概念

◆主な抗悪性腫瘍薬の作用部位

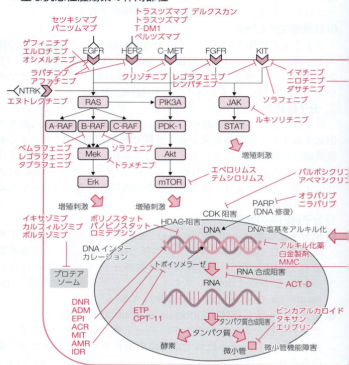

❷ **血管新生阻害薬** がん細胞周辺の血管内皮細胞などの間質細胞を標的として血管新生を阻害する。腫瘍の増殖，浸潤，転移は血管新生に依存しており，血管新生を阻害して腫瘍への栄養供給を断つことで抗腫瘍効果を発揮すると考えられている。また，腫瘍血管を正常化し薬剤送達を改善することで，他の薬剤の抗腫瘍効果を増強することも期待される。血管新生促進にかかわる因子として VEGF，PlGF，PDGF などがある。

❸ **HDAC 阻害薬と DNA メチル化阻害薬** DNA 塩基配列の変化なしに，遺伝的・可逆的に遺伝子機能の発現が変化することをエピジェネティクスといい，ヒストン修飾や DNA メチル化が関与

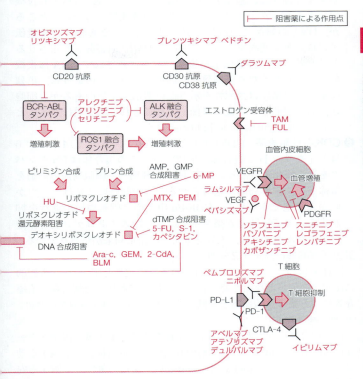

する。HDAC（ヒストン脱アセチル化酵素）阻害によりヒストンアセチル化が増加すると，がん抑制遺伝子を含む遺伝子発現が増加し，分化やアポトーシスが誘導され，腫瘍増殖が抑制される。

❹ **プロテアソーム阻害薬** プロテアソームは細胞内に存在する酵素複合体であり，細胞周期を調節する経路で不要になったタンパク質を分解する。ボルテゾミブ（BOR）は，NF-κB 活性を抑制することで，細胞増殖を抑制し，アポトーシスを誘導する。

❺ **PARP 阻害薬** 損傷した DNA 鎖を修復する PARP（ポリ ADP リボースポリメラーゼ）-1 などの酵素を標的とすることで治療

効果を発揮する。通常 PARP が阻害されても他の DNA 修復機構によるバックアップが働くため細胞致死に至らない。ところが，DNA の修復にかかわるがん抑制遺伝子である BRCA 遺伝子の機能欠失変異をもつがん細胞に PARP 阻害薬を作用させると，同時に 2 つの遺伝子修復ルートが遮断されて DNA 修復機能が作用しなくなり細胞致死が誘導される。このように，単独の遺伝子異常では致死性を示さない遺伝子変異のあるがん細胞が，同じ機能をもつ他の遺伝子を抑制されて細胞死に至ることを合成致死(synthetic lethality)という。

❻ **CDK4/6 阻害薬**　CDK(サイクリン依存性キナーゼ)4 および 6 はサイクリン D と複合体を形成する。この複合体は Rb タンパクをリン酸化することで，G1 期から S 期への細胞周期の抑制を解除して，細胞周期を進行させる。この経路の異常はいくつかのがん細胞でみられる。CDK4/6 阻害薬は細胞周期の進行を抑制することで抗腫瘍効果を示す。さらにエストロゲン受容体陽性の乳がん患者では，内分泌療法との相乗効果が示されている。

3) 分子標的薬とバイオマーカー

NIH ではバイオマーカーを以下のように定義している：「客観的に測定，評価可能な指標で，正常な生物学的過程，発病過程，治療介入による薬理学的反応を評価できるもの」(Clin Pharmacol Ther 2001；69：89 PMID 11240971)。

治療の有無にかかわらずがんの予後を予測する予後予測マーカー(prognostic biomarker)，薬剤の有効性・治療抵抗性を予測する効果予測マーカー(predictive biomarker)，薬剤の毒性を予測する安全性マーカー(safety biomarker)がある。

予後予測マーカーとして，乳がんにおける Oncotype DX® のような多遺伝子アッセイによる評価も有効性が示されている。効果予測マーカーとして非小細胞肺がんにおける EGFR 遺伝子変異や，安全性マーカーとして UGT1A1 遺伝子多型などがある。また，従来の臓器別の治療選択に加えて，臓器によらない，バイオマーカーに基づいた治療選択も進んでいる。

3 免疫チェックポイント阻害薬(ICI)

T 細胞はがん細胞を異物として認識して攻撃することが可能だが，一部のがん細胞はこの攻撃を回避する機構を獲得する(免疫寛容)。ICI は免疫寛容にかかわる PD-1，PD-L1，CTLA-4 といった分子に結合し，免疫寛容を解除することで抗腫瘍効果を発揮する。

治療薬の有効性や安全性を特定するための医薬品（コンパニオン診断薬）として，PD-L1免疫染色検査（がん細胞や腫瘍微小環境のリンパ球のPD-L1の発現を評価）とマイクロサテライト不安定性検査が承認されている。その他，tumor mutation burdenは米国および本邦で承認を受けており，今後，臨床効果や副作用を予測可能なバイオマーカーのさらなる開発が期待される。

4 ホルモン療法薬

前立腺がん，乳がん，子宮内膜がんなどのホルモン依存性腫瘍が対象である。抗エストロゲン薬のタモキシフェン（TAM），アンドロゲンからエストロゲンへの変換を阻害するアロマターゼ阻害薬，LH-RHアゴニストのリュープロレリン，ゴセレリンなどがある。

5 サイトカイン療法薬（インターフェロン（IFN），インターロイキン（IL）-2）

IFNはプロアポトーシスタンパク質を誘導し，細胞増殖抑制や細胞死を引き起こす。IL-2は免疫エフェクター細胞を刺激することで種々のサイトカイン分泌の促進，細胞傷害作用を増強する。IL-2は，腎がんと悪性黒色腫で用いられる。IL-2の免疫刺激作用（stimulate effector cells）は，分子標的薬による免疫チェックポイント阻害（inhibit regulatory factors）とともに非特異的免疫反応刺激による抗腫瘍作用と考えられている。

6 免疫調整薬

免疫調整薬（immunomodulatory imide drugs：IMiDs）はイミド基を有し免疫応答を調整する薬剤で，サリドマイドとその誘導体であるレナリドミド，ポマリドミドなどの化合物の総称である。その作用機序は長らく不明であったが，近年ユビキチンリガーゼ複合体を構成するセレブロンとIMiDsが結合することが明らかになった。多発性骨髄腫の治療に用いられ，投与するときは，深部静脈血栓症予防のために低用量アスピリンの予防投与が推奨される。

7 DDS製剤

DDS（drug delivery system）には，active targetingとpassive targetingの2つの概念が存在する。前者は分子間の特異的結合を利用してtargetingを図るもので，モノクローナル抗体や各種受容体に対するリガンドを利用した薬物送達が挙げられ，前述したADCのトラスツズマブ エムタンシン（T-DM1）などがある。後者は腫瘍細胞における過剰な血管新生とそれに見合うリンパ網が構築されていないこと，腫瘍局所の血管透過性が亢進していることなど

の機序により，正常血管では血管外に漏出しにくい高分子物質も腫瘍血管では漏出しやすいという EPR(enhanced permeability and retention)効果に基づいて創薬された薬剤である。パクリタキセル(PTX)にアルブミンを結合させてナノ粒子化した nab-PTX，ドキソルビシン(ADM)をリポソームに封入した PLD(liposomal doxorubicin)などがある。

8 キメラ抗原受容体 T(CAR-T)細胞療法

CAR-T 細胞療法は，遺伝子改変技術を用いて，がん抗原を認識する受容体をがん患者の T 細胞に発現させ，増殖させて，再度患者に輸注する治療法である。血液腫瘍の領域で研究が進んでおり，CD19 を標的とした治療薬が承認されており，固形腫瘍に対しても研究が進められている。一方で，高額な薬価や，有害事象(サイトカイン放出症候群，免疫細胞関連神経毒性症候群，B cell aplasia など)，耐性機序などの解決すべき問題も残っている。

■ がん細胞の増殖モデル

これまでに種々のがん細胞増殖モデルが提唱され，併用化学療法，術後化学療法，dose-dense chemotherapy の理論的背景となっている。

1 がん細胞増殖モデル

1) Skipper の exponential growth model と log-kill 仮説

腫瘍細胞の doubling time(倍化時間)は常に一定で，現存の細胞数に比例して発育し，指数関数的に増加するというモデル。治療によって死滅する細胞数の割合も細胞数にかかわらず一定で，腫瘍細胞数の変化は対数グラフで直線的に表される(log-kill 仮説)。固形腫瘍の増殖モデルには適さないと考えられている。

◆ Skipper の exponential growth model と log-kill 仮説

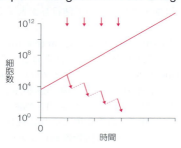

2) Gompertzian model

がん細胞増殖率は全細胞数に逆相関し，腫瘍は小さいときほど速く増殖するというモデル。doubling time は腫瘍増大とともに長くなる。

3) Norton-Simon 仮説

細胞障害性抗がん薬による殺細胞割合は，腫瘍の増殖速度に比例するという仮説。Gompertzian model では，腫瘍量が少ないときは増殖速度が速く，薬剤による殺細胞割合(log-kill)が大きいが，腫瘍量が多くなるにつれ増殖速度が遅くなり，同じ薬剤を投与しても殺細胞割合が少なくなる。

小さい腫瘍に対する早期治療で根治を目指す術後化学療法(adjuvant chemotherapy)，腫瘍が再増大する期間を極力短くする dose-dense chemotherapy，導入化学療法のあとにさらに腫瘍の根絶を目指した consolidation/maintenance chemotherapy の有効性が Norton-Simon 仮説で説明できる。

◆ Gompertzian model と Norton-Simon 仮説

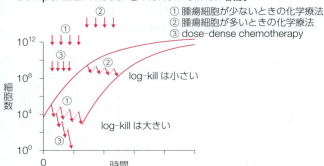

腫瘍量が少ないときは，細胞障害性抗がん薬により大きな殺細胞量(grater log-kill)が得られる(①)。しかし，腫瘍細胞を根絶しない限り急速な再増大を示し，腫瘍量が多くなってからの治療と同じ結果になる。腫瘍の再増大の期間を極力短くし，高い抗腫瘍効果を得るために dose-dense chemotherapy が開発された(③)。

2 Goldie-Coldman 仮説

腫瘍細胞は時間の経過とともに自然に薬剤耐性を獲得し増殖するという仮説。交差耐性のない複数の薬剤を同時期に投与することで，すべての薬剤に耐性をもつ腫瘍細胞の出現率が低下するという考えが併用化学療法の背景となっている。しかし，多くの薬剤を十

分量, 同時期に投与することは困難なことがあり, 薬剤を分割して交互に投与することにより治療効果を期待する交替療法 (alternating chemotherapy) が開発された。交替療法は Ewing 肉腫, Burkitt リンパ腫, 絨毛癌などで用いられている。そのほか多剤併用療法として, 異なる化学療法を逐次的に変更し, 治癒を目指す逐次療法 (sequential chemotherapy) も乳がんの術後療法などで用いられている。

3 ダーウィン進化論による増殖, 耐性化の説明

ダーウィン進化論の基本原理は, 共通祖先をもつ繁殖可能な個体に無目的な遺伝子変異が起こり, 環境に適合した形質をもつ変異体が自然選択される (適者生存) というものである。がん細胞の増殖過程は, この原理が当てはまる 1 つの例と考えられている。がんは組織生態系 (tissue ecosystems) 中の環境において, クローン増殖, 遺伝的多様化, クローン選択といったプロセスを反復することによって進化する。個々のがん細胞は変異を通して多様性を獲得し, 増殖, 遊走, 浸潤が可能になる。がん細胞増殖の複雑性の多くの点が進化論の原理から説明できるとされている。

◆ がんの進化論的分岐 (clonal evolution)

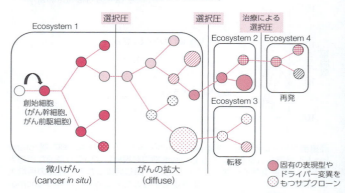

Ecosystem 1～4 は異なる組織生態系・がん細胞の増殖環境を表す。それぞれの異なるパターンの円は遺伝的に異なるサブクローンを表す。正常組織内では一部のサブクローンのみが生存・増殖する。そしてさらに転移性を獲得したサブクローンが他臓器に転移する。このようにして腫瘍は不均一 (heterogeneity) となる。治療により死滅する細胞がある一方, 耐性細胞の増殖が選択的に促され

る。このように，ある環境では絶滅あるいは休止状態となるサブクローンがある一方，いくつかのサブクローンは選択的に拡大する。この現象を起こす力を選択圧(selective pressure)という。

■ 薬剤耐性

薬剤に対する治療抵抗性を薬剤耐性とよぶ。もともと無効である自然耐性と，有効であった薬剤がある時点から無効になる獲得耐性がある。

主な耐性メカニズムとして，トランスポーターによる細胞外への排出や，抗アポトーシス機構，薬剤の不活化，分子標的薬に対する2次的変異や下流シグナルの活性化などが挙げられる。

■ がん薬物療法の適応

がん薬物療法の対象となる固形がんの大半は難治がんであり，治療のほとんどに細胞障害性抗がん薬が含まれる。細胞障害性抗がん薬は最大耐量(maximum tolerated dose：MTD)を推奨用量とする考えが一般的である。一般薬の場合，効果と有害反応の曲線は離れていて治療域(安全域)が広いが，細胞障害性抗がん薬では治療域が非常に狭く，副作用が不可避となる。

したがって，実地医療の現場でがん薬物療法を行う場合，十分な知識と経験を備えた医師，看護師および薬剤師の管理下で慎重に行うことが必須である。

◆一般薬と抗悪性腫瘍薬(細胞障害性抗がん薬)の違い

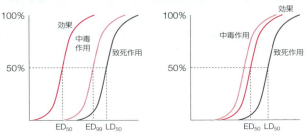

- 一般的に細胞障害性抗がん薬は投与量を増やすほど効果も上がるとされているが，効果と副作用が隣接し，安全域が狭い
- 一般薬は効果と副作用が離れており，細胞障害性抗がん薬に比べ安全域が広い

2 がん薬物療法の基本概念

1 がん薬物療法適応の原則

① 当該がん種に対して標準治療，もしくはそれに準じる治療として確立されていること
② performance status（PS）（次頁の**表**），全身状態が良好なこと
③ 適切な臓器機能（骨髄，腎，肝，心，肺機能など）を有すること
④ インフォームド・コンセントが得られていること

2 がん薬物療法の目的と end of life chemotherapy

医師は治療により期待しうる効果と，それに伴う不利益・リスクを明確に患者が理解できるように説明したうえで治療を行う必要がある（⇒1 頁，第 1 章「がん診療と患者医療者間のコミュニケーション」参照）。治療目的が治癒または延命・症状緩和のいずれかにより，患者の考え方・生き方も変わりうる。

急性骨髄性白血病，急性リンパ性白血病，Hodgkin リンパ腫，非 Hodgkin リンパ腫（中・高悪性度），胚細胞腫瘍（中枢神経系原発を除く），絨毛癌，胎児性横紋筋肉腫，腎芽腫は，薬物療法に対し高感受性であるため完全治癒が目指せる。そのため治療強度を保つことに重点が置かれる。

一方で，その他のがん種においては，一般的には薬物療法による治癒は望めず，基本的には延命・症状緩和を目的とし，患者の QOL を保つことにより重点が置かれる。ただし数は少ないながらも，ICI による薬物療法によって，悪性黒色腫などの一部のがん種においては，進行がんであっても 5 年以上の長期生存を認める。

治療効果と予後にはばらつきがあるため，薬物療法によるアウトカムを正確に予測することは不可能であるが，がんの種類，バイオマーカー，ステージ，患者の状態や希望などにより治療を選択しなければならない。現在は支持療法の進歩や，分子標的薬などの副作用の少ない薬剤の登場により，長期にわたり薬物療法を継続することが可能となった。

◆ ECOG(Eastern Cooperative Oncology Group)の PS

PS	患者の状態
0	全く問題なく活動できる。発病前と同じ日常生活が制限なく行える
1	肉体的に激しい活動は制限されるが,歩行可能で,軽作業や座っての作業は行うことができる。例:軽い家事,事務作業
2	歩行可能で自分の身の回りのことはすべて可能だが作業はできない。日中の 50% 以上はベッド外で過ごす
3	限られた自分の身の回りのことしかできない。日中の 50% 以上をベッドか椅子で過ごす
4	全く動けない。自分の身の回りのことは全くできない。完全にベッドか椅子で過ごす

1)進行・再発がんに対するがん薬物療法

- 注射や経口で薬剤を投与することにより,全身的な抗腫瘍効果を得る。複数の薬剤を組み合わせた併用化学療法が多い

◆ 併用化学療法の役割

① 患者が耐容できる範囲でそれぞれの薬剤を用いることで抗腫瘍効果を増強させる
② 異なる遺伝子異常をもつ多様ながん細胞(heterogeneous tumor population)に対して多くの機序による抗腫瘍作用を発揮する
③ 薬剤耐性の獲得を遅らせたり,防いだりする可能性がある

◆ 併用化学療法の際の抗悪性腫瘍薬選択の原則

① 単剤で有効とされているものを選ぶ。完全寛解が期待できる薬剤がより望ましい
② 異なる作用機序を有するものを選ぶ
③ 異なる副作用を有するものを選ぶ
④ できるだけ個々の薬剤の推奨投与量・スケジュールで投与する
⑤ できるだけ短い間隔で投与する

◆ 併用化学療法による相乗効果

① 血管新生阻害薬の併用
　　血管新生阻害薬は一般的に単剤での有効性は限定的であるが,他の薬剤との併用により効果を増強する。腫瘍血管の正常化による薬物送達の改善が考えられている(Science 2005;307:58 PMID 15637262)。

2　がん薬物療法の基本概念

② キナーゼ阻害薬の併用

　　キナーゼ阻害薬の多くは，投与の継続により獲得耐性を生じるが，細胞増殖シグナルの下流の因子を同時に阻害することで，より長期の抗腫瘍効果が期待できる。BRAF 遺伝子変異を有する悪性黒色腫や非小細胞肺がんに対する BRAF 阻害薬と MEK 阻害薬の併用などがある（NEJM 2015；372：30 PMID 25399551）。

③ ICI の併用

　　ICI は，従来の抗悪性腫瘍薬と異なる作用機序・有害事象プロファイルであるため，併用療法の候補として研究が進んでいる。現在臨床応用されている ICI は CTLA-4 または PD-1/PD-L1 を阻害する薬剤であるが，これらは免疫寛容の異なる相で機能していると考えられ，併用により抗腫瘍効果を増強することが示されている。VEGF は T リンパ球の腫瘍への浸潤の抑制や免疫抑制作用もあると考えられている。そのため，上述の血管新生阻害薬は，腫瘍血管の正常化のみではなく抗腫瘍免疫の賦活化を介して，ICI の効果を増強することが期待されている（J Thorac Oncol 2017；12：194 PMID 27729297）。また，抗悪性腫瘍薬や放射線治療などによって細胞が障害されたときには，免疫機構に認識される種々の成分を放出することがあり，immunogenic cell death（ICD）という。ICD は抗腫瘍免疫を刺激し，ICI の併用により強力な抗腫瘍効果を得ることが期待される（Immunity 2018；48：417 PMID 29562193）。また，放射線照射を行ったときに照射野外の腫瘍が縮小するという abscopal 効果が以前より知られていたが，放射線治療と ICI を組み合わせることによって，その効果が増強するという報告がある（Nat Rev Cancer 2018；18：313 PMID 29449659）。

2）術前（neoadjuvant）・術後（adjuvant）化学療法

❶ 術後化学療法　根治手術，放射線療法などの局所治療後に再発予防目的で薬物療法を行う。

- 有用性が示されているがん種：乳がん，胃がん，食道がん，大腸がん，膵がん，骨肉腫，子宮体がん，非小細胞肺がん，GIST など

❷ 術前化学療法　手術前に down staging 目的などで薬物療法を行う（induction chemotherapy ともいう）。

- 有用性が示されているがん種：食道がん，膵がん，膀胱がん，乳がん，喉頭がん，骨肉腫，胚細胞腫瘍，小児固形腫瘍など

3）集学的治療（combined modality）

　局所療法（手術/放射線療法）と全身治療（薬物療法）など異なるモダリティを併用し，効果を高める治療。化学放射線療法が有用とされているがん種では，根治的あるいは周術期の補助療法として化学放射線療法が用いられる。

- 化学放射線療法の有用性が示されているがん種：肺がん，食道がん，悪性リンパ腫，子宮頸がん，頭頸部がん，肛門管がんなど

4）局所投与

局所への直接投与や，局所への血流を介した投与により，局所の腫瘍に対する治療を行う。

- 有用性が示されているがん種：肝細胞がん，膀胱がんなど

■ 薬物動態学，薬理遺伝学

生体に投与された薬剤は吸収（absorption）されたのち，分布（distribution），代謝（metabolism），排泄（excretion）される。これらを総括して薬物の ADME とよぶ。

1 薬物動態学（pharmacokinetics：PK）

薬剤の投与から消失までの生体内での変化を解析するのが薬物動態学である。一般的に薬剤の投与量と血中濃度は直線的な関係で示されることが多い。前述の ADME は半減期，クリアランス，分布容積，生体内利用率などのパラメータで表現される。

2 薬力学（pharmacodynamics：PD）

薬剤によって引き起こされる薬理作用（効果，副作用）を解析するのが薬力学である。

PK とは異なり，薬剤の血中濃度と生体反応は S 字状の関係を示すことが多く，投与量と薬理作用は必ずしも比例しない。薬効評価のパラメータとして濃度時間曲線下面積（AUC）がよく用いられる。

3 ゲノム薬理学（pharmacogenomics：PGx）

薬物応答と関連する DNA および RNA の特性の変異に関する研究である。薬理遺伝学（pharmacogenetics：PGt）は PGx の一部であり，薬物応答と関連する DNA 配列の変異に関する研究と定義される。がん治療におけるゲノム薬理学の応用例として，イリノテカンの副作用を予測する UGT1A1 遺伝子検査がある。また，海外では乳がん治療薬である TAM の効果を予測する遺伝子発現情報解析なども用いられている。

■ がん薬物療法の注意点

1 臓器障害時のがん薬物療法

1）腎機能障害時

腎排泄の薬物は，腎機能障害により排泄が遅延し血中濃度が上昇する。そのため，腎機能障害時には投与量を調節する必要がある。

腎機能の評価は糸球体濾過量（GFR）で行われるが，その代用としてクレアチニンクリアランス（Ccr）が用いられている。ただしクレアチニンの上昇は GFR の低下よりも一般的に遅延するため急性腎障害の時には注意が必要である。臨床試験では腎機能障害患者は通常除外されるので，一般的なエビデンスを外挿することは難しい。そのため腎機能障害時の抗悪性腫瘍薬減量の設定は，主に薬物動態を参考にして判断せざるを得ない。

◆ クレアチニンクリアランスの計算法

・Cockcroft-Gault 法：

$$Ccr（男性，mL/分）= \frac{（140-年齢）×体重（kg）}{血清クレアチニン（mg/dL）×72}$$

$$Ccr（女性，mL/分）= 0.85×Ccr（男性 mL/分）$$

・蓄尿法：

$$Ccr（mL/分）= \frac{尿中クレアチニン（mg/dL）×尿量（mL）}{血清クレアチニン（mg/dL）×時間（分）}$$

---

❶ カルボプラチン（CBDCA）の投与量設定　他の薬剤で一般的な体表面積あたりの投与量より，カルボプラチンでは AUC が効果や用量制限毒性である血小板減少といった副作用と相関する。腎排泄であるカルボプラチンの AUC は腎機能に影響を受けるので，投与量は目標 AUC と GFR を用いる Calvert の式により算出される。

◆ Calvert の式

$$CBDCA 投与量（mg/body）= target\ AUC（mg/mL×分）×〔GFR^*（mL/分）+25〕$$

---

* GFR の代用として Ccr が用いられる

2)肝機能障害時

　肝機能障害時には，肝血流量低下，低アルブミン血症，代謝酵素活性低下などをきたし，肝代謝型抗悪性腫瘍薬では薬物代謝遅延による毒性増強が懸念される。肝障害時の投与量の修正について，一貫した指針は示されておらず，障害の程度に応じて個々に検討されている。一般に，酵素代謝を受ける薬剤はグルクロン酸抱合により代謝される薬剤より肝障害の影響を受けやすく，また，初回通過効果の大きな経口薬も肝障害の影響を受けやすい。

　また薬物治療開始前には，HBV スクリーニングを施行しガイドラインに従いリスクに応じた対策を行う。

◆肝機能障害時の薬剤投与量調整の例

薬剤	ビリルビン (mg/dL)	AST/ALT	用量調整
シクロホスファミド (CPA)	3.1〜5.0	>3×ULN	75%
	>5.0		0%
5-FU	>5.0		0%
エトポシド (ETP)	1.5〜3.0	AST>3×ULN	50%
ゲムシタビン (GEM)	>1.6		800 mg/m^2 から開始
ドセタキセル (DTX)		<1.5×ULN	100%
		1.6〜6×ULN	75%
		>6×ULN	担当医判断
ビノレルビン (VNR)	2.1〜3.0		50%
	>3.0		25%

ULN：基準値上限

(Perry MC, et al：Perry's The Chemotherapy Source Book, 5th ed. Wolters Kluwer, 2012 より改変)

3）心機能障害時

重度の不整脈や心筋梗塞後の心機能障害時では，使用可能な薬剤が限定されるばかりでなく，がん薬物療法自体の適応が問題になる場合もある。アンスラサイクリン系薬剤は蓄積性・不可逆性の心毒性を有するため一定以上の総投与量（ADM換算で 500 mg/m^2）を超えると心機能障害のリスクが急増する。トラスツズマブは単独投与による心障害発現率が 5% と報告されており，治療前・治療中の心エコーによるモニタリングが必要とされている。左室駆出率（LVEF）が 55% 未満の症例でのトラスツズマブ投与の安全性は確認されておらず，慎重投与が必要である。またトラスツズマブによる心毒性はアンスラサイクリン系とは異なり可逆的である。

4）肥満患者

肥満患者において，実測体重に従った用量での薬剤投与では，有害事象は増加せず，骨髄抑制は非肥満患者と比べほぼ同じか軽度と報告されている。システマティックレビューを用いた ASCO ガイドライン（JCO 2012；30：1553 PMID 22473167）では，基本的には肥満患者においても実測体重に従った投与量を用いることが推奨されているが，さらなる研究が必要とされている。カルボプラチン，ブレオマ

イシンなど投与量が体表面積によらず決まっている薬剤ではその投与量を用いる。

2 高齢患者へのがん薬物療法

1)高齢者の定義

何歳以上を高齢者とするかの明確な定義は存在しない。臨床試験では 65，70，75 歳以上と設定されることが多い。

2)治療目標と意思決定プロセス

高齢者の化学療法に関するエビデンスは乏しいなか，治療目標と治療方針の決定には，医学的，精神心理的，社会経済的などの点を考慮する必要がある。NCCN の高齢者ガイドラインでは意思決定のプロセスとして，はじめに「余命を鑑みたとき治療のベネフィットがあるか」，次に「意思決定能力があるか」，最後に「患者の目標や価値観が，がん治療と一致しているか」を確認し，これらが当てはまらない場合は BSC を考慮するとしている。

3)高齢者機能評価

高齢者は生理学的変化による臓器・身体機能低下や併存疾患の増加，社会的機能低下などの個体差が大きいため，従来の暦年齢や PS に基づいた治療方針決定では不十分であり，治療開始前に多様な患者背景を評価することが求められている。ASCO や国際老年腫瘍学会(International Society of Geriatric Oncology：SIOG)，本邦の「高齢者のがん薬物療法ガイドライン」では，高齢がん患者に対して高齢者機能評価(geriatric assessment：GA)を行うことを推奨している(JCO 2018：36：2326 **PMID** 29782209)。GA とは身体機能，認知機能，社会的要素，家庭環境などを包括的・客観的に評価する手法の総称である。GA は時間的・人的負担がかかるため，すべての高齢がん患者に対し，簡易なスクリーニングツールとして Geriatric 8(G8)を施行し機能障害を有する患者に GA を行うことを推奨している。

◆ G8（合計 17 点。14 点以下で GA を実施することを推奨する）

質問項目		該当回答項目
A	過去 3 カ月間で食欲不振，消化器系の問題，咀嚼・嚥下困難などで食事量が減少しましたか	0：著しい食事量の減少 1：中等度の食事量の減少 2：食事量の減少なし
B	過去 3 カ月間で体重の減少はありましたか	0：3 kg 以上の減少 1：わからない 2：1〜3 kg の減少 3：体重減少なし
C	自力で歩けますか	0：寝たきりまたは車いすを常時使用 1：ベッドや車いすを離れられるが歩いて外出できない 2：自由にあるいて外出できる
E	精神・神経的問題の有無	0：高度の認知症または鬱状態 1：中等度の認知障害 2：精神的問題なし
F	BMI 値	0：19 未満 1：19 以上 21 未満 2：21 以上 23 未満 3：23 以上
H	1 日 4 種類以上の処方薬を飲んでいますか	0：はい 1：いいえ
P	同年齢の人と比べて，自分の健康状態をどう思いますか	0：よくない 0.5：わからない 1：同じ 2：よい
	年齢	0：86 歳以上 1：80 歳〜85 歳 2：80 歳未満

3 生殖年齢である患者へのがん薬物療法

　がん治療の進歩により，がん種によっては薬物療法により治癒が得られるようになった。早期がんにおいても根治のための集学的治療の一部として薬物療法が用いられることがある。一方，がん薬物療法は性腺機能不全，妊孕能の消失，早発閉経などを引き起こすことがある。

❶ **妊孕能温存とは** 治療により将来妊娠をする可能性が消失しないように生殖機能を温存すること。

❷ **がん患者の妊孕能温存** 2018年にアップデートされたASCOガイドライン（JCO 2018；36：1994 PMID 29620997）では，生殖可能年齢の患者に対し，妊孕能を失う可能性やその対策について説明することが推奨されている。原則として，妊孕能温存よりもがんに対する治療が優先されるべきであるが，妊孕能温存を考慮することができると判断される場合は，患者の希望に応じてできるだけ早期に対策を検討する必要がある。がんと診断されて治療を開始するまでの短期間に多くの検査や選択が必要とされる。そのため，妊孕能温存に対して割ける時間は非常に限られている。原疾患や患者の状態から妊孕能温存が不可能と判断される場合は原疾患の治療を優先しなければならない。

◆**がん患者の妊孕能温存に関するアルゴリズム**

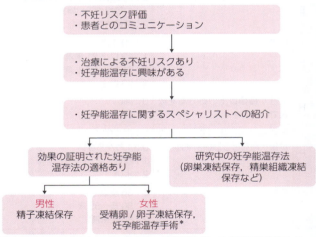

*子宮頸がんに対するレーザー蒸散術，円錐切除術，子宮頸部摘出術など
(Loren AW, et al：Fertility Preservation for Patients With Cancer：American Society of Clinical Oncology Clinical Practice Guideline Update. JCO 2013；31：2500 PMID 23715580 より改変)

4 妊娠中のがん薬物療法

出産年齢は近年高齢化が進んでいる。年齢とともにがんの罹患率は上昇するため，より多くの女性が妊娠中にがんと診断されたり，

がん診断後の妊娠可能性や安全性を検討するようになっている。国立成育医療研究センターの「妊娠と薬情報センター」の利用も検討する。

◆妊娠中のがん薬物療法

① 1st trimester（妊娠〜13週6日）は器官形成期であり催奇形性のリスクが高い。その期間に化学療法の開始が必要な患者では妊娠の継続について検討する必要がある。偶発的に投与されていた場合は専門機関に相談する

② 化学療法は1st trimesterを過ぎると（妊娠14週以降）一般に安全とされるが，早産，発育遅延，死産率の増加も報告されている。妊娠に対する安全性は薬剤によって異なるので，治療のリスクおよびベネフィットについて検討する（例：トラスツズマブは出産後まで中止）

③ 投与量の計算は通常の方法を用いることができるが，薬剤によっては妊娠により代謝が変わることが知られている

④ 細胞障害性抗がん薬では，出産時に骨髄抑制となるのを避けるため，出産予定日と化学療法最終投与日は3週間空けるべきである。自然分娩は34週以降いつでも起こりうるので，34週以降は治療を止めるべきだとか，weeklyレジメンは骨髄抑制のリスク低下や時期の短縮につながり望ましいという意見もある

◆がん薬物療法中の妊娠

① がん薬物療法中および薬物療法終了後は，3〜6カ月後までは避妊を勧めることが無難であるが，薬剤ごとに検討する

② タモキシフェン治療中に妊娠した場合，1st trimesterでの曝露が胎児奇形のリスク増加につながる可能性があると患者に伝え，妊娠継続可能か検討すべきである。化学療法中に患者が誤って妊娠した場合も同様である

③ トラスツズマブやリツキシマブ治療中に妊娠しても，それら薬剤の投与中断が可能なら，妊娠継続を考慮できる。しかし，この推奨は限られた患者数のデータからのものであると患者に伝えたうえで意思決定をすべきである

（Cancer, Pregnancy and Fertility：ESMO Clinical Practice Guidelines より改変）

5 治療関連2次がん

　造血器悪性腫瘍，乳がん，精巣腫瘍，小児がんなど治療成績向上による長期生存例の増加により，それに伴う2次がん発症も重要な問題となりつつある。リスク因子として，薬剤（アルキル化薬，トポイソメラーゼⅡ阻害薬，白金製剤，タモキシフェンなど），放射線照射などの細胞障害を伴う治療が挙げられる。また，造血幹細

胞移植後の慢性 GVHD に起因する発がんや，皮弁を用いた再建術後に持続的慢性炎症により皮弁に発症する 2 次がんなどが近年顕在化している。

■ がん薬物療法の評価

1 効果判定規準

　RECIST は，がん薬物療法の臨床試験における効果判定に使用される世界共通規準で，2009 年に ver. 1.1 に更新された(Eur J Cancer 2009：45：228 PMID 19097774)。また，ICI などの免疫を介した治療では，従来の抗悪性腫瘍薬とは異なる経過での抗腫瘍効果を示すことがあり，その反応を正しく評価するために，iRECIST が提唱されている(Lancet Oncol 2017：18：e143 PMID 28271869)。いずれの評価基準も，標的・非標的病変の変化および新病変の有無によって総合的に判定され，臨床試験では奏効率や PFS を算出するための規準となる。主治医が適切であると判断する場合を除いて，個々の患者における治療継続の是非についての意思決定に用いられることを意図していない（臨床試験においても，日常診療においても「PD＝治療中止」と考えるべきではない。治療継続の是非は臨床的に決定し，PD はあくまでも目安）。

◆ RECIST による効果判定規準（標的病変を有する場合）

標的病変	非標的病変	新病変	総合効果
CR	CR	なし	CR
CR	Non-CR/Non-PD	なし	PR
CR	評価なし	なし	PR
PR	Non-PD or 評価の欠損あり	なし	PR
SD	Non-PD or 評価の欠損あり	なし	SD
評価の欠損あり	Non-PD	なし	NE
PD	問わない	あり or なし	PD
問わない	PD	あり or なし	PD
問わない	問わない	あり	PD

CR：完全奏効，PR：部分奏効，SD：安定，PD：進行，NE：評価不能
〔固形がんの治療効果判定のための新ガイドライン（RECIST ガイドライン）－改訂版 version 1.1－日本語訳 JCOG 版　Ver. 1.0 ©2010 Elsevier Japan K. K. より改変，JCOG ホームページ〔http://www.jcog.jp〕〕

2 有害事象の評価

　有害事象の評価はがん薬物療法を安全に行うために必須である。有害事象を評価し，それに対して支持療法や治療薬の減量・休薬を適切に行うことは，安全性や QOL を保つことだけでなく，治療を継続して行うためにも重要である。臨床試験では米国国立がん研究所(NCI)によって策定された CTCAE が有害事象評価のスタンダードとして広く用いられており，実臨床でも客観的指標として参考になる。がん薬物療法においては QOL も重視されており，QOL の質問票として EORTC QLQ-C30 などが用いられる。そのほか有害事象や治療満足度などを患者自身に評価してもらい，日誌などのツールで情報を収集する patient reported outcomes(PRO)も評価法の 1 つとして注目されている。PRO の客観的な評価システムとして PRO-CTCAE が提唱されており，JCOG と NCI の共同開発による日本語版も公開されている(日本語版 PRO-CTCAE™ . 2017[https://healthcaredelivery.cancer.gov/pro-ctcae/pro-ctcae_japanese.pdf])。

1)有害事象共通用語規準(CTCAE)v5.0

　NCI 有害事象共通用語規準 v5.0 は，有害事象(adverse event：AE)の評価や報告に用いることができる記述的用語集である。また，各 AE について重症度のスケール(Grade)を示している。

◆ グレード(Grades)

Grade は AE の重症度を意味する。CTCAE では Grade 1〜5 を以下の原則に従って定義しており，各 AE の重症度の説明を個別に記載している。

Grade 1	軽症；症状がない，または軽度の症状がある；臨床所見または検査所見のみ；治療を要さない
Grade 2	中等症；最小限/局所的/非侵襲的治療を要する；年齢相応の身の回り以外の日常生活動作の制限[*1]
Grade 3	重症または医学的に重大であるが，ただちに生命を脅かすものではない；入院または入院期間の延長を要する；身の回りの日常生活動作の制限[*2]
Grade 4	生命を脅かす；緊急処置を要する
Grade 5	AE による死亡

Grade 説明文中のセミコロン(；)は「または」を意味する。
[*1] 身の回り以外の日常生活動作(instrumental ADL)とは，食事の準備，日用品や衣服の買い物，電話の使用，金銭の管理などをさす
[*2] 身の回りの日常生活動作(self care ADL)とは，入浴，着衣・脱衣，食事の摂取，トイレの使用，薬の内服が可能で，寝たきりではない状態をさす
(有害事象共通用語規準 v5.0 日本語訳 JCOG 版より，JCOG ホームページ[http://www.jcog.jp])

■文献

1) Norton L : Conceptual and practical implications of breast tissue geometry : toward a more effective, less toxic therapy. Oncologist 2005 ; 10 : 370-381 PMID 15967831

2) Oktay K, et al : Fertility preservation in patients with cancer : ASCO clinical practice guideline update. J Clin Oncol 2018 ; 36 : 1994-2001 PMID 29620997

3) Griggs JJ, et al : Appropriate chemotherapy dosing for obese adult patients with cancer : American Society of Clinical Oncology clinical practice guideline. J Clin Oncol 2012 ; 30 : 1553-1561 PMID 22473167

4) Seymour L, et al : iRECIST : guidelines for response criteria for use in trials testing immunotherapeutics. Lancet Oncol 2017 ; 18 : e143-e152 PMID 28271869

5) Mohile SG, et al : Practical assessment and management of vulnerabilities in older patients receiving chemotherapy : ASCO guideline for geriatric oncology. J Clin Oncol 2018 ; 36 : 2326-2347 PMID 29782209

【横山　和樹】

3 臨床試験

■ 臨床試験とは

　臨床試験とは介入行為を伴った前向きの臨床研究のことで，「よくない治療法」を捨てていくプロセスであり，最終的な目標は現在の標準治療より優れた治療法・診断法を開発することである。ヘルシンキ宣言で述べられているように，「医学の進歩には，ヒトを対象とした実験〔experimentation involving human subjects（2008 年版以降 'studies' involving human subjects に変更）〕は不可欠」であり，未解明の問題を追究する臨床試験に，実験的な要素が含まれてくることは避けることができない。医学研究の主な目的は新しい知識を得ることだが，この目標は個々の被験者の権利および利益に優先することがあってはならないことを肝に銘じ，倫理を無視した実験的研究が行われてきた人間の負の歴史を省みて，被験者の人権に最大限の配慮を行い，試験を科学的かつ倫理的に遂行していく必要がある。

■ EBM と臨床試験

　根拠に基づく医療（evidence based medicine：EBM）の実践とは「個人の臨床的専門技能と系統的研究から得られる最良の入手可能な外部の臨床的根拠とを統合すること」である。臨床試験は，系統的な研究の主軸をなすものであり，一般診療で蓄積された経験とは厳密に区別しなくてはならない。

　一般診療は，目前の患者に対して，最善と思われる医療を適用することを目的としており，得られた結果の妥当性を検証するためのものではない。著しい効果が得られたとする症例報告や，数症例における治療成績は，「偶然」や好条件の症例を選択したという「バイアス」の結果かもしれない。実際の診療にあたっては，過去の知見を，信頼性（エビデンスレベル）の観点から検討する必要がある。

■ 臨床試験を考えるうえで知っておきたい保険外併用療養費制度

　本邦において，保険診療として認められている医療を保険外診療と併用すること（混合診療）は原則禁止されている。混合診療により，患者の負担が不当に拡大する恐れがあること，また科学的根拠のない治療の実施を助長する恐れがあることがその理由である。一

方で，保険外併用療養費制度というある一定のルールのもと，保険診療との併用が認められている療養として，評価療養（保険導入のための評価を行うもの）および選定療養（保険導入を前提としないもの）がある。また患者からの申出を起点とした患者申出療養も保険外併用療養費制度で保険診療と併用を認められているものの1つである。これらは現時点では研究段階の医療であるものの，将来的に保険診療となることを目指すものであることから保険診療との併用が認められている。

◆ **保険外併用療養制度について**〔2006（平成18）年の法改正により創設（特定療養費制度から範囲拡大）〕

保険診療との併用が認められている療養

① 評価療養
- **先進医療**
  〔先進A：23技術，先進B：57技術　2020（令和2）年7月時点〕
- 医薬品，医療機器，再生医療等製品の**治験**に係る診療
- 薬事法承認後で**保険収載前**の医薬品，医療機器，再生医療等製品の使用
- 薬価基準収載医薬品の**適応外使用**
  （用法・用量・効能・効果の一部変更の承認申請がなされたもの）
- 保険適用医療機器，再生医療等製品の**適応外使用**
  （使用目的・効能・効果等の一部変更の承認申請がなされたもの）

② 患者申出療養

③ 選定療養　→　保険導入を前提としないもの
- 特別の療養環境（差額ベッド）
- 歯科の金合金等
- 金属床総義歯
- 予約診療
- 時間外診療
- 大病院の初診
- 大病院の再診
- 小児う蝕の指導管理
- 180日以上の入院
- 制限回数を超える医療行為

｝保険導入のための評価を行うもの

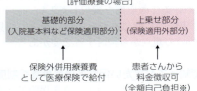

保険外併用療養費の仕組み
［評価療養の場合］

基礎的部分（入院基本料など保険適用部分）／上乗せ部分（保険適用外部分）

保険外併用療養費として医療保険で給付
患者さんから料金徴収可（全額自己負担※）

※保険医療機関は，保険外併用療養費の支給対象となる先進医療等を行うに当たり，あらかじめ患者さんに対し，その内容及び費用に関して説明を行い，患者さんの自由な選択に基づき，文書によりその同意を得る必要があります。また，その費用については，社会的にみて妥当適切な範囲の額としています。

〔厚生労働省［https://www.mhlw.go.jp/topics/bukyoku/isei/sensiniryo/heiyou.html］より改変〕

■ 臨床試験の品質管理活動・品質保証

　臨床試験のすべてのプロセスには，多職種の複数人がかかわるので，どこにでもエラーが生じる可能性がある。このようなエラーを最小化し，臨床試験の品質を高め，試験の結果の信頼性を確保するために，品質管理活動（quality control：QC）と品質保証（quality assurance：QA）を図る必要がある。QCでは臨床試験の科学的妥当性を高めるために，エラーや問題点をチェックして適切にそれをフィードバックしていく。プロトコールの完成度を高める仕組み（プロトコール審査委員会による審査や生物統計家の関与など），データマネージャーによるデータチェック，モニタリング（施設訪問モニタリングまたは中央モニタリング），研究グループによる中央判定（病理中央診断や画像中央判定）などがある。QAはデータセンター，医療現場，施設内部などの監査によってなされている。

■ 臨床試験に必要な組織

　臨床試験の科学性・倫理性の担保を保つため，診療・研究の主体である臨床研究者集団のほかに，データ管理・統計解析・運営管理や支援をする支援機構や第三者的監視機構が必要である。また，臨床試験を実施するための資金確保も必要である。

■ 臨床試験の種類と規制

　法律上の「臨床研究」とは「医薬品等を人に対して用いることにより，当該医薬品等の有効性又は安全性を明らかにする研究」である。臨床研究法は，研究不正へ対応し，研究の質の確保と利益相反関係を管理することを主目的に法制化され，2018年4月1日に施行された。法の対象となる臨床研究は，医薬品や医療機器を用いた評価研究であり，そのうち，未承認・適応外の医薬品や医療機器を用いる研究，または企業資金を用いて当該企業の製品を評価する研究を**特定臨床研究**という。ただし，手術・手技などの介入研究や，体外診断用医薬品を用いる臨床研究，治験は法の対象外となる。

　「治験」とは，新薬の承認または適応拡大を目的として行われる，規制当局への承認申請のための臨床試験のことである。本邦においては医薬品や医療機器を製品として販売するためには，独立行政法人医薬品医療機器総合機構（PMDA）の審査を受け，厚生労働大臣の製造販売承認を得る必要がある。治験は，承認申請に必要な臨床成績の資料が収集され，主に製薬会社の主導で行われている（企業主

導治験)．また，国内で未承認，または適応外の医薬品のうち，日常臨床上開発が望ましい医薬品に関しては，医師が自ら企画して治験を実施し，新薬の承認を申請する(医師主導治験)ことがある．

治療法の開発には，すでに承認済みの抗悪性腫瘍薬の併用，新たな手術法や放射線治療の確立，さらにはこれらを併用した集学的治療が必要である．これは製薬会社が主に扱う範囲外のことが多く，医師が行う「**医師研究者主導臨床試験**」による治療開発が必須となる．

◆ **臨床試験の種類**

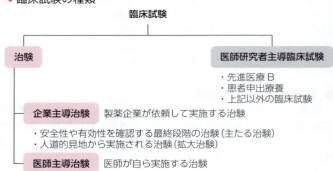

医薬品や医療機器を用いた臨床研究のうち，治験を行う際は，「医薬品，医療機器等の品質，有効性及び安全性の確保等に関する法律(医薬品医療機器等法：薬機法)」と「医薬品の臨床試験の実施の基準に関する省令(GCP)」を，治験以外では「臨床研究法」を遵守することとなる．手術・手技の臨床研究や一般の医療においては，臨床研究法の施行以前と同様に「人を対象とする生命科学・医学系研究に関する倫理指針」を遵守することになる．本指針は，「人を対象とする医学系研究に関する倫理指針(医学系指針)」および「ヒトゲノム・遺伝子解析研究に関する倫理指針(ゲノム指針)」(以下「両指針」)を，それぞれの項目の整合性について検討を重ね，留意点を考慮したうえで統合され，2021年3月に新たな指針として告示された〔主な変更点は厚生労働省[https://www.mhlw.go.jp/content/000769921.pdf]より〕．

◆ 臨床研究の分類と規制

医薬品等の臨床研究			手術・手技の臨床研究	一般の医療
治験	**特定臨床研究**			
(承認申請目的の医薬品等の臨床試験)	未承認・適応外の医薬品等の臨床研究	製薬企業等から資金提供を受けた医薬品等の臨床研究		
基準遵守義務 (GCP省令)	基準遵守義務	基準遵守義務 (努力義務)	一般の医療も含め,医薬品等以外の臨床研究等についての検討規定を臨床研究法に設ける*。	

医薬品医療機器等法　　**臨床研究法**

*高難度新規医療技術および未承認新規医薬品等を用いた医療の提供については,
　①各病院ごとに提供の適否等を判断する部門の設置
　②当該部門を中心とした審査プロセスの遵守等を,
　・特定機能病院および臨床研究中各病院については承認要件として義務づけ
　・その他の病院等については努力義務とする
〔2016（平成28）年6月10日に省令公布〕　※ 2017（平成29）年4月以降適用
〔厚生労働省 臨床研究法の概要図より改変〕

■ 臨床試験の進行

　がんの臨床試験は第Ⅰ・Ⅱ・Ⅲ相と段階を踏んで実施されていくことが多い。新たな候補薬剤（あるいは治療法）は，最終的に第Ⅲ相試験にて標準治療と比較され，どちらが優れた治療法か検証される。第Ⅲ相試験で試験治療が優れていることが示された場合は，試験治療が標準治療に置き換わる。第Ⅲ相試験は十分な検証が必要となり，200〜数千人の大規模ランダム化比較試験が行われ，大量の人的資源と資金が投入されることになる。新規の候補薬剤すべてに対して第Ⅲ相試験を行うことは現実的に不可能であり，第Ⅰ・Ⅱ相試験において，第Ⅲ相試験に進めるべき候補薬剤を効率的にスクリーニングしていく必要がある。

　がん領域においては，第Ⅰ相試験は安全性のスクリーニングに位置づけられ，毒性の評価と候補薬剤の最適な用量・用法を増量デザインにて探索していく。第Ⅱ相試験は有効性のスクリーニングに位

置づけられ，第Ⅰ相試験で決まった用量・用法にて，特定のがん種における有効性を評価していく。そして，有望な候補薬剤が第Ⅲ相試験に進むことになる。ただし，第Ⅲ相試験へ進んだのは，第Ⅱ相試験のうちわずか13％という報告もあり，第Ⅲ相試験を見込んで第Ⅱ相試験を行うことや，多施設共同試験グループと連携して第Ⅲ相試験を行うだけの資源を有することも大切である。

　製造販売後は，多数の患者に使用されることに加え，小児，高齢者，妊産婦，肝または腎機能障害を有する患者，長期に使用する患者など，治験では対象にならなかった患者にも投与範囲が広がり，治験では検出できなかった予期せぬ副作用が認められることがある。さらなる安全性と有効性の情報を得るため，「医薬品の製造販売後の調査及び試験の実施の基準に関する省令」で定められた製造販売後調査として，使用成績調査，特定使用成績調査，製造販売後臨床試験（第Ⅳ相試験）が行われている。また近年，免疫チェックポイント阻害薬やがん遺伝子検査に基づいた希少なサブタイプを対象とした分子標的薬が開発されるようになった現状を踏まえ，2021年3月に「抗悪性腫瘍薬の臨床評価方法に関するガイドライン」が改訂された。新ガイドラインでは，各項目において，免疫チェックポイント阻害薬の特性に応じた記載（治療開始後数カ月以上経過してから有害事象が認められることや治療が終了後も免疫系の賦活状態が持続することがあるため，長期間安全性のデータを収集することが重要である点など）が記載されている。

■ 第Ⅰ相試験

1 目的

　一般的に抗悪性腫瘍薬は投与量を増やすほど効果が高く，同時に毒性も強くなっていくと考えられる。このため，毒性が耐用可能な用量まで増量することが，比較的安全な範囲内でその薬剤の効果を最大限に発揮できる方法と考えられる。この考えのもと以下の項目を探索していく。

- 毒性の種類と程度の検討
- 最大耐用量（maximum tolerated dose：MTD）の推定
- 次相への推奨用量（recommended dose：RD）の決定
- 薬物動態（pharmacokinetics：PK）・薬力学（pharmacodynamics：PD）の検討
- 治療効果の観察

- 治療効果予測バイオマーカーの探索（主に分子標的薬）

2 対象

　標準治療が存在しない，あるいは標準治療では効果がなくなったがん患者のうち，臓器障害や前治療の影響が軽微であり，全身状態も保たれているという，限定された患者集団が対象になる。前臨床試験から第Ⅰ相試験に進んだ抗悪性腫瘍薬のうち，最終的に承認まで至るものは5%程度である。従来の治療より優れたことが示される薬剤は少数のため，標準治療が確立しているがん種ではそちらが優先される。また，主要評価指標が毒性評価のため，前治療の影響が残っている患者や，肝・腎障害や血液毒性などの臓器機能障害がある患者は不適格となる。

　試験の目的は有効性の評価ではないため，対象のがん種は限定しない場合が多いが，前臨床試験の結果から特定のがん種のみを対象として行われるものが増えつつある。

3 方法

1) 毒性評価

❶ **用量制限毒性（dose-limiting toxicity：DLT）**　投与量をこれ以上増量できない理由となる毒性のこと。基準は試験ごとに異なるが，一般的には，CTCAE で Grade 4 の血液毒性と Grade 3 の非血液毒性のうち，急性・亜急性の毒性が対象になる。毒性によっては持続する日数まで定められている。

❷ **最大耐量（maximum tolerated dose：MTD）**　DLT があらかじめ設定したレベルに達するか，予想していなかった毒性が出現し，かつそれが許容範囲を超えていると判断された段階の用量である。MTD は相対的な概念であるため，対象疾患の特異性や予後によって影響を受ける。支持療法などで上方修正されることもありうる。

2) 増量計画

❶ **3 例コホート（cohort）法（3＋3 デザイン）**　最も伝統的な方法であり，現在でも頻用されている。開始量〔通常 LD10（10% のマウスが死に至る用量）×10%〕から始めて，各レベルで 3 人の被験者に薬剤を投与し，DLT が観察されない場合は，次のレベルに増量していく。このデザインは比較的安全に行うことができるという利点があるが，開始用量が少なく，用量増加のスピードが遅いため薬効が期待できない低用量の投与を受ける被験者が多いこと，試験期間が長くなること，推奨用量の推定精

度が十分でないため MTD 付近で治療される患者数が少ないことなどが問題点として指摘されている。新しい第 I 相試験の方法として、❷❸の方法が挙げられる。ただし、依然 3 例コホート法が用いられることが多い。

◆3+3 デザイン

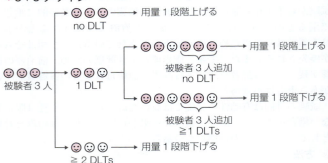

❷ **加速型漸増デザイン(accelerated titration design)** 各レベルの被験者数を減らす、各レベル間の増量幅を大きくする、同一被験者内での増量を認める、などの手段を講じる。多くの用量レベルを検討できる点、不適切な低用量で治療される被験者数が少なくなるという点で有望である一方、急激な増量は特に first in human の薬剤で危険な可能性がある。

❸ **連続再評価法(continual reassessment methods:CRM)** 前臨床試験を含む事前情報を活用し、用量と制限毒性の関係をモデル化し、そして制限毒性の有無から、制限毒性発現確率を逐次的にベイズ推定することで用量レベルを決定する。Bayesian に基づいてシンプルかつフレキシブルに毒性発現率やコホートサイズを設定できる BOIN(Bayesian Optimal INterval design)も注目されている。

3) 推奨用量(recommended dose:RD)

第 II 相試験での推奨投与量のこと。2 コース目以降の毒性を加味して、MTD またはそれより 1 レベル少ない投与量とされることが多い。分子標的薬の一部では DLT の頻度が少なく MTD まで到達しないことがあり、標的分子への阻害効果が必ずしも用量に比例しない。効果と副作用のバランスをみて RD を決めていくことも必要になる。

4 拡大コホート（expansion cohort）

安全性，有効性，特定の患者群に対する有効性，用量・用法，pharmacokinetics（PK）/pharmacodynamics（PD）などのさらなる詳細な情報を得るために，増量計画終了後に被験者を追加することがある。有用な補助データを得られるというメリットから expansion cohort が行われることが多く，2006〜2011 年に行われた第 I 相試験のうち 24% に expansion cohort があったとの報告がある。ただし，安全性の評価のための被験者の追加では，毒性情報は増えるものの，RD が変更されたのは 13% であったとの報告がある。有効性の評価のために被験者数が追加されても，第 II 相試験に登録される被験者数よりも一般的に少なく，有効性の評価のためには不十分なことも留意する必要がある。

5 薬物動態評価

ヒトにおいて低用量から MTD まで評価できる唯一の機会である。PK/PD に関する諸性質（クリアランス，分布容積，生物学的利用率，血中半減期など）や個人差，毒性出現との関係を検討し，適切な投与量・投与間隔の決定の参考とする。

6 腫瘍縮小効果

総じて奏効率は 5% 程度である。複数の前治療歴を有したり，至適投与量を下回る量を投与されたりする被験者の割合が高いことなどもあり，薬剤の効果については参考程度である。

■ 第 II 相試験

1 目的

第 I 相試験で決定した RD を投与して，特定のがん種における候補薬剤の有効性を評価していく。第 III 相試験に進めるかどうかの判断を短期で行うため，有効性の評価としては早期判断できる腫瘍縮小効果，いわゆる RECIST の奏効率で評価されることが多い。被験者数が増えるため，稀な副作用や蓄積毒性の評価も行い，安全性に関してもさらなる評価が行われる。

2 対象

主要評価指標が腫瘍縮小効果である場合は，測定可能病変を有することが必要となる。有効な既存の抗悪性腫瘍薬がないがん種，またはそれに相当すると考えられるがん種では初回治療から対象となりうる。標準治療の効果が明らかながん種で，新規治療を先行して行う場合には，それが無効と判断されたときに標準治療への変更が

行えるようにしておかなければならない。

3 方法

1) 単群第 II 相試験

がん領域の第 II 相試験では，単群で，主要評価指標を奏効率とするデザインが一般的に採用されてきた。過去の臨床試験の結果から得られる historical control（過去症例の対照群）と比較して，試験治療の奏効率が今後開発を進める価値があるレベル以上であると判断される場合に，第 III 相試験へ進むことを検討する。

また，効果のない薬剤が投与される被験者を最小限にするために，2 段階デザインが使用されることが多い（Simon 法，Fleming 法，SWOG 法など）。第 1 段階で奏効症例が少ない場合に「無効中止」の判断をし，そうでない場合は第 2 段階に進み症例を追加して最終判断を行う。

2) 多群第 II 相試験

腫瘍縮小効果は乏しいものの，無増悪生存期間（PFS）や全生存期間（OS）を延長させる分子標的薬をはじめとした薬剤が出現してきている。このような薬剤では，主要評価指標を生存期間の PFS や OS にすることが必要になる。生存期間を評価指標として置いた場合，患者選択によるバイアスが生じやすくなり，historical control との比較が不適切になる。また，診断法や治療法，患者背景など時代に伴う変化によって historical control の設定が難しいことがある。このような場合には単群試験での評価が困難となり，目的に応じたランダム化第 II 相試験が選ばれることがある。

❶ **ランダム化スクリーニングデザイン（randomized screening design）** 標準治療を対照群として試験治療を評価するランダム化試験である。分子標的薬がよい適応である。あくまで探索的試験であり，たとえ優れた結果が得られたとしても，最終判断は第 III 相試験を実施することによってのみ得られることに注意する必要がある。

❷ **ランダム化選択デザイン（randomized selection design）** 複数の新しい治療候補に開発の優先順位をつけ，第 III 相試験に進める治療法を 1 つに絞るときに用いられる。有意に優れた治療群を選択するデザインでなく，奏効率などの主要評価指標が少しでも優れた治療群を最終的に選択する。

❸ **ランダム化第 II / III 相試験** 1 つのプロトコールでランダム化第 II 相試験と第 III 相試験を逐次的に途切れなく行うデザインであ

る。2試験の合計サンプルサイズの節約や試験期間の短縮を図ることができる。

■ 第Ⅲ相試験

1 目的

標準治療と比較して，生存期間延長や症状緩和，副作用の軽減，QOLの向上などの観点で，新しい治療法のほうが優れているかどうかを検証する。標準治療が確立されていない場合は，BSCやプラセボ群を対照群とすることもある。

2 対象

対象とするがん種を特定して行う。試験に参加できる規準は第Ⅰ・Ⅱ相試験に比べると緩和されてくる。performance status（PS）や臓器機能が保たれていることが前提であり，各々の試験で適格規準と除外規準が規定され，その規準を満たす患者のみ参加することができるのは同様である。毒性の情報も蓄積されてきており，治療レジメンや副作用への対応法，治療変更基準も洗練されてきているため，参加する患者のリスクも軽減されている。

3 方法

1）評価指標（エンドポイント）

エンドポイントとは，被験者のベネフィットを測る「ものさし」である。試験を評価するために最適な主要評価指標（プライマリエンドポイント）を設定する必要がある。プライマリエンドポイントは，被験者のベネフィットを直接反映する指標である「真のエンドポイント」とすべきであり，がん領域ではOSが用いられることが多い。OSは試験登録から死亡までの期間をさし，他の要因の影響を受けずに，誰が見ても何度見ても同じ結果が得られやすい「ハードなエンドポイント」の代表である。他の真のエンドポイントとしてQOLが挙げられるが，被験者の主観的なベネフィットであり，測定が極めて難しい「ソフトなエンドポイント」である。

乳がんや大腸がんなど長期的な追跡が必要になるがんの場合，OSをプライマリエンドポイントにすることが現実的ではなくなってきている。真のエンドポイントの代わりに短期間で結果が得られるPFSや無病生存期間（DFS）を「代替エンドポイント」として設定することがある。代替エンドポイントは医薬品を低コストかつ短期間で評価するために，測定の簡便性や感度を臨床エンドポイント（真のエンドポイント）より優先したものである。例えば臨床エンド

ポイントの代わりになると考えられるバイオマーカーが代替エンドポイントの候補となることも多く，まずは真のエンドポイントとの関連性，バイオマーカーを用いて医薬品の評価を行うことの妥当性を十分に検討する必要がある。

2) 比較の種類

有効性の比較のデザインには，優越性試験と非劣性試験の2種類がある。前者が，プライマリエンドポイントにおいて試験治療が統計的に有意に優れていることを検証するのに対し，後者は事前に許容下限（非劣性マージン）を設定して，この許容下限以上には試験治療が劣っていないことを検証する。非劣性試験は，試験治療の有効性が同程度であるが，毒性，QOL，利便性，コストなどの有効性以外のメリットがある場合（less toxic new）に計画される。

3) ランダム化（無作為割付）

被験者を試験治療群と対照群に何らかの確率を用いて無作為に割り付けることをランダム化という。これにより，既知の予後因子のみならず，未知の予後因子も含め，治療群間における隔たりを最小化して比較可能な集団をつくる。この結果，群間で効果の差が観察された場合は治療の効果に起因する可能性が高くなり，治療法の効果を妥当に評価することができる。ただし，単純なランダム化を行った場合は，予後因子を含めた患者背景が必ずしも均一になるわけではない。重要な予後因子では偏りが生じないよう，あらかじめ割付調節を加えてランダム化する層別割付法や最小化法がある。

4) 結果の解析

❶ **ITT 解析（intention to treat analysis）** 各群に割り付けられた被験者は，治療の早期中止や変更あるいはコンプライアンス不良であっても，もともとの割付群として扱って解析を行うことである。これらの被験者のみを解析から除くと，背景因子のバランスが崩れ，両群の比較可能性が担保できなくなる。また，その薬剤の強い副作用や，用法・用量・剤形などが煩雑であるなどの負の面も，その治療法の効果として分析に反映できる。

　一方で per protocol set 解析は，最初に定めた計画・指示どおりの治療を受けた被験者のみが解析に利用される。副作用のための脱落や，追跡不能，コンプライアンス不良などで計画通り最後まで完了しない被験者は解析から除外される。

❷ **中間解析（interim analysis）** 予定症例数に達する前に，試験の継続の可否を検討するために行う解析を，中間解析とよぶ。

解析の結果，治療効果に明らかな差がある（有効中止），あるいは治療効果に当初見込んだ差がない（無効中止）ことが明らかになった場合は，試験を早期に中止する場合がある。中間解析のように1つの試験で検定を頻繁に行うと，本当は差がないのに偶然有意差が出るαエラーが増大する多重性の問題が出てくる。中間解析の多重検定の補正方法としてはO'Brien-Fleming法，Haybittle-Peto法，Pocock法，Lan-Demets法などがある。

❸ **サブグループ解析**　第Ⅲ相試験に参加する被験者は多種多様な集団である。年齢，性別，組織型，病期，PSなど多数の重要な因子により被験者を複数のサブグループに細分化して解析を加え，いずれのグループでも結論が同じ傾向であった場合，治療薬の患者背景によらない効果と一般化可能性が示唆される。また，治療効果の優劣をサブグループで探索することが日常的に行われるが，結果の解釈は慎重であるべきである。サブグループ解析では複数の集団に細分化することで背景因子が崩れ，比較可能性が保てなくなっている。また，多重検定によりαエラーが増大し，偶然差があるように見えるサブグループが出てくる一方，症例数が少ないため検出力は低下する。サブグループ解析の結果は，新たな仮説を立てる際に役に立つと思われるが，一般臨床に応用する際は十分な検討が必要である。

■ 希少疾患に対する臨床試験

　近年，希少疾患への薬剤開発が進んでおり，これは希少がんや希少な遺伝子異常のあるがんでも同様である。従来の臨床試験では，第Ⅲ相試験で多数の被験者を対象にした試験を行い，前述した方法や統計学的手法を用いて，得られた結果の信頼度を高めることが重要視されてきた。この方法を希少疾患でも画一的に当てはめることは困難であり，単群の第Ⅱ相試験で評価する場合も考えられる。その場合は，比較対象としてヒストリカルデータや疾患レジストリなどのデータの利用も考慮する。腫瘍縮小（奏効割合）を主要エンドポイントとすることが原則となるが，その他，腫瘍縮小の程度，完全奏効割合および奏効期間を評価すること，また，OSおよびPFSを評価することも重要である。希少疾患においては，特に劇的な効果がみられるようであれば，科学的な信頼度を落としてでも，検証的な試験に先んじて，早期に承認していくことも必要になってくる。2012年に開始されたFDAのbreakthrough therapy（画期的

新薬）認定の新設も，この趨勢の1つの表れである。本邦では，既承認薬と異なる作用機序により，生命に重大な影響がある重篤な疾患などに対して，極めて高い有効性が期待される医薬品を指定し，薬事承認にかかわる相談・審査における優先的な取扱いの対象として，迅速な実用化を目指す「先駆け審査指定制度」がある。日米の薬事上の特別措置を次頁に示す（政策研ニュース No.61　2020年11月より抜粋）。

■ マスタープロトコールを用いた希少疾患に対する薬剤開発促進

　希少がん，希少なサブタイプに対する抗悪性腫瘍の開発促進を期待されているのが，単一のプロトコールで複数の薬剤や複数のがん種を対象に，並行して評価するマスタープロトコールである。単一の治療法を用いた複数の疾患を対象とした試験（バスケット試験），単一の疾患に対する複数の治療法を対象とした試験（アンブレラ試験），さらには単一の疾患に対する複数の治療法を対象とした継続的な試験で，規定に基づき試験中に新たな薬剤または対象患者の追加や削除ができる試験（プラットフォーム試験）などがある。

■ バイオマーカーを組み込んだ新しい臨床試験デザイン

　がん薬物療法は細胞障害性抗がん薬中心の時代から分子標的薬中心の時代になり，並行して，"precision medicine"や"personalized medicine"といった，がんのゲノム異常などを解析し患者個人レベルで最適な治療方法を選択できるように薬剤の臨床開発を行う時代へと変わってきている。がんは複雑な疾患で多数の遺伝子異常があり，それに見合う効率的な医薬品を開発することは，患者の利益と医療の発展のために重要である。従来の細胞障害性抗がん薬の臨床試験デザインでは，登録された患者全体の治療効果のいわば"平均"をみていることになり，特定のバイオマーカー陽性患者にのみ効果のある分子標的薬を効率的に開発するのには最適ではない。こうした分子標的薬の効率的な薬剤開発のためには，バイオマーカーを組み込んだ新しい臨床試験デザインが必要である。1つのがん種に対し，そのがん種が有する複数のドライバー遺伝子を同定し，各異常ごとに該当する阻害薬を投与するアンブレラ試験や1種類のドライバー遺伝子を有する複数のがん種を，分子標的薬を用いてがん種横断的に評価するバスケット試験はこのような状況に対応したデザインである。具体的には，アンブレラ試験として，FOCUS4（転移性大腸がん），ALCHEMIST（非小細胞性肺がんの補助療法）が挙げ

◆ 日米における薬事上の特別措置

	特別措置の種類	対象	特別措置の内容
本邦	優先審査	希少疾病用医薬品は指定されると自動的に優先審査品目になる。それ以外は重篤な疾病で医療上の有用性が高い(医療の質の向上に明らかに寄与)と認められた品目	総審査期間の目標が，通常の12カ月から9カ月に短縮される
	迅速審査	迅速に審査する必要が高いと当局から判断されたもの(優先審査とは別)。事前評価済公知申請品目は自動的に迅速審査扱い。承認申請者の申請に基づく指定ではない	迅速審査のプロセスが適用される
	希少疾病用医薬品	本邦で対象患者数が5万人未満であること(あるいは指定難病)，医療上特にその必要性が高い，開発の可能性	助成金交付，優先対面助言，優先審査(総審査期間の目標：9カ月)，再審査期間延長(最長10年)，税額控除などの支援措置を受けられる
	先駆け審査指定制度	4つの要件をすべて満たす(①治療薬の画期性，②対象疾患の重篤性，③対象疾患に係る極めて高い有効性，④世界に先駆けて本邦で早期開発・申請する意思)	優先相談(優先的な治験相談品目としての取り扱い)，事前評価の充実(先駆け総合評価相談を受ける)，優先審査(総審査期間の目標を6カ月に設定)，コンシェルジュ(審査パートナー)，再審査期間の延長(最長10年)
米国	Priority Review	有効性あるいは安全性に重大な改善をもたらすような臨床成績が得られた新薬	標準的審査期間が6カ月(通常は10カ月)と設定
	Accelerated Approval	重篤疾患を対象に，サロゲート/中間的エンドポイントの成績から，Unmet Needs を満たすことが想定されるような新薬(患者へのアクセスを早めることが目的)	臨床的ベネフィットが十分証明されていない段階で審査，承認される。ただし，第Ⅳ相試験が課せられる(なお，試験の結果，当初想定したような Clinical Benefit が得られなかった場合は，取り下げ，あるいは効能など添付文書の変更となる)
	Orphan	米国で患者数が原則20万人に満たない疾患に対して開発される新薬	医薬品指定を受けると税制優遇，助成金，申請手数料免除，プロトコール相談などの優遇を受けることができる*
	Fast Track	重篤な疾患に対して Unmet Needs を満たす，あるいは既存療法がない，既存治療を上回る可能性のある新薬	開発から審査に至るまで，FDA が特別にサポートする制度。開発中は FDA との Meeting などをもつ機会が増える*
	Breakthrough Therapy	Fast Track よりさらに本質的革新をもたらすような画期的新薬の可能性があるものを指定する	Fast Track で得られる措置に加え，経験豊かな審査担当が直接携わるなどの優遇策が図られる*

*別途 Priority Review 指定が必要

3

臨床試験

られる。ただし，バイオマーカーを組み込んだ臨床試験には解決すべき課題も多く，今後の検討が必要である。

■ バイオマーカーに基づく臨床試験の新たな試み

2019年6月，本邦において2種類の遺伝子パネル検査が成人および小児で保険収載された。2019年6月から2020年1月の間にがんゲノム医療中核拠点病院とその連携病院で1,522件の検査が実施されたと報告されており，さらにその後検査の実施数は急増し，最新のがんゲノム情報管理センター（C-CAT）登録状況〔https://for-patients.c-cat.ncc.go.jp/library/statistics/〕によると，2021年10月初旬までに21,030名の検査が実施されており，actionable mutationが見つかり治療薬が推奨される件数も増加している。一方で遺伝子パネル検査を受けた患者のうち，最終的に保険適用薬や治験を含む臨床試験など実際の治療にたどり着いた患者の割合は，1割程度に過ぎない。この問題を解決すべく，より多くの患者に治療を届けるために最も重要なのは，治験を立案し，それに続く承認薬の増加および適応拡大につなげることである。前者の一例は，現在MASTER KEY projectとして，希少がんに対し効率的な薬剤開発ができる仕組みを国立がん研究センターが中心となって行っている。その他の手段としては患者申出を起点とした患者申出療養制度を利用して薬剤を患者に届ける方法などがあり，全国のがんゲノム医療中核拠点病院で患者申出療養制度に基づく特定臨床試験が実施されている。医療の進歩に合わせ，臨床試験の形が進化している例でもあり，これらの取り組みにより，今後actionableな遺伝子異常が見つかったより多くの患者に，治療を届けることができるようになることが期待されている。

■ 文献

1) De Vita VT, et al：De Vita, Hellman, and Rosenberg's Cancer：Principles & Practice of Oncology, 10th ed. Lippincott Williams & Wilkins, Philadelphia, 2014
2) Stephanie G, et al, 福田治彦, 他(訳)：米国SWOGに学ぶがん臨床試験の実践 第2版. 医学書院, 2013
3) Berthold DR, et al：The transition from phase Ⅱ to phase Ⅲ studies. J Clin Oncol 2009；27：1150-1151 PMID 19171698
4) 臨床研究法(平成29年法律第16号)

【中島　美穂】

4 　肺がん・悪性胸膜中皮腫

肺がん　Lung Cancer

■ 疫学

1 死亡数(2019年)/罹患数(2017年)
- 75,394人/124,510人

2 発症の危険因子(リスクファクター)
- 喫煙，慢性閉塞性肺疾患，アスベスト症を含む吸入性肺疾患，肺がんの既往や家族歴，年齢(50歳以上)，肺結核など
- 非喫煙者と比べて喫煙者が肺がんとなるリスクは男性で4.4倍，女性で2.8倍である(Jpn J Clin Oncol 2006；36：309 PMID 16735374)

■ 診断

1 検診(スクリーニング)方法と意義
- 本邦の「肺がん検診ガイドライン」では，肺がん検出目的の検査として胸部単純X線写真が第一に推奨されている。高リスク群(ブリンクマンインデックス>400など)では喀痰細胞診の併用が推奨されている。本邦では症例対照研究により肺がん死亡減少効果が示され推奨されているが，欧米ではランダム化比較試験(RCT)で胸部X線による肺がん死亡減少効果が認められず推奨されていない
- 欧米において低線量CTを用いた年次検診の有用性が複数のRCTで検証されており，高リスク群(男性，>60歳，>20 pack-years)における早期肺がん診断の有用性が示唆され，胸部X線写真のみと比較して全死因死亡率の低下(相対減少率6.7%，$p=0.02$)が認められた(NLST試験：NEJM 2011；365：395 PMID 21714641)。本邦では過剰診断およびコストの懸念などからガイドラインの推奨に至っていない

2 臨床症状
咳嗽，喀痰，血痰，発熱，呼吸困難および胸痛などの呼吸器症状または転移巣に伴う症状を認める。末梢型および早期の症例では無症状の場合が多く，中枢型では有症状であることが比較的多い。

3 画像診断

確定診断には病理検査が重要であり，画像診断は主に病変の性状および局在の評価に用いる。胸部単純 X 線写真または胸部 CT で肺がんを疑った場合，遠隔転移の検索に頸胸腹骨盤造影 CT，頭部造影 MRI（頭部造影 CT でも可），骨シンチグラフィまたは PET-CT を行う。

4 検体検査

喀痰細胞診，気管支鏡（鉗子生検，縦隔リンパ節穿刺生検など），経皮的針生検，胸腔鏡検査のなかで検査の確度と安全性を勘案し手技を選択する。

■ 病型分類，組織分類

1 組織分類

非小細胞肺がんと小細胞肺がんに大別され，治療方針が大きく異なる。特に腺癌のマーカーとして TTF-1 および扁平上皮癌のマーカーである p40 は最も組織型をよく分別し，鑑別に有用であることが報告されている（Am J Surg Pathol 2011；35：15 PMID 21164283，Pol J Pathol 2019；70：100 PMID 31556560）。また，非小細胞肺がんでは遺伝子変異検索および免疫学的因子（PD-L1）の検索が治療方針決定に極めて重要であり，組織診断を可能な限り実施する。

❶ 非小細胞肺がん

- 腺癌（adenocarcinoma）
- 扁平上皮癌（squamous cell carcinoma）
- 大細胞癌（large cell carcinoma）
- その他（腺扁平上皮癌，肉腫様癌など）

❷ 小細胞肺がん

2 分子診断分類

1）遺伝子変異

非小細胞肺がんでは遺伝子変異を標的とした分子標的薬が適応となり，EGFR 遺伝子変異，ALK 融合遺伝子変異，BRAF（V600E）遺伝子変異，ROS1 融合遺伝子変異，MET 遺伝子エクソン 14 スキッピング変異，RET 融合遺伝子変異，KRAS 遺伝子変異の検索が有用である。本邦の肺腺癌患者における遺伝子異常の頻度は EGFR（53.0%），ALK（3.8%），METex14 skipping（2.8%），RET（1.9%），ROS1（0.9%），BRAF（0.3%）と報告されており，原則的に相互排他である（Cancer Sci 2016；107：713 PMID 27027665）。

肺がん | 51

　従来遺伝子変異検索には，それぞれの遺伝子に対し決められた遺伝子検査が行われていたが，次世代シークエンサー（NGS）を用いた特定の遺伝子を解析するターゲットシークエンス（遺伝子パネル検査）を行うコンパニオン診断薬（オンコマイン Dx Target Test マルチ CDx システム，FoundationOne® CDx がんゲノムプロファイル）の登場により複数のバイオマーカーを同時に検索できるようになった。

- EGFR（epidermal growth factor receptor）は ErbB 受容体ファミリーに属する膜受容体型チロシンキナーゼであり，遺伝子変異産物の恒常的な活性化によりがん化が誘導されるドライバー変異となりうる。その 9 割程度が common mutation（エクソン 21 L858R 点変異，エクソン 19 欠失変異）である

- ALK（anaplastic lymphoma kinase）はインスリン受容体ファミリーに属する受容体型チロシンキナーゼであり，微小管会合タンパク（EML4 など）と細胞質内領域が融合し恒常的に活性化することでがん化を誘導する。EML4-ALK 融合遺伝子は 2007 年に本邦より報告された（Nature 2007；448：561 PMID 17625570）

- ROS1 タンパク質はインスリン受容体サブファミリーに属する受容体型チロシンキナーゼであり，染色体転座・欠失などによる遺伝子再構成の変異産物ががん化を誘導する

- BRAF タンパク質は MAPK 経路の構成因子であるタンパク質の 1 つであり，変異産物により同経路が活性化されることでがん化が誘導される。BRAF 阻害薬が活性を示すのは主に V600E 変異であり，同変異は肺腺癌の BRAF 変異のうち 50％ を占める（JCO 2011；29：2046 PMID 21483012）

- MET 遺伝子変異（エクソン 14 スキッピング変異）は RAS/MAPK，Rac/Rho，PI3K/AKT シグナル伝達経路につながる受容体型チロシンキナーゼであり，METex14 そのものの欠失により，MET の活性化が誘導されがん化を誘導する

- RET（rearranged during transfection）はグリア GDNF ファミリーの細胞外シグナル伝達分子を結合する受容体型チロシンキナーゼで，KIF5B または CCDC6 などと融合することでリガンドに依存しない RET の活性化によりがん化を誘導する。ALK 同様に本邦より KIF5B-RET が報告された（Nat Med 2012；18：375 PMID 22327624）

- KRAS（Kirsten ラット肉腫ウイルス腫瘍遺伝子ホモログ）は，細

4

肺がん・悪性胸膜中皮腫

胞の増殖，分化および生存の調節因子である。KRAS G12C はドライバー遺伝子変異で，白人の肺腺癌の約 13％，日本人の非扁平上皮癌の約 4.5％ に認められている

2）免疫学的因子

腫瘍細胞膜の PD-L1 発現割合が抗 PD-1/PD-L1 抗体の治療効果予測因子である。TPS（tumor proportion score，全腫瘍細胞に対して PD-L1 陽性細胞が占める割合）を腫瘍細胞が十分（100 個以上）含まれている標本で評価を行う。免疫チェックポイント阻害薬（ICI）とともにバイオマーカーとして複数の PD-L1 試薬が開発されている。22C3，28-8 および SP142 を含むいずれの試薬も治療効果予測因子としてほぼ同等の効果が示されている（JCO 2017：35：3867 PMID 29053400）。実臨床においては，ペムブロリズマブのコンパニオン診断薬として承認された 22C3（PD-L1 試薬のクローン名）を判定に用いることが多く，本邦ではニボルマブ，アテゾリズマブの適応判定時にも，再検査の有用性/安全性を勘案し 22C3 の代用が許容される。

■ Staging

1 UICC-TNM 分類（第 8 版，2017）

T-原発腫瘍

- TX 原発腫瘍の存在が判定できない，あるいは喀痰または気管支洗浄液細胞診でのみ陽性で画像診断や気管支鏡では観察できない
- T0 原発腫瘍を認めない
- Tis 上皮内癌（carcinoma *in situ*）：肺野型の場合は，充実成分径 0 cm かつ病変全体径≦3 cm
- T1 充実成分径≦3 cm，肺または臓側胸膜に覆われている，葉気管支より中枢への浸潤が気管支鏡上認められない（主気管支に及んでいない）
  - T1mi 微少浸潤性腺癌：部分充実型を示し，充実成分径≦0.5 cm かつ病変全体径≦3 cm
  - T1a 充実成分径≦1 cm でかつ Tis・T1mi には相当しない
  - T1b 充実成分径＞1 cm でかつ≦2 cm
  - T1c 充実成分径＞2 cm でかつ≦3 cm
- T2 充実成分径＞3 cm でかつ≦5 cm，または充実成分径≦3 cm でも以下のいずれかであるもの
  - ・主気管支に及ぶが，気管分岐部には及ばない
  - ・臓側胸膜に浸潤
  - ・肺門まで連続する部分的または一側全体の無気肺か閉塞性肺炎が

肺がん | 53

ある

T2a 充実成分径＞3cmでかつ≦4cm

T2b 充実成分径＞4cmでかつ≦5cm

T3 充実成分径＞5cmでかつ≦7cm，または充実成分径≦5cmでも以下のいずれかであるもの
・壁側胸膜，胸壁(superior sulcus tumourを含む)，横隔神経，心膜のいずれかに直接浸潤
・同一葉内の不連続な副腫瘍結節

T4 充実成分径＞7cm，または大きさを問わず横隔膜，縦隔，心臓，大血管，気管，反回神経，食道，椎体，気管分岐部への浸潤，あるいは同側の異なる肺葉内の副腫瘍結節

N-所属リンパ節

NX 所属リンパ節評価不能

N0 所属リンパ節転移なし

N1 同側の気管支周囲かつ/または同側肺門・肺内リンパ節への転移で原発腫瘍の直接浸潤を含める

N2 同側縦隔かつ/または気管分岐下リンパ節への転移

N3 対側縦隔，対側肺門，同側あるいは対側の前斜角筋，鎖骨上窩リンパ節への転移

M-遠隔転移

M0 遠隔転移なし

M1 遠隔転移がある

M1a 対側肺内の副腫瘍結節，胸膜または心膜の結節，悪性胸水(同側・対側)，悪性心嚢水

M1b 肺以外の一臓器への単発遠隔転移がある

M1c 肺以外の一臓器または多臓器への多発遠隔転移がある
M1は転移臓器によって以下のように記載する。
肺：PUL，骨髄：MAR，骨：OSS，胸膜：PLE，リンパ節：LYM，肝：HEP，胸膜：PER，脳：BRA，副腎：ADR，皮膚：SKI，その他：OTH

2 病期分類

潜伏がん	TX	N0	M0
Stage 0	Tis	N0	M0
Stage ⅠA	T1	N0	M0
Stage ⅠA1	T1mi, T1a	N0	M0
Stage ⅠA2	T1b	N0	M0
Stage ⅠA3	T1c	N0	M0
Stage ⅠB	T2a	N0	M0
Stage ⅡA	T2b	N0	M0

4

肺がん・悪性胸膜中皮腫

Stage ⅡB	T1a〜T1c	N1	M0
	T2a, T2b	N1	M0
	T3	N0	M0
Stage ⅢA	T1a〜T1c	N2	M0
	T2a, T2b	N2	M0
	T3	N1	M0
	T4	N0, N1	M0
Stage ⅢB	T1a〜T1c	N3	M0
	T2a, T2b	N3	M0
	T3, T4	N2	M0
Stage ⅢC	T3, T4	N3	M0
Stage Ⅳ	any T	any N	M1
Stage ⅣA	any T	any N	M1a, M1b
Stage ⅣB	any T	any N	M1c

3 限局型・進展型(小細胞肺がん)

TNM 分類のほかに根治的化学放射線療法が可能な限局型(limited disease：LD)とそれ以上に進展している進展型(extensive disease：ED)といった分類が用いられている(J Thorac Oncol 2009；4：1049 PMID 19652623)。同側悪性胸水，両側鎖骨上窩リンパ節および対側縦隔リンパ節転移まで含む場合を LD とし，それ以上が ED とされていたが，胸水症例は根治照射が困難であり，胸水症例を ED に含める臨床試験が多く，より一般的となってきている。

■ 予後因子

診断時の病期が早期であること，PS 良好(ECOG PS 0〜2)，体重減少なし(5% 以内)が予後良好因子である。

■ 治療

1 非小細胞肺がん

根治を目標とする外科切除術または放射線療法を主体とするか，延命および症状緩和を目標とする化学療法を主体とするか，TNM 分類などを参考に，必要に応じて各診療科と協議して決定する。

1)Stage Ⅰ・Ⅱ(第8版)，切除可能 Stage ⅢA

- 肺葉切除＋リンパ節郭清の外科切除が標準治療である。耐術能がなく手術適応とならない症例では放射線療法を考慮する
- 病変全体径＞2 cm の術後病理病期 Stage IA/IB/IIA の完全切除例では，UFT(テガフール・ウラシル合剤)術後化学療法は非投与

肺がん | 55

群と比較した延命効果（5年生存率85% vs. 88%，HR 0.72，95%CI 0.53〜1.00）が本邦より報告されている

- Stage II 以上ではプラチナ併用術後化学療法が推奨される。複数の比較試験のメタアナリシスにより5年生存率の改善（5.4%）と全生存期間（OS）の改善（HR 0.89，$p=0.005$）が示されている（JCO 2008：26：3552 PMID 18506026）

- プラチナ併用の術前化学療法は術後化学療法と同等の延命効果を報告したメタアナリシスもあるが，エビデンスの蓄積が十分ではなく，積極的には推奨されない（Lancet 2014：383：1561 PMID 24576776），今後は免疫チェックポイント阻害薬の効果が期待されている（Lancet 2021：398：1344 PMID 34555333，NEJM 2022：386：1973 PMID 35403841）

- EGFR遺伝子変異陽性非小細胞肺がん（Stage IB〜IIIA）の完全切除例において，EGFR遺伝子チロシンキナーゼ阻害薬（EGFR-TKI）であるオシメルチニブによる術後化学療法の無病生存期間（DFS）の延長効果が証明された（ADAURA試験：NEJM 2020：383：1711 PMID 32955177）が，OSの延長はまだ不明である

◆ **UFT療法 ★★★** （NEJM 2004：350：1713 PMID 15102997）

UFT　1日250 mg/m^2 を2〜3回に分服　連日（2年間）

体表面積＜1.3 m^2：300 mg/日，≧1.3 m^2：400 mg/日

◆ **CDDP＋VNR療法 ★★★** （NEJM 2005：352：2589 PMID 15972865，Lancet Oncol 2006：7：719 PMID 16945766）

CDDP	80 mg/m^2	静注	day 1
VNR	25 mg/m^2	静注	day 1, 8
3週ごと　4サイクル			

本邦で頻用される用法・用量を示した（Stage IV化学療法に準じる）。

2）肺尖部胸壁浸潤癌（T3〜4 N0〜1 切除可能）

　第1肋骨あるいはさらに上部の胸壁への浸潤を伴う肺尖部胸壁浸潤癌（superior sulcus tumor：SST）に対しては，化学療法と胸部放射線照射を同時併用した術前化学放射線療法後に外科切除を行う。RCTは実施されておらず，2つの第II相試験で5年生存率が44〜56%と良好な治療成績が示されている（JCO 2008：26：644 PMID 18235125，JCO 2007：25：313 PMID 17235046）。化学療法は根治的化学放射線療法で用いられるレジメン〔CDDP＋VNRなど：次頁 **3）**を参照〕または第II相試験で用いられたレジメンを用いる。

4
肺がん・悪性胸膜中皮腫

56 4 肺がん・悪性胸膜中皮腫

◆ MVP＋胸部放射線照射→外科切除 ★★ (JCO 2008；26：644 PMID 18235125)

MMC	8 mg/m²	静注	day 1, 29
VDS	3 mg/m²	静注	day 1, 8, 29, 36
CDDP	80 mg/m²	静注	day 1, 29
胸部放射線照射 45 Gy/25 回			

◆ CDDP＋ETP＋胸部放射線照射→外科切除 ★★ (JCO 2007；25：313 PMID 17235046)

CDDP	50 mg/m²	静注	day 1, 8, 29, 36
ETP	50 mg/m²	静注	day 1〜5, 29〜33
胸部放射線照射 45 Gy/25 回			

3) 切除不能・根治照射可能 Stage ⅢB・ⅢC

- 複数の臨床試験およびメタアナリシスにより，プラチナ併用化学放射線治療の有効性が示されているが，PS0〜1 で 70 歳以下の症例が主たる対象である
- 本邦より，高齢者(71 歳以上)における低用量カルボプラチン併用化学放射線療法は放射線治療単独と比較して OS の有意な延長(22.4 カ月 vs. 16.9 カ月，$p = 0.0179$)が示された(Lancet Oncol 2012；13：671 PMID 22622008)
- プラチナ併用根治的化学放射線療法後のデュルバルマブ(抗 PD-L1 抗体)地固め療法が，OS の有意な延長(47.5 vs. 29.1 カ月，$p = 0.0025$)を示した(PACIFIC 試験：NEJM 2017；377：1919 PMID 28885881)

◆ weekly CBDCA＋PTX＋根治的胸部放射線照射 ★★★ (JCO 2010；28：3739 PMID 20625120)

CBDCA	AUC 2	静注	day 1
PTX	40 mg/m²	静注	day 1
毎週　6 サイクル			
根治的胸部放射線照射 60 Gy/30 回			

化学放射線療法終了後，CBDCA＋PTX 2 サイクルを追加する。

CBDCA	AUC 5	day 1
PTX	200 mg/m²	day 1
3 週ごと　2 サイクル		

肺がん | 57

◆ CDDP＋DTX＋根治的胸部放射線照射 ★★★ (JCO 2010；28：3299 PMID 20530281)

CDDP	40 mg/m²	静注	day 1, 8
DTX	40 mg/m²	静注	day 1, 8

4週ごと　2サイクル
根治的胸部放射線照射 60 Gy/30 回

◆ CDDP＋VNR＋根治的胸部放射線照射 ★ (Cancer Sci 2004；95： 691 PMID 15298734, J Thorac Oncol 2006；1：810 PMID 17409964)

CDDP	80 mg/m²	静注	day 1
VNR	20 mg/m²	静注	day 1, 8

4週ごと　4サイクル
根治的胸部放射線照射 60 Gy/30 回

◆ 低用量 CBDCA＋根治的胸部放射線照射 ★★★ (Lancet Oncol 2012；13：671 PMID 22622008)

71歳以上では低用量 CBDCA 併用化学放射線療法を行う。

CBDCA	30 mg/m²	静注	連日（放射線照射開始 1 時間前）	計20回

（放射線照射日のみ）
根治的胸部放射線照射 60 Gy/30 回

◆ プラチナ併用根治的化学放射線療法後の地固めデュルバルマブ療法 ★★★ (NEJM 2017；377：1919 PMID 28885881)

デュルバルマブ	10 mg/kg	静注	day 1　2週ごと	最大1年間

4) 切除不能または根治照射不能 Stage ⅢB・ⅢC・Ⅳ（進行期）

　薬物療法〔分子標的治療薬（TKIs），細胞障害性抗がん薬，免疫チェックポイント阻害薬〕が治療の中心であり，その適応および治療の優先度は遺伝子変異の有無と PD-L1 発現割合により大別される。非扁平上皮非小細胞肺がん（主に腺癌）では遺伝子変異の検索が必須であり，扁平上皮癌でも若年，非喫煙患者などの非典型例では遺伝子変異の検索を検討する。

4 肺がん・悪性胸膜中皮腫

◆遺伝子変異の有無と PD-L1 発現割合に基づく治療戦略

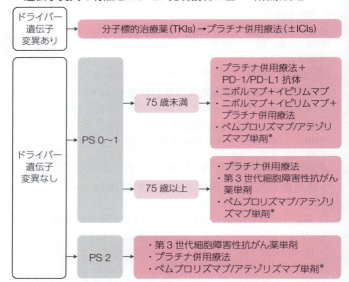

＊PD-L1 発現症例のみ

❶ ドライバー遺伝子変異陽性

▶ **分子標的治療薬(TKIs)**：ドライバー遺伝子変異陽性の場合，分子標的治療薬の使用が生存に寄与するため，細胞障害性抗がん薬より優先される(JAMA 2014；311：1998 PMID 24846037)。分子標的治療薬の第Ⅲ相試験では PS 2 を含む対象で安全性と有効性が示されており，可能な限り投与を検討する。

a) **EGFR 遺伝子変異陽性**：EGFR 遺伝子変異の半数以上はエクソン 19 欠失またはエクソン 21 L858R 点変異(common mutation)であり，第 1 選択は第 3 世代 EGFR-TKI のオシメルチニブである。第Ⅲ相試験において，EGFR 遺伝子変異陽性集団(T790M 耐性変異の発現を問わない)の 1 次治療としてオシメルチニブは第 1 世代 EGFR-TKI であるゲフィチニブと比較して無増悪生存期間(PFS)の有意な延長が示された(18.9 カ月 vs. 10.2 カ月，$p<0.001$)(FLAURA 試験：NEJM 2018；378：113 PMID 29151359)。第 1・2 世代 EGFR-TKI(ゲフィチニブ，エルロチニブ，アファチニブ，

ダコミチニブ）の有効性はいずれもほぼ同等の奏効率 70% 前後である。第 1・2 世代 EGFR-TKI 増悪後は T790M 変異陽性が示された場合に，オシメルチニブが適応となる。第 1・2 世代 EGFR-TKI を検討する場合，アファチニブ・ダコミチニブは忍容不能な有害事象（特に消化器症状）が他の TKIs と比較して多く，また第Ⅲ相試験の対象症例に PS 不良例を含んでいないことを考慮し，PS 2 ではゲフィチニブかエルロチニブ，PS 3〜4 には有効性と安全性が臨床試験で確認されているゲフィチニブが推奨される(Lancet Oncol 2011；12：735 PMID 21783417, Lancet Oncol 2012；13：239 PMID 22285168, JCO 2009；27：1394 PMID 19224850)。またエルロチニブと血管新生阻害薬（ベバシズマブあるいはラムシルマブ）の併用療法がエルロチニブと比較して PFS の延長を示している（RELAY 試験：19.4 カ月 vs. 12.4 カ月，$p<0.0001$，NEJ026 試験 16.9 カ月 vs. 13.3 カ月，$p=0.0157$）(NEJ026 試験：Lancet Oncol 2019；20：625 PMID 30975627, RELAY 試験：Lancet Oncol 2019；20：1655 PMID 31591063)。

　上記以外の EGFR 遺伝子変異（uncommon mutation）における薬剤選択には確固たるエビデンスが乏しい。特にエクソン 20 挿入変異陽性症例における EGFR-TKI（第 1・2 世代）の奏効率は 10% 前後であり，EGFR-TKI の使用は推奨されていない(Lancet Oncol 2012；13：e23 PMID 21764376, Clin Cancer Res 2011；17：3812 PMID 21531810, Lancet Oncol 2015；16：830 PMID 26051236)。エクソン 20 挿入変異以外の稀な変異（E709X，G719X，S768I など）を主たる対象とした臨床試験の報告は少ないが，オシメルチニブは第Ⅱ相試験で奏効率 51% と報告されており，またアファチニブは第Ⅲ相試験の統合後解析で奏効率 71% が示されており，選択肢となりうる(Lancet Oncol 2015；16：830 PMID 26051236)。

◆ **ゲフィチニブ療法** ★★★ (NEJM 2009；361：947 PMID 19692680, NEJM 2010；362：2380 PMID 20573926, Lancet Oncol 2010；11：121 PMID 20022809)

ゲフィチニブ　1 回 250 mg　1 日 1 回　連日

◆ **エルロチニブ療法** ★★★ (Lancet Oncol 2011；12：735 PMID 21783417, Lancet Oncol 2012；13：236 PMID 22489289)

エルロチニブ　1 回 150 mg　1 日 1 回　連日

◆アファチニブ療法 ★★★ (JCO 2013；31：3327 PMID 23816960, Lancet Oncol 2014；15：213 PMID 24439929, Lancet Oncol 2015；16：141 PMID 25589191)

アファチニブ　1回40 mg　1日1回　連日

◆ダコミチニブ療法 ★★★ (JCO 2018；36：2244 PMID 29864379, Lancet Oncol 2017；18：1454 PMID 28958502)

ダコミチニブ　1回45 mg　1日1回　連日

◆オシメルチニブ療法 ★★★ (Lancet Oncol 2016；17：1643 PMID 27751847, NEJM 2018；378：113 PMID 29151359)

オシメルチニブ　1回80 mg　1日1回　連日

◆エルロチニブ＋ラムシルマブ併用療法 ★★★ (Lancet 2019；20：1655 PMID 31591063)

エルロチニブ　1回150 mg　1日1回　連日
ラムシルマブ　10 mg/kg　静注　day 1　2週ごと　病勢増悪まで

b) **ALK 融合遺伝子陽性**：ALK 融合遺伝子変異陽性例の 1 次治療には ALK-TKI を用いる。ALK-TKI は細胞障害性抗がん薬と比較して PFS も有意な延長が示されており，1 次治療の第 1 選択となる。アレクチニブはクリゾチニブとのランダム化第 III 相試験で PFS の有意な改善（ALEX 試験：34.8 カ月 vs. 10.9 カ月，$p<$ 0.001，J-ALEX 試験：34.1 カ月 vs. 10.2 カ月，$p<0.001$）が報告されており，1 次治療にはアレクチニブが推奨される（ALEX 試験：NEJM 2017；377：829 PMID 28586279, Ann Oncol 2020；31：1056 PMID 32418886, J-ALEX 試験：Lancet 2017；390：29 PMID 28501140, Lung Cancer 2020；139：195 PMID 31812890）。クリゾチニブ耐性群を対象とした第 II 相試験でアレクチニブの奏効率は 48〜50％，ロルラチニブは 69.5％，ブリグチニブは 54％，セリチニブは 38.6％ であり，クリゾチニブを 1 次治療とした場合の増悪時はアレクチニブ，ロルラチニブ，ブリグチニブまたはセリチニブの投与を検討する（Lancet Oncol 2016；17：234 PMID 26708155, JCO 2016；34：661 PMID 26598747, Lancet Oncol 2018；19：1654 PMID 30413378, JCO 2017；35：2490 PMID 28475456, JCO 2016；34：2866 PMID 27432917）。クリゾチニブ以外の ALK-TKI 投与後に増悪した症例において，ロルラチニブの奏効率は 38.7％，セリチニブは 25％ である。クリゾチニブ以外の ALK-TKI 増悪時はロルラチニブの投与を検討する（Lancet Oncol

2018；19：1654 PMID 30413378, Cancer Sci 2018；109：2863 PMID 29959809）。
アレクチニブは PS 不良例でも奏効率 72％ と高い有効性が報告されており，PS 2〜4 でも可能な限り投与を検討する（J Thorac Oncol 2017；12：1161 PMID 28238961）。

◆ **アレクチニブ療法 ★★★**（NEJM 2017；377：829 PMID 28586279）

アレクチニブ　1 回 300 mg　1 日 2 回　連日

◆ **ロルラチニブ療法 ★★★**（Lancet Oncol 2018；19：1654 PMID 30413378）

ロルラチニブ　1 回 100 mg　1 日 1 回　連日

◆ **ブリグチニブ療法 ★★★**（JCO 2017；35：2490 PMID 28475456）

ブリグチニブ　1 回　90 mg　1 日 1 回　day 1〜7　　連日
ブリグチニブ　1 回 180 mg　1 日 1 回　day 8 以降　連日

◆ **セリチニブ療法 ★★★**（J Thorac Oncol 2019；14：1255 PMID 30851442, Lancet 2017；389：917 PMID 28126333）

セリチニブ　1 回 450 mg　1 日 1 回　連日

◆ **クリゾチニブ療法 ★★★**（NEJM 2014；371：2167 PMID 25470694）

クリゾチニブ　1 回 250 mg　1 日 2 回　連日

c) **ROS1 融合遺伝子陽性**：ROS1 融合遺伝子陽性例において，クリゾチニブは欧米で実施された第Ⅰ相試験および本邦も含む第Ⅱ相試験でともに奏効率 72％ と高い有効性が報告されている。またエヌトレクチニブも第Ⅰ相，および第Ⅱ相試験の統合解析で奏効率 77％ と高い有効性が報告されている。

◆ **クリゾチニブ療法 ★★**（JCO 2018；36：1405 PMID 29596029）

クリゾチニブ　1 回 250 mg　1 日 2 回　連日

◆ **エヌトレクチニブ療法 ★★**（Lancet Oncol 2020；21：261 PMID 31838015）

エヌトレクチニブ　1 回 600 mg　1 日 1 回　連日

d) **BRAF 遺伝子変異陽性**：BRAF V600E 遺伝子変異を有する症例におけるダブラフェニブおよびトラメチニブ併用療法の有効性が示されている。プラチナ併用細胞障害性抗がん薬の投与歴の有無にかかわらず，奏効率は 60％ を超えることが 2 つの第Ⅱ相

試験により示されている(Lancet Oncol 2017；18：1307 PMID 28919011, Lancet Oncol 2016；17：984 PMID 27283860)。

◆ **ダブラフェニブ＋トラメチニブ療法 ★★** (Lancet Oncol 2017；18：1307 PMID 28919011)

ダブラフェニブ	1回150 mg	1日2回	連日
トラメチニブ	1回 2 mg	1日1回	連日

e) **MET 遺伝子変異陽性**：MET 遺伝子変異(エクソン 14 スキッピング変異)を有する症例において，テポチニブとカプマチニブは第Ⅱ相試験においてそれぞれ奏効率 44.5％，41％ と有効性が報告されている。

◆ **テポチニブ療法 ★★** (NEJM 2020；383：931 PMID 32469185)

テポチニブ	1回500 mg	1日1回	連日

◆ **カプマチニブ療法 ★★** (NEJM 2020；383：944 PMID 32877583)

カプマチニブ	1回400 mg	1日2回	連日

❷ **ドライバー遺伝子変異陰性**　遺伝子変異陰性例においては PD-L1 の発現によらず 1 次治療としては，① プラチナ併用療法＋PD-1/PD-L1 抗体の併用療法，② ニボルマブ＋イピリムマブ±プラチナ併用療法が治療選択となる。一方で PD-L1 1％ 以上の症例ではペムブロリズマブ単剤，アテゾリズマブ単剤も選択肢となる。これらのレジメンを比較した試験はなく，個々の症例にどの治療が最適かに関しての明確な指標もないため，臨床所見，PD-L1 の発現状況や各々のレジメンの特徴や安全性など考慮した治療選択が必要となる。1 次治療後の治療選択は，1 次治療に PD-1/PD-L1 抗体を使用していない症例には，その投与が推奨される。1 次治療で PD-1/PD-L1 抗体を使用した場合は，DTX(＋RAM)，S-1，nab-PTX の投与が推奨される。PS 2 では全身状態および合併症に十分留意し，プラチナ併用療法あるいは第3世代細胞障害性抗がん薬単剤療法(≧75歳のレジメン)，ペムブロリズマブ単剤を第一に検討する。PS 3～4 では細胞障害性抗がん薬は投与しない。

▶ **肺がん薬物療法(プラチナ併用療法)の変遷**：プラチナ製剤と第3世代細胞障害性抗がん薬(CPT-11，PTX，VNR，GEM，DTX)の併用療法は，本邦で実施されたランダム化第Ⅲ相試験

によりいずれも同等の治療成績(FACS試験：Ann Oncol 2007；18：317 PMID 17079694)であることが示された。その後，CBDCA＋PTX＋BV → BV 療法(NEJM 2006；355：2542 PMID 17167137)，CDDP (CBDCA)＋PEM → PEM 療法(PARAMOUNT 試験：Lancet Oncol 2012；13：247 PMID 22341744，JCO 2013；31：2895 PMID 23835707，PRO-NOUNCE 試験：J Thorac Oncol 2015；10：134 PMID 25371077)により，非扁平上皮癌と扁平上皮癌への分類と維持療法の導入が標準治療となった。

a) 1 次治療

- 1 次治療(PD-L1 TPS≧1%，PS 0～1 or 2)：ペムブロリズマブ単剤が選択肢となる。

抗 PD-1 抗体であるペムブロリズマブ単剤療法は EGFR/ALK 変異陰性，PD-L1 の TPS 50% 以上かつ PS 0～1 を対象とした，プラチナ併用細胞障害性抗がん薬治療とのランダム化第Ⅲ相試験において，中間解析時点で十分な有効性が PFS(10.3 カ月 vs. 6.0 カ月，p＜0.001)および OS(更新された報告より 30.0 カ月 vs. 14.2 カ月，p＝0.002)で示された(KEYNOTE024 試験：NEJM 2016；375：1823 PMID 27718847，JCO 2019；37：537 PMID 30620668)。臨床試験では最大投与期間を 2 年間としている。また，EGFR/ALK 変異陰性，PD-L1 の TPS 1% 以上かつ PS 0～1 を対象とした，プラチナ併用細胞障害性抗がん薬治療とのランダム化第Ⅲ相試験において PD-L1 TPS 1% 以上の群において OS の延長が示された(16.7 カ月 vs. 12.1 カ月，p＝0.0018)(KEYNOTE042：Lancet 2019；393：1819 PMID 30955977)。しかし，探索的解析ではあるが PD-L1 TPS 1～49% 群の OS の有意な延長は認められなかった。そのため，PD-L1 TPS 1～49% の群においてはプラチナ併用療法やプラチナ併用療法＋PD-1/PD-L1 抗体あるいはニボルマブ＋イピリムマブ±プラチナ併用療法との検討において慎重に判断する必要がある。PS 2 においても PD-1/PD-L1 阻害薬は細胞障害性抗がん薬と比較して重篤な毒性の頻度が低いことから治療選択肢として考慮してもよいが，十分に検討する必要がある。

◆ ペムブロリズマブ単剤療法 ★★★ (NEJM 2016；375：1823 PMID 27718847)

ペムブロリズマブ	200 mg/body	静注	day 1	3 週ごと	病勢増悪まで

- 1次治療（TC3 または IC3，PS 0〜1 or 2）：アテゾリズマブ単剤が選択肢となる。

　PD-L1 発現が TC1（腫瘍細胞≧1％）または IC1（腫瘍浸潤免疫細胞≧1％）の EGFR/ALK 変異陰性，PS 0〜1 の進行期非小細胞肺がんを対象とし，アテゾリズマブ単剤とプラチナ併用療法を比較する第III相試験が行われ，TC3（腫瘍細胞≧50％）または IC3（腫瘍浸潤細胞≧10％）においてアテゾリズマブ群の有意な OS の延長を認めた（20.2 カ月 vs. 13.1 カ月，$p = 0.0106$）(IMpower110 試験：NEJM 2020；383：1328 PMID 32997907)。ペムブロリズマブ単剤同様に PS2 においても治療選択肢として考慮してもよいが，十分に検討する必要がある。

◆ **アテゾリズマブ単剤療法 ★★★** (NEJM 2020；383：1328 PMID 32997907)

アテゾリズマブ　1,200 mg/body　静注　day 1　3 週ごと　病勢増悪まで

- 1次治療（PD-L1 TPS は問わない，PS 0〜1，＜75 歳）：プラチナ併用療法＋PD-1/PD-L1 抗体あるいはニボルマブ＋イピリムマブ±プラチナ併用療法が選択肢となる。

【非扁平上皮非小細胞肺がん】　CBDCA＋PEM＋ペムブロリズマブ，CBDCA＋PTX＋BV＋アテゾリズマブ，CBDCA＋nab-PTX＋アテゾリズマブ，ニボルマブ＋イピリムマブ＋CBDCA/CDDP＋PEM が選択肢となる。どのレジメンを選択するかは臨床状況や合併症に応じて十分に検討が必要である。

◆ **CDDP/CBDCA＋PEM＋ペムブロリズマブ療法 → PEM＋ペムブロリズマブ維持療法 ★★★** (NEJM 2018；378：2078 PMID 29658856)

　EGFR/ALK 変異陰性，PS 0〜1 の進行期非小細胞肺がん（非扁平上皮癌）患者を対象として，プラチナ併用療法に対してペムブロリズマブの上乗せの有効性を検証した第III相試験で中間解析において OS の改善（22.0 カ月 vs. 10.6 カ月，HR 0.56，95％CI 0.46〜0.69）が示された（KEYNOTE189 試験：NEJM 2018；378：2078 PMID 29658856，Ann Oncol 2021；32：881 PMID 33894335)。

```
CDDP      75 mg/m²  （CBDCA  AUC 5）  静注  day 1
PEM       500 mg/m²  静注  day 1
ペムブロリズマブ  200 mg/body  静注  day 1
3 週ごと  4 サイクル
4 サイクル終了時に PD 以外の場合，維持療法として PEM＋ペムブロリ
  ズマブを継続
PEM       500 mg/m²  静注  day 1
ペムブロリズマブ  200 mg/body  静注  day 1
3 週ごと  病勢増悪まで
```

PEM による副作用予防として，投与の 7 日以上前から治療中止後 22 日まで葉酸（0.5 mg 連日），ビタミン B_{12}（1 mg 筋注 9 週ごと）を投与。

◆CBDCA＋PTX＋BV＋アテゾリズマブ療法（ABPC 療法）
→ BV＋アテゾリズマブ維持療法 ★★★ (NEJM 2018：378：2288 PMID 29863955)

PS 0～1 の進行期非小細胞肺がん（非扁平上皮癌）患者を対象とした第Ⅲ相試験で EGFR/ALK 変異陰性集団の ABPC 療法の CBDCA＋PTX＋BV に対する優越性が示された（OS 19.2 カ月 vs. 14.7 カ月，$p＝0.02$）が示された（IMpower150 試験：NEJM 2018：378：2288 PMID 29863955）。

```
CBDCA    AUC 6        静注  day 1
PTX      200 mg/m²    静注  day 1
BV       15 mg/kg     静注  day 1
アテゾリズマブ  1,200 mg/body  静注  day 1
3 週ごと  4（～6）サイクル
4～6 サイクル終了時に PD 以外の場合，維持療法として BV＋アテゾリ
  ズマブを継続
BV       15 mg/kg     静注  day 1
アテゾリズマブ  1,200 mg/body  静注  day 1
3 週ごと  病勢増悪まで
```

◆CBDCA＋nab-PTX＋アテゾリズマブ療法 ★★★ (Lancet Oncol 2019：20：924 PMID 31122901)

PS 0～1 の進行期非小細胞肺がん（非扁平上皮癌）患者を対象として，EGFR/ALK 変異陰性集団の CBDCA＋nab-PTX に対しアテゾリズマブの上乗せの有効性を検証した第Ⅲ相試験で OS の改善（18.6 カ月 vs. 13.9 カ月，$p＝0.033$）が示された（IMpower130 試験：Lancet Oncol 2019：20：924 PMID 31122901）。

```
CBDCA     AUC 6        静注   day 1
nab-PTX   100 mg/m²    静注   day 1, 8, 15
アテゾリズマブ  1,200 mg/body   静注   day 1
3 週ごと  4 サイクル
4 サイクル終了時に PD 以外の場合，維持療法としてアテゾリズマブを
  継続
アテゾリズマブ  1,200 mg/body   静注   day 1
3 週ごと  病勢増悪まで
```

◆ニボルマブ＋イピリムマブ±CBDCA/CDDP＋PEM 療法

★★★ (Lancet Oncol 2021；22：198 PMID 33476593)

EGFR/ALK 変異陰性，PS 0〜1 の進行期非小細胞肺がん患者を対象として，ニボルマブ＋イピリムマブに 2 サイクルのプラチナ併用療法を追加した併用療法とプラチナ併用療法を比較した第Ⅲ相試験で OS の有意な改善が示された(14.1 カ月 vs. 10.7 カ月，$p = 0.0006$)(CheckMate9LA 試験：Lancet Oncol 2021；22：198 PMID 33476593)。

```
CDDP    75 mg/m²   (CBDCA  AUC 5 or 6)   静注   day 1
PEM     500 mg/m²   静注   day 1
ニボルマブ  240 mg/body  静注   day 1
3 週ごと
イピリムマブ  1 mg/kg   静注   day1
6 週ごと，2 サイクル
終了時に PD 以外の場合，維持療法としてペメトレキセド＋ニボルマブ
  ＋イピリムマブを継続
PEM     500 mg/m²   静注   day 1
ニボルマブ  240 mg/body  静注   day 1
3 週ごと
イピリムマブ  1 mg/kg   静注   day1
6 週ごと  病勢増悪まで
```

PEM による副作用予防として，投与の 7 日以上前から治療中止後 22 日まで葉酸(0.5 mg 連日)，ビタミン B_{12}(1 mg 筋注 9 週ごと)を投与。

【扁平上皮非小細胞肺がん】 CBDCA＋PTX/nab-PTX＋ペムブロリズマブ，ニボルマブ＋イピリムマブ＋CBDCA＋PTX が選択肢となる。

◆CBDCA＋PTX/nab-PTX＋ペムブロリズマブ療法 ★★★

(NEJM 2018；379：2040 PMID 30280635)

PS 0〜1 の進行期非小細胞肺がん(扁平上皮癌)患者を対象として，CBDCA＋PTX/nab-PTX に対しペムブロリズマブの上乗せ

の有効性を検証した第Ⅲ相試験で OS の改善(17.1 カ月 vs. 11.6 カ月，HR 0.71，95％CI 0.58〜0.88)が示された(KEYNOTE407 試験：NEJM 2018；379：2040 PMID 30280635, J Thorac Oncol 2020；15：1657 PMID 32599071)。

CBDCA	AUC 6	静注	day 1
PTX	200 mg/m²	静注	day 1 (nab-PTX 100 mg/m² 静注 day 1, 8, 15)

ペムブロリズマブ 200 mg/body 静注 day 1
3 週ごと 4 サイクル
4 サイクル終了時に PD 以外の場合，維持療法としてペムブロリズマブを継続
ペムブロリズマブ 200 mg/body 静注 day 1
3 週ごと 病勢増悪まで

◆ **ニボルマブ＋イピリムマブ±CBDCA＋PTX 療法** ★★★ (Lancet Oncol 2021；22：198 PMID 33476593)

CBDCA	AUC 6	静注	day 1
PTX	200 mg/m²	静注	day 1
ニボルマブ	240 mg/body	静注	day 1

3 週ごと
イピリムマブ 1 mg/kg 静注 day1
6 週ごと，2 サイクル
終了時に PD 以外の場合，維持療法としてニボルマブ＋イピリムマブを継続
ニボルマブ 240 mg/body 静注 day 1 3 週ごと
イピリムマブ 1 mg/kg 静注 day 1 6 週ごと
病勢増悪まで

【非小細胞肺がん(非扁平上皮癌，扁平上皮癌を問わない)】
◆ **ニボルマブ＋イピリムマブ療法** ★★★ (NEJM 2019；381：2020 PMID 31562796)

EGFR/ALK 変異陰性，PS 0〜1 の進行期非小細胞肺がん(非扁平上皮癌)患者を対象としてニボルマブ＋イピリムマブ併用療法，ニボルマブ単剤療法もしくはニボルマブ＋プラチナ併用療法，プラチナ併用療法の 3 群を比較する第Ⅲ相試験が行われた。それぞれ PD-L1 TPS≧1%(Part 1a)を対象にニボルマブ＋イピリムマブ併用療法とプラチナ併用療法の比較，PD-L1 TPS ＜1%(Part 1b)を対象にニボルマブ＋イピリムマブ併用療法とプラチナ併用療法の比較を行い，PD-L1 TPS の発現にかかわらずニボ

ルマブ＋イピリムマブ併用療法の OS の有意な改善を認めた（Part 1a：17.1 カ月 vs. 14.9 カ月，$p=0.007$，Part 1b 17.2 カ月 vs. 12.2 カ月，HR 0.62，95%CI 0.48〜0.78）(CheckMate227 試験：NEJM 2019：381：2020 PMID 31562796)

ニボルマブ	240 mg/body	静注	day 1	2 週ごと	
イピリムマブ	1 mg/kg	静注	day 1	6 週ごと	病勢増悪まで

- 非小細胞肺がん(PS0〜1)，≧75 歳：本邦では 75 歳以上を高齢者とし，カルボプラチン併用療法，細胞障害性抗がん薬単剤療法(DTX，GEM，VNR)が選択肢となる。世界的には臨床試験で年齢上限が設定されることは稀である。本邦で実施した PS 0〜2，70 歳以上を対象としたランダム化第Ⅲ相試験で，DTX は VNR に対して PFS の有意な改善(5.5 カ月 vs. 3.1 カ月，$p<0.001$)が示され，DTX 単剤療法が従来までは第 1 選択であった(JCO 2006：24：3657 PMID 16877734)。最近，本邦においてカルボプラチン併用療法の報告があり，DTX に対する非扁平上皮癌における非劣性，扁平上皮癌における優越性が証明された。

【非扁平上皮非小細胞肺がん】

◆ CBDCA＋PEM → PEM 維持療法 ★★ (JAMA Oncol 2020：6：e196828 PMID 32163097)

本邦において，75 歳以上，PS 0〜1 の進行期非小細胞肺がん(非扁平上皮癌)患者を対象とした第Ⅲ相試験が行われ，CBDCA＋PEM → PEM 維持療法の DTX に対する OS の非劣性が証明された(18.7 カ月 vs. 15.5 カ月，HR 0.85，95%CI 0.68〜1.06)。PFS に関しては，CBDCA＋PEM 群で有意に延長させることが示された(JCOG1210/WJOG7813L 試験：JAMA Oncol 2020：6：e196828 PMID 32163097)。

CBDCA	AUC 5	静注	day 1	
PEM	500 mg/m²	静注	day 1	
3 週ごと　4 サイクル				
4 サイクル終了時に PD 以外の場合，維持療法として PEM を継続				
PEM	500 mg/m²	静注	day 1　3 週ごと　病勢増悪まで	

PEM による副作用予防として，投与の 7 日以上前から治療中止後 22 日まで葉酸(0.5 mg　連日)，ビタミン B_{12}(1 mg　筋注　9 週ごと)を投与。

肺がん | 69

【扁平上皮非小細胞肺がん】

◆ CBDCA＋nab-PTX ★ (Lancet Healthy Longev 2021；2：e791)

　本邦において，70歳以上，PS 0〜1の進行期非小細胞肺がん（扁平上皮癌）患者を対象とし，CBDCA＋nab-PTX と DTX を比較する第Ⅲ相試験が行われ，中間解析で CBDCA＋nab-PTX の DTX に対する OS の優越性が証明された（16.9カ月 vs 10.9カ月，$p < 0.001$）(CAPITAL 試験：Lancet Healthy Longev 2021；2：e791)．

CBDCA	AUC 6	静注	day 1
nab-PTX	100 mg/m²	静注	day 1, 8, 15
3週ごと　4サイクル			

- 1次治療（PD-L1 TPS は問わない，PS 2）：第3世代細胞性抗がん薬単剤（DTX, PTX, VNR, GEM），PEM 単剤（非扁平上皮非小細胞肺がんの場合）プラチナ併用療法が選択肢となる。免疫チェックポイント阻害薬の使用に関しては上記を参照されたい。
- 1次治療（その他の治療選択肢）

　【扁平上皮非小細胞肺がん（PS 0〜1）】　PS 0〜2の進行期非小細胞肺がん（扁平上皮癌）患者を対象として，CDDP＋GEM に対しネシツムマブを上乗せすることの有効性を評価した第Ⅲ相試験が行われ，OS の延長を示した（11.5カ月 vs. 9.9カ月，$p=0.01$）(SQUIRE 試験：Lancet Oncol 2015；16：763 PMID 26045340)。

CDDP	75 mg/m²	静注	day 1
GEM	1,250 mg/m²	静注	day 1, 8
ネシツムマブ	800 mg/body	静注	day 1, 8
3週ごと　4サイクル			
4サイクル終了時に PD 以外の場合，維持療法としてネシツムマブを継続			
ネシツムマブ	800 mg/body	静注	day 1, 8
3週ごと　病勢増悪まで			

　【扁平上皮非小細胞肺がん（＜75歳）】　扁平上皮癌を対象としたネダプラチン＋DTX と CDDP＋DTX のランダム化第Ⅲ相試験が本邦で実施され，OS の有意な改善（13.6カ月 vs. 11.4カ月，$p=0.037$）が報告されている(Lancet Oncol 2015；16：1630 PMID 26522337)。

4
肺がん・悪性胸膜中皮腫

4 肺がん・悪性胸膜中皮腫

◆ ネダプラチン＋DTX 療法 ★★★ (Lancet Oncol 2015；16：1630 PMID 26552337)

ネダプラチン	100 mg/m^2	静注	day 1
DTX	60 mg/m^2	静注	day 1
3 週ごと	4(〜6)サイクル		

【非小細胞肺がん(非扁平上皮癌, 扁平上皮癌を問わない), <75歳】

上述されたレジメンが実施できない場合, 下記のプラチナ併用第 3 世代細胞障害性抗がん薬が選択肢となる.

◆ CDDP＋GEM 療法 ★★★ (Ann Oncol 2007；18：317 PMID 17079694)

CDDP	80 mg/m^2	静注	day 1
GEM	1,000 mg/m^2	静注	day 1, 8
3 週ごと	4(〜6)サイクル		

◆ CDDP＋DTX 療法 ★★★ (JCO 2004；15：254 PMID 14722033)

CDDP	80 mg/m^2	静注	day 1
DTX	60 mg/m^2	静注	day 1
3 週ごと	4(〜6)サイクル		

◆ CBDCA＋PTX 療法 ★★★ (Ann Oncol 2007；18：317 PMID 17079694)

CBDCA	AUC 6	静注	day 1
PTX	200 mg/m^2	静注	day 1
3 週ごと	4(〜6)サイクル		

◆ CDDP＋S-1 療法 ★★★ (CATS 試験：Ann Oncol 2015；26：1401 PMID 25908605)

CDDP	60 mg/m^2	静注	day 8
S-1	1 回 40 mg/m^2 1 日 2 回		day 1〜21
4〜5 週ごと	4(〜6)サイクル		

◆ CBDCA＋S-1 療法 ★★★ (LETS 試験：JCO 2010；28：5240 PMID 21079147)

CBDCA	AUC 5	静注	day 1
S-1	1 回 40 mg/m^2 1 日 2 回		day 1〜14
3 週ごと	4(〜6)サイクル		

S-1 は体表面積による用量調整が必要となる.
1.25 m^2 未満：80 mg/日, 1.25〜1.5 m^2：100 mg/日, 1.5 m^2 以上：120 mg/日

肺がん | 71

◆ **CBDCA＋nab-PTX 療法** ★★★ (JCO 2012；30：2055 PMID 22547591)

CBDCA	AUC 6	静注	day 1
nab-PTX	100 mg/m^2	静注	day 1, 8, 15
3 週ごと	4(〜6)サイクル		

b) 2 次治療以降（免疫チェックポイント阻害薬使用歴あり）：2000 年以降，DTX 単剤療法が 2 次治療以降の標準治療であった(JCO 2000：18：2095 PMID 10811675)。DTX に抗 VEGFR-2 抗体であるラムシルマブの上乗せによる OS の改善(10.5 カ月 vs. 9.1 カ月，$p = 0.023$)が第Ⅲ相試験で示され，2 次治療以降の細胞障害性抗がん薬レジメンの選択肢の 1 つとなった(Lancet 2014；384：665 PMID 24933332)。なお，75 歳以上または PS 2 では十分な有効性と安全性が担保されておらず，ラムシルマブの追加投与は行わない。PEM 単剤は DTX 単剤に対する OS の非劣性を証明できなかったが，後解析により非扁平上皮癌で OS 改善(9.3 カ月 vs. 8.0 カ月，$p = 0.047$)が示され，非扁平上皮癌では選択肢となる(JCO 2004：22：1589 PMID 15117980)。既治療（2 レジメン以内）の進行非小細胞肺がんを対象に nab-PTX と DTX を比較した第Ⅲ相試験が行われ，nab-PTX の DTX に対する非劣性が示された(16.2 カ月 vs. 13.6 カ月，HR 0.85，95％CI 0.68〜1.07)(J-AXEL 試験：J Thorac Oncol 2021；16：1523 PMID 33915251)。また，S-1 単剤療法が DTX 単剤療法と比較して OS の非劣性(12.75 カ月 vs. 12.52 カ月，$p = 0.3818$)が示され，2 次治療以降の選択肢となった(Ann Oncol 2017；28：2698 PMID 29045553)。

◆ **DTX＋ラムシルマブ療法** ★★★ (Lancet 2014；384：665 PMID 24933332)

DTX	60 mg/m^2	静注	day 1
ラムシルマブ	10 mg/kg	静注	day 1
3 週ごと	病勢増悪まで		

◆ **DTX 療法** ★★★ (JCO 2000；18：2095 PMID 10811675)

DTX 60 mg/m^2	静注	day 1
3 週ごと	病勢増悪まで	

◆ **nab-PTX 療法** ★★★ (J Thorac Oncol 2021；16：1523 PMID 33915251)

nab-PTX 100 mg/m^2	静注	day 1, 8, 15
3 週ごと	病勢増悪まで	

4

肺がん・悪性胸膜中皮腫

72 | 4 肺がん・悪性胸膜中皮腫

◆ **PEM 療法** ★★★ （JCO 2004：22：1589 PMID 15117980）

PEM 500 mg/m^2 静注 day 1
3 週ごと 病勢増悪まで

PEM による副作用予防として，投与の 7 日以上前から治療中止後 22 日まで葉酸（0.5 mg 連日），ビタミン B_{12}（1 mg 筋注 9 週ごと）の投与。

◆ **S-1 療法** ★★★ （Ann Oncol 2017：28：2698 PMID 29045553）

S-1 1 回 40〜60 mg 1 日 2 回 day 1〜28 6 週ごと

1.25 m^2 未満：80 mg/日，1.25〜1.5 m^2：100 mg/日，1.5 m^2 以上：120 mg/日

c)**2 次治療以降（免疫チェックポイント阻害薬使用歴なし）：**抗PD-1 抗体であるニボルマブ単剤療法，ペムブロリズマブ単剤療法および抗 PD-L1 抗体のアテゾリズマブ単剤療法が，細胞障害性抗がん薬治療後の 2 次治療において DTX 単剤療法とのランダム化第Ⅲ相試験で OS の延長（KEYNOTE010 試験：10.4 カ月 vs. 8.5 カ月，$p=0.0008$，CheckMate057 試験：12.2 カ月 vs. 9.4 カ月，$p=0.002$，OAK 試験：13.8 カ月 vs. 9.6 カ月，$p=0.0003$）が示されている（KEYNOTE010 試験：Lancet 2016：387：1540 PMID 26712084，CheckMate057 試験：NEJM 2015：373：1627 PMID 26412456，CheckMate017 試験：NEJM 2015：373：123 PMID 26028407，OAK 試験：Lancet 2017：389：255 PMID 27979383）。

　各薬剤の投与適応が組織型および PD-L1 発現割合により異なる。PD-L1≧1% では組織型を問わず，3 剤ともに有効性が示されており，いずれの薬剤も投与可能である。PD-L1<1% または不明な症例ではニボルマブ，アテゾリズマブの有効性が示されている。

◆ **ニボルマブ単剤療法** ★★★ （NEJM 2015：373：123 PMID 26028407，NEJM 2015：373：1627 PMID 26412456）

ニボルマブ 240 mg/body 静注 day 1 2 週ごと 病勢増悪まで

◆ **アテゾリズマブ単剤療法** ★★★ （Lancet 2017：389：255 PMID 27979383）

アテゾリズマブ 1,200 mg/body 静注 day 1 3 週ごと 病勢増悪まで

2 小細胞肺がん

　限局型には根治を目標とする外科切除術，放射線療法と化学療法を主体とし，進展型では延命および症状緩和を目標とした化学療法

を主体とする治療方針を選択する。

1) 限局型小細胞肺がん

❶ 限局型小細胞肺がん Stage Ⅰ〜ⅡA　本邦で実施した第Ⅱ相試験で術後 CDDP ＋ ETP 療法により病理病期ⅠA では 5 年生存率 73％ と良好な成績であったこと，後方視的研究だが術後化学療法が生存に有意に良好であることから術後化学療法が推奨される(J Thorac Cardiovasc Surg 2005；129：977 PMID 15867769, JCO 2016；34：1057 PMID 26786925)。

◆**外科切除＋術後補助 CDDP ＋ ETP 療法** ★★ (J Thorac Cardiovasc Surg 2005；129：977 PMID 15867769)

CDDP	80 mg/m^2	静注	day 1
ETP	100 mg/m^2	静注	day 1〜3
3 週ごと　4 サイクル			

❷ 限局型小細胞肺がん Stage Ⅰ〜ⅡA 以外　限局型では CDDP ＋ ETP 療法を用いた化学放射線療法を行う。胸部放射線療法は，加速過分割照射療法が標準放射線療法である。PS 3 でも PS 悪化の原因が悪性腫瘍であり，治療により改善が期待できる場合は薬物療法を行い，PS 改善が得られれば放射線治療の追加を行う。CDDP の投与が懸念される状況では CBDCA ＋ ETP 療法後に逐次胸部放射線療法を検討する。

◆**CDDP ＋ ETP ＋ 胸部加速過分割照射療法** ★★★ (NEJM 1999；340：265 PMID 9920950, Lancet Oncol 2014；15：106 PMID 24309370)

CDDP	80 mg/m^2	静注	day 1
ETP	100 mg/m^2	静注	day 1〜3
3 週ごと（放射線照射中は 4 週ごと）　4 サイクル			
胸部加速過分割照射 45 Gy/30 回（1 回 1.5 Gy，1 日 2 回）			

2) 進展型小細胞肺がん

未治療進展型小細胞肺がんにおいて標準治療は，プラチナ併用療法＋PD-L1 阻害薬である。抗 PD-L1 抗体（アテゾリズマブおよびデュルバルマブ）をプラチナ併用療法へ上乗せすることで，OS の延長効果が，2 つのランダム化第Ⅲ相試験において示されている (IMpower133 試験：12.3 カ月 vs. 10.3 カ月，$p = 0.007$，CASPIAN 試験：13.0 カ月 vs. 10.3 カ月，$p = 0.0047$)(IMpower133 試験：NEJM 2018；379：2220 PMID 30280641, CASPIAN 試験：Lancet 2019；394：1929 PMID 31590988)。

一方で 70 歳以下，未治療小細胞肺がん（PS 0～2）に対する CDDP＋CPT-11 と CDDP＋ETP の第 III 相試験では，CDDP＋CPT-11 による OS 延長が認められた（12.8 カ月 vs. 9.4 カ月，$p＝0.002$）（JCOG9511 試験：NEJM 2002；346：85 PMID 11784874）。

◆ **CBDCA＋ETP＋アテゾリズマブ療法** ★★★ （NEJM 2018；379：2220）

CBDCA	AUC 5	静注	day 1
ETP	80 mg/m²	静注	day 1～3
アテゾリズマブ	1,200 mg/body	静注	day 1
3 週ごと	4 サイクル		
4 サイクル終了後はアテゾリズマブ単剤	1,200 mg/body	day 1	3 週ごと　病勢増悪まで

◆ **プラチナ製剤＋ETP＋デュルバルマブ療法** ★★★ （Lancet 2019；394：1929 PMID 31590988）

CDDP	80 mg/m²	静注	day 1
ETP	100 mg/m²	静注	day 1～3
デュルバルマブ	1,500 mg/body	静注	day 1
3 週ごと	4 サイクル		
あるいは CBDCA	AUC 5　静注　day 1	ETP	80 mg/m²　静注 day 1～3
デュルバルマブ	1,500 mg/body	静注	day 1
3 週ごと	4 サイクル		
それぞれ 4 サイクル終了後はデュルバルマブ単剤	1,500 mg/body	day 1	4 週ごと　病勢増悪まで

◆ **CDDP＋CPT-11 療法** ★★★ （NEJM 2002；346：85 PMID 11784874）

CDDP	60 mg/m²	静注	day 1
CPT-11	60 mg/m²	静注	day 1, 8, 15
4 週ごと	4 サイクル		

◆ **CDDP＋ETP療法** ★★★ （JCO 1992；10：282 PMID 1310103, NEJM 2002；346：85 PMID 11784874）

CDDP	80 mg/m²	静注	day 1
ETP	100 mg/m²	静注	day 1～3
3 週ごと	4 サイクル		

◆ **CBDCA＋ETP 療法** ★★★ （Br J Cancer 2007；97：162 PMID 17579629）

70 歳以下 PS 不良（PS 3）もしくは 70 歳以上 PS 0～2 の患者が対象となる。

CBDCA	AUC 5	静注	day 1
ETP	80 mg/m²	静注	day 1〜3
3週ごと	4サイクル		

3）再発小細胞肺がん

小細胞肺がんの再発では，初回化学療法終了後 60〜90 日以内の再発を refractory relapse，それ以降の再発を sensitive relapse と分類する。sensitive relapse に対しては標準治療が確立しているが，refractory relapse に対する標準治療は未確立のため，全身状態を考慮し化学療法を行うかどうかを検討する。

◆ **プラチナ併用化学療法再導入（リチャレンジ）** ★★
◆ **トポテカン療法** ★★★ （JCO 1999；17：658 PMID 10080612）

トポテカン	1.0 mg/m²	静注	day 1〜5	3週ごと	病勢増悪まで

文献では 1.5 mg/m² で投与されているが，実臨床では 1.0 mg/m² で投与していることが多い。

◆ **AMR 療法** ★★ （JCO 2014；32：4012 PMID 25385727, Lung Cancer 2014；84：67 PMID 24530204）

トポテカンと AMR の第Ⅲ相試験で AMR の OS における優越性は示されなかったが，後解析で MST の非劣性が示された（7.5 カ月 vs. 7.8 カ月，$p=0.170$）。本邦で行われた refractory relapse に対する第Ⅱ相試験では，奏効率 32.9%，MST 8.9 カ月と良好な成績が示されており，refractory relapse における第 1 選択である。

AMR	40 mg/m²	静注	day 1〜3	3週ごと	病勢増悪まで

◆ **PEI 療法** ★★★ （Br J Cancer 2004；91：659 PMID 15280919, Lancet Oncol 2016；17：1147 PMID 27312053）

本邦で実施された第Ⅲ相試験でトポテカンと比較して OS の延長（18.2 カ月 vs. 12.5 カ月，$p=0.0079$）が示されたが，発熱性好中球減少症が高頻度であり，10 週間程度の入院を要することも考慮のうえ，適応を決定する。

CDDP	25 mg/m²	静注	day 1, 8
ETP	50 mg/m²	静注	day 1〜3
CPT-11	90 mg/m²	静注	day 8
2週ごと	5サイクル		

1 コース day 9 以降，G-CSF を連日投与（抗悪性腫瘍薬投与日以外）。

4) 予防的全脳照射 (prophylactic cranial irradiation : PCI)

限局型小細胞肺がんの初回治療により CR または good PR が得られた症例では, 予防的全脳照射により OS (HR 0.84, $p=0.01$, 3 年生存率 20.7% vs. 15.3%) が有意に改善することがメタアナリシスで示された (NEJM 1999 ; 341 : 476 PMID 10441603)。一方, 進展型小細胞肺がんにおいては PCI が脳局所制御率を改善したが, 主要評価項目の OS で改善効果が認められず (11.6 カ月 vs. 13.7 カ月, $p=$ 0.094), 推奨されない (Lancet Oncol 2017 ; 18 : 663 PMID 28343976)。PCI は化学放射線治療終了後 6 カ月以内に実施する (NEJM 1999 ; 341 : 476 PMID 10441603)。

予防的全脳照射　25〜30 Gy/10 回

■ 予後

1 小細胞肺がん

- 化学療法の奏効率は高いが, 短期間で再発・増悪する症例が多く, 非小細胞肺がんと比較して予後は不良である
- 進展型小細胞肺がんで BSC の場合, MST は 56〜93 日 (Cochrane Database Syst Rev 2013 ; CD001990 PMID 24282143), プラチナ併用療法患者では MST 9〜12 カ月である (JCO 2009 ; 27 : 2530 PMID 19349543, NEJM 2002 ; 346 : 85 PMID 11784874, JCO 2006 ; 24 : 2038 PMID 16648503)
- 限局型小細胞肺がんの化学放射線療法症例では, MST 3.2 年, 5 年生存率 35% である (Lancet Oncol 2014 ; 15 : 106 PMID 24309370)

2 非小細胞肺がん

1) 手術症例 (全国がんセンター協議会加盟施設 2007〜2009 年診断例)

組織型	臨床病期	5 年実測生存率 (%)
肺腺癌	I	81.1
	II	44.8
	III	22.6
	IV	5.8
肺扁平上皮癌	I	59.8
	II	45.2
	III	17.7
	IV	2.7

2）切除不能・進行期

- Stage ⅢB・ⅣでBSCの場合，MSTは4〜6カ月程度である（BMJ 1995；311：899 PMID 7580546，JCO 2008；26：4617 PMID 18678835）
- 切除不能・根治的胸部照射可能Ⅲ期で化学放射線照射を行った症例のMSTは20〜22カ月，5年生存率17〜20%である（JCO 2010；28：3739）
- Stage ⅢB・Ⅳで1次治療を細胞障害性抗がん薬で開始した症例のMSTは12〜22カ月，ドライバー遺伝子変異陽性でTKIにより治療された症例のMSTは3.5年である（JAMA 2014；311：1998 PMID 24846037）

■ 文献

1) NCCN Guidelines®［https://www.nccn.org/professionals/physician_gls/default.aspx］
2) Hanna N, et al：Systemic therapy for stage Ⅳ non-small-cell lung cancer：American Society of Clinical Oncology clinical practice guideline update．J Clin Oncol 2017；35：3484-3515 PMID 28806116
3) 日本肺癌学会（編）：肺癌診療ガイドライン2018年版．2018［https://www.haigan.gr.jp/modules/guideline/index.php?content_id=3］

悪性胸膜中皮腫 Malignant Mesothelioma

■ 疫学

1 死亡数（2016年）

- 1,550人（悪性中皮腫全体）
- 男女比は5：1

2 発症の危険因子（リスクファクター）

　アスベスト（石綿）吸入が最大のリスクファクターである。中皮腫患者のうち70〜80%にアスベスト吸入歴がある。職業上のアスベスト曝露や，アスベスト関連の工場付近の住民などがハイリスクである。吸入から数十年後（20〜50年）で発症することが多い。

3 発症の遺伝的因子

　生殖細胞系列（germline）における腫瘍抑制遺伝子の変異がある。BAP1遺伝子の生殖細胞系列の変異は遺伝性腫瘍の原因であり，BAP1腫瘍素因症候群とよばれている。

■ 診断

1 検診(スクリーニング)方法と意義

- 悪性胸膜中皮腫は希少疾患であることから,胸部X線写真による集団検診の報告は少なく,検診を勧める根拠はない
- 中皮腫は労災または石綿健康被害救済法により補償される
- 石綿障害予防規則により,石綿を製造・取り扱う業務に従事したことがある人は胸部X線写真を含めた健康診断の対象となる

2 臨床症状

咳嗽,胸痛,胸部圧迫感,呼吸困難,発熱,体重減少,食欲不振など。

3 画像診断

胸部X線写真,胸部CTで原発巣の評価を行う。画像上胸膜肥厚や胸膜プラーク,胸水貯留を認める。病期診断として,造影CT(頸部〜胸腹部)を行う。FDG-PETを検討する。

4 病理診断

胸水細胞診,経皮針生検,胸腔鏡・開胸肺生検などにより診断を行う。胸水細胞診は陰性の場合が多く,経皮針生検では診断が不十分なことがある。胸腔鏡により脂肪組織を含めた十分な病理組織を採取することが推奨される。

中皮腫のマーカーとしては,calretinin,WT-1,D2-40がある。陰性マーカーとしてCEA,TTF-1,Napsin A,Ber-EP4などが用いられる。またFISHによるCDKN2A/p16遺伝子のホモ接合性欠失の検出や,IHCによるBAP1欠失,MTAP欠失も診断に有用である。

■ 病型分類,組織分類

- 上皮型(epithelial type):50〜60%
- 肉腫型(sarcomatoid type):最も予後が悪い,10%
- 二相型(biphasic malignant mesothelioma):上皮型と肉腫型の混在,30〜40%

■ Staging

1 UICC-TNM分類(第8版,2017)

T-原発腫瘍

T1　同側胸膜(壁側または臓側胸膜)に腫瘍が限局(縦隔胸膜,横隔胸膜を含む)

悪性胸膜中皮腫　79

T2　同側胸膜(壁側または臓側胸膜)に腫瘍があり，以下のいずれかが認められる
　　・横隔膜筋層浸潤
　　・肺実質浸潤
T3　同側胸膜(壁側または臓側胸膜)腫瘍があり，以下のいずれかが認められる
　　・胸内筋膜浸潤
　　・縦隔脂肪組織浸潤
　　・胸壁軟部組織の孤在性腫瘤
　　・非貫通性心膜浸潤
T4　同側胸膜(壁側または臓側胸膜)に腫瘍があり，以下のいずれかが認められる
　　・胸壁への浸潤(肋骨破壊の有無は問わない)
　　・経横隔膜的腹膜浸潤
　　・対側胸膜浸潤
　　・縦隔臓器浸潤(食道，気管，心臓，大血管)
　　・脊椎，神経孔，脊髄への浸潤
　　・貫通性心膜浸潤(心嚢液の有無は問わない)

N−所属リンパ節
N0　所属リンパ節転移なし
N1　同側胸腔内リンパ節転移(肺門，気管支周囲，気管分岐部，内胸など)
N2　対側胸腔内リンパ節，同側または対側鎖骨上窩リンパ節転移

M−遠隔転移
M0　遠隔転移なし
M1　遠隔転移あり

2 病期分類

潜伏がん	TX	N0	M0
Stage ⅠA	T1a	N0	M0
Stage ⅠB	T1b	N0	M0
Stage Ⅱ	T2	N0	M0
Stage Ⅲ	any T	N1, N2	M0
	T3	any N	M0
Stage Ⅳ	T4	any N	M0
	any T	N3	M0
	any T	any N	M1

■ 予後因子

- 高齢(75歳以上)，男性，PS不良，胸痛，LDH上昇，血小板数増加など
- 組織型では上皮型が比較的予後良好，肉腫型が予後不良，二相型は中間的予後である

■ 治療

1 切除可能例(Stage Ⅰ～Ⅲの一部)

　肉眼的完全切除を目的として手術が実施されるが，その生存に対する有効性についてはエビデンスが確立していない。術式には胸膜切除・剝離術(pleurectomy/decortication：P/D)，胸膜肺全摘術(extrapleural pneumonectomy：EPP)がある。早期症例で組織型が上皮型，併存症のない全身状態良好な患者では手術療法について検討の余地がある。一方，高リスク患者(組織型が肉腫型，併存症のある患者)では手術は勧められていない。

2 切除不能例

　進行期悪性胸膜中皮腫に対する初回治療の標準治療はニボルマブ＋イピリムマブである。ニボルマブ＋イピリムマブ療法はプラチナ製剤＋PEM併用療法と比較して有意にOSの延長効果を示した(OS 18.1カ月 vs. 14.1カ月，$p=0.002$)。一方で，本邦では2次治療でニボルマブが使用できること，ニボルマブ＋イピリムマブの有害事象などを考慮するとCDDP＋PEM療法も選択肢となりうる。CDDP＋PEM療法はCDDP単剤と比較して延命効果(MST 12.1カ月 vs. 9.3カ月，$p=0.02$)が報告されている。また第Ⅱ相試験ではあるがCBDCA＋PEM療法はMST 12.7カ月であり，CDDP投与困難例では使用を検討してもよい(JCO 2006：24：1443 PMID 16549838)。

　2次治療以降のレジメンとして，1次治療としてニボルマブが使用されていない症例においては，国内第Ⅱ相試験においてニボルマブが奏効割合29%，OS 17.3カ月，PFS 6.1カ月と良好な成績が報告されている(Clin Cancer Res 2019：25：5485 PMID 31164373)。

◆ニボルマブ＋イピリムマブ療法 ★★★ (Lancet 2021：397：375 PMID 33485464)

ニボルマブ　240 mg/body　静注　day 1　2週ごと
イピリムマブ　1 mg/kg　day 1　6週ごと　病勢増悪まで

悪性胸膜中皮腫 | 81

◆CDDP＋PEM療法 ★★★ (JCO 2003；21：2636 PMID 12860938)

CDDP	75 mg/m²	静注	day 1
PEM	500 mg/m²	静注	day 1
3週ごと			

PEMによる副作用予防として，投与の7日以上前から治療中止後22日まで葉酸(0.5 mg　連日)，ビタミンB_{12}(1 mg　筋注　9週ごと)の投与。

◆ニボルマブ単剤療法 ★★

ニボルマブ	240 mg/body	静注	day 1	2週ごと	病勢増悪まで

4
肺がん・悪性胸膜中皮腫

■ 予後

肉腫型の予後が最も不良であり，MST 3.8カ月，次いで二相型がMST 7.4カ月，上皮型はMST 15.2カ月である(Eur Respir J 2011；38：1420 PMID 21737558)。

■文献

1) NCCN Guidelines®[https://www.nccn.org/professionals/physician_gls/default.aspx]
2) 日本肺癌学会(編)：悪性胸膜中皮腫診療ガイドライン2020年版. 2020 [https://www.haigan.gr.jp/guideline/2020/2/2/200302030100.html]

【竹安　優貴】

5 乳がん　Breast Cancer

　乳がんは本邦では女性のがんの罹患数第1位，死亡数第5位であり，女性における主要ながんの1つである。治療においては分子生物学的，遺伝学的観点から分類されるサブグループに応じて薬物療法が選択される。近年では遺伝性乳がん卵巣がん症候群（HBOC）に対するBRCA検査が保険承認され，リスク低減手術も保険診療で可能となり，遺伝性腫瘍としてのマネジメントも乳がん診療の重要な側面となっている。

■ 疫学

1 死亡数（2019年）/罹患数（2017年）

- 女性：14,839人/92,253人（男性乳がん：女性乳がんの約1%）
　本邦では40歳代後半〜50歳代前半の閉経前にかけて罹患率が最も増えるが，欧米では60歳代以降の閉経後女性の発症が多い。

2 発症の危険因子（リスクファクター）

　加齢，乳がんの家族歴，乳腺増殖性疾患・乳がんの既往，胸部の放射線治療歴，早い初潮，遅い閉経，遅い第1子出産，少ない出産回数，ホルモン補充療法，肥満，高脂肪食，アルコール摂取，喫煙など。

3 遺伝

　遺伝性乳がんは，全体の5〜10%を占めるとされる。生殖細胞系列のBRCA1/2いずれかの遺伝子変異による遺伝性乳がん卵巣がん症候群（hereditary breast and ovarian cancer：HBOC）のほか，TP53遺伝子の病的変異が原因となるLi-Fraumeni症候群，PTEN遺伝子変異が原因のCowden症候群，PALB（partner and localized BRCA2）などがある。

　BRCA1/2いずれかの遺伝子変異保有者の約80%は70歳までに乳がんを発症し，またBRCA1遺伝子変異保有者の約40%，BRCA2遺伝子変異保有者の約20%は同年齢までに卵巣がんを発症する。家族歴の聴取などからスクリーニングが必要である（⇒99頁，「遺伝性乳がん卵巣がん症候群（HBOC）」項参照）。

■ 診断

1 検診（スクリーニング）方法と意義（JAMA 2017：317：1949 PMID 28397958）

　マンモグラフィ（MMG）による検診は，40歳以上の女性において死亡率を低下させる。コクランライブラリーによるメタアナリシスでは，MMGによって死亡率の絶対リスクを約0.05％減少させる一方で，MMG偽陽性結果は，過剰な画像検査，生検，手術の割合を上昇させる（Cochrane Database Syst Rev 2013：CD001877 PMID 23737396）。

　2017年，米国予防医学作業部会（US preventive service task force）は，50〜74歳女性に対して2年に一度のMMG検診を勧めるとした（推奨は「B」。70歳以上はデータ不十分）。39〜49歳のMMG検診の推奨は「C：科学的根拠が十分ではない」であり，50歳未満の定期的MMG検診は死亡率を減少させるがそれ以上に偽陽性が増え不必要な生検が増えるとされている。本邦では，欧米とは異なり罹患のピークが40歳代後半にあることも考慮され，「乳癌診療ガイドライン2018年版」では本邦における乳がんマンモグラフィ検診の至適年齢は40〜75歳とされている。

2 症状

　乳房腫瘤，疼痛，血性乳頭分泌物，乳頭陥凹，腋窩腫瘤，乳房の浮腫，発赤，変形など。

1）初発乳がんの診断

❶ **病理診断**　原発巣の生検（core needle biopsyまたは吸引式組織生検）を行う。HE染色標本による組織診断，組織学的異型度の評価と免疫組織染色標本によるER，PgR，HER2，Ki-67は必須である。

◆ **HER2 検査のアルゴリズム**(ASCO/CAP ガイドライン 2018, JCO 2018；36：2105 PMID 29846122)

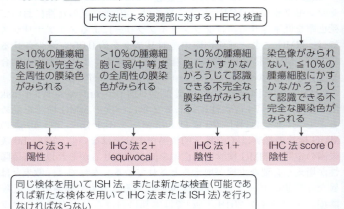

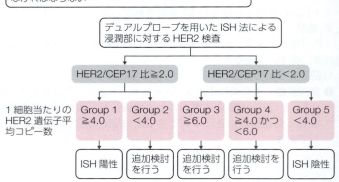

追加検討については ASCO/CAP2018(JCO 2018；36：2105 PMID 29846122)参照。

❷ **画像診断** 局所(乳房，腋窩)の評価は MMG や超音波，病変の広がり診断は MRI や造影 CT を用いる。腫瘍径が大きい(T3 以上)，腋窩リンパ節転移陽性(N1 以上)の場合には，胸腹部造影 CT，骨シンチグラフィ，PET-CT を施行し遠隔転移を検索する。

Stage Ⅰ・Ⅱ乳がんの術前に CT，PET-CT による全身検索は原則行わない。

■ 病型分類，組織分類(WHO 分類 第 5 版，2019)

　浸潤性乳管癌(invasive ductal carcinoma)が最も多く 70～80%を占める。その他の組織型を特殊型とよび，浸潤性小葉癌(invasive lobular：5～15%)，粘液癌(mucinous：2%)，管状癌(tubular：1.6%)の順に多く，そのほかにアポクリン癌(apocrine)，化生癌(metaplastic)，浸潤性微小乳頭癌(invasive micropapillary)などがある。非浸潤癌として ductal carcinoma *in situ*(DCIS)があり，MMG などのスクリーニング検査で発見された乳がんの約 20% が DCIS である。乳房 Paget 病は 1～4% に認める。

■ Staging

◆ UICC-TNM 分類(第 8 版，2017)

T-原発腫瘍

TX	原発腫瘍を評価できない
T0	原発巣を認めない
Tis(DCIS)	非浸潤性乳管癌
Tis(Paget)	浸潤癌や非浸潤癌のない Paget 病
T1	腫瘍最大径<20 mm
T1mi	腫瘍最大径<1.0 mm
T1a	1.0 mm<腫瘍最大径≦5.0 mm
T1b	5.0 mm<腫瘍最大径≦10 mm
T1c	10 mm<腫瘍最大径≦20 mm
T2	20 mm<腫瘍最大径≦50 mm
T3	50 mm<腫瘍最大径
T4	腫瘍の大きさにかかわらず，胸壁や皮膚に浸潤する。真皮への浸潤のみは T4 に該当しない
T4a	胸壁に浸潤(大胸筋の浸潤のみでは T4 に含まない)
T4b	潰瘍や患側乳房に限局した皮膚衛星結節，炎症性乳がんに該当しない皮膚の浮腫(Peau d'orange)
T4c	T4a と T4b の両方に該当する
T4d	炎症性乳がん

N-領域リンパ節

(術前リンパ節ステージ)

cNX	領域リンパ節を評価できない
cN0	領域リンパ節転移なし
cN1	可動性のある同側腋窩レベルⅠ，Ⅱリンパ節転移
cN1mi	微小転移(約 200 細胞，0.2～2.0 mm)
cN2	触診で可動性のある同側腋窩レベルⅠ，Ⅱリンパ節転移か胸骨傍リンパ節転移(腋窩リンパ節転移は伴わない)
	傍リンパ節転移(腋窩リンパ節転移は伴わない)

cN2a　癒合した同側腋窩レベルⅠ，Ⅱリンパ節転移
cN2b　同側胸骨傍リンパ節転移のみ
cN3　同側鎖骨下リンパ節(レベルⅢ)転移(レベルⅠ，Ⅱへの転移は問わない)
同側腋窩リンパ節レベルⅠ，Ⅱを伴う同側胸骨傍リンパ節転移
同側鎖骨上リンパ節転移(腋窩，胸骨傍リンパ節転移は問わない)
cN3a　同側鎖骨下リンパ節転移
cN3b　同側胸骨傍リンパ節＋腋窩リンパ節転移
cN3c　同側鎖骨上リンパ節転移

(術後リンパ節ステージ)
pNX　領域リンパ節を評価できない(摘出後など)
pN0　領域リンパ節転移なし，もしくは遊離腫瘍細胞(isolated tumour cell：ITC)のみ認める
pN0(i+)　　領域リンパ節にITCのみ認める(<0.2 mm)
pN0(mol+)　領域リンパ節でRT-PCRのみ認める
pN1　微小転移；1～3個のリンパ節転移
pN1mi　微小転移(約200細胞，0.2～2.0 mm)
pN1a　1～3個の腋窩リンパ節転移(1個は2.0 mm以上)
pN1b　同側乳房内センチネルリンパ節転移(ITCは除外)
pN1c　pN1a＋pN1b
pN2　4～9個の腋窩リンパ節転移
pN2a　4～9個の腋窩リンパ節転移(1個は2.0 mm以上)
pN2b　乳房内リンパ節転移(腋窩リンパ節転移は陰性)
pN3　10個以上の腋窩リンパ節転移
鎖骨下リンパ節(レベルⅢ)転移
同側胸骨傍リンパ節転移＋腋窩リンパ節(レベルⅠ，Ⅱ)転移
同側鎖骨上リンパ節転移
pN3a　10個以上のリンパ節転移か鎖骨下リンパ節(レベルⅢ)転移
pN3b　同側胸骨傍リンパ節転移が画像評価で指摘されおり，かつpN1aかpN2aがある場合
pN3c　同側鎖骨上リンパ節転移

M-遠隔転移
M0　遠隔転移なし
M1　遠隔転移あり

◆Stage 分類

Stage 0	Tis	N0	M0
Stage I A	T1	N0	M0
Stage I B	T0, T1	N1mi	M0
Stage II A	T0, T1	N1	M0
	T2	N0	M0
Stage II B	T2	N1	M0
	T3	N0	M0
Stage III A	T0～2	N2	M0
	T3	N1, N2	M0
Stage III B	T4	N0～2	M0
Stage III C	any T	N3	M0
Stage IV	any T	any N	M1

5
乳がん

■ 予後因子
1 初発がん
　腋窩リンパ節転移個数が多い，大きい浸潤径，炎症性乳がん，核グレードが高い，ホルモン受容体陰性，HER2 陽性，Ki-67 高値，広範な脈管侵襲，病理特殊型のうち浸潤性小乳頭状癌や metaplastic carcinoma など。
2 再発がん
　手術から再発までの期間が短い，PS 不良，ホルモン受容体陰性，HER2 陽性，がん性髄膜炎，脳転移，がん性リンパ管症，骨髄癌腫症，高度な肝転移など。

■ 治療効果予測因子
1 ホルモン受容体
　ER または PgR 陽性の場合，内分泌療法に効果が期待できる。
2 HER2
　タンパク過剰発現または遺伝子増幅がある場合，抗 HER2 療法に効果が期待できる。

■ 初発早期がんの治療
1 非浸潤性乳管癌（DCIS：Stage 0）の治療
　乳房部分切除＋術後放射線療法あるいは乳房全切除が標準治療（98～99％ は治癒可能，15～50％ は未治療だと浸潤性乳がんに進展）。

- 放射線療法：Grade Low-Intermediate，腫瘍径 2.5 cm 以下，断端距離が 3 mm 以上であれば省略可能との報告がある（JCO 2015；33：709 PMID 25605856，JCO 2016；34：1190 PMID 26834064）。予後スコアや遺伝子アッセイを用いた予後予測による放射線治療の省略についても検討されている
- 術後薬物療法：ホルモン受容体陽性 DCIS に対する術後療法としての TAM 投与は同側局所再発と対側の浸潤癌発生リスクを減少させるが，全生存率は改善しないため（JCO 2012；30：1268 PMID 22393101），血栓症や子宮内膜がんなどの有害事象とのバランスで適応を考慮する。閉経後女性における乳房温存手術後のアロマターゼ阻害薬は TAM と同等の効果を認めている（Lancet 2016；387：849 PMID 26686957）

2 Stage Ⅰ～ⅢA 乳がんの治療

周術期薬物治療（術前薬物療法，術後薬物療法）の内容は病型分類に基づき内分泌療法，化学療法，抗 HER2 薬が存在する。再発リスクと腫瘍の分子生物学的特性をもとに適応を見極め，PS・既往症と患者の意向を考慮して治療方針を決定する。

1）外科治療

適応は手術可能な Stage Ⅰ～ⅢA の症例や，診断時に手術不可能でも術前薬物療法によるダウンステージングで手術可能となった症例が対象となる。全摘か温存（部分切除）を選択する。全摘の場合，再建手術も考慮する。自家組織（遊離腹直筋皮弁，有茎広背筋皮弁など）もしくはインプラントを使用した再建手術がある。インプラントの特殊な合併症としてブレスト・インプラント関連未分化大細胞型リンパ腫（BIA-ALCL）が欧米で報告され，本邦でも 1 例報告があることから，患者に対し十分な情報提供が重要である（詳細は日本乳癌学会［https://www.jbcs.gr.jp/］）。

❶ 腋窩リンパ節のマネジメント　術前臨床診断で腋窩リンパ節転移陰性の浸潤癌に対しては，センチネルリンパ節生検（SLNB）を施行する（★★★）（JCO 2014；32：1365 PMID 24663048）。センチネルリンパ節（SLN）陽性の場合は，腋窩郭清を追加する。腋窩郭清はリンパ浮腫のリスクとなるため，術後の患者教育が予防には大切である。

診断時に cN1 であった症例が術前薬物療法後に cN0 となった場合，SLNB の偽陰性率は 13％ とやや高率であるため注意を要する（Am J Surg 2016；212：969 PMID 27671032）。

◆腋窩リンパ節のマネジメント

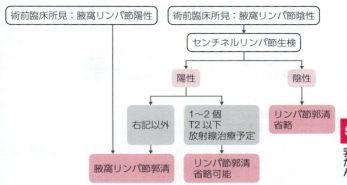

2)周術期補助薬物療法
❶ 術前薬物療法
- 目的:再発率,生存率を損なうことなく乳房温存率を向上させる。超音波検査などにより効果をモニターし,治療が奏効しない症例を判別する

　HER2陽性乳がんでは,タキサン系薬剤とトラスツズマブの併用で病理学的完全奏効(pCR)率の向上が認められている。術前化学療法の臨床試験の統合解析(Lancet 2014;384:164 PMID 24529560)では,HER2陽性やトリプルネガティブ乳がんにおいてpCR症例は予後良好であることが示されている。また術前化学療法後の腫瘍縮小を指標としたresponse guided治療が研究され,予後の改善効果が示唆されている。

❷ 術後薬物療法
適応は,分子生物学的なサブグループ分類とTNM分類などの再発リスク,合併症など患者側の因子により判断する。

a) St. Gallen 2017 サブグループ分類:ホルモン陽性(luminal A, luminal B),HER2陽性,トリプルネガティブのサブタイプに分類される。

- 再発リスク因子:年齢,家族歴,リンパ節転移の有無,浸潤径,Ki-67,多遺伝子発現検査(Oncotype DX® や MammaPrint®)のスコア
- Oncotype DX® は,ホルモン受容体陽性かつHER2陰性,リンパ節転移陰性およびリンパ節転移が3個までの早期浸潤性乳が

ん患者における遠隔再発リスクの提示，化学療法の要否の決定の
補助用のプログラムとして 2021 年 8 月に薬事承認された。

◆ St. Gallen 2017 サブグループ分類（Ann Oncol 2017；28：1700 PMID 28838210)

臨床分類	注釈
トリプルネガティブ	ER（−），PgR（−），HER2（−）
HR（−）HER2（+）	
HR（+）HER2（+）	
HR（+）HER2（−）	ER かつ/または PgR 1% 以上陽性
① 高受容体発現，低増殖，低グレード（luminal A-like)	多遺伝子発現検査で「予後良好」の結果のとき（検査可能な場合）*1 または ER/PgR 高値かつ Ki-67：明らかな低値*2
② 中間	多遺伝子発現検査で「中間」の結果のとき（検査可能な場合）
③ 低受容体発現，高増殖，高グレード（luminal B-like)	多遺伝子発現検査で「予後不良」の結果のとき（検査可能な場合） または ER/PgR 低値，Histologic Grade：3，Ki-67：明らかな高値*2

*1 pT1a，pT1b，G1，ER 高値，pN0 のときには遺伝子検査の意義はない
*2 Ki-67 値は各施設での検査値を検討したうえで高値・低値を設定すること
（例：中央値が 20% のとき，明らかな高値を 30%，低値を 10% とする）

◆ St. Gallen 2017 サブグループ分類と推奨される治療（Ann Oncol 2017；28：1700 PMID 28838210, Ann Oncol 2019；30：1541 PMID 31373601 より改変）

サブグループ	治療
トリプルネガティブ	
Stage Ⅰ	
T1a	症例により化学療法省略
T1b	ドセタキセル+エンドキサン療法，アンスラサイクリン+タキサン逐次レジメン
T1c	術前化学療法またはアンスラサイクリン+タキサン逐次レジメン
Stage Ⅱ・Ⅲ	術前化学療法推奨
術前化学療法施行後 non-pCR 症例	カペシタビン（保険適用外）

HER2（＋）	
HR（−）HER2（＋）	
Stage Ⅰ	タキサン＋トラスツズマブ
T1a	症例によって化学療法省略
T1b	タキサン＋トラスツズマブ
T1c	術前化学療法またはタキサン＋トラスツズマブ
Stage Ⅱ・Ⅲ	術前化学療法推奨
	アンスラサイクリン＋タキサン逐次レジメン＋トラスツズマブ±ペルツズマブ
術前化学療法施行後 non-pCR 症例	トラスツズマブ エムタンシン（T-DM1）
HR（＋）HER2（＋）	上記に加えて閉経状況により内分泌療法追加
HR（＋）HER2（−）	
① luminal A-like：低腫瘍量（pT1a，pT1b，pN0）	
閉経前	TAM 5 年
閉経後	TAM or AI 5 年
② 中間：中腫瘍量〔pT1c，pT2，N0 or pN1（1〜3）〕，Ki-67，Grade が中〜高値	
閉経前	
N0，遺伝子発現リスクが中	卵巣機能抑制＋TAM or 卵巣機能抑制＋AI
N1 以上，遺伝子発現リスクが中〜高	卵巣機能抑制＋AI±化学療法
閉経後	
N0，遺伝子発現リスクが中	AI±化学療法
N1 以上，遺伝子発現リスクが中〜高	化学療法＋AI（5〜10 年）
③ luminal B-like or 高腫瘍量（T3 or N2〜3）or 高 Ki-67 or 遺伝子発現リスクが中〜高	
閉経前	閉経前化学療法＋卵巣機能抑制＋AI（5〜10 年）
閉経後	化学療法＋AI（5〜10 年）

AI：アロマターゼ阻害薬

b）HER2 陰性乳がん（ルミナルタイプ，トリプルネガティブ）に対する周術期薬物療法

ⅰ）トリプルネガティブ乳がん
- T1b 以上：化学療法を検討
- T1cN0 以上：化学療法の適応

ⅱ）ホルモン陽性 HER2 陰性乳がん（luminal disease）
- luminal A like：基本的には内分泌療法単独。高度なリンパ節転移（4 個以上），組織学的グレード 3，高度な脈管浸潤，T3 以上は化学療法追加を検討する

リンパ節転移陰性のホルモン陽性 HER2 陰性乳がんでは，Oncotype DX® の再発リスクスコアが 25 点以下であれば内分泌療法単独でも再発率，生存率に差がないことが TAILORx 試験(NEJM 2018：379：111 PMID 29860917)で示された。リンパ節転移陽性例については RxPONDER 試験にて検証が行われており，再発リスクが 25 点以下の閉経後女性に関しては化学療法が省略できる可能性が示唆されている(SABCS2020)。術後化学療法を施行する場合は，化学療法終了後に内分泌療法を開始する。

また再発リスク高あるいは中程度のホルモン陽性 HER2 陰性乳がんに対する術後補助療法として，術後内分泌療法＋S-1 の併用が術後内分泌療法単独よりも iDFS を有意に延長できる(5 年 iDFS：87% vs. 82%，HR 0.63)ことが第Ⅲ相試験(POTENT 試験)で示されている(Lancet Oncol 2021：22：74 PMID 33387497)。

- 内分泌療法

  閉経前：抗エストロゲン薬(TAM)

  閉経後：アロマターゼ阻害薬(AI)または TAM

  EBCTCG のメタアナリシスによると，ホルモン受容体陽性患者における 5 年間の TAM 内服は 10 年後の再発率を 12.9% 抑制することが示された(Lancet 2011：378：771 PMID 21802721)。しかしながら肺塞栓症や子宮体がんリスクも上昇するため症例を選択する必要がある。

  ◆ TAM 5 年後の内服延長(10 年投与)(ATLAS 試験，aTTom 試験)

  術後 5 年間の TAM の内服を終えたあと，さらに 5 年の延長(合計 10 年)が再発予防に効果的かどうかを検証した大規模臨床試験がある。

  ATLAS 試験は 6,846 人の ER 陽性乳がんの女性を対象として，5 年内服した群の乳がん再発抑制効果が HR 0.84(95%CI 0.76〜0.94)であったのに比べ，10 年内服した群では HR 0.75(95%CI 0.62〜0.90)であり，10 年内服群でより再発率が低下していた(Lancet 2013：381：805 PMID 23219286)。さらに 10 年内服群では，術後 10 年の乳がん死も有意に減少していた。

  aTTom 試験では，ATLAS 試験と同様に 10 年内服群のほうが有意差をもって再発抑制効果が高かった(HR 0.85，95%CI 0.76〜0.95)。しかし，術後 10 年の乳がん死抑制効果に関しては有意ではなかった(HR 0.88，95%CI 0.77〜1.00)。有害事象に関しては，TAM の長期内服による子宮内膜がん(HR 1.74)や血栓症(HR 1.87)

の増加が報告された。

上記結果より，再発リスクの高い患者（若年，多発リンパ節転移など）に対して，TAM 内服延長（10 年）を提案することが勧められる。

・TAM 投与後 AI への変更投与の適応あり：TAM 2〜3 年投与後に AI に変更した群は，TAM 単独で 5 年投与した群より，無再発生存期間（RFS）の延長が認められたことが複数の臨床試験で証明されている。また TAM 5 年投与終了後に引き続いて AI である LET を 2〜5 年間投与した群で RFS の延長が認められている（JCO 2012：30：709 PMID 22042946）

・AI の長期投与時には骨密度測定を毎年 1 回行い，骨粗鬆症の発症について注意深くフォローすること（JCO 2003：21：4042 PMID 12963702）

・TAM 内服により子宮内膜がんの発生リスクが上昇することが知られている

・TAM による催奇形性があるため，妊娠可能な年齢の患者に対して TAM 内服中は避妊を指導する

◆ 閉経前

- 抗エストロゲン薬：TAM 5〜10 年 ±LH-RH アナログ ★★★

TAM　20 mg　1 日 1 回
±
ゴセレリン酢酸塩（ゾラデックス®）　3.6 mg　月 1 回　皮下注（LA 剤：
　10.8 mg　皮下注，3 カ月に 1 回）
または
リュープロレリン酢酸塩（リュープリン®）　3.75 mg　月 1 回　皮下注
　（SR 剤：11.25 mg　皮下注，3 カ月に 1 回）

35 歳未満や腋窩リンパ節転移ありなど，再発リスクの高い患者に対しては，TAM＋LH-RH アナログを考慮（SOFT/TEXT 試験：NEJM 2014；371：107 PMID 24881463）。

◆ 閉経後

- アロマターゼ阻害薬（非ステロイド性）：5 年間 ★★★

ANA　1 回　1 mg　1 日 1 回
LET　1 回 2.5 mg　1 日 1 回

- アロマターゼ阻害薬（ステロイド性）：5 年間 ★★★

EXE　1 回 25 mg　1 日 1 回

- 術後 CDK4/6 阻害薬

リンパ節転移を 4 個以上有するなど再発高リスクのホルモン陽性 HER2 陰性乳がんの術後補助療法として，CDK4/6 阻害薬のアベマシクリブと内分泌療法の併用が，内分泌療法単独よりも有意に iDFS を延長できること（HR 0.74，2 年 iDFS 92.2% vs. 88.7%）がランダム化第Ⅲ相試験である MonarchE 試験で示されている（JCO

2020；38：3987 PMID 32954927）。パルボシクリブでも同様に術後療法として PALLAS 試験がされているが，iDFS の有意な延長は認められなかった（Lancet Oncol 2021；22：212 PMID 33460574）。

> アベマシクリブ（ベージニオ®）　1回150mg　1日2回　2年間

• 化学療法

周術期補助化学療法は，外科療法のみと比較して再発率と死亡率の低下をもたらす（Lancet 2005；365：1687 PMID 15894097，Lancet 2012；379：432 PMID 22153853，JCO 2016；34：2416 PMID 27091714）。

心疾患の既往でアンスラサイクリン投与が禁忌の場合は，タキサン系レジメンを施行。ペグフィルグラスチム併用で dose-dense 化学療法も可能である。

◆ **HER2 陰性乳がん（ホルモン陽性あるいはトリプルネガティブ乳がん）に対する周術期化学療法レジメン**

• AC ★★★（JCO 1990；8：1483 PMID 2202791）

> ADM　60 mg/m²　静注　day 1
> CPA　600 mg/m²　静注　day 1
> 3 週ごと　4 サイクル

• EC ★★★（JCO 2001；19：931 PMID 11181655）

> EPI　90 mg/m²　静注　day 1
> CPA　600 mg/m²　静注　day 1
> 3 週ごと　4 サイクル

• TC ★★★（JCO 2006；24：5381 PMID 17135639，JCO 2009；27：1177 PMID 19204201）

> DTX　75 mg/m²　静注　day 1
> CPA　600 mg/m²　静注　day 1
> 3 週ごと　4 サイクル

• AC followed by Taxane ★★★（NEJM 2008；358：1663 PMID 18420499）

> ADM　60 mg/m²　静注　day 1
> CPA　600 mg/m²　静注　day 1
> 3 週ごと　4 サイクル

引き続き下記レジメンのいずれかを選択する。

> PTX　80 mg/m²　静注　day 1　毎週連続投与　12 サイクル

> DTX　75～100 mg/m²　静注　day 1　3 週ごと　4 サイクル

- dose-dense AC followed by PTX ★★★ (JCO 2003；21：1431 PMID 12668651)

ADM	60 mg/m^2	静注	day 1
CPA	600 mg/m^2	静注	day 1
Peg-GCSF	皮下注	day 2	
2 週ごと 4 サイクル			

引き続き下記レジメンのいずれかを選択する。

PTX	175 mg/m^2	静注 day 1 3 週ごと 4 サイクル	
Peg-GCSF	皮下注 day 2		

PTX	80 mg/m^2	静注 day 1 毎週 計 12 回
毎週連続投与 12 サイクル		

- TAC ★★★ (NEJM 2005；352：2302 PMID 15930421)

DTX	75 mg/m^2	静注	day 1
ADM	50 mg/m^2	静注	day 1
CPA	500 mg/m^2	静注	day 1
3 週ごと 6 サイクル			

- 術後カペシタビン

病理学的完全奏効(pCR)を指標として術後治療を変更する治療戦略の有効性を検証した第Ⅲ相試験として，Stage Ⅰ～ⅢのHER2陰性乳がんに対しアンスラサイクリンもしくはタキサンを含む標準的な術前化学療法を行った後に手術を施行し，pCRが得られていない症例に対してカペシタビン(保険適用外)6～8サイクル併用するランダム化第Ⅲ相が行われている。カペシタビン群でDFSがHR 0.70でOSもHR 0.59と優位に改善する結果となり，今後の治療選択として考慮される(NEJM. 2017；376：2147 PMID 28564564)。

カペシタビン 1,250 mg/m^2 1 日 1 回 14 日間内服 7 日間休薬 6～8 サイクル	

保険適用外

- 術後 PARP 阻害薬 (ASCO21, NEJM 2021；384：2394 PMID 34081848)

生殖細胞系列のBRCA1/2変異を有するStage Ⅱ・Ⅲ，術前または術後補助化学療法を施行したHER2陰性乳がんにおける術後オラパリブ療法の有用性を評価した第Ⅲ相試験OlympiA試験において，3年間のiDFSはオラパリブ85.9% vs. プラセボ77.1%，HR 0.57とオラパリブ投与群で有意に改善された。

オラパリブ（リムパーザ®）　150 mg　1日2回　52週

2022年5月現在，国内適応外

- ペムブロリズマブ（NEJM 2020；382：810 PMID 32101663）

再発ハイリスクトリプルネガティブ乳がん（AJCC分類でT1cN1-2またはT2-4N0-2）の術前補助化学療法におけるペムブロリズマブの上乗せ効果を評価したKEYNOTE-522試験において，15.5カ月時点でのEFSはペムブロリズマブ併用群91.3% vs. プラセボ群85.3%，HR 0.63であった。pCR割合はペムブロリズマブ併用群64.8% vs. プラセボ群51.2%であった。2021年7月に米国で術前術後補助療法としてのペムブロリズマブ併用が承認された。

ペムブロリズマブ（キイトルーダ®）　200 mg　静注　3週ごと
術前化学療法*と併用で8サイクル，術後単剤で9サイクル

*KEYNOTE-522試験ではPTX（80 mg/m², 毎週投与12サイクル）またはCBDCA（AUC 5, 3週ごと4サイクルまたはAUC 1.5, 毎週投与12サイクル）followed by AC or EC 4サイクルが選択された

c) **HER2陽性乳がんに対する周術期補助化学療法**：浸潤径0.5 cm以上または腋窩リンパ節転移のある症例では化学療法に加えて抗HER2療法の適応となる。

リンパ節転移陽性例にはトラスツズマブとペルツズマブの併用が推奨される（NEJM 2017；377：122 PMID 28581356, JCO 2021；39：1448 PMID 33539215）。

- Histologic Grade（HG）か核グレード（NG）が3，ホルモン陰性，35歳以下：StageⅡ以上に関してはアンスラサイクリン→タキサンと抗HER2療法の併用が推奨される。T1N0に対してはアンスラサイクリンの省略を考慮してもよい。

i) 抗HER2薬の心毒性：投与前，投与中には定期的に心エコーでモニタリングを行う。アンスラサイクリンとの併用は施行せずタキサンと併用する。

- 心不全の危険因子：高齢，アンスラサイクリン投与歴，胸部放射線照射歴，心疾患の既往
- アンスラサイクリンの投与を控えたい場合はTCH療法を行う（BCIRG006試験：NEJM 2011；365：1273 PMID 21991949）

ii) トラスツズマブのinfusion reaction：トラスツズマブ初回投与時，特に投与開始後24時間以内に約40%の頻度で発熱，悪寒，戦慄などのinfusion reactionを認めるが，2回目以降はその頻

度は減少する。重篤例にはステロイドや抗ヒスタミン薬の投与を行う。発熱時にはアセトアミノフェンの投与が有効である。

◆ **AC followed by Taxane＋トラスツズマブ** ★★★（NEJM 2005：353：1673 PMID 16236738）

前述のレジメンにおいて，タキサンとトラスツズマブを併用する。化学療法終了後も，トラスツズマブは単剤で3週間に1回6 mg/kg で投与を継続し，計1年とする。

トラスツズマブ（ハーセプチン®）
　初回投与時：8 mg/kg　生理食塩水 250 mL に溶解し 90 分で 1 回静注
　2 回目以降：6 mg/kg　60 分→30 分で静注可　3 週ごと

◆ **AC followed by Taxane＋トラスツズマブ＋ペルツズマブ**
★★★（NEJM 2017：377：122 PMID 28581356）

トラスツズマブ（ハーセプチン®）
　初回投与時：8 mg/kg　生理食塩水 250 mL に溶解し 90 分で 1 回静注
　2 回目以降：6 mg/kg　60 分→30 分で静注可　3 週ごと
ペルツズマブ（パージェタ®）
　初回投与時：840 mg/body　静注
　2 回目以降：420 mg/body　静注　3 週ごと

◆ **TCH** ★★★（NEJM 2011：365：1273 PMID 21991949）

DTX　75 mg/m^2　静注　day 1
CBDCA　AUC 6　静注　day 1
トラスツズマブ（ハーセプチン®）
　初回投与時：8 mg/kg　生理食塩水 250 mL に溶解し 90 分で 1 回静注
　2 回目以降：6 mg/kg　60 分→30 分で静注可　3 週ごと
3 週ごと　6 サイクル（トラスツズマブは 1 年間継続）

◆ **PTX＋トラスツズマブ** ★★★（NEJM 2015：372：134 PMID 25564897）

適応は Stage I の 3 cm 未満かつリンパ節転移なしの症例。

PTX　80 mg/m^2　1 時間かけて静注　day 1　毎週　12 サイクル
トラスツズマブ（ハーセプチン®）
　初回投与時：4 mg/kg　生理食塩水 250 mL に溶解し 90 分で 1 回静注
　2 回目以降：2 mg/kg　60 分→30 分で静注可　毎週　計 1 年投与

98 | 5 乳がん

◆トラスツズマブ エムタンシン(T-DM1) ★★★ (NEJM 2019; 380：617 PMID 30516102)

HER2 陽性乳がん(T1c 以上)に対し標準的な術前化学療法後に手術を行い pCR が得られていない症例を対象に, 術後にトラスツズマブを計 1 年間投与する群とトラスツズマブ エムタンシン(T-DM1)を計 1 年間投与する群で比較したランダム化第Ⅲ相試験(KATHERINE 試験)において, T-DM1 群は iDFS を HR 0.50 と有意に改善した。2020 年 8 月より術後補助化学療法として保険適用となった。

> **T-DM1(カドサイラ®)　3.6 mg/kg　静注　3 週ごと　14 サイクル**

特殊型の薬物療法について：
浸潤性小葉癌・髄様癌・アポクリン癌は, 浸潤性乳管癌に準じて薬物療法を施行することが推奨される。
特殊型のなかで比較的予後良好な下記のものは, 浸潤性乳管癌と区別して治療方針を検討する。

・粘液癌：ホルモン受容体陽性で腋窩リンパ節転移がない場合は, ホルモン療法単独でよい。腋窩リンパ節転移陽性では化学療法を検討する
・管状癌と篩状癌：ホルモン受容体陽性で腋窩リンパ節転移がない場合, ホルモン療法単独または薬物療法なし
・腺様嚢胞癌：トリプルネガティブでも腋窩リンパ節転移がない場合, 化学療法は省略可
・葉状腫瘍：間質と上皮系の性質を持ち合わせている。十分な切除断端を確保しての外科的切除が必要である。再発時には軟部肉腫に準じた治療を行う

3) 術後放射線療法 ★★★

乳房温存手術後の放射線療法によって, 10 年間の再発と 15 年乳がん死亡の絶対リスクがそれぞれ, 15.7%, 3.8% 抑制された。リンパ節転移別(pN0 vs. pN＋)では, 10 年の初回再発と 15 年乳がん死亡率はそれぞれ 15.4% vs. 21.2%, 3.3% vs. 8.5% と減少した (Lancet 2011：378：1707 PMID 22019144)。

❶ 部分切除術を行った場合　乳房内再発の予防を目的に, 原則として温存乳房に対して放射線療法を行う。

❷ 乳房切除術を行った場合　腋窩リンパ節転移 4 個以上または T3 (腫瘍径 5 cm 以上)・T4＋腋窩リンパ節転移陽性の場合には胸壁・領域リンパ節に対して乳房切除術後放射線療法(PMRT)が推奨される(JCO 2001：19：1539 PMID 11230499)。腋窩リンパ節転移 1～3 個の場合は特に再発リスクが高い症例に関して, リンパ浮腫などの有害事象とのリスク, ベネフィットを考慮して PMRT を検討する(Lancet 2014：383：2127 PMID 24656685)。

術前化学療法後の PMRT に関しては明確な基準はなく 2016
年の ASCO/ASTRO/SSO ガイドラインではリンパ節陽性例に対
して PMRT を推奨している。陰性例に対して放射線治療を加え
るべきかに関しては現在 NSABP B-51 試験，A11202 試験が行
われている。

❸ **乳房切除後の放射線照射絶対的禁忌**　妊娠中は胎児への被曝が
懸念されるため，乳房や胸壁への放射線治療は出産後から開始
する。遺伝性疾患の Li-Fraumeni 症候群による乳がんの場合に
は，放射線療法を加えることで 2 次発がんリスクが上昇するた
めに肉眼的腫瘍残存がある場合にのみ考慮する。

3 Stage ⅢB・ⅢC に対する治療

Stage ⅢB 以上の症例は初回治療としての手術の適応はない。術
前化学療法を施行し，治療効果によりダウンステージングとなれば
手術，引き続き放射線療法を行い根治が目指せる。化学療法が奏効
しなければ，薬物療法の再検討や症状に応じて局所治療を考慮する
（集学的治療）。

4 初期治療後のフォローアップ（ASCO 2018）

問診・診察，MMG が推奨されている。

フォローアップ	推奨
問診/身体診察	3 年間は 3〜6 カ月ごと，その後 2 年間は 6〜12 カ月ごと。5 年目以降は 1 年ごと
患者教育	再発時の症状を伝える（新しいしこり，骨痛，胸痛，腹痛，呼吸苦，持続する頭痛）
自己検診	毎月患者自身での乳房診察を行う
MMG	原則として年 1 回行う。乳房温存術施行後は，放射線療法終了後 6 カ月以上経過してから撮影し，その後は年 1 回行う
婦人科診察	婦人科検診を行い，TAM を内服していた患者に対しては性器出血があれば伝えるように指導する

推奨されない検診
　採血，腫瘍マーカー
　画像検索：胸部 X 線，CT，PET-CT，超音波，骨シンチグラフィ，乳房
　MRI

5 遺伝性乳がん卵巣がん症候群（HBOC）

BRCA 遺伝子の生殖細胞系列の変異に起因する乳がんおよび卵

巣がんをはじめとするがんの易罹患性症候群であり，常染色体優性遺伝形式を示す。本邦でのデータはないが，乳がんの約 10% に認められるとされる。2018 年より PARP 阻害薬（オラパリブ）の承認に合わせ BRACAnalysis 診断システムが転移性または再発乳がん患者において保険適用となり，2020 年 4 月から HBOC 診断のための検査としても保険適用となった。

スクリーニングには発症年齢と家族歴が重要である。

◆HBOC のスクリーニングに必要な問診

- 若年発症乳がん (50 歳以下)
- トリプルネガティブ乳がん (60 歳以下)
- 1 人に 2 つの原発乳がん
- 卵巣/卵管/腹膜がんの既往
- 乳がん (年齢を問わない) かつ以下の 1)〜3) のいずれか
  1) 近親者 (1〜3 親等) に 50 歳以下の乳がん患者がいる
  2) 近親者 (1〜3 親等) に上皮性卵巣/卵管/腹膜がん患者がいる
  3) 近親者 (1〜3 親等) に乳がんまたは膵がん患者 (ともに年齢を問わない) が 2 人以上いる
- 一方の家系 (父方または母方) に，乳がんと以下のうち 1 つ以上が集積 前立腺がん，甲状腺がん，肉腫，副腎皮質がん，子宮内膜がん，膵がん，脳腫瘍，びまん性胃がん，皮膚症状または巨頭症，白血病/リンパ腫 (特に若年発症)
- 男性乳がん

遺伝カウンセリングは，リスク評価や発症リスク，選択可能な対処方法，遺伝子検査の説明や心理社会面の支援も含めたもので，遺伝医療の専門家が担当する。対象は乳がん発症が遺伝的素因による原因が疑われる患者・その血縁者や，その不安がありカウンセリングを希望する者である。

1) リスク軽減乳房切除 (RRM)，リスク軽減卵巣卵管摘出術 (RRSO)

❶ **RRM**　BRCA1/2 遺伝子変異陽性例に対して，乳がん発症リスクを 90% 以上減少させる。

❷ **RRSO**　BRCA1/2 遺伝子変異陽性例に対する卵巣がんのリスク軽減は，メタアナリシスの結果では約 80% である。

2) 遺伝子検査後の問題点

生殖に関する問題 (例：出生前診断)，医療保険など遺伝差別の回避など，生殖・倫理・社会的な問題においても十分な議論・支援や制度構築がされておらず，関係する多くの職種の連携が急務である。

■ 転移・再発乳がんに対する治療

初診時に転移を有する進行がんと診断されるのは全乳がん患者の10% 以下である。

転移を有する症例であっても約 5～10% の患者は 5 年以上の生存が望めるが、治療不可能な病態であり、治療の目的は延命・症状緩和・QOL の維持である。

再生検は可能であれば積極的に考慮をする（JCO 2015：33：2695 PMID 26195705）。初発時と再発時の ER, PgR, HER2 の結果に乖離がみられることが知られており、再発巣における生検結果は治療方針に大きく影響する。

腫瘍マーカーは CEA, CA15-3 などがある。転移乳がんの治療効果判定を目的として補助的に用いることがあるが、治療方針は腫瘍マーカーの推移だけで判断しない。

◆ 転移・再発乳がんに対する薬物療法の概要

ER（＋）HER2（－）		
閉経前		
	1st	LHRHa＋TAM
	2nd	LHRHa＋FUL＋CDK4/6 阻害薬,
		LHRHa＋AI
	3rd	未使用の内分泌療法
閉経後		
術後内分泌療法で TAM を使用		
早期再発[*1]	1st	AI±CDK4/6 阻害薬, FUL
	2nd	FUL（AI＋CDK4/6 阻害薬後）,
		FUL＋CDK4/6 阻害薬（AI 後）,
		EXE±EVE
	3rd	未使用の内分泌療法
晩期再発	1st	AI±CDK4/6 阻害薬, FUL
	2nd	FUL（AI＋CDK4/6 阻害薬後）,
		FUL＋CDK4/6 阻害薬（AI 後）,
		EXE±EVE, TAM
	3rd	未使用の内分泌療法

（次頁につづく）

5 乳がん

(前頁よりつづき)

術後内分泌療法で AI を使用		
早期再発*1	1st	FUL±CDK4/6 阻害薬，EXE±EVE，TAM
	2nd	FUL（AI＋CDK4/6 阻害薬後）， FUL＋CDK4/6 阻害薬（AI 後）， EXE±EVE，TAM
	3rd	未使用の内分泌療法
晩期再発	1st	AI±CDK4/6 阻害薬，FUL
	2nd	FUL（AI＋CDK4/6 阻害薬後）， FUL＋CDK4/6 阻害薬（AI 後）， EXE±EVE，TAM
	3rd	未使用の内分泌療法
ER（＋）HER2（−） ・visceral crisis あり ・ホルモン治療抵抗		
トリプルネガティブ乳がん		
	1st	タキサン，アンスラサイクリン，S-1
	PD-L1 陽性トリプルネガティブ乳がん	ナブパクリタキセル＋アテゾリズマブ
	2nd	エリブリン，Cap，S-1
	3rd	GEM，VNB
HER2（＋）		
	1st	ペルツズマブ＋トラスツズマブ＋タキサン トラスツズマブ＋AI，ラパチニブ＋AI*2
	2nd	T-DM1
	3rd	トラスツズマブ デルクステカン（T-DXd）， トラスツズマブ＋細胞障害性抗がん薬，ラパチニブ＋Cap
BRCA 変異乳がん		
	アンスラサイクリン，タキサン後	オラパリブ

LHRHa：LH-RH アナログ，AI：アロマターゼ阻害薬，PAL：パルボシクリブ，FUL：フルベストラント，EVE：エベロリムス，T-DM1：トラスツズマブ エムタンシン
*1 内服中の再発または終了後 1 年以内の再発
*2 ER（＋）HER2（＋）乳がんで進行がとても緩徐で化学療法が難しい症例のみ適応

1 内分泌療法

ホルモン受容体陽性乳がんに対して行う。ただし，visceral crisis や内分泌治療抵抗性のある場合は，化学療法を検討する。術後内分泌療法から1年以上経過して再発した場合は感受性があると判断し，術後と同じ薬剤・1st line 治療から開始してよい。術後内分泌療法の開始1年未満に再発した場合は，術後内分泌療法に抵抗性があると考え，2nd line から開始する。

転移再発閉経後ホルモン陽性乳がんに対する1次治療としてLET＋CDK4/6 阻害薬であるパルボシクリブと LET 単剤を比較した第Ⅲ相試験(PALOMA-2 試験)で，LET＋パルボシクリブは PFS の延長(24.8カ月 vs. 14.5カ月，HR 0.58)を示した(NEJM 2016；375：1925 PMID 2795613)。有害事象は，併用群において Grade 3(57%)または4(5%)の好中球数減少と5%の肺塞栓症を認めた。

PALOMA-3 試験は1次内分泌療法で病状進行した症例に対して2次内分泌療法として FUL＋パルボシクリブ併用療法の PFS 延長を示した試験であり，PFS 中央値を9.5カ月と単剤(4.6カ月)と比較して延長した(Lancet Oncol 2016；17：425 PMID 26947331)。

アベマシクリブについても転移再発閉経後ホルモン陽性乳がんの1次治療としてアベマシクリブ＋ANA または LET とアロマターゼ阻害薬単剤とを比較した MONARCH3 試験で PFS の HR 0.53 と有意な改善を示した(JCO 2017；35：3638 PMID 28968163)。MONARCH2 試験ではホルモン治療後に病勢進行した患者を対象として FUL(±LHRHa)＋アベマシクリブが OS の HR 0.65 と有意に改善した(JAMA Oncol 2020；6：116 PMID 31563959)。アベマシクリブは有害事象として間質性肺疾患が知られており，国内死亡例もあることから注意喚起されている。

アロマターゼ阻害薬単剤または CDK4/6 阻害薬との併用で治療中または治療後に進行が認められた，PIK3CA 変異陽性，HR 陽性/HER2 陰性乳がんに対しては SOLAR-1 試験で alpelisib の有効性が示されており(NEJM 2019；380：1929 PMID 31091374)，FDA 承認されているが，日本人では皮疹による毒性中止が多いことから，現在追加試験を実施中である(JapicCTI-173805 試験)。

104 　5　乳がん

◆ 1st line ホルモン療法 ★★★

閉経前：**TAM＋LH-RH アナログ**
閉経後：**アロマターゼ阻害薬（非ステロイド性）±CDK4/6 阻害薬**
　　ANA　1回1mg　1日1回または **LET　1回40mg　1日1回**
　　±
　　パルボシクリブ（イブランス®）　1回125mg　1日1回　day 1〜21
　　4週ごと
　　または
　　アベマシクリブ（ベージニオ®）　1回150mg　1日2回　連日

◆ 2nd line ホルモン療法 ★★ (JCO 2010：28：4594 PMID 20855825, NEJM 2012：366：520 PMID 22149876)

閉経前：
　　LH-RH アナログ＋FUL＋CDK4/6 阻害薬
　　LH-RH アナログ＋アロマターゼ阻害薬
　　または，**MPA　1回200mg　1日3回**
閉経後：
　　FUL±CDK4/6 阻害薬（注：CDK4/6 阻害薬の再投与に関してエビデンスは確立していない）
　　FUL（フェソロデックス®）　500mg　筋注　初回・2週後・4週後，
　　その後は4週ごと
　　パルボシクリブ（イブランス®）　1回125mg　1日1回　day 1〜21
　　4週ごと
　　アベマシクリブ（ベージニオ®）　1回150mg　1日2回　連日
　　または，**EXE　1回25mg　＋　EVE（アフィニトール®）　1回**
　　10mg　1日1回
　　または，**TAM**（TAM 抵抗性なら MPA）

- 閉経の定義（NCCN ガイドライン）：① 両側卵巣切除後，② 60歳以上，③ 60歳以下で 12 カ月以上月経がなく FSH，エストラジオールが閉経を示す（FSH：40 mIU/mL 以上かつエストラジオール 20 pg/mL 以下），④ TAM 投与中であれば 60歳以下で FSH，エストラジオールが閉経を示す

2　化学療法

1）適応

- トリプルネガティブ乳がん
- ホルモン受容体陽性で，ホルモン療法不応や visceral crisis の状態
- HER2 陽性乳がんに対して，抗 HER2 薬と併用（⇒108 頁）
  基本は単剤逐次投与である。ただし，より高い奏効率を期待した

い場合には多剤併用レジメンも考慮される。アンスラサイクリン
は，心毒性のリスクより術前および術後化学療法からの積算量に留
意する。

◆ **1st line 化学療法 ★★** (Br J Cancer 1993；67：801 PMID 8471439, Br J Cancer 2005；93：293 PMID 16052223, Lancet Oncol 2016；17：90 PMID 26617202)

> アンスラサイクリン
> または，タキサン(PTX, DTX)
> または，S-1

◆ **2nd line 化学療法 ★★** (JCO 2003；21：588 PMID 12586793, Ann Oncol 2001；12：1247 PMID 11697835)

> 1st line 化学療法として使用されなかったアンスラサイクリンまたはタキサン

奏効率20〜30%，PFS 3〜6カ月。また，フッ化ピリミジンであるS-1, Cap も許容される。

◆ **ADM ★★★** (JCO 1999；17：2341 PMID 10561296, Am J Clin Oncol 1991；14：38 PMID 1987737)

> ADM　60〜75 mg/m^2　静注　day 1　3週ごと or 20 mg/m^2　静注 day 1　毎週

◆ **AC ★★★, EC* ★★★** (JCO 2002；20：3114 PMID 12118025, Ann Oncol 2009；20：1210 PMID 19254942)

> ADM*　　40〜60 mg/m^2　静注　day 1
> CPA　　500〜600 mg/m^2　静注　day 1
> 3週ごと

*EC では ADM の代わりに EPI　60〜90 mg/m^2　静注　day 1 を使用

◆ **DTX ★★★** (JCO 1999；17：1413 PMID 10334526, Cancer Treat Rev 2010；36：69 PMID 19945225)

> DTX　60〜100 mg/m^2　静注　day 1　3週ごと

◆ **PTX ★★★** (J Natl Cancer Inst 1995；87：1169 PMID 7674322, JCO 1998；16：3353 PMID 9779712, Cancer Treat Rev 2010；36：69 PMID 19945225)

> PTX　80 mg/m^2　静注　day 1　毎週 or 175 mg/m^2　静注　day 1　3 週ごと

◆ **エリブリン ★★★** (Lancet 2011；377：914 PMID 21376385)

> エリブリン(ハラヴェン®)　1.4 mg/m^2　静注　day 1, 8　3週ごと

106 | 5 乳がん

◆ Cap ★★ (Cancer 2001；92：1759 PMID 11745247)

Cap　1回 1,250 mg/m^2　1日2回　day 1〜14　3週ごと

◆ VNB ★★ (JCO 1994；12：2094 PMID 7931479)

VNB　25 mg/m^2　静注　day 1, 8　3週ごと

◆ GEM ★★ (Jpn J Clin Oncol 2009；39：699 PMID 19776022)

GEM　1,250 mg/m^2　静注　day 1, 8　3週ごと

◆ S-1 ★★★ (Lancet Oncol 2016；17：90 PMID 26617202)

S-1　体表面積：1.25 m^2 未満　　　　1回 40 mg　1日2回
　　　　　　　　1.25〜1.5 m^2 未満　1回 50 mg　1日2回
　　　　　　　　1.5 m^2 以上　　　　1回 60 mg　1日2回
4週内服後2週休薬

最大投与量：150 mg/日

◆ nab-PTX ★★★ (JCO 2005；23：7794 PMID 16172456)

nab-PTX（アブラキサン®）　260 mg/m^2　静注　day 1　3週ごと

◆ GEM＋PTX ★★ (JCO 2008；26：3950 PMID 18711184)

GEM　　1,250 mg/m^2　静注　day 1, 8
PTX　　175 mg/m^2　静注　day 1
3週ごと

2) BV の併用について

　HER2 陰性の転移・再発乳がんに対する1次化学療法において，E2100，AVADO，RIBBON-1 試験ではタキサンなど化学療法との併用で RFS の延長と奏効率の改善を認めた。しかし，各試験とメタアナリシスの結果からは明らかな OS の延長は認めなかった(J Oncol 2012；2012：417673 PMID 23008712)。OS 延長を認めないこと，安全性の観点から米国では承認取り消しとなっているが本邦では 2022 年 5 月現在でも使用可能である。有害事象の増加や高額でもあることなどから，適応は慎重に検討する。

◆ BV＋PTX ★★ (NEJM 2007；357：2666 PMID 18160686)

BV　　10 mg/kg　静注　day 1, 15
PTX　90 mg/m^2　静注　day 1, 8, 15
4週ごと

3）トリプルネガティブ乳がんに対する免疫チェックポイント阻害薬

◆ **nab-PTX＋アテゾリズマブ ★★★** (NEJM 2018：379：2108 PMID 30345906)

　化学療法未施行の切除不能あるいは転移トリプルネガティブ乳がんを対象に行われた IMpassion130 試験において，PD-L1 陽性のサブグループで毎週投与の nab-PTX＋アテゾリズマブ併用療法はnab-PTX 単独と比較し，PFS を 7.2 カ月 vs. 5 カ月，HR 0.80 と有意に改善した(NEJM 2018：379：2108 PMID 30345906)。一方で PTX との併用療法での有効性を評価した IMpassion131 試験においては PFS，OS ともに優越性は示せなかった(Ann Oncol 2021：32：994 PMID 34219000)。アテゾリズマブは FDA で迅速承認され，本邦でも 2019 年に保険適用となったが，2021 年 8 月に FDA 迅速承認撤回となっている。

> **nab-PTX**　100 mg/m² 　静注 　day 1, 8, 15
> **アテゾリズマブ**（テセントリク®）　840 mg/body 　静注 　days 1, 15
> 　4 週ごと

◆ **化学療法＋ペムブロリズマブ ★★★** (Lancet 2020：396：1817 PMID 33278935)

　PD-L1 陽性（CPS 10 以上）で治療歴のない切除不能局所再発もしくは転移を有するトリプルネガティブ乳がんに対し，ペムブロリズマブと化学療法の併用療法は化学療法単独より PFS を 9.7 カ月 vs. 5.6 カ月，HR 0.65 と有意に延長した。2020 年 11 月に FDA で CPS 10 以上の PD-L1 陽性トリプルネガティブ乳癌を対象として化学療法との併用でペムブロリズマブが迅速承認され 2021 年 8 月に本邦でも承認された。

> **ペムブロリズマブ**（キイトルーダ®）　200 mg/body 　静注 　day 1 　3 週ごと
> 以下のいずれかを化学療法と併用する
> **nab-PTX**　　100 mg/m² 　静注 　day 1, 8, 15 　4 週ごと
> **PTX**　　　　90 mg/m² 　静注 　day 1, 8, 15 　4 週ごと
> **GEM**　　1,000 mg/m²＋CBDCA 　AUC 2 　day 1, 8 　3 週ごと

4）PARP 阻害薬

　生殖細胞系列の BRCA 遺伝子変異がある HER2 陰性乳がんに対してオラパリブを化学療法と比較した OlympiAD 試験がある(NEJM 2017：377：523 PMID 28578601)。アンスラサイクリンとタキサンによる治療後の化学療法（Cap，エリブリン，VNB）と比較して PFS の延長（7.0 カ月 vs. 4.2 カ月，HR 0.58）と良好な ORR（60% vs. 29%）が得られた。

108 | 5 乳がん

◆ オラパリブ ★★

オラパリブ（リムパーザ®）　1回300mg　1日2回

3 抗HER2療法

HER2陽性の転移再発乳がんに対して現在使用できる抗HER2薬は，トラスツズマブ，ペルツズマブ，トラスツズマブ エムタンシン（T-DM1），トラスツズマブ デルクステカン（T-DXd），ラパチニブである。

1）1st line

HER2陽性転移性乳がんに対して，ペルツズマブにトラスツズマブおよびDTXを併用した群（ペルツズマブ併用群）は，トラスツズマブおよびDTXを併用した群（対照群）と比べて，PFSとOSの有意な延長が認められた（PFS 18.5カ月 vs. 12.4カ月，HR 0.62，OS 56.5カ月 vs. 40.8カ月，HR 0.68）（CLEOPATRA試験）。臨床効果が継続しているが，毒性によりDTXの継続が困難となった場合は，ペルツズマブとトラスツズマブの2剤のみで継続してよい。投与中は3カ月ごとの心エコーで心毒性を観察する。

◆ DTX＋ペルツズマブ＋トラスツズマブ ★★★　(NEJM 2012；366：109 PMID 22149875，NEJM 2015；372：724 PMID 25693012)

DTX　75mg/m²　静注　day 1
トラスツズマブ（ハーセプチン®）　初回投与時：8mg/kg，2回目以降：6mg/kg　静注　day 1
ペルツズマブ（パージェタ®）　初回投与時：840mg/body，2回目以降：420mg/body　静注　day 1
3週ごと

CLEOPATRA試験では発熱性好中球減少症（FN）が13％でみられた。FNリスクが高い症例に対してはDTXの代わりにweekly PTX（80mg/m² 静注，毎週投与）の併用が許容される（Breast Cancer Res Treat 2016；158：91 PMID 27306421）。

2）2nd line

タキサン，トラスツズマブの治療歴を有する局所進行・転移性HER2陽性乳がんに対して，T-DM1は，Capとラパチニブの併用療法（XL療法）と比べてPFSの有意な延長が認められた（9.6カ月 vs. 6.4カ月，HR 0.650）（EMILIA試験）。T-DM1群で多くみられたGrade 3以上の毒性は，血小板数減少，肝機能上昇，貧血であった。

◆ T-DM1 ★★★　(NEJM 2012；367：1783 PMID 23020162)

T-DM1（カドサイラ®）　3.6mg/kg　静注　3週ごと

3）3rd line 以降

◆トラスツズマブ デルクステカン（エンハーツ®）（T-DXd）★★★
（NEJM 2020；382：610 PMID 31825192）

T-DXd は T-DM1 と同様に，HER2 を標的とした抗体薬物複合体であり，リンカーを介して新規 DNA トポイソメラーゼ I 阻害化合物を抗 HER2 抗体に結合させた薬剤である。T-DM1 治療を受けた HER2 陽性の進行・再発乳がん患者を対象とした国際第 II 相臨床試験では，5.4 mg/kg を投与された症例において奏効割合 60.9％，奏効期間中央値 14.8 カ月という良好な結果を認めた。間質性肺疾患の有害事象が 8.2％ と高頻度に認められるため，画像でのモニタリングや呼吸器専門医との連携が重要である。

> T-DXd（エンハーツ®）　5.4 mg/kg　静注　3 週ごと

T-DXd は 2nd line で T-DM1 と有効性を比較した国際第 III 相試験 Destiny-Breast03 試験の中間解析において主要評価項目である PFS について HR 0.28 と有意な改善を示したことが ESMO 2021 で発表された（NEJM 2022；386：1143 PMID 35320644）。

◆tucatinib（本邦未承認）

トラスツズマブ，ペルツズマブ，T-DM1 既治療の HER2 陽性乳がんを対象として，tucatinib＋カペシタビン＋トラスツズマブの有効性を評価したランダム化比較試験である HER2CLIMB 試験では，対照群のプラセボ＋カペシタビン＋トラスツズマブ療法と比較して tucatinib 併用群は PFS が 7.8 カ月 vs. 5.6 カ月（HR 0.54）と有意に延長し，OS も HR 0.66 と良好な結果であった（NEJM 2020；382：597 PMID 31825569）。主な有害事象は下痢と肝酵素上昇である。tucatinib 併用療法は 2020 年 4 月に米国 FDA で承認されたが，本邦では未承認である。

◆tucatinib＋カペシタビン＋トラスツズマブ ★★★ （NEJM 2020；382：597 PMID 31825569）

> tucatinib　300 mg　1 日 2 回　連日
> カペシタビン　1,000 mg/m²　day 1〜14　内服　3 週ごと
> トラスツズマブ（ハーセプチン®）　初回投与時：8 mg/kg，2 回目以降：6 mg/kg　静注　day 1　3 週ごと

本邦未承認

5 乳がん

◆ トラスツズマブ＋細胞障害性抗がん薬

トラスツズマブと併用される細胞障害性抗がん薬には，PTX，DTX，VNB，Cap などがある。

◆ トラスツズマブ＋PTX (Br J Cancer 2004；90：36 PMID 14710203)

> トラスツズマブ（ハーセプチン®）　初回：4 mg/kg，2 回目以降：2 mg/kg
> 　静注　day 1
> **PTX**　80 mg/m² 　静注　day 1
> 毎週

ラパチニブは，EGFR と HER2 に対するチロシンキナーゼ阻害薬である。

◆ ラパチニブ＋Cap ★★★ (NEJM 2006；355：2733 PMID 17192538)

> ラパチニブ（タイケルブ®）　1 回 1,250 mg　1 日 1 回　day 1〜21　食
> 　事の 1 時間以上前または食後 1 時間以降に内服
> **Cap**　1 回 1,000 mg/m² 　1 日 2 回　day 1〜14
> 3 週ごと

◆ ラパチニブ＋トラスツズマブ ★★★ (JCO 2010；28：1124 PMID 20124187)

> ラパチニブ（タイケルブ®）　1 回 1,000 mg　1 日 1 回　食事の 1 時間以
> 　上前または食後 1 時間以降に内服
> トラスツズマブ（ハーセプチン®）　初回：4 mg/kg，2 回目以降：
> 　2 mg/kg　静注　day 1　毎週

上記の併用療法は本邦では保険適用外。

日常臨床においては beyond PD でペルツズマブの併用が行われているが，beyond PD であってもペルツズマブの投与を継続すべきか否かについては，その意義を証明した試験は現在のところ存在しない。

- 抗 HER2 療法の "treatment free survival" の考え方：抗 HER2 薬の最終投与からどの程度の期間が空いて再発または病勢増悪していると抗 HER2 療法抵抗性と考えるのか，というのが treatment free survival である。CLEOPATRA 試験では 12 カ月，MARIANNE 試験と EMILIA 試験では 6 カ月以上経過したものとされており統一された見解はない

■ 予後

◆ 病期別の 5 年生存率（がんの統計 2021）

臨床病期（UICC）	症例数割合（%）	実測生存率（%）	相対生存率（%）
Ⅰ	43.6	95.2	99.8
Ⅱ	37.8	91.4	95.7
Ⅲ	12.4	76.4	80.6
Ⅳ	5.3	33.8	35.4

■ 文献

1) Gennari A, et al：ESMO Clinical Practice Guideline for the diagnosis, staging and treatment of patients with metastatic breast cancer. Ann Oncol 2021；32：1475-1495 PMID 34678411

2) Burstein HJ, et al：Endocrine treatment and targeted therapy for hormone receptor-positive, human epidermal growth factor receptor 2-negative metastatic breast cancer：ASCO Guideline Update. J Clin Oncol 2021；39：3959-3977 PMID 34324367

【船坂　知華子】

6 頭頸部がん・甲状腺がん

頭頸部がん　Head and Neck Cancer

　頭頸部は多臓器の集合体であり，原発部位と進行度により症状や治療方針，予後が大きく異なる。発声，構音，咀嚼，嚥下など重要な機能が集中しているため，予後改善と機能温存の両立を目標に，外科治療，放射線療法，化学療法を組み合わせた集学的治療が行われる。

■ 疫学

1 死亡数（2019年）/罹患数（2018年）

• 口腔・咽頭がん：7,764人/22,515人，喉頭がん：863人/5,190人
　全悪性腫瘍死亡数の約2.3%，罹患数の約2.8%を占める。罹患数の男女比は約3：1で男性に多い。近年，死亡数は緩やかに増加，罹患数はほぼ横ばいである。

2 発症の危険因子（リスクファクター）

• 喫煙，飲酒：頭頸部がん全体の約80%に関与
• HPV（human papillomavirus）感染：中咽頭がん
• EBV（Epstein-Barr virus）感染：上咽頭がん

3 重複がんの合併

　頭頸部領域の他の部位や食道，肺などに，高頻度に重複がんを認める。

■ 診断

1 検診

　方法および意義は確立していない。

2 臨床症状

　原発およびリンパ節転移の部位により多彩な症状を呈する。舌がん，喉頭がん以外では，原発病変による症状を認めず頸部リンパ節腫脹で発見されることも多い。以下，頸部腫瘤以外の症状として代表的なものを部位別に示す。

• 口唇・口腔がん：発赤，潰瘍，隆起，出血，疼痛

頭頸部がん | 113

- 鼻副鼻腔がん：鼻出血，鼻閉，眼球突出，複視，疼痛
- 上咽頭がん：鼻出血，鼻閉，外転・三叉神経麻痺，頭痛，難聴，難治性中耳炎
- 中咽頭がん：疼痛，嚥下時痛，嚥下困難，開口障害
- 下咽頭がん：嚥下時痛，嚥下困難，構音障害，耳痛
- 喉頭がん：嚥下時痛，嚥下困難，構音障害，嗄声，呼吸苦
- 唾液腺がん：顔面腫瘍，顔面神経麻痺

3 診断

- 確定診断：生検による。臨床症状，視診（鼻咽腔・喉頭鏡，NBI），触診，および画像検査（CT や MRI，超音波検査）により原発部位を同定し，生検により診断を確定する
- 画像診断：鼻咽頭・喉頭内視鏡（部位診断，NBI も有用），頭頸部 CT・MRI（深達度診断，局所リンパ節転移評価），胸部〜骨盤 CT，PET-CT（遠隔転移・重複がん評価）
- 食道がん精査：上部消化管内視鏡検査（ルゴール撒布が必須）
- 骨転移精査（症状や検査値から疑わしい場合）：骨シンチグラフィを施行

4 検体検査

　頭頸部がんの確立した腫瘍マーカーは存在しない。中咽頭がんでは HPV 感染の診断に p16 タンパクの免疫組織化学染色を考慮する。

■ 病型分類

　頭頸部悪性腫瘍全国登録（2018 年初診症例）による分類と頻度を示す。

1) 原発部位

　鼻副鼻腔（上顎洞を除く）：3.3%，上顎洞：3.2%，上咽頭：3.1%，中咽頭：17.3%，下咽頭：21.4%，口腔：27.5%，喉頭：18.3%，唾液腺：5.8%。

2) 組織型

　扁平上皮癌 85.5%，腺様嚢胞癌 1.6%，粘表皮癌 1.2%，悪性黒色腫 0.8%，唾液管癌 1.4%，腺癌 0.7%，その他 8.8%。大部分を扁平上皮癌が占めている。

3) ステージ

　Stage0 2.9%，Stage I 18.9%，Stage II 17.6%，Stage III 19.3%，Stage IV 41.3% であり，Stage III・IVの進行がんが約 60% を占める。遠隔転移例（M1）の頻度は，3.0% である。

6 頭頸部がん・甲状腺がん

■ 病期分類〔UICC-TNM 分類 第 8 版, 2017〕

1 原発腫瘍（T）

1）口唇・口腔がん

TX	原発腫瘍の評価が不可能
Tis	上皮内癌
T1	最大径≦2 cm かつ DOI*が 5 mm 以下
T2	最大径≦2 cm かつ 5 mm＜DOI≦10 mm，または 2 cm＜最大径≦4 cm かつ DOI≦10 mm
T3	最大径＞4 cm または DOI＞10 mm
T4a	口唇：皮質骨，下歯槽神経，口腔底，皮膚（顎または外鼻）に浸潤 口腔：皮質骨，上顎洞，顔面皮膚に浸潤
T4b	咀嚼筋間隙，翼状突起，頭蓋底に浸潤，または内頸動脈を全周性に取り囲む

*DOI：depth of invasion

2）鼻腔・副鼻腔がん

❶ 上顎洞がん

TX	原発腫瘍の評価が不可能
Tis	上皮内癌
T1	上顎洞粘膜に限局し，骨吸収・骨破壊を認めない
T2	上顎洞後壁を除く壁の骨吸収・骨破壊があり，硬口蓋・中鼻道にまで進展
T3	上顎洞後壁の骨，皮下組織，眼窩底，眼窩内側壁，翼突窩，篩骨洞に浸潤
T4a	眼窩内容前部，頬部皮膚，翼状突起，側頭下窩，篩板，蝶形洞，前頭洞に浸潤
T4b	眼窩尖端，硬膜，脳，中頭蓋窩，三叉神経第 2 枝以外の脳神経，上咽頭，斜台に浸潤

❷ 鼻腔・篩骨洞がん

TX	原発腫瘍の評価が不可能
Tis	上皮内癌
T1	鼻腔・篩骨洞の 1 亜部位に限局（骨浸潤の有無は問わない）
T2	鼻腔・篩骨洞の 2 亜部位に浸潤，または鼻腔・篩骨洞の両方に浸潤（骨浸潤の有無は問わない）
T3	眼窩内側壁・眼窩底，上顎洞，口蓋，篩板に浸潤
T4a	眼窩内容前部，外鼻皮膚，頬部皮膚，前頭蓋窩（軽度進展），翼状突起，蝶形洞，前頭洞に浸潤
T4b	眼窩尖端，硬膜，脳，中頭蓋窩，三叉神経第 2 枝以外の脳神経，上咽頭，斜台に浸潤

頭頸部がん | 115

3) 上咽頭がん

TX	原発巣の評価が不可能
T0	原発巣を同定困難だが，EBV 陽性頸部リンパ節転移を認める
Tis	上皮内癌
T1	上咽頭に限局または中咽頭・鼻腔に進展。かつ傍咽頭間隙進展なし
T2	傍咽頭間隙または周囲軟部組織（内側翼突筋・外側翼突筋・椎前筋）に進展
T3	頭蓋底骨組織，頸椎，pterygoid structures，副鼻腔に浸潤
T4	頭蓋内，脳神経，下咽頭，眼窩，耳下腺に進展，外側翼突筋の外側を越え周囲軟部組織に浸潤

4) 中咽頭がん（p16 陰性または p16 未検討）

TX	原発腫瘍の評価が不可能
Tis	上皮内癌
T1	最大径≦2 cm
T2	2 cm＜最大径≦4 cm
T3	最大径＞4 cm，または喉頭蓋舌面に進展
T4a	喉頭・舌深層の筋肉/外舌筋，内側翼突筋，硬口蓋，下顎骨に浸潤
T4b	外側翼突筋，翼状突起，上咽頭側壁，頭蓋底に浸潤，または内頸動脈を全周性に取り囲む

5) 中咽頭がん（p16 陽性）

TX	原発腫瘍の評価が不可能
T0	原発腫瘍を認めない
Tis	上皮内癌
T1	最大径≦2 cm
T2	2 cm＜最大径≦4 cm
T3	最大径＞4 cm，または喉頭蓋舌面に進展
T4	喉頭・舌深層の筋肉/外舌筋，内側翼突筋，硬口蓋，下顎骨，外側翼突筋，翼状突起，上咽頭側壁，頭蓋底に浸潤，または内頸動脈を全周性に取り囲む

6) 下咽頭がん

TX	原発腫瘍の評価が不可能
T0	原発腫瘍を認めない
Tis	上皮内癌
T1	最大径≦2 cm，および/または下咽頭の 1 亜部位に限局
T2	2 cm＜最大径≦4 cm，または下咽頭の 1 亜部位を越える，または隣接部位に浸潤。かつ片側喉頭の固定を認めない

6

頭頸部がん・甲状腺がん

116 | 6 頭頸部がん・甲状腺がん

T3	最大径>4 cm，または片側喉頭が固定，または食道に浸潤
T4a	甲状軟骨，輪状軟骨，舌骨，甲状腺，頸部正中軟部組織に浸潤
T4b	椎前筋膜，縦隔に浸潤，または頸動脈を全周性に取り囲む

7) 喉頭がん

❶ 声門上部

TX	原発腫瘍の評価が不可能
Tis	上皮内癌
T1	声帯運動が正常で，声門上部の1亜部位に限局
T2	喉頭の固定がなく，声門上部の他の亜部位，声門または声門上部の外側域の粘膜に浸潤
T3	声帯が固定し喉頭に限局，または輪状後部，喉頭蓋前間隙，傍声帯間隙，甲状軟骨内側に浸潤
T4a	甲状軟骨の外側を破って浸潤，または喉頭外（気管，舌深層の筋肉/外舌筋を含む頸部軟部組織，前頸筋群，甲状腺，食道）に浸潤
T4b	椎前間隙，縦隔に浸潤，または頸動脈を全周性に取り囲む

❷ 声門

TX	原発腫瘍の評価が不可能
Tis	上皮内癌
T1a	声帯運動が正常で，一側声帯に限局
T1b	声帯運動が正常で，両側声帯に浸潤
T2	声門上部，声門下部に進展，または声帯運動の制限を伴う
T3	声帯が固定し喉頭に限局，または傍声帯間隙，甲状軟骨内側に浸潤
T4a	甲状軟骨の外側を破って浸潤，または喉頭外（気管，輪状軟骨，舌深層の筋肉/外舌筋を含む頸部軟部組織，前頸筋群，甲状腺，食道）に浸潤
T4b	椎前間隙，縦隔に浸潤，または頸動脈を全周性に取り囲む

❸ 声門下部

TX	原発腫瘍の評価が不可能
Tis	上皮内癌
T1	声門下部に限局
T2	声帯に進展（声帯運動の制限の有無は問わない）
T3	声帯が固定し喉頭に限局
T4a	輪状軟骨，甲状軟骨を破って浸潤，または喉頭外（気管，舌深層の筋肉/外舌筋を含む頸部軟部組織，前頸筋群，甲状腺，食道）に浸潤
T4b	椎前間隙，縦隔に浸潤，または頸動脈を全周性に取り囲む

頭頸部がん | 117

8)唾液腺がん

TX	原発腫瘍の評価が不可能
T0	原発巣の所見を認めない
Tis	上皮内癌
T1	最大径≦2 cm で，実質外進展（軟部組織・神経浸潤）所見なし
T2	2 cm＜最大径≦4 cm で，実質外進展所見なし
T3	最大径＞4 cm，または臨床的に実質外進展を伴う
T4a	皮膚，下顎骨，外耳道，顔面神経に浸潤
T4b	頭蓋底，翼状突起に浸潤，または頸動脈を全周性に取り囲む

2 所属リンパ節（N）

所属リンパ節は頸部リンパ節である。

1)上咽頭がん・p16 陽性中咽頭がん以外

❶ 臨床的分類

cNX	所属リンパ節転移の評価が不可能
cN0	所属リンパ節に転移なし
cN1	同側単発性リンパ節転移で最大径≦3 cm で節外進展なし
cN2a	同側単発性リンパ節転移で3 cm＜最大径≦6 cm で節外進展なし
cN2b	同側多発性リンパ節転移で最大径≦6 cm で節外進展なし
cN2c	両側/対側リンパ節転移で最大径≦6 cm で節外進展なし
cN3a	最大径＞6 cm のリンパ節転移で節外進展なし
cN3b	単発性または多発性リンパ節転移で節外進展を伴う

❷ 病理学的分類

pNX	所属リンパ節転移の評価が不可能
pN0	所属リンパ節に転移なし
pN1	同側単発性リンパ節転移で最大径≦3 cm で節外進展なし
pN2a	同側単発性リンパ節転移で3 cm＜最大径≦6 cm で節外進展なし，または同側単発性リンパ節転移で最大径≦3 cm で節外進展あり
pN2b	同側多発性リンパ節転移で最大径≦6 cm で節外進展なし
pN2c	両側/対側リンパ節転移で最大径≦6 cm で節外進展なし
pN3a	最大径＞6 cm のリンパ節転移で節外進展なし
pN3b	最大径＞3 cm のリンパ節転移で節外進展あり，または同側多発性リンパ節転移・対側/両側リンパ節転移で節外進展あり

2)上咽頭がん

NX	所属リンパ節転移の評価が不可能
N0	所属リンパ節に転移なし

6

頭頸部がん・甲状腺がん

N1	輪状軟骨下縁より頭側の，片側頸部リンパ節転移および/または片側/両側咽頭後リンパ節転移で最大径≦6 cm
N2	輪状軟骨下縁より尾側の両側頸部リンパ節転移で最大径≦6 cm
N3	最大径＞6 cm または輪状軟骨下縁より尾側に進展

3）p16 陽性中咽頭がん
❶ 臨床的分類

cNX	所属リンパ節転移が評価不可能
cN0	所属リンパ節に転移なし
cN1	同側リンパ節転移で最大径≦6 cm
cN2	両側/対側リンパ節転移で最大径≦6 cm
cN3	最大径＞6 cm

❷ 病理学的分類

pNX	所属リンパ節転移が評価不可能
pN0	所属リンパ節に転移なし
pN1	1〜4 個のリンパ節転移
pN2	5 個以上のリンパ節転移

3 遠隔転移（M）

| M0 | 遠隔転移なし |
| M1 | 遠隔転移あり |

4 Staging
1）上咽頭がん・p16 陽性中咽頭がん以外

Stage	T	N	M
0	Tis	N0	M0
I	T1	N0	M0
II	T2	N0	M0
III	T3	N0	M0
	T1〜3	N1	M0
IVA	T1〜3	N2	M0
	T4a	N0〜2	M0
IVB	T4b	any N	M0
	any T	N3	M0
IVC	any T	any N	M1

2)上咽頭がん

Stage	T	N	M
0	Tis	N0	M0
I	T1	N0	M0
II	T1	N1	M0
	T2	N0, N1	M0
III	T1, T2	N2	M0
	T3	N0〜2	M0
IV	T4	N0〜2	M0
	any T	N3	M0
	any T	any N	M1

3)p16陽性中咽頭がん

Stage	T	N	M
0	Tis	N0	M0
I	T1, T2	N0, N1	M0
II	T1, T2	N2	M0
	T3	N0〜2	M0
III	T1〜3	N3	M0
	T4	any N	M0
IV	any T	any N	M1

■ 予後因子

部位（下咽頭は予後不良），PS，病期，N 因子，Hb 値，HPV 感染（予後良好）

■ 治療

頭頸部がんの治療は，① 組織型，② 原発部位，③ 病期，④ 根治的外科切除の適応の有無，⑤ 機能温存希望の有無，⑥ 年齢・PS・臓器機能・基礎疾患，⑦ 喫煙・飲酒状況，⑧ HPV 感染の有無などを総合的に考慮して方針を決定していく。

以下は，頭頸部がんの大部分を占める扁平上皮癌の標準治療について示す。腺癌など他の組織型の標準治療は確立していない。治療法としては，手術療法，放射線療法，化学療法，化学放射線療法が行われる。

局所進行切除不能例や局所再発例であっても，切除または根治的放射線療法が可能な場合の治療目標は根治である。適切に治療を遂行するためには支持療法が極めて重要であり，栄養管理や口腔ケアなど多職種の連携が必須である。

1 治療方針

◆ 初回治療の概略

	Stage I	Stage II	Stage III・IV			
			局所進行切除可能		局所進行切除不能	遠隔転移
			機能温存希望なし	機能温存希望あり		
上咽頭	RT	CRT±補助化学療法*1				化学療法 or 対症療法
上顎洞	外科切除	外科切除＋(C)RT		CRT	
中下咽頭喉頭	RT or 外科切除	外科切除±(C)RT	CRT*2		
口腔	外科切除 or RT	外科切除±(C)RT		CRT	

RT：放射線療法，CRT：化学放射線療法

*1 Stage III・IVの上咽頭がんにおいて，導入化学療法が検討されうるが，施行の是非については意見の統一が得られていない

*2 切除可能例において，導入化学療法による喉頭温存の有用性は確認されているが，導入化学療法後の最適な治療方法は決まっていない

1) 上咽頭がん以外の頭頸部がん

❶ **Stage I・II　放射線療法または外科切除**　放射線療法は外科切除と遜色のない局所制御率や生存率が報告されている。外科切除により機能障害が懸念される場合，放射線療法(66〜70 Gy/33〜35回)が行われることが多い。

❷ **Stage III・IV　局所進行例**　「外科切除の適応」と「機能温存希望」を考慮して治療方針を決定する。

a) 切除可能例：外科切除±術後(化学)放射線療法

b) 喉頭温存希望例：化学放射線療法〔導入化学療法＋(化学)放射線療法も行われることがある〕

c) 切除不能例：化学放射線療法

◆ 局所進行切除不能の定義

> 下記①の場合，根治切除の適応とならず非外科治療を選択する。②③の場合も，相対的に切除不能と判断されることがある
> ① 技術的に外科切除が困難な場合(頸動脈，頭蓋底，頸椎浸潤を有する場合など)
> ② 切除可能でも，局所再発や遠隔転移の頻度が高く，根治性が低いと判断される場合(N2cやN3例など)
> ③ 切除可能でも，切除範囲が広く，術後に構音障害，嚥下障害など高度の機能障害が予想される場合(中咽頭がんT4例など)

頭頸部がん | 121

◆機能温存（喉頭温存）希望例での対応

根治切除可能な喉頭がん・下咽頭がんで喉頭全摘を要する進行例でも，患者が発声・嚥下などの機能温存を希望する場合は，非外科的治療が選択されることがある

- 化学放射線療法は，局所進行切除不能例における局所制御率，生存率，および喉頭温存希望例の局所制御率，喉頭温存率に関して，放射線単独療法に対する優越性が示されている
- 放射線療法に併用する化学療法は CDDP 単剤が標準的である
- セツキシマブ併用放射線療法は，局所進行例において放射線単独療法に対する優越性（OS，PFS）が示されている。ただし，HPV陽性中咽頭がんにおいて，CDDP 併用化学放射線療法と比較して OS・PFS で劣ることが近年報告されている
- 喉頭温存希望がある局所進行例では導入化学療法＋（化学）放射線療法の有用性が報告されている。しかし，導入化学療法後の最適な治療法は明確ではない
- （化学）放射線療法のみで腫瘍残存を認めた場合，根治を目標に救済（サルベージ）手術の追加を考慮する
- ❸ 術後再発リスク例〔major risk（切除断端陽性，リンパ節節外浸潤），minor risk（多発リンパ節転移，神経周囲浸潤，脈管侵襲）〕 再発高リスク例において，術後 6～8 週間以内に開始される化学放射線療法は，局所制御率，生存率に関して放射線単独療法に対する優越性が示されている。

2）上咽頭がん
- ❶ Stage Ⅰ 放射線療法〔可能なら強度変調放射線治療（IMRT）〕
- ❷ Stage Ⅱ（特に T2N1 例），Stage Ⅲ・Ⅳ局所進行例 化学放射線療法（可能なら IMRT）
- 上咽頭がんは，解剖学的に切除困難で，かつ放射線照射や化学療法に高感受性であるため，他の部位とは区別して，非外科的な治療開発が行われてきた
- 化学放射線療法として CDDP＋RT が標準治療。導入化学療法・補助化学療法に関しては意見の統一が得られていない

3）Ⅳ期遠隔転移例
- ❶ 化学療法または対症療法
- 生存期間の延長および症状緩和を目的に治療を行う
- 初回治療の標準療法は PF（CDDP/CBDCA＋5-FU）＋ペムブロリ

6

頭頸部がん・甲状腺がん

ズマブ療法である。KEYNOTE-048試験（ペムブロリズマブ vs. PF＋ペムブロリズマブ vs. PF＋セツキシマブ）の結果，対照治療群の PF＋セツキシマブ療法に対する全対象に対して PF＋ペムブロリズマブの OS での優越性が示された。さらにペムブロリズマブ単剤については，CPS≧1 における OS の優越性，全対象における OS の非劣性が示された

- 2次治療以降については，前治療の使用薬剤によりレジメンは異なり，PF＋セツキシマブ療法に不応後の2次治療はニボルマブとなる。一方，PF＋ペムブロリズマブに不応となった場合には，PTX＋セツキシマブ療法が選択される。局所進行例や術後治療として CDDP＋RT の戦略がとられるため，前治療にプラチナ製剤が使用されていることもあり，後治療はプラチナ製剤の感受性ならびに CPS の評価を行い，上記の薬剤選択ならびに，その他の有効性が報告されている DTX や PTX，S-1 などを選択する

4）再発例

◆ 再発時治療の概略

	切除可能	切除不能
局所再発 放射線照射歴なし	外科切除 ±術後(C)RT	(C)RT
局所再発 放射線照射歴あり	外科切除	全身化学療法
遠隔転移再発	全身化学療法 （外科切除*）	全身化学療法

RT：放射線療法，CRT：化学放射線療法
*転移病変数が少ない，原発巣がコントロールされているなどの条件を満たした場合に転移巣切除も検討されるが，一般的には全身化学療法が実施される

❶ 局所再発およびリンパ節再発例　集学的治療
❷ 遠隔再発例，切除/放射線不能の局所再発例　化学療法または対症療法

- 局所再発では救済手術や（化学）放射線療法により根治が得られる場合もある
- 放射線療法後の照射野内再発において，腫瘍制御目的に放射線再照射を行う意義についての統一した見解は得られていない
- 遠隔転移例や放射線照射歴のある切除不能症例には全身化学療法を考慮する。化学療法への忍容性がない症例では緩和ケアを考慮する

頭頸部がん | 123

2 治療法

1) 化学放射線療法

放射線照射にて口内炎や皮膚炎が生じるため，適宜，含嗽薬やアセトアミノフェン，麻薬性鎮痛薬を併用する。長期間にわたり経口摂取が困難になるため，治療開始前の胃瘻造設も考慮する。

放射線照射の急性期有害事象には，皮膚炎，粘膜炎，口腔乾燥，嚥下痛，嚥下障害，味覚障害，嗄声，喉頭浮腫などがある。晩期有害事象には，骨・軟骨壊死，唾液腺障害，2次がん，甲状腺機能低下などがあり，照射後は6〜12カ月ごとに甲状腺機能を確認する。

◆ **CDDP＋RT：局所進行切除不能例，喉頭温存希望例 ★★★**
（NEJM 2003；349：2091 PMID 14645636）

| CDDP | 100 mg/m² | 2時間で点滴静注 | day 1, 22, 43 |
| RT | 66〜70 Gy/33〜35回 | 1日1回 | |

◆ **CDDP＋RT：上咽頭がん以外，術後再発高リスク例（major risk）★★★** （NEJM 2004；350：1937 PMID 15128893，NEJM 2004；350：1945 PMID 15128894）

| CDDP | 100 mg/m² | 2時間で点滴静注 | day 1, 22, 43 |
| RT | 60〜66 Gy/30〜33回 | 1日1回 | |

2) セツキシマブ＋RT療法

◆ **セツキシマブ＋RT ★★★** （NEJM 2006；354：567 PMID 16467544）

| セツキシマブ 初回：400 mg/m² 2時間で点滴静注 2回目以降：250 mg/m² 1時間で点滴静注 毎週 8サイクル |
| RT 70 Gy/35回 1日1回 |

放射線療法は，セツキシマブ初回投与1週間後から併用を開始。

3) 全身化学療法

転移再発上咽頭がんの1次治療において，GEM＋CDDP療法はPF療法と比較してOS，PFSを延長したとの報告がある（保険適用外）（Lancet 2016；388：1883 PMID 27567279）。

◆ **5-FU＋CDDP/CBDCA＋ペムブロリズマブ療法 ★★★** （Lancet 2019；394：1915 PMID 31679945）

| CDDP 100 mg/m² 2時間で点滴静注または CBDCA AUC5 1時間で点滴静注 day 1 3週ごと |
| 5-FU 1,000 mg/m² 24時間持続点滴 day 1〜4 3週ごと |
| ペムブロリズマブ 200 mg/m² 30分で点滴静注 day 1 3週ごと |

6

頭頸部がん・甲状腺がん

◆ペムブロリズマブ単独療法 ★★★ (Lancet 2019；394：1915 PMID 31679945)

ペムブロリズマブ　200 mg/m² 　30 分で点滴静注　day 1　3 週ごと

◆PF＋セツキシマブ療法 ★★★ (NEJM 2008；359：1116 PMID 18784101)

CDDP　　100 mg/m²　2 時間で点滴静注　day 1　3 週ごと
5-FU　　1,000 mg/m²　24 時間持続点滴　day 1〜4　3 週ごと
セツキシマブ　初回：400 mg/m²　2 時間で点滴静注　2 回目以降：
　　250 mg/m²　1 時間で点滴静注　day 1, 8, 15

PF 療法は最大 6 サイクル，以降，セツキシマブ単剤投与を継続する。

◆ニボルマブ単独療法 ★★★ (NEJM 2016；375：1856 PMID 27718784)

ニボルマブ　240 mg/body　30 分で点滴静注　day 1　2 週ごと

◆DTX 単独療法 ★★ (Gan To Kagaku Ryoho 1999；26：107 PMID 9987506)

DTX　60〜70 mg/m²　1.5 時間で点滴静注　day 1　3〜4 週ごと

◆PTX 単独療法 ★★ (Cancer Chemother Pharmacol 2011；68：769 PMID 21181475)

PTX　100 mg/m²　1 時間で点滴静注　day 1, 8, 15, 22, 29, 36
　　7 週ごと

◆S-1 単独療法 ★★ (Jpn J Clin Oncol 2011；41：1351 PMID 21980053)

S-1　体表面積：1.25 m² 未満　　　　1 回 40 mg　1 日 2 回
　　　　　　　1.25〜1.5 m² 未満　　1 回 50 mg　1 日 2 回
　　　　　　　1.5 m² 以上　　　　　1 回 60 mg　1 日 2 回
4 週内服後 2 週休薬

◆セツキシマブ＋PTX 療法 ★★ (Ann Oncol 2012；23：1016 PMID 21865152)

セツキシマブ　初回：400 mg/m²　2 時間で点滴静注　2 回目以降：
　　250 mg/m²　1 時間で点滴静注　day 1
PTX　80 mg/m²　1 時間で点滴静注　day 1
毎週

白金製剤に不適・不応の際に考慮される。

4)術前および術後化学療法

現在のところ生存に寄与するという報告はなく，推奨されない。

甲状腺がん | 125

■ 予後

全国がんセンター協議会による原発部位・Stage別の実測5年生存率（％）を以下に示す（2008〜2012年診断症例）。

	Stage Ⅰ	Stage Ⅱ	Stage Ⅲ	Stage Ⅳ
舌	86.5	77.6	59.4	48.4
中咽頭	64.1	70.9	61.2	48.5
上咽頭	80.0	82.3	64.8	51.8
下咽頭	65.5	68.8	50.9	34.0
喉頭	85.4	78.0	66.5	43.1

■ 文献

1) NCCN Guidelines®［http://www.nccn.org/professionals/physician_gls/pdf/head-and-neck.pdf］
2) 全がん協生存率［https://kapweb.chiba-cancer-registry.org/full］

甲状腺がん　Thyroid Cancer

甲状腺がんは一般的に予後良好であることが多いが，一方で放射性ヨウ素治療不応となると予後不良であり，分子標的薬の適応となる。また，未分化癌のような特に予後不良な病態も存在し，今後の治療開発が期待されている。

■ 疫学

1 死亡数（2019年）/罹患数（2018年）

- 1,862人/18,636人
- 甲状腺がんが悪性腫瘍全体に占める割合は1％程度で比較的稀である
- 外科手術で長期生存が得られる症例が多く，死亡数は罹患数より非常に少ない
- 女性が多数を占め，罹患頻度は男性の約5倍
- 罹患率の増加はあるが，死亡率はほぼ横ばいである

2 発症の危険因子（リスクファクター）

19歳までの大量放射線被曝は明確な危険因子。そのほか甲状腺腫の病歴，甲状腺疾患の家族歴，体重増加などが挙げられる。

髄様癌の約 25% は家族性がんで，RET がん原遺伝子の生殖系列変異による多発性内分泌腫瘍症（MEN）2 型が知られている。RET 遺伝子の生殖細胞系列変異陽性の症例では家族に対しても検査を行い，陽性の家族には予防的な甲状腺全摘術が勧められる。

■ 診断

1 検診と意義

集団検診の意義は明らかではない。

2 臨床症状

無痛性の前頸部腫瘤や頸部リンパ節腫大で発見されることが多い。未分化癌では腫瘍の急速な増大により呼吸困難や嗄声，嚥下障害，疼痛などを生じうる。身体診察では結節の性状（大きさや硬度，嚥下時の可動性），リンパ節腫大の有無を確認する。

3 画像診断

超音波検査が有用で，良悪性の鑑別，甲状腺内病変の有無，広がり，甲状腺外浸潤，リンパ節腫大の評価に用いる。形状不整，境界不明瞭粗雑，内部エコー低・不均質，微細高エコー，境界部低エコー帯不整/なしが悪性を示唆する。CT や MRI は局所浸潤，遠隔転移の評価に有用である。

甲状腺腫瘍において悪性腫瘍が占める割合は 5〜16% 程度である。悪性を疑う場合，超音波ガイド下に穿刺吸引細胞診を施行する。ただし，濾胞癌の術前画像・細胞診断は困難である。

4 検体検査

FT_4，TSH は腫瘍マーカーとしては適さないが，機能性の評価に有用。髄様癌ではカルシトニン，CEA が高値を呈する。甲状腺全摘術を施行された症例で，サイログロブリン（Tg）は術後の再発マーカーとして用いられる。抗 Tg 抗体は甲状腺がんの 20% で陽性である。抗 Tg 抗体陽性のとき，Tg が低値になることがあるため，Tg 測定と同時に抗 Tg 抗体を測定する。

■ 病型分類

甲状腺がんは組織型により全く異なる性質を示す。一般に分化癌（乳頭癌，濾胞癌），髄様癌，未分化癌に分類して加療する。2005年統計では乳頭癌 92.4%，濾胞癌 4.5%，髄様癌 1.6%，未分化癌 1.3% と，分化癌が大半を占めている。

甲状腺がん | 127

■ 病期分類 [UICC-TNM 分類 第 8 版, 2017]

1 原発腫瘍(T)

TX　原発巣が評価不能
T0　明らかな原発巣を認めない
T1　甲状腺に限局し最大径≦2 cm
　T1a　最大径≦1 cm
　T1b　最大径 1〜2 cm
T2　甲状腺に限局し 2 cm<最大径≦4 cm
T3　甲状腺に限局し最大径>4 cm，または strap muscles に限局した肉眼的甲状腺被膜外進展
　T3a　甲状腺に限局し最大径>4 cm
　T3b　strap muscles(胸骨舌骨筋，胸骨甲状筋，甲状舌骨筋，肩甲舌骨筋)に限局した甲状腺被膜外進展
T4　上記以外の組織あるいは臓器への甲状腺被膜外進展
　T4a　皮下軟部組織，喉頭，気管，食道，反回神経への浸潤
　T4b　椎前筋膜，縦隔の大血管に浸潤するあるいは頸動脈を全周性に取り囲む腫瘍(*脊椎への浸潤)

*髄様癌のみ

2 リンパ節転移(N)

所属リンパ節は中心領域(頸部中央区域)，外側頸部，上縦隔リンパ節。

NX　所属リンパ節転移評価不能
N0　所属リンパ節転移なし
　N0a　細胞診・組織診で良性と証明された 1 つ以上のリンパ節がある
　N0b　画像的・臨床的にリンパ節転移を示唆する所見なし
N1　所属リンパ節転移あり
　N1a　レベルⅥまたはⅦ(喉頭前，気管前，気管傍，上縦隔)への転移
　N1b　一側，両側もしくは対側の頸部外側区域リンパ節(レベルⅠ，Ⅱ，Ⅲ，Ⅳ，Ⅴ)転移，咽頭後リンパ節転移

3 遠隔転移(M)

M0　遠隔転移なし
M1　遠隔転移あり

4 Staging

1) 乳頭癌/濾胞癌

◆ 55 歳未満

	T	N	M
I	any T	any N	M0
II	any T	any N	M1

◆ 55 歳以上

	T	N	M
I	T1, T2	N0, NX	M0
II	T1, T2	N1	M0
	T3a, T3b	any N	M0
III	T4a	any N	M0
IVA	T4b	any N	M0
IVB	any T	any N	M1

2) 髄様癌

	T	N	M
I	T1	N0	M0
II	T2, T3	N0	M0
III	T1〜3	N1a	M0
IVA	T4a	any N	M0
	T1〜3	N1b	M0
IVB	T4b	any N	M0
IVC	any T	any N	M1

3) 未分化癌

	T	N	M
IVA	T1〜3a	N0, NX	M0
IVB	T1〜3a	N1	M0
	T3b, T4	any N	M0
IVC	any T	any N	M1

■ 予後因子

- 組織型が最も重要な予後因子(乳頭癌＞濾胞癌＞髄様癌＞未分化癌)
- 分化癌では，年齢(55 歳以上)，甲状腺被膜外浸潤，病期，遠隔転移あり，術後の Tg 高値などが再発リスクと相関

■ 治療

1 分化癌(乳頭癌，濾胞癌)，髄様癌

1) 手術

　乳頭癌，濾胞癌，髄様癌ともに，原発巣に対する治療は手術が原則である。

　組織型，進展範囲により，腺葉切除，全摘出術，頸部郭清術を行う。

2) 放射性ヨード内用療法

　治療の目的により，^{131}I の投与量が異なる。

❶ **アブレーション(30 mCi)**　甲状腺全摘(準全摘)後の残存甲状腺組織の除去のことをさし，局所制御率や無病生存率を向上させる。

❷ **大量療法(100 mCi)**　甲状腺分化癌で遠隔転移巣など外科的切除が適応とならない場合に対象となる。適応は甲状腺全摘術お

よび，アブレーションが行われていること，転移巣に ^{131}I の集積があることが必須である。

3）TSH 抑制療法

分化癌は TSH 依存性腫瘍であり，術後に甲状腺ホルモン製剤を投与して TSH 分泌を抑制することで，予後の改善（再発率低下，甲状腺がん死率の低下）が得られる。がんの残存が疑われる高リスク患者では血中 TSH 測定感度以下（0.1 mU/L 以下）に抑制する。

4）放射線外照射

^{131}I 治療不応の病巣に対して，症状緩和目的で行うことがある。

5）薬物療法

^{131}I 治療不応の甲状腺分化癌，進行・再発髄様癌，未分化癌に対する細胞障害性抗がん薬の臨床効果は期待できない。分子標的薬であるレンバチニブ，ソラフェニブ，髄様癌に対するバンデタニブの有効性が報告されている。

❶ ^{131}I 治療不応の甲状腺分化癌

◆ **レンバチニブ ★★★** （NEJM 2015；372：621 PMID 25671254）

レンバチニブ　1回24 mg　1日1回

・第Ⅲ相試験（SELECT 試験）で，プラセボに対する PFS の有意な延長が示された（18.3 カ月 vs. 3.6 カ月，HR 0.21，$p<0.001$）。奏効率65％と高い抗腫瘍効果が示されている
・主な有害事象は高血圧（68％），下痢（60％），倦怠感（59％），悪心（41％），タンパク尿（31％）など。適切な休薬，減量，支持療法が必須

◆ **ソラフェニブ ★★★** （Lancet 2014；384：319 PMID 24768112）

ソラフェニブ　1回400 mg　1日2回

・第Ⅲ相試験（DECISION 試験）で，プラセボに対する PFS の有意な延長が示された（10.8 カ月 vs. 5.8 カ月，HR 0.59，$p<0.0001$）。奏効率12.2％
・有害事象は手足症候群（76％），脱毛（67％），下痢（69％），倦怠感（50％），高血圧（41％）など

❷ 進行・再発髄様癌

◆ **バンデタニブ ★★★** （JCO 2012；30：134 PMID 22025146）

バンデタニブ　1回300 mg　1日1回

・第Ⅲ相試験（ZETA 試験）でプラセボに対する PFS の有意な延長が示された〔到達せず（予測値 30.5 カ月）vs. 19.3 カ月，HR 0.46，$p<0.0001$〕。奏効率45％
・有害事象は下痢（56％），皮疹（45％），悪心（33％），高血圧（32％），頭痛（26％）。重大な副作用として間質性肺疾患，QT 間隔延長がある

130 6 頭頸部がん・甲状腺がん

◆ カボザンチニブ ★★★ (JCO 2013；31：3639 PMID 24002501)

カボザンチニブ　1回140mg　1日1回

国内適応外。
・第Ⅲ相試験（EXAM試験）でプラセボに対するPFSの有意な延長が示された（11.2カ月 vs. 4.0カ月，HR 0.28，$p < 0.001$）。奏効率28%
・有害事象は下痢（63%），手足症候群（50%），体重減少（48%），食欲低下（46%），悪心（46%），疲労（41%）などがある

2 未分化癌

悪性度が高く，診断時に遠隔転移を有する症例が多い。

長年存在した分化癌の未分化癌化が主な発生原因と考えられている。

手術，放射線療法，薬物療法の3者による集学的治療が考慮されるが，明確な治療方針は確立されていない。

本邦で未分化癌に対して承認されている薬剤としては，前述のレンバチニブがあり，未分化癌を対象とした第Ⅱ相試験でもPFS 7.4カ月と良好な成績が報告されている。

◆ レンバチニブ ★★ (Front Oncol 2017；7：25 PMID 28299283)

レンバチニブ　1回24mg　1日1回

■ 予後

全国がんセンター協議会による組織型・Stage別の実測5年生存率（%）を以下に示す（2008〜2012年診断症例）。

	Stage Ⅰ	Stage Ⅱ	Stage Ⅲ	Stage Ⅳ
乳頭癌	98.9	94.9	95.4	81.4
濾胞癌	100.0	93.3	100.0	64.3
未分化癌	──	──	──	8.5

■ 文献
1) NCCN Guidelines® [https://www.nccn.org/professionals/physician_gls/pdf/thyroid.pdf]
2) 全がん協生存率 [https://kapweb.chiba-cancer-registry.org/full]

【岡　弘毅】

7 食道がん Esophageal Cancer

■ 疫学

　本邦においては，90% 以上が扁平上皮癌であり，約半数が胸部中部食道に発生するが，欧米においては，50% 以上が腺癌であり，50% 以上が胸部下部食道に発生する。このように組織型，好発部位が異なるため，本邦と欧米の治療のエビデンスを同様に扱うことができない点に注意が必要である。

1 死亡数（2019 年）/罹患数（2018 年）

• 11,619 人/25,918 人

　食道がんの死亡数は全悪性新生物の 3.1% を占めている。また罹患数は男性で 21,353 人，女性で 4,565 人と，日本人男性においては 7 番目に多いがん種である。年齢調整死亡率（人口 10 万対）は1975 年度が男性 10.3，女性 2.4，2019 年度が男性 7.1，女性 1.2であり，年齢調整罹患率（人口 10 万対）は 1975 年度が男性 11.8，女性 2.7，2018 年度が男性 17.5，女性 3.4 であった。近年，本邦では死亡率および罹患率はほぼ横ばいで推移している。

2 発症の危険因子（リスクファクター）

　扁平上皮癌においては，飲酒および喫煙が重要な危険因子である。飲酒に関してはアルコール脱水素酵素 1B（ADH1B）低活性型や，アルデヒド脱水素酵素 2（ALDH2）ヘテロ欠損型などの遺伝子多型の関与が報告されている。それ以外に，アカラシア，Plummer-Vinson 症候群，肺がんや頭頸部がんの既往，腐食性食道炎，熱い飲食物の摂取習慣などが挙げられる。腺癌においては，Barrett 食道や胃食道逆流症（GERD），肥満，喫煙が報告されている。一方，CagA 陽性 *Helicobacter pylori* 感染とは逆相関を認める。

　なお，野菜や果物の摂取，特に β カロテンやビタミン C の摂取は，組織型を問わずに予防因子として報告されている。

■ 診断

1 検診と意義

食道集団検診の有効性を示すデータはない。

2 臨床症状

粘膜下層までの病変では症状がない場合が多く，検診などで発見

されている。一方，筋層以深に及ぶ病変では狭窄感，嚥下困難などの症状が出現する。

3 画像診断

　狭帯域光観察（narrow band imaging：NBI）を用いた NBI 併用拡大内視鏡により，効率よく表在食道がんを発見できる。確定診断は内視鏡検査時の生検によって行い，内視鏡検査や超音波内視鏡検査，食道造影検査などを用いて総合的に壁深達度を診断する。CT，MRI，FDG-PET を用いて他臓器浸潤，リンパ節転移，遠隔転移を診断する。同時・異時を含め約20％で重複がんを認めることから，胃や頭頸部など，他臓器がんの検索も必要になる。

4 検体検査（腫瘍マーカー）

　扁平上皮癌では，SCC，CEA や CYFRA21-1 が，一方，腺癌の場合は胃がんに準じた腫瘍マーカー（CEA，CA19-9 など）が，再発や病勢評価の補助として用いられている。

■ Staging

◆ UICC-TNM 分類（第8版，2017）

T-原発腫瘍
- TX　原発腫瘍の評価が不可能
- T0　原発腫瘍を認めない
- Tis　上皮内癌/高度異形成
- T1　粘膜固有層，粘膜筋板または粘膜下層に浸潤する腫瘍
  - T1a　粘膜固有層または粘膜筋板に浸潤する腫瘍
  - T1b　粘膜下層に浸潤する腫瘍
- T2　固有筋層に浸潤する腫瘍
- T3　外膜に浸潤する腫瘍
- T4　隣接構造に浸潤する腫瘍
  - T4a　胸膜，心膜，奇静脈，横隔膜または腹膜に浸潤する腫瘍
  - T4b　大動脈，椎体，気管など他の隣接構造に浸潤する腫瘍

N-所属リンパ節
- NX　所属リンパ節転移の評価が不可能
- N0　所属リンパ節転移なし
- N1　1〜2個の所属リンパ節転移
- N2　3〜6個の所属リンパ節転移
- N3　7個以上の所属リンパ節転移

M-遠隔転移
- M0　遠隔転移なし
- M1　遠隔転移あり

◆Stage 分類

Stage 0	Tis	N0	M0
Stage Ⅰ	T1	N0, N1	M0
Stage Ⅱ	T2	N0, N1	M0
	T3	N0	M0
Stage Ⅲ	T1, T2	N2	M0
	T3	N1, N2	M0
Stage ⅣA	T4a, T4b	N0～2	M0
	any T	N3	M0
Stage ⅣB	any T	any N	M1

■ 予後因子

　TNM 病期，体重減少，嚥下障害，腫瘍径，年齢，リンパ管浸潤が，独立した予後因子と報告されている。

■ 治療

1 Stage 別の標準治療(UICC-TNM 分類 第 8 版，2017)

1) Stage 0
- 内視鏡治療(EMR/ESD) ★★

2) Stage Ⅰ (T1N0M0)
- 外科切除 ★★
- 化学放射線療法 ★★ (JCOG0502 試験：Gastroenterology 2021；161：1878 PMID 34389340)

　Stage Ⅰのうち，T1N0M0 に対しては外科切除単独が標準治療である。ただし，食道癌取扱い規約(第 11 版，2015)における T1a-EP/LPM(がんが粘膜固有層までにとどまる病変)の場合には，内視鏡的粘膜切除術(endoscopic mucosal resection：EMR)の適応となる。しかし合併症で外科切除が適切でない場合や，患者が手術を拒否する場合がある。T1b を対象に，手術療法と化学放射線療法を比較した JCOG0502 試験では，ランダム化部分の症例集積不良のため，非ランダム化パートが多くを占めるが，化学放射線療法の非劣性が示され，化学放射線療法も標準治療の選択肢である。

3) Stage Ⅰ (T1N1M0), Stage Ⅱ・Ⅲ, ⅣA(T3N3M0)
- 術前化学療法＋外科切除 ★★★ (JCOG9907 試験：Ann Surg Oncol 2012；19：68 PMID 21879261)
- 術前化学放射線療法＋外科切除 ★★★ (CROSS 試験：NEJM 2012；366：

2074 PMID 22646630)

- 化学放射線療法 ★★〔JCOG0909 試験：JCO 2018；36(15_suppl)：4051)〕

術前化学療法＋外科切除と外科切除＋術後化学療法のランダム化比較試験(RCT)である JCOG9907 試験の結果より，術前化学療法＋外科切除が OS で優越性を証明したことから，本邦における，切除可能な進行食道がんに対する標準治療は，術前化学療法(5-FU＋CDDP：CF 療法)＋外科切除である。また他の治療選択肢として，根治的化学放射線療法がある(⇒次頁「各治療法とその適応」に詳述)。

一方，欧米では，術前化学放射線療法＋外科切除と外科切除単独を比較した RCT(CROSS 試験)で，術前化学放射線療法＋外科切除が OS で優越性を証明したことから，術前化学放射線療法が多用されている。しかし，CROSS 試験で用いられたレジメンが CBDCA＋PTX 療法で，本邦で用いられる CF 療法とは異なること，また欧米では局所制御を目的に放射線治療を併用するが，本邦では 3 領域リンパ節郭清術を行うことなどから，単純なエビデンスの外挿は難しく，本邦での術前化学放射線療法のエビデンスも乏しいため一般的には行われていない。術前化学放射線療法＋根治切除を受けた症例に対し，ニボルマブを術後に 1 年間投与することの有効性が示された(CheckMate577 試験)が，登録された組織型は腺癌が約 70% を占めており，90% 以上が扁平上皮癌である本邦の食道がんの治療戦略に外挿することは難しい。

4)T4 および鎖骨上リンパ節転移のみの Stage Ⅳ (M1 LYM)

- 化学放射線療法 ★★ (JCOG9516 試験：Jpn J Clin Oncol 2004；34：615 PMID 15591460)

大動脈や椎体，気管などの他の周囲組織に浸潤する腫瘍(T4b)や，Stage Ⅳ のうち，遠隔転移が鎖骨上リンパ節のみ(M1 LYM)，かつ放射線照射野内に含まれる症例に，根治的化学放射線療法が行われる。本邦で行われた化学放射線療法の第Ⅱ相試験(JCOG9516 試験)では，生存期間中央値 8.4 カ月，3 年生存率 31.5% と比較的良好な成績が報告されている。

5)遠隔転移 Stage Ⅳ，再発例

- 化学療法 ★★★
- (緩和的)化学放射線療法 ★

遠隔転移を有する場合や，術後再発の場合，全身化学療法が適応となる。1 次治療は，JCOG9907 試験で用いられた CF 療法がみなし標準療法として行われていた。2 次治療は第Ⅱ相試験の結果を

もって weekly PTX や DTX の投与が行われてきたが，ニボルマブとの比較試験が行われ，ニボルマブの有効性が示された（ATTRAC-TION-3 試験）。また同様に 2 次治療において，化学療法に対するペムブロリズマブの有効性が検証されたが，最終的には扁平上皮癌かつ CPS（PD-L1 陽性細胞/総腫瘍細胞×100）≧10 以上と，限定された集団にのみ有効性が示された（KEYNOTE-181 試験）。近年，1 次治療において，CF 療法に対しペムブロリズマブを上乗せした治療の有効性が示された（KEYNOTE-590 試験）。また CF 療法に対するニボルマブの上乗せと，イピリムマブとニボルマブのチェックポイント阻害薬（ICI）2 剤を組み合わせた治療の有効性も 1 次治療で示された（CheckMate648 試験）ため，これら 3 つのレジメンが 1 次治療の選択肢となる（現時点では保険適用はない）。

　食道がんにおいては食道狭窄による嚥下障害や栄養障害，誤嚥により QOL の低下をきたしている場合が多く，根治治療の適応がない場合は，緩和的化学放射線療法や内視鏡的ステントなどの姑息的治療を行う。ステント留置術は出血や穿孔，逸脱，挿入後の疼痛といった合併症があるが，速やかな症状緩和が得られる可能性があり，緩和的化学放射線療法が適応にならない場合に検討の余地がある。栄養障害改善を目的に中心静脈栄養以外に胃瘻造設を行う場合がある。

2 各治療法とその適応

1）内視鏡治療

　EMR と広範囲の病変の一括切除が可能な内視鏡的粘膜下層剥離術（endoscopic submucosal dissection：ESD）の方法がある。T1a-EP（epithelium，上皮），T1a-LPM（lamina propria mucosae，粘膜固有層）病変でのリンパ節転移は極めて稀（5％ 以下）であり，内視鏡治療の絶対適応である。粘膜筋板（muscularis mucosa：MM）まで達した病変や，粘膜下層（submucosa：SM）にわずかに（200 μm まで）浸潤する病変（T1a-MM〜T1b-SM1）ではリンパ節転移の可能性があり（10〜15％），相対的な適応となる。T1b-SM2〜3 では 50％ 程度のリンパ節転移の可能性があることから，通常は内視鏡治療の適応とならない。粘膜切除が 3/4 周を超える場合は瘢痕狭窄をきたす可能性があり，十分な説明と狭窄予防が必要で，内視鏡治療後に MM かつリンパ管/脈管浸潤，または SM 浸潤が判明した場合には，上記のリンパ節転移の観点から追加治療が必要となり，外科切除を希望しない場合には，予防的化学放射線療法（CF 療法＋

RT 41.4 Gy）が考慮される（JCOG0508 試験）。

Barrett 食道の場合は，欧米での報告では粘膜内がん〔EP〜DMM（深層粘膜筋板）〕のリンパ節転移率はほぼ 0% であり，内視鏡治療の適応と報告されているが（Endoscopy 2006：38：149 PMID 16479422），現時点では扁平上皮癌に準じ，EP〜LPM までの分化型腺癌が内視鏡治療の適応と考えられている。

2)外科治療

本邦では，局所制御を目的とした頸胸腹 3 領域のリンパ節郭清を伴う，右開胸食道亜全摘術が一般的である。近年，鏡視下手術が普及しており，短期的な安全性に関しては術後死亡率に差を認めず，一部の報告では鏡視下手術において，出血量や呼吸器合併症の頻度が有意に少なく，在院日数が有意に短いとされている。ただし長期的な有効性や安全性に関するエビデンスが乏しく，鏡視下手術の開胸手術に対する OS の非劣性を検証する RCT（JCOG1409 試験）が進行中である。

❶ 救済（サルベージ）手術　食道癌取扱い規約（第 11 版，2015）では，救済手術とは根治的（化学）放射線療法（50 Gy 以上の照射）後のがん遺残または再発に対する手術と定義されている。救済手術の術後生存率は 5 年生存率で 25〜35% と報告されており，症例によっては長期生存も期待できる。しかし通常の食道切除と異なり，周術期の合併症の頻度が高く，在院死亡率が 7〜22% と報告されており，適応に関しては十分に検討する必要がある。

3)化学放射線療法

化学放射線療法は，放射線療法単独に比べて有意に全生存率を改善し（RTOG8501 試験：NEJM 1992：326：1593 PMID 1584260），非手術療法を行う場合の標準治療として考えられている。根治的化学放射線療法の対象は，Stage Ⅰ〜Ⅲ，Stage Ⅳ（T4 および鎖骨上リンパ節転移のみ）である。

化学放射線療法における，総線量 50.4 Gy と 64.8 Gy の放射線照射を比較した RCT（RTOG9405/INT0123 試験：JCO 2002：20：1167 PMID 11870157）では，線量の上乗せ効果が認められず，以降欧米では 50.4 Gy が標準線量とされている。本邦では，Stage Ⅱ・Ⅲを対象に CF 療法＋放射線 60 Gy の根治的化学放射線療法を検討した JCOG9906 試験が行われ，有効性は 3 年生存率が 45% と非外科療法としては良好であった。しかし JCOG9907 試験の術前治療群の 5 年生存率 55% と比べると低く，有害事象では晩期毒性である胸水や心囊液貯留，

肺臓炎に伴い治療関連死を 5％ に認めたため，現段階では外科切除が不適，患者拒否の場合に行われる。晩期毒性軽減と治療成績向上のために化学放射線療法の最適化が試みられ，放射線線量を 50.4 Gy に減量し，予防照射も含めた根治的化学放射線療法と，遺残・局所再発に対する救済手術の検証的非無作為化試験（JCOG0909 試験）が行われ，3 年生存率が 74.2％ と良好な成績が報告され，総線量を 50.4 Gy で行う化学放射線療法も選択肢である。

T4 および鎖骨上リンパ節転移のみの Stage Ⅳ に対しては，化学放射線療法が標準治療となる。5-FU 長時間投与による放射線への増感作用を介した有効性と安全性の向上を目的とした，低用量 CF 療法による化学放射線療法と，JCOG9516 試験における標準量 CF 療法を用いた化学放射線療法との，ランダム化第Ⅱ/Ⅲ相試験（JCOG0303 試験）が行われたが，低用量 CF 療法の優越性は示されなかった。

◆ CF-RT：modified RTOG レジメン ★★ 〔JCOG0909 試験：JCO 2018；36（15_suppl）：4051〕

CDDP	75 mg/m²	2 時間で点滴静注	day 1, 29
5-FU	1,000 mg/m²/日	24 時間持続静注	day 1〜4, 29〜32
RT	1.8 Gy/回/日（計 50.4 Gy）	day 1〜5, 8〜12, 15〜19, 22〜26, 29〜33, 36〜38	

有効性が確認された症例（CR または good PR）では，以下の追加化学療法を 2 サイクル実施する。
CDDP 75 mg/m² day 1, 5-FU 1,000 mg/m²/日 day 1〜4, 4 週ごと

◆ CF-RT：JCOG9516 レジメン ★★ （JCOG9516 試験：Jpn J Clin Oncol 2004；34：615 PMID 15591460）

CDDP	70 mg/m²	2 時間で点滴静注	day 1, 29
5-FU	700 mg/m²/日	24 時間持続静注	day 1〜4, 29〜32
RT	2 Gy/回/日（計 60 Gy）	day 1〜5, 8〜12, 15〜19, 22〜26, 29〜33, 36〜40	

有効性が確認された症例（CR または good PR）では，以下の追加化学療法を 2 サイクル実施する。
CDDP 80 mg/m² day 1, 5-FU 800 mg/m²/日 day 1〜5, 4 週ごと

4）術前・術後化学療法

Stage Ⅰ（T1N1M0），Stage Ⅱ・Ⅲ，ⅣA（T3N3M0）に対する治療として，本邦で行われた外科治療単独と外科切除＋術後 CF 療法を比較した RCT（JCOG9204 試験）では，術後 CF 療法ありで有意な PFS の延長を認めた。さらに，術前 CF 療法と術後 CF 療法を比較

した JCOG9907 試験において，術前 CF 療法による有意な OS と PFS の延長を認めた。

◆ **術前 CF 療法 ★★★** (JCOG9907 試験：Ann Surg Oncol 2012；19：68 PMID 21879261)

CDDP	80 mg/m^2	2 時間で点滴静注	day 1
5-FU	800 mg/m^2/日	24 時間持続静注	day 1〜5
3 週ごと	2 サイクル		

5) 放射線単独療法

放射線単独療法は化学放射線療法よりも生命予後が劣ることがわかっており，高齢や臓器機能障害のために化学療法が併用できない症例に適応となる。放射線単独療法の場合，60〜70 Gy/30〜35 回/6〜7 週が標準的な照射スケジュールである。

6) 緩和的化学療法

国内外の標準治療であった CF 療法に対する OS での延長を示した CF＋ペムブロリズマブ療法(KEYNOTE-590 試験)，さらに，CF＋ニボルマブ療法，ニボルマブ＋イピリムマブ療法(CheckMate648 試験)が，1 次治療として推奨される(現時点で保険適用はない)。

2 次治療以降は，ICI を含まない初回治療に不応の場合には，ニボルマブ療法(ATTRACTION-3 試験)または，CPS≧10 以上かつ SCC においてはペムブロリズマブが推奨である(KEYNOTE-181 試験)。フッ化ピリミジン，プラチナ製剤，ICI の治療歴がある場合には，第 II 相試験の結果から，PTX や DTX のタキサン系薬剤単剤が選択肢となる。

❶ 1 次化学療法

◆ **CF 療法 ★★** (JCOG9907 試験：Ann Surg Oncol 2012；19：68 PMID 21879261)

CDDP	80 mg/m^2	2 時間で点滴静注	day 1
5-FU	800 mg/m^2/日	24 時間持続静注	day 1〜5
4 週ごと			

❷ 2 次化学療法

◆ **ニボルマブ** (ATTRACTION-3 試験：Lancet Oncol 2019；20：1506 PMID 31582355)

| ニボルマブ | 240 mg/body | 30 分で点滴静注 | day 1 | 2 週ごと |
| もしくは | 480 mg/body | 30 分で点滴静注 | day 1 | 4 週ごと |

◆ペムブロリズマブ（扁平上皮癌かつ CPS≧10）（JCO2020；38：4138 PMID 33026938）

| ペムブロリズマブ | 200 mg/body | 30 分で点滴静注 | day 1 | 3 週ごと |
| もしくは | 400 mg/body | 30 分で点滴静注 | day 1 | 6 週ごと |

◆weekly PTX 療法 ★（Cancer Chemother Pharmacol 2011；67：1265 PMID 20703479）

| PTX | 100 mg/m^2 | 1 時間で点滴静注 | day 1, 8, 15, 22, 29, 36 |
| 7 週ごと |

◆DTX 療法 ★（Ann Oncol 2004；15：955 PMID 15151954）

| DTX | 70 mg/m^2 | 1.5 時間で点滴静注 | day 1 | 3 週ごと |

7）光線力学療法（photodynamic therapy：PDT）

　PDT は遺残再発病変のなかでも，① 病変が頸部食道に及ばず，② 救済内視鏡的切除術が適応とならない，③ 壁深達度が T2 まで，④ 腫瘍の長径が 3 cm 以下および周在性が 1/2 以下の病変に対して適応となる。化学放射線療法または放射線単独療法後の局所遺残再発食道がんに対しては確立された標準治療はないが，食道癌化学放射線療法後の局所遺残再発例に対するタラポルフィンナトリウムおよび半導体レーザーを用いた PDT の多施設共同第Ⅱ相試験において，局所完全奏効率が 88.5％ と高い有効性を示した。

8）補助的治療

❶ ステント留置術　内視鏡を用いて，X 線透視下に食道狭窄部や気管狭窄部に留置する。留置後に脱落，出血，穿孔，縦隔炎などの合併症がある。

❷ （経皮）内視鏡的胃瘻造設術（PEG）　食道狭窄で経口摂取が不可能な症例に対して，内視鏡を用いて胃瘻を造設することも可能である。食道狭窄を見越して処置を行うが，内視鏡的にブジーを施行して狭窄を解除してから造設することもある。

9）分子標的薬

　現在，第Ⅲ相試験で有効性が証明されている分子標的薬はない。

■ 予後

◆ 手術施行例 5 年生存率(UICC-TNM 分類，第 7 版)

臨床病期	5 年生存率(%)
ⅠA	81.0(n＝1158)
ⅠB	64.5(n＝385)
ⅡA	53.2(n＝489)
ⅡB	67.3(n＝490)
ⅢA	48.1(n＝1,088)
ⅢB	45.2(n＝491)
ⅢC	37.8(n＝299)
Ⅳ	36.3(n＝148)

(2013 年登録症例：Esophagus 2021：18：1 PMID 33047261)

◆ 切除不能進行・再発例

臨床病期	生存期間中央値(MST)
Ⅳ/再発	9.5 カ月

(JCOG8807 試験：Jpn J Clin Oncol 1992：22：172 PMID 1518165)

■ 文献

1) 日本食道学会(編)：食道癌診療ガイドライン 2019 年版．金原出版，2019
2) 日本食道学会(編)：臨床・病理 食道癌取扱い規約 第 11 版．金原出版，2015
3) Watanabe M, et al：Comprehensive registry of esophageal cancer in Japan, 2013. Esophagus 2021：18：1-24 PMID 33047261

【池田　剛】

8 胃がん Gastric Cancer

■ 疫学

1 死亡数（2019 年）/罹患数（2017 年）

・42,931 人/129,476 人

　胃がんによる死亡数は男女計で肺がん，大腸がんに次いで第 3
位（男性 2 位，女性 5 位），罹患数は第 2 位（男性 3 位，女性 5 位）
である。罹患数の男女比は，約 2：1 で男性に多い。

2 発症の危険因子（リスクファクター）

Helicobacter pylori 感染，食塩過多，喫煙，野菜・果物の低摂取
などが挙げられる。

■ 診断

1 検診（スクリーニング）方法と意義

　本邦においては対策型検診として胃 X 線造影検査または上部消
化管内視鏡検査が勧められている。胃 X 線造影検査は，本邦での
複数の症例対照研究やメタアナリシスにおいて死亡率減少効果が報
告されており，男性のオッズ比 0.39，女性のオッズ比 0.50 との報
告がある。上部消化管内視鏡検査においても死亡率減少効果が報告
され，アジアにおける内視鏡を用いた胃がんスクリーニングに関す
るメタアナリシスにおいて，リスク比は 0.60 であった。

2 臨床症状

　体重減少，腹痛，悪心，嚥下困難，タール便，早期腹満感など。

3 画像診断

1）上部消化管内視鏡検査，超音波内視鏡検査

　精密検査に用いられ，生検による病理診断が可能である。また超
音波内視鏡検査は深達度診断に用いられる。

2）X 線造影検査

　病変全体の評価を行ううえでは内視鏡検査よりも有用なことが多
く，術前部位診断に用いられる。

3）CT 検査

　病期診断に用いられ，深達度の正診率は 50〜70％，リンパ節転
移の感度，特異度はそれぞれ 65〜97％，49〜90％ である。

4 検体検査

CEA，CA19-9 は病勢評価に頻用されているが，診断には適していない。約 20% の症例で HER2 遺伝子過剰発現が認められ，トラスツズマブ（Tmab）やトラスツズマブ デルクステカンの適応判断のために，免疫染色と ISH 法を用いた HER2 検査が行われる。

■ 組織型分類

胃癌取扱い規約（第 15 版，2017）による組織型分類を示す。

1 一般型（common type）
① 乳頭腺癌（papillary adenocarcinoma）
② 管状腺癌（tubular adenocarcinoma）
③ 低分化腺癌（poorly differentiated adenocarcinoma）
④ 印環細胞癌（signet-ring cell carcinoma）
⑤ 粘液癌（mucinous adenocarcinoma）

2 特殊型（special type）
① カルチノイド腫瘍（carcinoid tumor/neuroendocrine tumor）
② 内分泌細胞癌（endocrine cell carcinoma/neuroendocrine carcinoma）
③ リンパ球浸潤癌（carcinoma with lymphoid stroma）
④ 胎児消化管類似癌（adenocarcinoma with enteroblastic differentiation）
⑤ 肝様腺癌（hepatoid adenocarcinoma）
⑥ 胃底腺型腺癌（adenocarcinoma of fundic gland type）
⑦ 腺扁平上皮癌（adenosquamous carcinoma）
⑧ 扁平上皮癌（squamous cell carcinoma）
⑨ 未分化癌（undifferentiated carcinoma）
⑩ その他の癌（miscellaneous carcinomas）

■ 食道胃接合部腺癌の定義（Siewert 分類）

　食道胃接合部（EGJ）にかかる腺癌のうち，腫瘍の中心が EGJ の上下 5 cm 以内に存在するものを食道胃接合部腺癌と定義し，以下の 3 つの Type に分類した。

❶ Type Ⅰ　腫瘍の中心が EGJ の口側 1〜5 cm に存在する腺癌
❷ Type Ⅱ　腫瘍の中心が EGJ の口側＜1 cm，肛門側＜2 cm に存在する腺癌
❸ Type Ⅲ　腫瘍の中心が EGJ の肛門側 2〜5 cm に存在する腺癌

　UICC-TNM 分類（第 8 版）では，Type Ⅰ/Ⅱ を食道癌に分類し，Type Ⅲ を胃癌に分類している。

■ Staging

　胃癌取扱い規約（第 15 版，2017），UICC-TNM 分類（第 8 版，2017）より病理進行度分類に加え臨床進行度分類が新たに設定された。

◆ 臨床進行度分類

	N0	N1, N2, N3	M1
T1，T2	Ⅰ	ⅡA	ⅣB
T3，T4a	ⅡB	Ⅲ	
T4b	ⅣA		

◆ 病理進行度分類（pStage）

	N0 (0 個)	N1 (1〜2 個)	N2 (3〜6 個)	N3a (7〜15 個)	N3b (≧16 個)	M1
T1a(M)，T1b(SM)	ⅠA	ⅠB	ⅡA	ⅡB	ⅢB	Ⅳ
T2(MP)	ⅠB	ⅡA	ⅡB	ⅢA	ⅢB	
T3(SS)	ⅡA	ⅡB	ⅢA	ⅢB	ⅢC	
T4a(SE)	ⅡB	ⅢA	ⅢA	ⅢB	ⅢC	
T4b(SI)	ⅢA	ⅢB	ⅢB	ⅢC	ⅢC	

■ 治療

1 胃癌治療ガイドラインに基づく Stage 分類別の治療

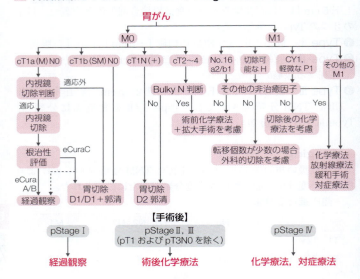

2 術前・術後化学療法

1) 術前化学療法・周術期化学療法

本邦では，第Ⅱ相試験である JCOG0405 試験において高度リンパ節転移症例に対する術前 S-1＋CDDP 療法の良好な治療成績が得られているが，大型 3 型/4 型胃がんを対象に周術期化学療法の意義を検証した JCOG0501 試験で，術後化学療法に対する優越性を示すことができておらず，術前化学療法・周術期化学療法の意義は限定的である。欧米では RCT (MAGIC 試験, French FNCLCC/FFCD 試験, FLOT4-AIO 試験など) の結果に基づき周術期 (術前＋術後) 化学療法を行うことが標準治療となっている。

2) 術後化学療法

Stage Ⅱ・Ⅲの胃がんを対象とした D2 郭清胃切除単独と術後化学療法の RCT (ACTS-GC 試験, CLASSIC 試験) において，術後化学療法 (術後 S-1 単剤療法と術後 CapeOX 療法) の有用性が示されている。S-1 投与群/外科切除単独群の 3 年 RFS は 72.2％/59.6％, 3 年 OS は 80.1％/70.1％, Cap＋L-OHP 投与群/外科切除単独群の 3 年

DFS は，74%/59% であった。また Stage Ⅲ を対象とした JAC-CRO GC-07 試験において S-1 療法に対して S-1＋DTX 療法の 3 年 RFS の優越性が示された(S-1＋DTX 療法群 65.9%，S-1 療法群 49.5%)。登録後 3 年のアップデート解析結果(ASCO GI 2021 #159)では，3 年 RFS は 67.7%/57.4%，3 年 OS は 77.7%/71.2%(HR 0.74，95%CI 0.60～0.93)と OS での有用性も示された。

◆ S-1 単剤療法 ★★★ (NEJM 2007；357：1810 PMID 17978289，JCO 2011；29：4387 PMID 22010012)

S-1 体表面積：1.25 m² 未満	1 回 40 mg 1 日 2 回
1.25 m²～1.5 m² 未満	1 回 50 mg 1 日 2 回
1.5 m² 以上	1 回 60 mg 1 日 2 回
day 1～28　6 週ごと　8 サイクル	

◆ Cap＋L-OHP(CapeOX)療法 ★★★ (Lancet 2012；379：315 PMID 22226517, Lancet Oncol 2014；15：1389 PMID 25439693)

Cap　　1 回 1,000 mg/m²　1 日 2 回　　　　day 1～14
L-OHP　　　130 mg/m²　2 時間で点滴静注　day 1
3 週ごと　8 サイクル

◆ S-1＋DTX 療法 ★★★ (JCO 2019；37：1296 PMID 30925125)

S-1　1 回 40 mg/m²　1 日 2 回　　　　　day 1～14 (1～7 サイクル目)
DTX　　　40 mg/m²　1 時間で点滴静注　day 1 (2～7 サイクル目)
3 週ごと　7 サイクル投与後
S-1　1 回 40 mg/m²　1 日 2 回　　　　　day 1～28
6 週ごと　8 サイクル目～手術 1 年後まで

3　進行期(Stage Ⅳ)に対する化学療法

◆ 治癒切除不能進行・再発胃がんに対する化学療法

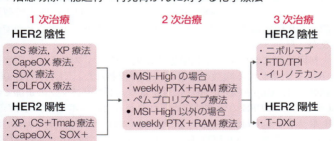

146 | 8 胃がん

1) 1 次治療

S-1 療法に対する S-1 + CDDP(CS)療法の優越性を検証した SPIRITS 試験の結果から，S-1 療法に対する CDDP の上乗せ効果が示された。また Cap + CDDP 療法は，ML17032 試験で，5-FU + CDDP 療法に対して，主要評価項目のPFSの非劣性を示した(Ann Oncol 2009；20：666 PMID 19153121)。

CS 療法に対する S-1 + L-OHP(SOX)療法の非劣性を検証した RCT(G-SOX 試験)が国内で行われ，PFS における非劣性は示されたが，OS における非劣性は証明されなかった。しかし，ECF 療法（エピルビシン + CDDP + 5-FU）に対する，CDDP の L-OHP への置き換え，5-FU の Cap への置き換えの非劣性を検証する 2×2 デザインである REAL2 試験(NEJM 2008；358：36 PMID 18172173)において，CDDP に対する L-OHP の OS における非劣性が示され，また G-SOX 試験における SOX 療法の有効性ならびに安全性のデータから，治癒切除不能進行・再発胃がんに対する L-OHP が本邦でも承認された。また，経口薬を用いない FOLFOX 療法は，国際的な RCT でも対照群の治療として用いられており，本邦でも胃がんに対する使用が保険審査上認められるようになり，経口摂取不能症例などには選択肢となりうる。

HER2 陽性進行胃がんを対象とした ToGA 試験においては，5-FU(Cap) + CDDP 療法に対する Tmab 併用の有用性が示されている。また，S-1 + CDDP + Tmab 療法，Cap + L-OHP + Tmab 療法，S-1 + L-OHP + Tmab 療法は，それぞれ第Ⅱ相試験で有効性が示されており，推奨されるレジメンとして挙げられる。

腹膜転移を有する胃がんを対象に，CS 療法に対する PTX(腹腔内 + 経静脈投与) + S-1 療法の優越性を検討した RCT(PHOENIX-GC 試験：JCO 2018；36：1922 PMID 29746229)では，中等量以上の腹水貯留を認める症例ではよい傾向にあったが，OS の改善を示すことができなかった。

初回治療において標準化学療法に免疫チェックポイント阻害薬(ICI)を上乗せする複数の第Ⅲ相試験が行われた。KEYNOTE-062 試験では，Cap + CDDP 療法に対するペムブロリズマブの追加での OS ならびに PFS の延長は認められなかった。ニボルマブ(NIV)を上乗せする CheckMate-649 試験(Lancet 2021；398：27 PMID 34102137)は CapeOX または FOLFOX 療法に対する RCT であり，主要評価項目である CPS≧5 の症例における OS と PFS の有意な改善を示し

た(さらには閉手順での CPS≧1, all randomized でも OS の延長が示された)。しかし, アジアで行われた SOX または CapeOX 療法に対する NIV の上乗せ効果を検証した RCT である ATTRACTION-4 試験において, PFS の有意な改善を認めたが, OS の優越性を示せなかった。FDA は, CheckMate-649 の結果に基づき, 初回治療におけるフッ化ピリミジン系薬剤とオキサリプラチンを含む化学療法との併用における NIV を, PD-L1 の発現にかかわらず, 2021 年 4 月 16 日付けで承認した。

◆S-1+CDDP 療法 ★★★ (Lancet Oncol 2008 ; 9 : 215 PMID 18282805)

S-1	1 回 40 mg/m^2	1 日 2 回	day 1〜21
CDDP	60 mg/m^2	2 時間で点滴静注	day 8
5 週ごと			

◆S-1+L-OHP(SOX)療法 ★★★ (Ann Oncol 2015 ; 26 : 141 PMID 25316259)

S-1	1 回 40 mg/m^2	1 日 2 回 day 1〜14	
L-OHP	130 mg/m^2, もしくは 100 mg/m^2	2 時間で点滴静注	day 1
3 週ごと			

◆Cap+L-OHP(CapeOX) 療法 ★★★ (NEJM 2008 ; 358 : 36 PMID 18172173)

Cap	1 回 1,000 mg/m^2	1 日 2 回	day 1〜14
L-OHP	130 mg/m^2	2 時間で点滴静注	day 1
3 週ごと			

◆5-FU または Cap+CDDP+Tmab 療法 ★★★ (Lancet 2010 ; 376 : 687 PMID 20728210)

5-FU	800 mg/m^2/日	24 時間持続静注	day 1〜5
または			
Cap	1 回 1,000 mg/m^2	1 日 2 回	day 1〜14
+			
CDDP	80 mg/m^2	2 時間で点滴静注	day 1
Tmab	初回:8 mg/kg 90 分以上で点滴静注, 維持量:6 mg/kg 30 分以上で点滴静注 day 1		
3 週ごと			

HER2 陽性(IHC3 +, または IHC2 +/FISH +)が Tmab の適応。

◆ mFOLFOX6 療法 ★★ (JAMA Oncol 2017；3：620 PMID 27918764)

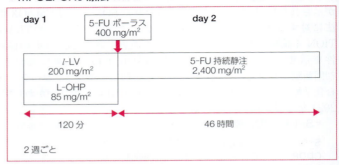

2) 2次治療

　フッ化ピリミジン系薬剤およびプラチナ製剤の不応例に対する2次治療では，DTXまたはCPT-11のBSCに対する優越性が複数のRCTで示され，メタアナリシス(Br J Cancer 2016；114：381 PMID 26882063)でも裏付けられている(HR 0.63, 95%CI 0.51～0.77, p＜0.0001)。国内で行われたweekly PTXに対するCPT-11の優越性を検証するWJOG4007試験では，weekly PTXに対するCPT-11の優越性は示されなかったが，有効性はほぼ同等であることが示された。weekly PTXに対するラムシルマブ併用療法の有用性を検証したRAINBOW試験では，weekly PTX＋RAM(ラムシルマブ)群はweekly PTX群と比較して，OSの有意な延長を認めた(MST 9.6カ月 vs. 7.4カ月，HR 0.807, 95%CI 0.678～0.962, p＝0.0169)。また，国内で行われたABSOLUTE試験でweekly PTXに対するweekly nab-PTXの非劣性が示され，REGARD試験ではプラセボに対するRAM単剤のOSの改善が示された。以上より，weekly PTX＋RAM併用療法が2次治療における標準治療となった。一方，併用療法の適応がない症例においてはタキサン単剤もしくはCPT-11単剤，ラムシルマブ単剤のいずれかを選択する。また，ペムブロリズマブはMSI-Highを有する胃がんにおいて，KEYNOTE-158試験やKEYNOTE-061試験のMSI-High集団のサブセット解析で良好な治療成績が示されている。

◆ weekly PTX＋RAM 併用療法 ★★★ (Lancet Oncol 2014；15：1224 PMID 25240821)

PTX　80 mg/m² 　1 時間で点滴静注　day 1, 8, 15
RAM　 8 mg/kg 　1 時間で点滴静注　day 1, 15
4 週ごと

◆ RAM 療法 ★★★ (Lancet 2014；383：31 PMID 24094768)

RAM　8 mg/kg　1 時間で点滴静注　day 1　2 週ごと

◆ weekly PTX 療法 ★★★ (JCO 2013；31：4438 PMID 24190112)

PTX　80 mg/m²　1 時間で点滴静注　day 1, 8, 15　4 週ごと

◆ weekly nab-PTX 療法 ★★★ (Lancet Gastroenterol Hepatol 2017；2：277 PMID 28404157)

nab-PTX　100 mg/m²　30 分で点滴静注　day 1, 8, 15　4 週ごと

◆ DTX 療法　★★★ (JCO 2012；30：1513 PMID 22412140)

DTX　70 mg/m²　1 時間で点滴静注　day 1　3 週ごと

◆ ペムブロリズマブ療法 ★★ (Lancet 2018；392：123 PMID 29880231, JCO 2020；38：1 PMID 31682550)

ペムブロリズマブ　200 mg/body　30 分で点滴静注　day 1　3 週ごと
または
ペムブロリズマブ　400 mg/body　30 分で点滴静注　day 1　6 週ごと

3）3 次治療以降

　2 レジメン以上の標準的な化学療法に不応・不耐の胃がんにおいて，プラセボに対する NIV の優越性を検証した ATTRACTION-2 試験では，NIV 群はプラセボ群に対して，OS を有意に延長することを示した（MST 5.3 カ月 vs 4.1 カ月，HR 0.63，95%CI 0.51〜0.78，$p<0.0001$）。また同じく 2 レジメン以上の標準的な化学療法に不応・不耐の胃がんにおいて，プラセボに対する FTD/TPI の優越性を検証した TAGS 試験では，OS の改善（MST 5.7 カ月 vs 3.6 カ月，HR 0.69，$p=0.0003$）を示している。

　HER2 陽性進行胃がんに関しては，Tmab を含む 2 レジメン以上の標準的な化学療法に不応となった症例を対象にトラスツズマブデルクステカンの有効性を評価したランダム化第 II 相試験（DESTINY-Gastric01 試験）において，奏効割合 51%，MST 12.5 カ月と医師選択治療群（CPT-11 or PTX）に対して奏効割合ならびに OS で有意

に良好であった。

◆ NIV 療法 ★★★ (Lancet 2017；390：2461 PMID 28993052)

| NIV 240 mg/body 30 分で点滴静注 day 1 2 週ごと
または
NIV 480 mg/body 30 分で点滴静注 day 1 4 週ごと |

◆ FTD/TPI 療法 ★★★ (Lancet Oncol 2018；19：1437 PMID 30355453)

| FTD/TPI 35 mg/m²/回 朝夕食後 day 1〜5, 8〜12 4 週ごと |

◆ CPT-11 療法 ★★★ (JCO 2012；30：1513 PMID 22412140)

| CPT-11 150 mg/m² 1.5 時間で点滴静注 day 1 2 週間 |

◆ トラスツズマブ デルクステカン療法 ★★ (NEJM 2020；382：2419 PMID 32469182)

| トラスツズマブ デルクステカン 6.4 mg/kg 3 週ごと |

HER2 陽性(IHC3＋, または IHC2＋/FISH＋)がトラスツズマブ デルクステカンの適応

■ 予後

◆ Stage 別 5 年相対生存率(がん診療連携拠点病院等院内がん登録生存率集計報告書，2010〜2011 年)

Stage	5 年相対生存率(%)
Ⅰ	94.7
Ⅱ	67.6
Ⅲ	45.7
Ⅳ	8.9

■ 文献

1) NCCN Guidelines® [https://www.nccn.org/professionals/physician_gls/pdf/gastric.pdf]
2) 日本胃癌学会(編)：胃癌治療ガイドライン 医師用 第 6 版. 金原出版，2021
3) 日本胃癌学会(編)：胃癌取扱い規約 第 15 版. 金原出版，2017

【角埜　徹】

9 大腸がん Colorectal Cancer

大腸は盲腸，結腸，直腸S状部（RS）および直腸から構成されるが，虫垂や肛門管を含むこともある。大腸がんの発生は生活の豊かさに関係するとされ，本邦も世界の罹患率上位国の1つである。

■ 疫学

1 死亡数（2019年）/罹患数（2017年）

- 結腸がん：35,599人/101,951人
- 直腸がん：15,821人/51,238人

本邦の大腸がん罹患数（率）・死亡数（率）はいずれも増加している。死亡率では，男性では肺がん，胃がんに次いで第3位であるが，女性では第1位である。

2 発症の危険因子（リスクファクター）

大腸腺腫，肥満，炎症性腸疾患，糖尿病，大腸がんの家族歴〔家族性大腸腺腫症（FAP）やLynch症候群を含む〕など。赤身肉，アルコール，喫煙などもリスク上昇が示唆されている。運動，食物繊維の摂取は予防効果が示されている。

■ 診断

1 検診方法と意義

大腸がんは早期発見による治癒率が高く，便潜血検査を中心とした大腸がん検診を受けることが死亡率を低下させることが欧米でのランダム化比較試験（RCT）で示されている（NEJM 1993：328：1365 PMID 8474513）。本邦では抗ヒトヘモグロビン抗体による便潜血2日法（免疫法）が主流であり，これを用いた検診で約70%の死亡率減少効果が症例対照研究で示されている。要精検者には全大腸内視鏡検査，あるいはS状結腸内視鏡検査と注腸検査の併用が勧められる。本邦での検診受診率は約40%と欧米に比べて低く，受診率の向上，さらに精検受診率の向上が今後の課題である。

2 臨床症状

進行がんでは，血便（特に直腸がん），貧血（病変部からの慢性的な出血），便通異常（直腸がん，S状結腸がんで狭窄による排便回数の増加，残便感，便柱狭小化など），腹痛（通過障害，局所のがん浸

潤），腹部腫瘤触知など。

3 画像診断

1）原発診断

- 大腸内視鏡検査（色素内視鏡，拡大・高画素内視鏡など）
- 注腸検査

2）転移診断

- 胸部 X 線（肺転移）
- 胸腹骨盤部 CT〔他臓器転移やリンパ節転移，骨盤内の周囲臓器への浸潤〕

　そのほか，必要に応じて MRI（他臓器転移やリンパ節転移，骨盤内臓器への浸潤），超音波内視鏡検査（深達度，腸管周囲のリンパ節転移）などを追加する。

4 検体検査

1）腫瘍マーカー（CEA，CA19-9 など）

　スクリーニングとしては推奨されていないが，術後患者における再発の発見や化学療法の治療効果判定の一助になる。

2）遺伝子検査（KRAS・NRAS，BRAF，マイクロサテライト不安定性検査，DNA ミスマッチ修復遺伝子，UGT1A1）

　EGFR（上皮成長因子受容体）の下流シグナル経路に RAS（KRAS・NRAS）遺伝子が存在する。KRAS exon 2・3・4 または NRAS exon 2・3・4 のいずれかの遺伝子変異がある場合は抗 EGFR 抗体薬の効果が期待できないため抗 EGFR 抗体薬投与前の RAS 遺伝子検査は必須である。近年，組織検体の入手が困難な患者や生検による合併症リスクが高い患者において，血液中の腫瘍由来の cell free DNA を用いて RAS 遺伝子検査を行うことも可能となった。また，EGFR シグナル経路の下流に存在する BRAF をコードする BRAF V600E 遺伝子変異を 5〜10％ に認め，原則として RAS 遺伝子と相互排他の関係である。BRAF V600E 遺伝子変異を有する症例は予後不良であるが，特異的治療も選択肢となるため 1 次治療開始前に BRAF V600E 遺伝子変異の有無を検査することが推奨される。

　ミスマッチ修復（MMR）機能欠損（dMMR）に関する検査には，マイクロサテライト不安定性（MSI）検査および MMR タンパク質免疫染色検査がある。本邦では，大腸がん全体で 6〜7％ に認める。dMMR 大腸がんのなかで散発性が 70〜80％，MMR 遺伝子（MLH1，MSH2 など）の生殖細胞系列変異を原因とする常染色体優性遺伝性

疾患である Lynch 症候群が 20～30％ を占める。散発性大腸がんは，高齢女性，低分化腺癌，右側結腸に多いなどの特徴を認め，dMMR を示す主な要因は MLH1 遺伝子のプロモーター領域の異常メチル化であり，35～43％ に BRAF V600E 変異を伴う。Lynch 症候群は若年発症，多発性，右側結腸に好発し，低分化腺癌の頻度が高く，腫瘍内リンパ球浸潤がみられるなどの組織学的特徴がある。dMMR を有する Stage II 結腸がんは予後良好であり，5-FU による術後化学療法の効果は乏しい。さらに最近では，免疫チェックポイント阻害薬の効果予測因子として注目されている。

UGT1A1 は肝臓の UDP グルクロン酸酵素の 1 つであり，CPT-11 の活性体の SN-38 の代謝酵素である。UGT1A1*6・*28 は遺伝子多型であり，両者の複合ヘテロ，どちらかのホモ接合の場合に，Grade 3 以上の好中球数減少が高頻度で認められる。

■ 組織分類

◆ 組織型分類（大腸癌取扱い規約 第 9 版，2018）

腺癌 (adenocarcinoma)
　乳頭腺癌 (papillary adenocarcinoma)
　管状腺癌 (tubular adenocarcinoma)
　低分化腺癌 (poorly differentiated adenocarcinoma)
　粘液癌 (mucinous adenocarcinoma)
　印環細胞癌 (signet-ring cell carcinoma)
　髄様癌 (medullary carcinoma)
腺扁平上皮癌 (adenosquamous carcinoma)
扁平上皮癌 (squamous cell carcinoma)
カルチノイド腫瘍 (carcinoid tumor)
内分泌細胞癌 (endocrine cell carcinoma)

■ Staging（肛門扁平上皮癌を除く）

◆ UICC-TNM 分類（第 8 版，2017）

T-壁深達度

T0	癌を認めない
Tis	上皮粘膜内または粘膜固有層に浸潤
T1	粘膜下層に浸潤
T2	固有筋層に浸潤
T3	漿膜下層，または漿膜被覆のない結腸あるいは直腸の周囲組織に浸潤

154 | 9 大腸がん

T4a 臓側腹膜の表面を貫通する
T4b 他の臓器または組織に直接浸潤する

N-リンパ節転移

N0 リンパ節転移がない
N1 1〜3 個の所属リンパ節転移
N1a 1 個の所属リンパ節転移
N1b 2〜3 個の所属リンパ節転移
N1c 漿膜下層または腹膜被覆のない結腸/直腸の周囲軟部組織内の腫瘍デポジット
N2 4 個以上の所属リンパ節転移
N2a 4〜6 個の所属リンパ節転移
N2b 7 個以上の所属リンパ節転移

M-遠隔転移

M0 遠隔転移なし
M1 遠隔転移あり
M1a 1 臓器に限局する転移
M1b 2 臓器以上
M1c 腹膜転移

◆ Stage 分類

		N0	N1	N2a	N2b
Tis		0			
T1		I	ⅢA	ⅢA	ⅢB
T2		I	ⅢA	ⅢB	ⅢB
T3		ⅡA	ⅢB	ⅢB	ⅢC
T4	T4a	ⅡB	ⅢB	ⅢC	ⅢC
	T4b	ⅡC	ⅢC	ⅢC	ⅢC
M1	M1a	ⅣA	ⅣA	ⅣA	ⅣA
	M1b	ⅣB	ⅣB	ⅣB	ⅣB
	M1c	ⅣC	ⅣC	ⅣC	ⅣC

■ 予後因子

- 根治切除例における予後因子:郭清リンパ節個数 12 個未満,T4,腸閉塞または腸穿孔発症,低分化腺癌・印環細胞癌・粘液癌,傍神経浸潤,脈管・リンパ管侵襲,切除断端陽性などがリスク因子として挙げられている
- 切除不能例における予後因子:治療開始前の PS,転移臓器個数,

血清 ALP 値，白血球数による Köhne's prognostic index が報告されている。また，BRAF V600E 遺伝子変異がある場合は予後不良である

■ 治療

大腸がんでは部位にかかわらずほぼ共通の治療方針がとられるが，肛門扁平上皮癌では独自の治療戦略がとられる。

1 Stage 0〜Ⅲ
1) 内視鏡治療
- cTis(M)癌または cT1(SM)癌の治療方針

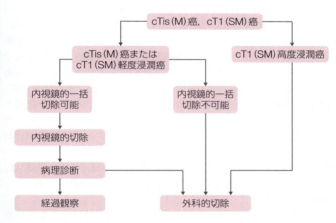

- 適応の原則：リンパ節転移の可能性がほとんどなく腫瘍が一括切除できる大きさと部位にある
- 適応基準：① 粘膜内癌，粘膜下層への軽度浸潤癌，② 大きさは問わない，③ 肉眼型は問わない
- 内視鏡的治療法にはポリペクトミー，内視鏡的粘膜切除術(endoscopic mucosal resection：EMR)と内視鏡的粘膜下層剥離術(endoscopic submucosal dissection：ESD)があり，腫瘍の大きさ，予測深達度，形態や組織型に関する情報などにより適応が異なる
- 摘除標本の組織学的検索で以下の条件を1つでも認めれば，リンパ節郭清を伴う外科的追加腸切除を考慮する
  ① 垂直断端陽性

② SM 浸潤度 1,000 μm 以上

③ 脈管侵襲陽性（リンパ管侵襲，静脈侵襲）

④ 低分化腺癌，印環細胞癌，粘液癌

⑤ 浸潤先進部の簇出（budding）grade 2〜3

2）外科切除

- 術前・術中診断で所属リンパ節転移を疑った場合，D3 郭清を行う
- リンパ節転移を認めない場合，壁深達度に応じて系統的なリンパ節郭清を行う
- 症例および施設によって，腹腔鏡手術，ロボット支援下手術が行われることもある
- 直腸切除の原則は TME（total mesorectal excision）または TSME（tumor-specific mesorectal excision）であり，排尿機能，性機能温存のため自律神経の温存に努める。腫瘍下縁が腹膜反転部より肛門側にあり，かつ固有筋層を越えて浸潤する直腸がんでは，側方リンパ節転移が 20% 程度認められること，さらに側方リンパ節腫大が認められない stage Ⅱ/Ⅲ 直腸がん患者において，TME 単独は TME ＋ 側方リンパ節郭清に対して非劣性を証明できなかった（JCOG0212 試験：Ann Surg 2017：266：201 PMID 28288057）ことから，本邦では標準治療の 1 つとして側方リンパ節郭清が行われる
- 腹膜反転部より肛門側にある直腸の M 癌と SM 癌（軽度浸潤）は，局所切除〔経肛門的内視鏡下切除術（TEM）など〕の適応である

3）術後化学療法

- Stage Ⅱ 結腸がんに対する術後化学療法の有用性は確立していないが，再発高リスク群の Stage Ⅱ 結腸がんに対しては適用が検討されている。ASCO ガイドラインにおける再発高リスク群は，郭清リンパ節個数 12 個未満，T4 例，穿孔例，低分化腺癌・印環細胞癌・粘液癌とされている
- Stage Ⅲ 結腸がんに術後化学療法を行うことで再発抑制効果と生存期間の延長が示されており，術後 4〜8 週ごろまでに開始する
- フッ化ピリミジン系抗悪性腫瘍薬では，5-FU/LV 療法（RPMI レジメン），UFT/LV 療法（NSABP-C06 試験，JCOG0205 試験），Cap 療法（X-ACT 試験）などが有意に DFS，OS を改善することが示されている
- 5-FU/LV または Cap と L-OHP を併用した場合の再発抑制および生存に対する上乗せ効果が RCT で示されている〔FOLFOX 療法（MOSAIC 試験），FLOX 療法（NSABP C-07 試験），CapeOX 療法

(NO16968/XELOXA試験)〕。ただしFLOX療法は腸管毒性が強いためFOLFOX，CapeOX療法が主に使用される
- FOLFOXまたはCapeOXいずれかの術後化学療法の投与期間に関し，6カ月に対する3カ月の非劣性を検証した6つのランダム化第Ⅲ相比較試験〔SCOT, TOSCA, Alliance/SWOG80702, IDEA France (GERCOR/PRODIGE), ACHIEVE, HORG試験〕を事前に設定された統計学的仮説をもとに統合解析を行ったIDEA collaborationの結果，主要評価項目である3年DFSにおいて6カ月投与群に対する3カ月投与群の統計学的な非劣性は証明されなかった。しかし，3カ月投与群ではL-OHPによる神経毒性の有意な軽減が認められ，低リスク群(T1〜3, N1)においては，CapeOX 3カ月投与はCapeOX 6カ月投与と遜色ないDFSが得られた。以上の結果より，術後化学療法の期間は使用される薬剤の組み合わせ(CapeOX vs. FOLFOX)とリスク(T1〜3 vs. T4, N1 vs. N2)，および患者特性を総合的に考慮したうえで治療レジメンならびに投与期間を検討する(NEJM 2018；378：1177 PMID 29590544)
- 5-FU/LV療法に対するCPT-11併用療法の有用性は示されていない(PETACC-3試験，ACCORD02試験)
- FOLFOX療法に対するBVやCmabといった分子標的薬との併用療法の有用性は示されていない(NSABP C-08試験，AVANT試験，N0147試験，PETACC-8試験)

◆ Cap療法 ★★★ (NEJM 2005；352：2696 PMID 15987918)

| Cap | 1回1,250 mg/m² | 1日2回 | day 1〜14 | 3週ごと 8サイクル |

◆ mFOLFOX6療法 ★★★ (JCO 2009；27：3385 PMID 19414665)

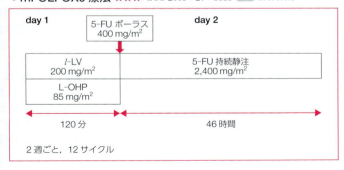

◆ **CapeOX 療法 ★★★** (JCO 2011；29：1465 PMID 21383294)

Cap	1回 1,000 mg/m²	1日2回	day 1〜14
L-OHP	130 mg/m²	2時間で点滴静注	day 1
3週ごと 4サイクル（3カ月）または 8サイクル（6カ月）			

4) 直腸がんに対する術前・術後化学放射線療法

Stage Ⅱ・Ⅲ直腸がんについては，1990年代に報告された術後の放射線療法単独 vs. 化学放射線療法の複数の RCT で，化学放射線療法が局所制御と生存率で優っており，さらに術前化学放射線療法は術後化学放射線療法より局所制御率や有害事象において優れた成績が示されていることから，欧米では術前化学放射線療法が標準治療となっている。一方，TME±側方リンパ節郭清による外科切除単独で局所再発率が低い本邦では，術前・術後放射線療法は十分に検討されておらず，Stage Ⅲ直腸がんに対しても結腸がんと同様に術後化学療法を行うのが一般的である。

◆ **Cap＋RT 療法 ★★★** (Lancet Oncol 2012；13：579 PMID 22503032)

Cap	1回 825 mg/m² 1日2回 週5日（月〜金）または週7日 5週間	
RT	1.8 Gy/日 計28回，総線量50.4 Gy	

◆ **5-FU 持続静注＋RT 療法 ★★★** (NEJM 1994；331：502 PMID 8041415)

5-FU	225 mg/m²/日 24時間持続静注 週5日（RT照射日）または週7日 RT の期間中投与
RT	1.8 Gy/日 計28回，総線量50.4 Gy

5) 術後サーベイランスの方針 （大腸癌治療ガイドライン医師用 2019 年版）

本邦では，大腸癌研究会により行われたサーベイランスに関する研究に基づいて，欧米よりも intensive なサーベイランスが行われるが，強いエビデンスはない。根治手術後のサーベイランス期間は術後5年間を目安とし，初めの3年間は3カ月ごと，その後2年間は6カ月ごとの問診，診察，腫瘍マーカー測定が推奨されている。遠隔転移の検索目的での胸腹部 CT（直腸がんは骨盤 CT も）は，初めの3年間は6カ月ごと，その後2年間は1年ごとに行う。また，大腸内視鏡検査は術後1年と3年に（直腸がんでは術後3年まで1年ごと）行うことが推奨されているが，術前に全大腸を十分に検索できなかった場合には術後6カ月以内に残存大腸の検査を行うことが望ましい。

6) 肛門扁平上皮癌に対する化学放射線療法 ★★★

肛門がんは肛門管がんと肛門周囲皮膚がんからなり，大腸がんの約2％を占める。危険因子はHPV感染，HIV感染，肛門性交，喫煙などである。腺癌では直腸がんと同様の治療が選択されるが，扁平上皮癌では化学放射線療法の感受性が高く永久人工肛門を回避できるという利点から，化学放射線療法が第1選択とされる。化学療法のレジメンは，5-FU＋MMC療法と5-FU＋CDDP療法を比較したRCT(RTOG98-11試験)において5年DFSと5年生存率はほぼ同等であったが人工肛門造設率は前者で有意に低値であったことから，5-FU＋MMC療法が標準治療と位置付けられている。さらに長期フォローアップデータでは5-FU＋MMC療法がDFS，OSにおいて有意に良好な有効性が示されている(JCO 2012；30：4344 PMID 23150707)。しかしながらいずれの薬剤も本邦においては保険適用ではない。

◆ 5-FU＋MMC＋RT療法 ★★★ (JAMA 2008；299：1914 PMID 18430910)

MMC	10 mg/m²	静注	day 1, 29
5-FU	1,000 mg/m²	24時間持続静注	day 1～4, 29～32
RT	1.8 Gy/日 週5日，および追加照射3回 計33回，総線量59.4 Gy		

2 Stage IV，再発症例の治療

◆ Stage IV症例

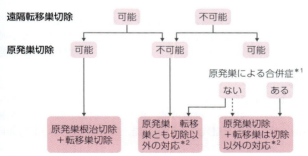

*¹ 原発巣による合併症：大出血，高度貧血，穿通・穿孔，狭窄など
*² 切除以外の対応：化学療法，放射線療法ならびに血行性転移に対する治療方針など。原発巣には緩和手術も適応

近年，原発巣による合併症がない症例での原発巣切除は，切除後の化学療法による有害事象の頻度が高く，かつより重度に認め，また原発巣切除例と非切除例でOSに差を認めないことが示された（JCOG1007試験：JCO 2021；39：1098 PMID 33560877）。

◆ **再発症例**

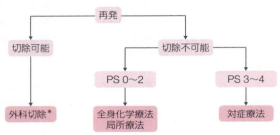

*外科切除は原則的に1臓器に限局したものが対象であるが，2臓器以上であっても切除可能であれば考慮する

1）遠隔転移の治療

❶ 肝転移

- 切除可能：肝切除が推奨される。肝切除後の5年生存率は30〜60％である。適応は，耐術可能，原発巣が制御可能，肝転移巣を遺残なく切除可能，肝外転移がないか制御可能，十分な残肝機能などである
- 切除不能：PS 0〜2の場合は全身化学療法を検討する
- 局所療法として熱凝固療法〔マイクロ波凝固療法（MCT）やラジオ波焼灼療法（RFA）〕，肝動注療法があるが，有効性の評価は定まっていない

❷ 肺転移

- 切除可能：肺切除を検討する。肺切除後の5年生存率は30〜70％である。適応は，耐術可能，原発巣が制御されているか制御可能，肺転移巣を遺残なく切除可能，肺外転移がないか制御可能，十分な残肺機能などである
- 切除不能：PS 0〜2の場合は，全身化学療法を検討する
- 局所療法として原発巣と肺外転移が制御可能で，5 cm以内の肺転移個数が3個以内であれば体幹部定位放射線治療も考慮する

2) 遠隔転移切除後の化学療法

　肝転移治癒切除後の術後補助化学療法に関して，RCT の統合解析では手術単独と比較して PFS，OS が良好な傾向が示された（JCO 2008：26：4906 PMID 18794541）。一方，本邦で行われた肝転移切除後の補助化学療法として mFOLFOX6 療法と手術単独を比較した JCOG0603 試験では，mFOLFOX6 療法で DFS の改善がみられるも OS の改善はみられなかった。また，肝転移以外の遠隔転移切除後の補助化学療法については，さらにエビデンスは乏しい。

3) 直腸がん局所再発の治療

　直腸がん局所再発には吻合部再発と骨盤内再発がある。

　完全切除可能であれば外科切除を考慮する。治癒切除後の 5 年生存率は 20～40％ である。ただし，がんが遺残した場合の予後は極めて不良であること，合併症の発生率が高いこと，骨盤内臓器や仙骨合併切除は QOL に多大な影響を及ぼす術式であることなどについて十分にインフォームド・コンセントを得ることが不可欠である。遠隔転移のない切除不能局所再発例であれば放射線療法と全身化学療法の単独または併用を検討する。

4) 切除不能の進行・再発結腸・直腸がんに対する全身化学療法

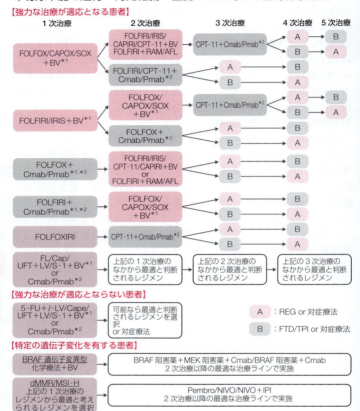

$*^1$ 分子標的薬併用が推奨されるが適応とならない場合は化学療法単独を行う
$*^2$ RAS 遺伝子野生型のみに適応

- 治療目標は症状改善と生存期間の延長
- BSC での生存期間中央値（MST）は約 8 カ月
- 切除不能であった Stage Ⅳ・再発大腸がんに対する化学療法が奏効して，切除可能となることがある（conversion therapy）。切除不能大腸がんに対する化学療法の奏効率と肝転移切除率の間には強い相関関係があることが報告されている

❶ 切除不能進行再発大腸がんの化学療法の中心となっている薬剤

細胞障害性抗がん薬
- ・フルオロピリミジン：5-FU，S-1，Cap
- ・L-OHP
- ・CPT-11

分子標的薬
- ・抗 EGFR 抗体薬：Cmab もしくは Pmab
- ・血管新生阻害薬：BV，ラムシルマブ（RAM），アフリベルセプト（AFL）

後方治療で使用される経口薬
- ・レゴラフェニブ（REG）
- ・TAS-102（FTD/TPI）

上記薬剤の使用により MST は 30 カ月を超えるまでになっている。

❷ **1 次治療**　L-OHP もしくは CPT-11 のいずれか 1 剤とフルオロピリミジンを組み合わせた 2 剤（doublet）を軸として，そこに分子標的薬である血管新生阻害薬もしくは抗 EGFR 抗体薬を組み合わせる併用療法が標準である。

- ・FOLFOX 療法，FOLFIRI 療法はどちらを先に投与しても効果は同等：両治療をクロスオーバーさせて比較を行った第Ⅲ相試験（GERCOR V308 試験）では奏効率，PFS，OS すべてにおいて同程度の結果が得られ，どちらの治療を先行させても効果は同等であることが示された（JCO 2004；22：229 PMID 14657227）

a) **血管新生阻害薬（1 次治療において有用性が証明されているのは BV のみ）**

- ・BV を併用することの有用性：BV を併用した 1 次治療については IFL（CPT-11＋5-FU＋*l*-LV）療法＋プラセボ vs. BV 併用療法（IFL＋BV もしくは LV/5-FU＋BV）を検証した第Ⅲ相試験（AVF2107 g 試験）にて BV の PFS，OS に対する上乗せ効果が証明された（JCO 2005；23：3502 PMID 15908660）。さらに，CapeOX または FOLFOX 療法に BV を併用した際のプラセボ併用に対する優越性を検討した第Ⅲ相試験（NO16966 試験）により PFS における BV の優越性が証明された（JCO 2008；26：2013 PMID 18421054）

- ・FOLFOXIRI＋BV 療法の使いどころ：FOLFOXIRI＋BV 療法は FOLFIRI＋BV 療法に対する RR，PFS，OS の優越性が示された（TRIBE 試験）。特に，腫瘍縮小を狙いたい症例や BRAF 遺伝子変異型症例に対する有効性が期待される（NEJM 2014；371：1609 PMID

25337750, Lancet Oncol 2015；16：1306 PMID 26338525)

- その他の BV 併用レジメンについて：本邦で行われた第Ⅲ相試験には SOX(S-1＋L-OHP)＋BV 療法の FOLFOX＋BV 療法に対する PFS の非劣性を証明した SOFT 試験(Lancet Oncol 2013；14：1278 PMID 24225157)，FOLFIRI＋BV 療法の FOLFOX＋BV 療法に対する PFS の非劣性を証明した WJOG4407G 試験(Ann Oncol 2016：27：1539 PMID 27177863)，さらには S-1＋CPT-11＋BV 療法の FOLFOX/CapeOX＋BV 療法に対する PFS，OS の非劣性を証明した TRICO-LORE 試験(Ann Oncol 2018；29：624 PMID 29293874)などがあり，SOX＋BV 療法，FOLFIRI＋BV 療法，S-1＋CPT-11＋BV 療法はいずれも 1 次治療の選択肢となっている

b) 抗 EGFR 抗体薬

- 抗 EGFR 抗体薬の有用性：抗 EGFR 抗体薬(Cmab/Pmab)を FOLFOX もしくは FOLFIRI に併用した 1 次治療については，RAS 遺伝子野生型症例における有効性が複数の第Ⅲ相試験で証明されている(NEJM 2013；369：1023 PMID 24024839, JCO 2015：33：692 PMID 25605843)。一方，1 次治療における併用レジメンとして，BV と抗 EGFR 抗体薬のどちらが推奨されるかについて明確な結論は出ていない(FIRE-3 試験：Lancet Oncol 2016；17：1426 PMID 27575024, CALGB/SWOG80405 試験：JAMA 2017；317：2392 PMID 28632865)。実際には，次に示すような抗 EGFR 抗体薬の効果予測因子や患者背景，治療戦略などを総合的に判断し，決定している

- 1 次治療における抗 EGFR 抗体薬の効果予測因子(predictive biomarker)：RAS 遺伝子変異は抗 EGFR 抗体薬の負の効果予測因子として知られており，RAS 遺伝子野生型の場合に抗 EGFR 抗体薬の投与を行う。また，BRAF V600E 遺伝子変異は強力な予後不良因子であるとともに，抗 EGFR 抗体薬の効果が限定的であるため，RAS/BRAF 遺伝子がともに野生型の場合に限り，抗 EGFR 抗体薬の投与が推奨される

- 最近では 1 次治療における抗 EGFR 抗体薬の効果予測因子として原発部位が注目されている。RAS 遺伝子野生型において，左側結腸原発(下行結腸〜直腸)では BV よりも抗 EGFR 抗体薬の効果が高く，右側結腸原発(盲腸〜横行結腸)では BV よりも抗 EGFR 抗体薬の効果が乏しい可能性が示唆されており，左側結腸原発の場合はより積極的に抗 EGFR 抗体薬の併用を検討する(Ann Oncol 2017；28：1713 PMID 28407110)

❸ 2 次治療・3 次治療

a) **細胞障害性抗がん薬**：進行大腸がんに対し，key drug の 3 剤すべてを使いきることが OS 延長に重要であることが報告されている（JCO 2004；22：1209 **PMID** 15051767）。2 次治療の選択肢として先述の V308 試験により FOLFOX と FOLFIRI どちらを 1 次治療として選択しても 2 次治療まで行えば成績は変わらないことが示されており，2 次治療では 1 次治療で用いていない L-OHP ベースまたは CPT-11 ベースの治療を行う。

b) **併用する分子標的薬**

● 血管新生阻害薬

・FOLFOX ＋ BV 療法と FOLFOX 療法を比較した E3200 試験の結果から，BV 併用療法が RR，PFS，OS において有意に良好であることが示されている

・1 次治療での BV 併用療法に不応となった場合に 2 次治療でも BV を継続使用することで OS が延長することが示されており，増悪後の BV の継続使用（bevacizumab beyond progression：BBP）が行われる（Lancet Oncol 2013；14：29 **PMID** 23168366）

・1 次治療での L-OHP 不応不耐例を対象とした FOLFIRI 療法＋プラセボとの比較試験で FOLFIRI ＋ RAM 療法（RAISE 試験），FOLFIRI ＋ AFL 療法（VELOUR 試験）の OS の優越性が証明されている（Lancet Oncol 2015；16：499 **PMID** 25877855，JCO 2012；30：3499 **PMID** 22949147）。以上より，2 次治療において FOLFIRI と併用できる血管新生阻害薬は BV，RAM，AFL の計 3 剤あるが，それらを使い分ける有用なバイオマーカーは確立されていない

● 抗 EGFR 抗体薬

・KRAS 遺伝子野生型に対して CPT-11 ベースレジメンに抗 EGFR 抗体薬を併用することで PFS が改善することは証明されているが，OS の延長を証明した大規模試験はない

・L-OHP ベースレジメンに BV を併用した治療に不応不耐となった症例に対する 2 次治療としての FOLFIRI ＋ Pmab と FOLFIRI ＋ BV を比較した WJOG6210G 試験および SPIRITT 試験では PFS，OS いずれも有意差は認めなかった（Cancer Sci 2016；107：1843 **PMID** 27712015，Clin Colorectal Cancer 2015；14：72 **PMID** 25982297）

・RAS 遺伝子野生型症例には，1 次治療で抗 EGFR 抗体薬を使用していない場合には 2 次治療もしくは 3 次治療で抗 EGFR 抗体薬を使用することが推奨される

- RAS 遺伝子野生型に対する 3 次治療において，抗 EGFR 抗体薬単剤と BSC との比較試験の結果からは抗 EGFR 抗体薬は有意に PFS，OS を改善させることが示されている（NEJM 2007：357：2040 PMID 18003960，JCO 2007：25：1658 PMID 17470858）

- RAS 遺伝子野生型に対して，CPT-11 不応例を対象とした Cmab 単独療法と Cmab＋CPT-11 併用療法の比較試験の結果，CPT-11 併用群で RR，PFS が良好であることが示されている（NEJM 2004：351：337 PMID 15269313）

c) **BRAF V600E 遺伝子変異陽性に対する BRAF 阻害薬**：抗 EGFR 抗体薬と BRAF 阻害薬の併用療法（2 剤併用療法），さらに BRAF 阻害薬による 2 次耐性・2 次がん誘発抑制目的とした MEK 阻害薬の併用療法（3 剤併用療法）は，対照治療（CPT-11＋Cmab/FOLFIRI＋Cmab）に対し優越性を検証する臨床試験（BEACON CRC 試験）の結果，3 剤併用療法および 2 剤併用療法が有意に OS，RR を改善させることが示されている（NEJM 2019：381：1632 PMID 31566309）。BRAF V600E 遺伝子変異陽性例では，患者の状態に応じて Cmab＋BRAF 阻害薬または Cmab＋BRAF 阻害薬＋MEK 阻害薬による併用療法を行うことが推奨される。

d) **MMR 機能欠損（dMMR/MSI-H）に対する免疫チェックポイント阻害薬**：dMMR/MSI-H を有する切除不能進行再発大腸がん既治療例に対して，抗 PD-1 抗体薬であるペムブロリズマブ単剤（JCO 2020：38：11 PMID 31725351）およびニボルマブ単剤（Lancet Oncol 2017：18：1182 PMID 28734759）の有効性が示されている。さらに，ニボルマブと抗 CTLA4 抗体薬であるイピリムマブ併用療法の有用性も示されており（JCO 2018：36：773 PMID 29355075），dMMR/MSI-H の症例では免疫チェックポイント阻害薬を使用することが推奨される。

❹ **後方ラインの治療**　上記治療に不応または不耐の症例を対象としプラセボと比較した第Ⅲ相試験で，REG（CORRECT 試験）および FTD/TPI（RECOURSE 試験）は，いずれも OS，PFS を有意に延長することが報告されている。しかし，REG と FTD/TPI のいずれを先に使用したほうがよいかに関する明確なデータはなく，毒性の違いを鑑みて個々の症例で使い分ける。近年，ランダム化第Ⅱ相試験にて FTD/TPI に対する BV 併用の PFS における延長効果が示されている（Lancet Oncol 2020：21：412 PMID 31999946）。

❺「薬物療法の適応となる患者」に対する薬剤選択
◆1次治療におけるレジメン選択アルゴリズム

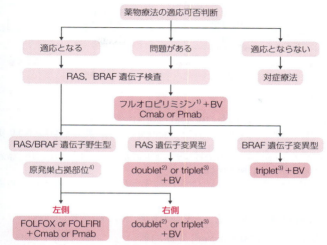

1) フルオロピリミジン：5-FU+*l*-LV, UFT+LV, S-1, Cap
2) FOLFOX, CapeOX, SOX, FOLFIRI, S-1+CPT-11
3) FOLFOXIRI
4) 原発巣占拠部位の左側とは下行結腸, S状結腸, 直腸をさし, 右側とは盲腸, 上行結腸, 横行結腸をさす

◆mFOLFOX6＋BV療法 ★★★

IFL療法, IROX(CPT-11+L-OHP)療法とのRCTでFOLFOX4療法の有用性が示され, 標準治療の1つとなった(N9741試験)。その後, 投与方法を簡便化したmFOLFOX6療法などが開発され, ほぼ同等の有効性が示されている。

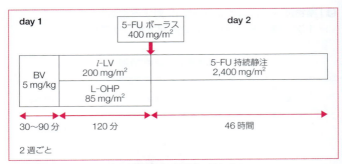

FOLFOX療法のみの場合，BVを除いて同様に投与する。
- BVの初回投与は90分で行い，infusion reactionがなければ以後60分→30分とする
- BVの5 mg/kgを10分で投与することの安全性が報告されている（JCO 2007；25：2691 PMID 17602073）
- 5-FU持続静注を含むレジメンを外来で行うためには，中心静脈ポートの造設が必要である

◆ CapeOX＋BV療法 ★★★ （JCO 2008；26：2006 PMID 18421053）

Cap	1回1,000 mg/m²	1日2回	day 1〜14
L-OHP	130 mg/m²	2時間で点滴静注	day 1
BV	7.5 mg/kg	30〜90分（または15分）で点滴静注	day 1

3週ごと

◆ SOX＋BV療法 ★★★ （Lancet Oncol 2013；14：1278 PMID 24225157）

S-1	1回40〜60 mg	1日2回	day 1〜14
L-OHP	130 mg/m²	2時間で点滴静注	day 1
BV	7.5 mg/kg	30〜90分で点滴静注	day 1

3週ごと

◆ FOLFIRI＋BV療法 ★★★ （JCO 2007；25：4779 PMID 17947725）

FOLFIRI療法とmIFL療法およびCapeIRI療法（Cap＋CPT-11）とのRCTでFOLFIRI療法の有用性が示された（BICC-C試験period 1）。またmIFL＋BV療法とFOLFIRI＋BV療法とのRCTで後者がMSTで有意に優れていたため，FOLFOX or CapeOX＋BV療法とともに1次治療での標準治療と位置づけられている（BICC-C試験period 2）。

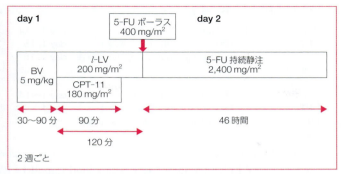

FOLFIRI 療法のみの場合には，上記から BV を除いて同様に投与する。

◆ FOLFOXIRI＋BV 療法 ★★★ (NEJM 2014；371：1609 PMID 25337750)

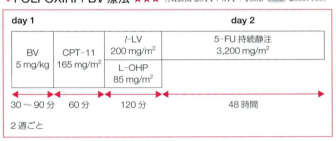

◆ CPT-11 単独療法 ★★★ (JCO 2008；26：2311 PMID 18390971)

CPT-11　150 mg/m²　90 分で点滴静注　day 1　2 週ごと

・L-OHP を含むレジメンが毒性中止であった際には 2 次治療として FOLFIRI 療法が推奨されるが，PD 中止であった際には CPT-11 単独療法も選択肢の 1 つである
・L-OHP 不応後の後治療として FOLFIRI 療法の代わりに使用されるが，この両者を直接比較した RCT はない。しかし 5-FU と L-OHP 不応例の 2 次治療での CPT-11 単独療法の奏効率は 4% であり（EPIC 試験），これは先の GERCOR 試験での FOLFOX 療法使用後の 2 次治療での FOLFIRI 療法の奏効率と同等であった

◆ IRIS 療法 ★★★ (Lancet Oncol 2010；11：853 PMID 20708966)

S-1　　　1 回 40〜60 mg　1 日 2 回　　　　　　day 1〜14 CPT-11　　　125 mg/m²　90 分で点滴静注　day 1, 15 4 週ごと

9 大腸がん

◆S-1＋CPT-11＋BV療法 ★★★ (Ann Oncol 2018；29：624 PMID 29293874)

S-1	1回40〜60mg	1日2回	day 1〜14
CPT-11	100 mg/m²	90分で点滴静注	day 1, 15
BV	5 mg/kg	30〜90分で点滴静注	day 1, 15
4週ごと			

または

S-1	1回40〜60mg	1日2回	day 1〜14
CPT-11	150 mg/m²	90分で点滴静注	day 1
BV	7.5 mg/kg	30〜90分で点滴静注	day 1
3週ごと			

◆CapeIRI＋BV療法 ★★★ (Lancet Oncol 2018：19：660 PMID 29555258)

2次治療の FOLFIRI±BV 療法に対する modified CapeIRI±BV 療法の非劣性を検証した AXEPT 試験により OS の非劣性が証明された。ただし Grade 3/4 の下痢の頻度は CapeIRI 群で 7％ と高く注意を要する。

CPT-11	200 mg/m²	90分で点滴静注	day 1
Cap	1回800 mg/m²	1日2回	day 1〜14
BV	7.5 mg/kg	30〜90分で点滴静注	day 1
3週ごと			

ただし，UGT1A1 遺伝子ホモ接合体もしくは複合ヘテロ接合体の場合は，CPT-11 150 mg/m²。

◆FOLFIRI＋RAM療法 ★★★ (Lancet Oncol 2015：16：499 PMID 25877855)

2次治療における FOLFIRI＋RAM 療法と FOLFIRI＋プラセボを比較した RAISE 試験により，FOLFIRI＋RAM 療法が OS を有意に延長することが示された。

RAM	8 mg/kg	60分で点滴静注	day 1
＋FOLFIRI療法（168頁参照，レジメンから BV は除く）			

◆FOLFIRI＋AFL療法 ★★★ (JCO 2012：30：3499 PMID 22949147)

2次治療における FOLFIRI＋AFL 療法と FOLFIRI＋プラセボを比較した VELOUR 試験により，FOLFIRI＋AFL 療法が OS を有意に延長することが示された。

AFL	4 mg/kg	60分で点滴静注	day 1
＋FOLFIRI療法（168頁参照，レジメンから BV は除く）			

◆ペムブロリズマブ療法 ★★ (JCO 2020；38：11 PMID 31682550)

2レジメン以上の治療歴のある dMMR/MSI-H を有する対象に対して有効性が示されている(KEYNOTE 164 試験)。最近，1次治療におけるペムブロリズマブの標準化学療法に対する PFS の有意な延長が示された(KEYNOTE 177 試験：NEJM 2020；383：2207 PMID 33264544)。

> ペムブロリズマブ　200 mg　30 分で点滴静注　day 1　3 週ごと
> または
> ペムブロリズマブ　400 mg　60 分で点滴静注　day 1　6 週ごと

◆ニボルマブ療法 ★★ (Lancet Oncol 2017；18：1182 PMID 28734759)

1レジメン以上の治療歴のある dMMR/MSI-H を有する対象に対して有効性が示されている(CheckMate 142 試験)。

> ニボルマブ　240 mg　30 分で点滴静注　day 1　2 週ごと
> または
> ニボルマブ　480 mg　30 分で点滴静注　day 1　4 週ごと

◆ニボルマブ＋イピリムマブ療法 ★★ (JCO 2018；36：773 PMID 29355075)

1レジメン以上の治療歴のある dMMR/MSI-H を有する対象に対して有効性が示されている(CheckMate 142 試験)。

> ニボルマブ　240 mg　30 分で点滴静注　day 1
> イピリムマブ　1 mg/kg　30 分で点滴静注　day 1
> 3 週ごと　4 回点滴投与
> その後，ニボルマブ　240 mg　30 分で点滴静注　day 1　2 週ごと
> または　ニボルマブ　480 mg　30 分で点滴静注　day 1　4 週ごと

◆Cmab＋BRAF 阻害薬±MEK 阻害薬 ★★★ (NEJM 2019；381：1632 PMID 31566309)

2次治療または3次治療において BRAF V600E 遺伝子変異陽性を有する対象に対し，標準治療(CPT-11＋Cmab または FOLFIRI＋Cmab)に対する OS および RR の有意な改善が示されている(OS 9.0 カ月 vs 5.4 カ月，$p < 0.001$，RR 26% vs 2%，$p < 0.001$)。

> Cmab　初回のみ：400 mg/m^2　2 時間で点滴静注，
> 　2 回目以降：250 mg/m^2　1 時間で点滴静注　day 1　毎週
> エンコラフェニブ　1 回 300 mg　1 日 1 回　毎日
> ビニメチニブ　　　1 回　45 mg　1 日 2 回　毎日

◆CPT-11＋Cmab 療法 ★★★ (NEJM 2004；351：337 PMID 15269313)

CPT-11 不応後の後治療で有効性が示されている(BOND 試験)。

初回 5-FU と L-OHP 不応後における CPT-11＋Cmab 療法と CPT-11 療法との RCT では，ORR，PFS において CPT-11＋Cmab 療法が優れていた(EPIC 試験)。

> CPT-11　150 mg/m² 　90 分で点滴静注　day 1　2 週ごと
> Cmab　初回のみ：400 mg/m² 　2 時間で点滴静注，
> 　2 回目以降：250 mg/m² 　1 時間で点滴静注　day 1　毎週

◆Cmab 単独療法 ★★★ (NEJM 2007；357：2040 PMID 18003960)

5-FU，L-OHP，CPT-11 すべての不応例では通常 CPT-11＋Cmab を選択するが，CPT-11 の併用が困難な際には Cmab 単独も許容される(NCIC CTG CO.17 試験)。

> Cmab　初回のみ：400 mg/m² 　2 時間で点滴静注，
> 　2 回目以降：250 mg/m² 　1 時間で点滴静注　day 1　毎週

◆Pmab 単独療法 ★★★ (JCO 2007；25：1658 PMID 17470858)

Cmab 単独療法と同様の対象に対して使用される。完全ヒト型抗体であるため，infusion reaction の頻度は極めて少ない。

> Pmab　6 mg/kg　1 時間で点滴静注　day 1　2 週ごと

◆REG 単独療法 ★★★ (Lancet 2013；381：303 PMID 23177514)

標準治療に抵抗性となった患者を対象に REG とプラセボを比較した第Ⅲ相試験(CORRECT 試験)で，OS の有意な延長を認めた(6.4 カ月 vs. 5.0 カ月，HR 0.72，p＝0.0052)。

> REG　1 回 160 mg　1 日 1 回　day 1〜21　4 週ごと

手足症候群，高血圧，倦怠感，肝障害などの副作用に対する適切な管理が必要。

◆FTD/TPI 単独療法 ★★★ (NEJM 2015；372：1909 PMID 25970050)

標準治療に抵抗性となった患者を対象に FTD/TPI とプラセボを比較した第Ⅲ相試験(RECOURSE 試験)で，OS の有意な延長を認めた(7.1 カ月 vs. 5.3 カ月，HR 0.68，p＜0.001)。

> FTD/TPI　1 回 35 mg/m² 　1 日 2 回　day 1〜5，8〜12　4 週ごと

5) 放射線療法

骨盤内病変や骨転移，脳転移，リンパ節転移などに伴う症状を軽減することを目的に，緩和的放射線療法が行われることがある。

■ 予後(5年生存率)

Stage	結腸がん(%)	直腸がん(%)
0	93.0	97.6
I	92.3	90.6
II	85.4	83.1
IIIa	80.4	73.0
IIIb	63.8	53.5
IV	19.9	14.8

(大腸癌研究会・全国大腸癌登録事業, 2000～2004年度症例。Stageは大腸癌取扱い規約 第6版による)

■ 文献
1) 大腸癌研究会(編):大腸癌治療ガイドライン 医師用 2019年版. 金原出版, 2019
2) 大腸癌研究会(編):大腸癌取扱い規約 第9版. 金原出版, 2018

【大嶋　琴絵】

10 肝・胆・膵がん

肝臓がん　Liver Cancer

■ 疫学

1 死亡数（2018 年）/罹患数（2016 年）
- 25,925 人/42,754 人

2 発症の危険因子（リスクファクター）
- B・C 型慢性肝炎，NASH，常習飲酒など

3 肝細胞がん症例における HBs 抗原・HCV 抗体陽性率
- HBs 抗原 15.0％，HCV 抗体 67.7％，両者ともに陽性 4.0％

■ 診断（肝癌診療ガイドライン 2017 年版）

1 サーベイランスの方法と意義

　肝細胞がんの超高危険群（B・C 型肝硬変），高危険群（B・C 型慢性肝炎，非ウイルス性肝硬変）などの危険因子を有する症例に対し，超音波および腫瘍マーカーで定期的に経過観察することが推奨されている。超高危険群は CT か MRI の併用が望ましい。6 カ月以内のサーベイランスで発見された腫瘍のほうが有意に小さく，予後が良好であったとの報告もある（J Cancer Res Clin Oncol 2004：130：417 PMID 15042359）。そのほかさまざまな間隔で早期のがん発見率や生存率について検討されているが，検査の至適間隔に関しては，明確なエビデンスはない。

2 臨床症状

　無症状のことが多い。進行すれば右季肋部痛，心窩部痛，食欲不振，全身倦怠感，黄疸などを認めることもある。

3 画像診断

　肝細胞がんのスクリーニング，確定診断，治療方針の選択において画像診断が非常に重要である。

1）超音波

　簡便で非侵襲的，スクリーニング検査として有用。造影剤を用いた観察で詳細な血流評価が可能。ただし描出の死角があること，高度肥満例では観察不十分となることなどの欠点もある。

肝臓がん　175

2) CT

dynamic study が必須。典型的な肝細胞がんは，動脈相で高吸収域として描出され，門脈・平衡相で周囲の肝実質と比べ相対的に低吸収（wash out）となる。

3) MRI

ガドリニウム造影剤である Gd-DTPA，超常磁性体酸化鉄（SPIO），ガドキセト酸ナトリウム（Gd-EOB-DTPA）が用いられる。特に Gd-EOB-DTPA は，肝腫瘍の血流評価と肝細胞機能の評価が可能で，肝細胞がんの診断で多く用いられている。肝硬変患者における早期肝細胞がんで高い診断能力を有する。

4) 血管造影・アンギオ CT

診断としての血管造影は推奨されない。また，血管造影をしながら CT を撮影するアンギオ CT（CTAP，CTHA）は multidetector-row CT，造影 MRI と同等以上の感度をもつが，侵襲的な検査であるため常に行う検査ではない。微小病変を検出し，より正確な Staging が必要なときに考慮する。

4　検体検査（腫瘍マーカー）

1) 肝細胞がん

本邦では，肝細胞がんの腫瘍マーカーとして AFP，PIVKA-Ⅱ，AFP-L3 分画の３種が保険適用となっている。AFP の感度・特異度は，カットオフ値により大きく異なる（5 cm 以下の肝細胞がんにおいて，カットオフ値 20 ng/mL：感度 49〜71％，特異度 49〜86％，カットオフ値 200 ng/mL：感度 8〜32％，特異度 76〜100％）。AFP-L3 分画はカットオフ値 10 ng/mL で感度 22〜33％，特異度 93〜99％，PIVKA-Ⅱ はカットオフ値 40 mAU/mL で感度 15〜54％，特異度 95〜99％ と，AFP に比し特異度が高い。これらを組み合わせることで，診断精度が向上する。

2) 肝内胆管がん

胆道がんを参照（⇒183 頁）。

5　腫瘍生検

画像所見上，造影 CT 検査で動脈相が高吸収域として描出される典型的な肝細胞がんについては，背景肝の情報，腫瘍マーカーを組み合わせて確定診断が可能であり，組織診断は必須ではない。肝硬変や慢性肝疾患を伴わない場合や画像所見が非典型的な場合には，肝生検による組織診が必要である。

10 ·肝・胆・膵がん

■ 病理分類

本邦では，原発性肝臓がんのうち肝細胞がんが 90％ 以上，肝内胆管がん（胆管細胞がん）が約 5％ を占めるが，その割合は地域によってやや異なる。

■ Staging

肝臓がんの多くは，慢性肝炎や肝硬変などの障害肝より発生し，その予後はがんの進行度だけでなく，肝予備能に大きく左右される。そのため，治療方針の決定，また治療成績の評価にあたっては腫瘍側因子と肝予備能の両方を考慮する必要がある。

◆ **UICC-TNM 分類**（第 8 版，2017）

T-原発腫瘍

（肝細胞がん）

TX	原発腫瘍の評価が不能
T0	原発腫瘍を認めない
T1a	単発で最大径 2 cm 以下，脈管侵襲の有無を問わない腫瘍
T1b	単発で最大径 2 cm を超え，脈管侵襲のない腫瘍
T2	単発で最大径 2 cm を超え，脈管侵襲のある腫瘍，または多発で 5 cm 以下の腫瘍
T3	多発で，最大径 5 cm を超える腫瘍
T4	門脈や肝静脈の大分枝に浸潤する腫瘍*，または胆嚢以外の隣接臓器に浸潤する腫瘍，または臓側腹膜を貫通する腫瘍

* Vp3, Vp4 または Vv2, Vv4

（肝内胆管がん）

TX	原発腫瘍の評価が不能
T0	原発腫瘍を認めない
Tis	上皮内癌
T1a	単発で最大径 5 cm 以下，脈管侵襲の有無を問わない腫瘍
T1b	単発で最大径 5 cm を超え，脈管侵襲のない腫瘍
T2	単発で脈管侵襲のある腫瘍，脈管侵襲の有無にかかわらず多発腫瘍
T3	漿膜（臓側腹膜）を貫通する腫瘍
T4	肝外の隣接臓器へ浸潤する腫瘍

N-所属リンパ節

NX	所属リンパ節転移の評価が不能
N0	所属リンパ節転移なし
N1	所属リンパ節転移あり

肝臓がん | 177

M-遠隔転移
　（共通）
　M0　遠隔転移なし
　M1　遠隔転移あり

（肝細胞がん）

Stage ⅠA	T1a	N0	M0
Stage ⅠB	T1b	N0	M0
Stage Ⅱ	T2	N0	M0
Stage ⅢA	T3	N0	M0
Stage ⅢB	T4	N1	M0
Stage ⅣA	any T	N1	M0
Stage ⅣB	any T	any N	M1

（肝内胆管がん）

Stage 0	Tis	N0	M0
Stage ⅠA	T1a	N0	M0
Stage ⅠB	T1b	N0	M0
Stage Ⅱ	T2	N0	M0
Stage ⅢA	T3	N0	M0
Stage ⅢB	T4	N0	M0
	any T	N1	M0
Stage ⅣB	any T	any N	M1

　肝予備能に関しては，Child-Pugh 分類が用いられることが多く，腫瘍進行度に関しては，本邦では日本肝癌研究会による進行度分類が，世界的には AJCC/UICC TNM 分類や Barcelona-Clinic Liver Cancer Group（BCLC）分類が広く用いられている。以下に Child-Pugh 分類および米国肝臓学会（AASLD）推奨の BCLC 分類を用いた治療アルゴリズムを掲載する。

◆ **Child-Pugh 分類**

項目	1点	2点	3点
脳症	ない	軽度	ときどき昏睡
腹水	ない	少量	中等量
血清ビリルビン値（mg/dL）	2.0 未満	2.0～3.0	3.0 超
血清アルブミン値（g/dL）	3.5 超	2.8～3.5	2.8 未満
プロトロンビン活性値（%）	70 超	40～70	40 未満

A：5～6点，B：7～9点，C：10～15点

10 肝・胆・膵がん

◆ BCLC 分類と治療方針(Hepatology 2011；53：1020 PMID 21374666 より改変)

■ 治療
1 肝細胞がん

　肝切除，経皮的治療〔ラジオ波熱凝固療法(RFA)，エタノール注入療法(PEI)〕，肝動脈塞栓療法(TA[C]E)の3大治療法，および肝動注化学療法(TAI)，全身化学療法，放射線療法，肝移植などがある。治療法の選択に際しては，腫瘍側因子と肝予備能の両者を考慮し決定する。肝細胞がんは多中心性発生や肝内転移が多く，実際の臨床ではこれらの治療法を組み合わせて治療が行われる。腫瘍の局在や大きさ，数，背景肝の状況など，多くの要素が治療効果や予後に影響を及ぼす。

1)肝切除 ★★★
❶ 長所　確実な局所コントロールが期待できる。

肝臓がん **179**

❷ **短所**　肝予備能の不良な症例には適用されない。

　肝予備能の評価にあたっては，ICG 15% 値や Child-Pugh 分類などが用いられ，これらの値と予定肝切除量とのバランスから決定されるのが望ましい。

※現時点で推奨される術前・術後補助療法はない。

2）ラジオ波熱凝固療法（RFA）★★★

　高周波電流による誘電加熱を利用して腫瘍を凝固壊死させる。複数のランダム化比較試験（RCT）の結果，3 年生存率が PEI に比べ有意に高いことが示された（Hepatology 2009 : 49 : 453 PMID 19065676）。また，最大径 3 cm，病変数 3 個以下，Child-Pugh 7 点以下の初発肝細胞がんに対する肝切除と RFA の有効性を比較した多施設共同研究（SURF 試験）が国内で行われ，両群間で治療後の予後に差がないことが示された〔JCO 2019 : 37（15_suppl）: 4002〕。

❶ **適応**　原則，最大径 3 cm 以下，病変数 3 個以下。超音波で描出可能であり，出血傾向，穿刺経路の腹水を認めないもの。血流により十分な加熱が得られにくい肝門部や，心臓など重要臓器の近傍の腫瘍は不適。

❷ **長所**　手術に比べ低侵襲である。

❸ **短所**　腫瘍径，腫瘍数により適応に限界がある。腫瘍近傍の血流により治療効果が不十分になることがある。

3）肝動脈塞栓療法（TA[C]E）★★★

　2000 年以降，複数の RCT の結果，無治療に比べ生存期間の延長が得られることが示された（Hepatology 2003 : 37 : 429 PMID 12540794）。腫瘍の栄養血管にカテーテルを挿入し，抗悪性腫瘍薬と油性造影剤（リピオドール®）の懸濁液および塞栓物質（ゼラチンスポンジなど）を注入する。抗悪性腫瘍薬を用いることの有効性を示した RCT は報告されていないが，アンスラサイクリンや CDDP などを用いるのが一般的である。

❶ **適応**　肝障害度 A・B（または Child-Pugh A・B）の手術不能でかつ穿刺局所療法の対象とならない多血性肝細胞がん。一方で，肝予備能不良例（Child-Pugh C），門脈本幹に腫瘍栓を有する例，高度の動脈-門脈短絡（A-P シャント）または動脈-静脈短絡（A-V シャント）を有する例は禁忌とされる。

❷ **長所**　多発例も適応となる。繰り返し治療が可能である。

❸ **短所**　肝切除や経皮的治療と比較して局所制御性が低い。

10
肝・胆・膵がん

4) 肝動注化学療法（TAI）★

病変が肝内にとどまるが，肝予備能が悪く TA[C]E が不能な例，高度の門脈腫瘍栓を伴う例などに対して行われる。肝動脈造影後に間欠的に，あるいはあらかじめ留置された動注リザーバーカテーテルを通じて薬剤（CDDP や 5-FU など）を投与する。

5) 全身化学療法 ★★★

手術，局所治療，TA[C]E の適応のない進行例に対して施行される。1 次治療では現在 3 レジメンが使用可能である。2019 年に肝細胞がんでは初めて免疫療法としてアテゾリズマブ＋ベバシズマブ併用療法の有効性が報告され（IMbrave150 試験），2020 年 9 月に本邦にて薬事承認された。同試験ではソラフェニブに対するアテゾリズマブ＋ベバシズマブ併用療法の生存期間における優越性が示されており（OS 中央値：アテゾリズマブ＋ベバシズマブ併用療法 19.2 カ月 vs. ソラフェニブ療法 13.4 カ月），第 1 選択として位置づけられている。その他の 1 次治療薬として，ソラフェニブとレンバチニブがある。ソラフェニブはプラセボと比較した複数の RCT でChild-Pugh A の肝がんに対する生存期間の延長効果が証明されている。また，レンバチニブとソラフェニブを比較する RCT（REFLECT 試験）が報告され，ソラフェニブに対するレンバチニブの生存期間における非劣性が示されている（OS 中央値：レンバチニブ療法 13.6 カ月 vs. ソラフェニブ療法 12.3 カ月）。

ソラフェニブ不応後の 2 次治療では，RCT が複数報告されている。ソラフェニブに忍容性はあるが不応となった症例を対象としたレゴラフェニブとプラセボを比較した RESORCE 試験では，レゴラフェニブによる OS の延長が示された（OS 中央値：10.6 カ月 vs. 7.8 カ月）。また CELESTIAL 試験では，カボザンチニブがプラセボに対する有意な OS の延長を示し（OS 中央値：10.2 カ月 vs. 8.0 カ月），ソラフェニブ不応後 AFP 値が 400 ng/mL 以上の症例を対象とした REACH-2 試験では，ラムシルマブがプラセボに対する有意な OS の延長を示している（OS 中央値：8.5 カ月 vs. 7.3 カ月）。

上記治療においては，Child-Pugh B での安全性，有効性に関する十分なデータは現時点ではないため，実臨床でこのような症例に使用する際には細心の注意が必要である。Child-Pugh C の病態は治療対象とはならない。

肝臓がん 181

❶ 1次治療

◆ アテゾリズマブ＋ベバシズマブ併用療法 ★★★ (NEJM 2020；382：1894 PMID 32402160)

> アテゾリズマブ（テセントリク®）　1回1,200mg　初回60分／2回目以降30分で静注　day1　3週ごと
> BV（アバスチン®）　1回15mg/kg　初回90分／2回目60分／3回目以降30分で静注　day1　3週ごと

◆ ソラフェニブ療法 ★★★ (NEJM 2008；359：378 PMID 18650514)

> ソラフェニブ（ネクサバール®）　1回400mg　1日2回　連日

◆ レンバチニブ療法 ★★★ (Lancet 2018；391：1163 PMID 29433850)

> レンバチニブ（レンビマ®）　体重60kg以上：1回12mg，体重60kg未満：1回8mg　1日1回　連日

❷ 2次治療

◆ レゴラフェニブ療法 ★★★ (Lancet 2017；389：56 PMID 27932229)

> REG（スチバーガ®）　1回160mg　1日1回　day1〜21　4週ごと

◆ カボザンチニブ療法 ★★★ (NEJM 2018；379：54 PMID 29972759)

> カボザンチニブ（カボメティクス®）　1回60mg　1日1回　連日

◆ ラムシルマブ療法 ★★★ (Lancet Oncol 2019；20：282 PMID 30665869)

> RAM（サイラムザ®）　8mg/kg　60分で静注　day1　2週ごと

6) 肝移植 ★★

非代償性肝硬変を伴い，他治療で制御不能な肝がんに対し肝移植が考慮される。術前に評価できる再発予知因子は腫瘍径と腫瘍数，腫瘍マーカーである。拡大適応も多く提唱されているが，現時点では肝移植の適応は Milan 基準が妥当である。

◆ Milan 基準 (NEJM 1996；334：693 PMID 8594428)

> ・腫瘍は単発で5cm以下もしくは3cm，3個以下
> ・血管浸潤を伴わない
> ・遠隔転移を伴わない

7) 放射線療法 ★

門脈腫瘍塞栓例などの局所療法が適応困難な肝細胞がんに対し

て，3次元原体照射や体幹部定位放射線治療，粒子線治療は治療選択肢の1つであるが，RCTなどエビデンスレベルの高い報告はなく標準治療として確立するには至っていない。

2 肝内胆管がん

胆道がんを参照(⇒次頁)。

■ 予後

◆ 肝細胞がんの治療法別の生存率(第21回全国原発性肝癌追跡調査報告)

		1年生存率 (%)	3年生存率 (%)	5年生存率 (%)
肝切除	Child-Pugh A	91.5	77.1	64.9
	Child-Pugh B	81.0	62.9	50.1
	Child-Pugh C	64.2	40.8	40.8
局所療法 (RFA，PEI)	Child-Pugh A	96.9	82.6	64.1
	Child-Pugh B	90.4	62.5	41.7
	Child-Pugh C	72.9	37.4	16.0
TA[C]E	Child-Pugh A	87.2	59.4	38.7
	Child-Pugh B	79.4	38.1	19.1
	Child-Pugh C	55.6	19.8	13.0

◆ 肝内胆管がんの生存率(第21回全国原発性肝癌追跡調査報告)

		1年生存率 (%)	3年生存率 (%)	5年生存率 (%)
肝切除	2 cm 以下	91.0	72.0	61.8
	2 超～5 cm	85.1	60.3	45.4
	5 超～10 cm	70.2	43.0	33.1
	10 cm 超	61.5	38.3	26.8
腫瘍個数	1 個	83.0	59.6	46.6
	2 個	81.4	45.2	36.0
	3 個以上	57.2	26.7	14.5

■ 文献

1) Cho YK, et al : Systematic review of randomized trials for hepatocellular

carcinoma treated with percutaneous ablation therapies. Hepatology 2009；49：453-459 PMID 19065676

2）Llovet JM, et al：Sorafenib in advanced hepatocellular carcinoma. N Engl J Med 2008；359：378-390 PMID 18650514

3）Cheng AL, et al：Efficacy and safety of sorafenib in patients in the Asia-Pacific region with advanced hepatocellular carcinoma：a phase Ⅲ randomized, double-blind, placebo-controlled trial. Lancet Oncol 2009；10：25-34 PMID 19095497

4）Mazzaferro V, et al：Liver transplantation for the treatment of small hepatocellular carcinomas in patients with cirrhosis. N Engl J Med 1996；334：693-699 PMID 8594428

5）Finn RS, et al：Atezolizumab plus Bevacizumab in Unresectable Hepatocellular Carcinoma. N Engl J Med 2020；382：1894-1905 PMID 32402160

【澁木　太郎】

胆道がん　Biliary Tract Cancer

　胆道がんは肝外胆管がん（肝門部領域胆管がん，遠位胆管がん），胆囊がん，十二指腸乳頭部がんの総称である。肝内胆管がんは，UICC 分類と本邦の取扱い規約（第 7 版，2021）では原発性肝がんに分類されるが，内科治療においては胆道がんに含めて扱う。

■ 疫学

1 死亡数（2019 年）/罹患数（2017 年）
- 胆囊・胆管がん：17,924 人/22,664 人

2 発症の危険因子（リスクファクター）
- 胆道がん全体の危険因子として原発性硬化性胆管炎（PSC），膵胆管合流異常，先天性胆管拡張症，化学物質（ジクロロメタン，ジクロロプロパン）などがある
- 肝内胆管がんの危険因子として肝硬変，B 型肝炎，C 型肝炎，非アルコール性脂肪肝炎，糖尿病，飲酒，喫煙，肥満や肝吸虫，肝内結石症などが指摘されている
- 十二指腸乳頭部がんの危険因子として十二指腸乳頭部腺腫は adenoma-carcinoma sequence の存在が疑われ，前がん病変と考えられている。家族性大腸腺腫症（familial adenomatous polyposis：FAP）では十二指腸乳頭部腺腫の合併も多い

■ 診断

1 臨床症状

　切除可能な肝内胆管がんでは無症状なことが多く, 肝, 胆道系の血液生化学的検査異常が契機となり発見されることもある。切除不能肝内胆管がんでは, 腹痛(30〜50%), 倦怠感(50%)などの症状を有する。肝門部および肝外胆管がんでは 90% で無痛性黄疸を初発症状とし, 10% で胆管炎を契機に発見される。そのほか 50% 程度の患者で食欲不振, 体重減少, 疲労などの症状が認められる。胆嚢がんでは 79〜89% で右上腹部痛が, 次いで悪心・嘔吐が 52〜53% に認められる。

2 画像診断

1)腹部超音波

　非侵襲的に簡便に施行できる。胆管拡張の観察が容易で, 閉塞部位を推定することが可能である。

2)腹部造影 CT

　存在診断, 質的診断, 進展度診断に有用である。特に腫瘍の血管浸潤診断は治療方針の決定のうえで重要である。

3)MRI(MRCP を含む)

　MRI(MRCP)は胆道の閉塞部位や病変の局在の評価に有用である。また Gd-EOB-DPTA 造影 MRI では肝内胆管がんや肝転移の診断に有用である。

4)PET-CT

　感度 95% 以上であるが, 特異度は低い。遠隔転移やリンパ節転移, 術後再発の診断には有用であるが, 鑑別診断には有用とはいえない。

5)超音波内視鏡検査(EUS)など

　EUS は質的診断・粘膜下進展や血管浸潤の判定に有用である。ERCP や IDUS も進展度診断に有用である。

3 検体検査, ほか

1)腫瘍マーカー

　特異的なものはなく, 感度, 特異度ともに不十分ではあるが CEA, CA19-9 が頻用される。

2)遺伝子検査など

　FGFR2 融合遺伝子が主に肝内胆管がんの約 7〜14% に陽性と報告されており, 陽性例にはペミガチニブが使用可能である。

胆道がん | 185

4 病理診断

胆汁細胞診，擦過（ブラシ）細胞診（ERCP，PTC 下），超音波内視鏡下穿刺吸引細胞診（EUS-FNAB），胆道鏡下生検などで検体は採取可能である。胆道がんで最も頻度が高いのは各臓器共通して腺癌であり，その他の組織型として粘液癌，腺扁平上皮癌，扁平上皮癌などがある。

■ Staging

◆ UICC-TNM 分類（第8版，2017）

T-原発腫瘍

（共通）
TX	原発腫瘍の評価が不可能
T0	原発腫瘍を認めない
Tis	上皮内癌

（胆囊）
T1	粘膜固有層または筋層に浸潤する腫瘍
T1a	粘膜固有層に浸潤する腫瘍
T1b	筋層に浸潤する腫瘍
T2	筋層周囲の結合組織に浸潤するが，漿膜を越えた進展や肝臓への進展のない腫瘍
T2a	腹腔側の筋層周囲の結合組織に浸潤するが，漿膜への進展のない腫瘍
T2b	肝臓側の筋層周囲の結合組織に浸潤するが，肝臓への進展のない腫瘍
T3	漿膜（臓側腹膜）を貫通する腫瘍，および/または肝臓，および/または他の1つの隣接臓器もしくは構造（胃，十二指腸，結腸，膵臓，大網，肝外胆管）に直接浸潤する腫瘍
T4	門脈本幹もしくは肝動脈に浸潤する腫瘍，または肝臓以外の2つ以上の肝外臓器もしくは構造に浸潤する腫瘍

（肝門部胆管）
T1	胆管に限局するが，筋層または線維組織まで進展する腫瘍
T2a	胆管壁を越えて周囲脂肪組織に浸潤する腫瘍
T2b	隣接肝実質に浸潤する腫瘍
T3	門脈または肝動脈の片側の分枝に浸潤する腫瘍
T4	門脈本幹もしくは門脈の両側分枝，または総肝動脈，または片側胆管二次分枝と対側の門脈もしくは肝動脈に浸潤する腫瘍

（遠位肝外胆管）
T1	胆管壁に深さ5 mm 未満で浸潤する腫瘍
T2	胆管壁に深さ5〜12 mm までの間で浸潤する腫瘍
T3	胆管壁に深さ12 mm を超えて浸潤する腫瘍

10
肝・胆・膵がん

T4 腹腔動脈，上腸間膜動脈，および/または総肝動脈に浸潤する腫瘍
（Vater 膨大部）

T1a Vater 膨大部または Oddi 括約筋に限局する腫瘍

T1b Oddi 括約筋を越えて浸潤する（括約筋周囲に浸潤する），および/
または十二指腸粘膜下層内に浸潤する腫瘍

T2 十二指腸の固有筋層に浸潤する腫瘍

T3 膵臓または膵臓周囲組織に浸潤する腫瘍

　T3a 膵臓に 0.5 cm 以下で浸潤する腫瘍

　T3b 膵臓に 0.5 cm を超えて浸潤する腫瘍，または膵臓周囲組織もし
くは十二指腸漿膜に進展するが，腹腔動脈もしくは上腸間膜動
脈への浸潤を伴わない腫瘍

T4 上腸間膜動脈または腹腔動脈または総肝動脈への浸潤を伴う腫瘍

N–領域リンパ節

NX 領域リンパ節転移の評価が不可能

N0 領域リンパ節転移なし

N1 1〜3 個の領域リンパ節転移

N2 4 個以上の領域リンパ節転移

M–遠隔転移

M0 遠隔転移なし

M1 遠隔転移あり

（胆嚢）

Stage 0	Tis	N0	M0
Stage I A	T1a	N0	M0
Stage I B	T1b	N0	M0
Stage II A	T2a	N0	M0
Stage II B	T2b	N0	M0
Stage III A	T3	N0	M0
Stage III B	T1〜3	N1	M0
Stage IV A	T4	N0, 1	M0
Stage IV B	any T	N2	M0
	any T	any N	M1

（肝門部胆管）

Stage 0	Tis	N0	M0
Stage I	T1	N0	M0
Stage II	T2a, 2b	N0	M0
Stage III A	T3	N0	M0
Stage III B	T4	N0	M0
Stage III C	any T	N1	M0
Stage IV A	any T	N2	M0
Stage IV B	any T	any N	M1

胆道がん　187

（遠位肝外胆管）			
Stage 0	Tis	N0	M0
Stage I	T1	N0	M0
Stage IIA	T1	N1	M0
	T2	N0	M0
Stage IIB	T2	N1	M0
	T3	N0, 1	M0
Stage IIIA	T1〜3	N2	M0
Stage IIIB	T4	any N	M0
Stage IV	any T	any N	M1

（Vater 膨大部）			
Stage 0	Tis	N0	M0
Stage IA	T1a	N0	M0
Stage IB	T1b, 2	N0	M0
Stage IIA	T3a	N0	M0
Stage IIB	T3b	N0	M0
Stage IIIA	T1a〜3	N1	M0
Stage IIIB	any T	N2	M0
	T4	any N	M0
Stage IV	any T	any N	M1

■ 治療

1 外科切除

　胆道がんにおける根治療法は外科切除のみである。しかし，発見された時点で進行している例が多い。遠隔転移を認めず，主要血管（総肝動脈，固有肝動脈など）への浸潤のない症例が適応となり，腫瘍の局在に応じた切除術が行われる。

2 化学療法

1）周術期化学療法

　現時点では術前化学療法の有用性を示すエビデンスはない。

　術後化学療法について，胆道がん術後カペシタビン（Cape）内服と経過観察を比較した第III相試験（BILCAP 試験：Lancet Oncol 2019；20：663 PMID 30922733）では，primary endpoint である生存期間の ITT 解析では有意差がみられなかった（adjusted HR 0.81，95％CI 0.63〜1.04，p＝0.097）が，per-protocol 解析では遠隔転移出現例や手術が行われなかった症例など Cape 群 14 例，経過観察群 4 例が除外され，HR 0.75（95％CI 0.58〜0.97，p＝0.028）で有意に Cape 群が良好であった。これをもとに欧米では術後 Cape 療法が標準治療となっているが，本邦では Cape が胆道がんに対して保険適用されていない。本邦では術後 S-1 と手術単独を比較する第III相試験（JCOG1202 試験）が実施され，その結果，術後 S-1 群で OS は有意に良好であった（HR 0.694，95％CI 0.514〜0.935，片側 p＝0.008）（2022 ASCO Gastrointestinal Cancers Symposium Abstract #382）。

2）切除不能・再発例

❶ 1 次化学療法　切除不能胆道がんに対して GEM 療法と GEM＋CDDP （GC）療法を比較した第III相試験（ABC-02 試験：NEJM 2010；

362：1273 PMID 20375404)で，MST は GEM 群 8.1 カ月，GC 群 11.7 カ月で GC 療法の優越性が示され(HR 0.64，95％CI 0.52〜0.80)，国際的な標準治療レジメンとなった。また本邦で行われた GC 療法と GEM＋S-1(GS)療法を比較した第Ⅲ相試験(JCOG1113：Ann Oncol 2019；30：1950 PMID 31566666)の結果では，MST は GC 群 13.4 カ月，GS 群 15.1 カ月であり(HR 0.945，90％CI 0.777〜1.149)，GC 療法に対する GS 療法の非劣性が示された。GEM＋CDDP＋S-1(GCS)療法と GC 療法を比較した第Ⅲ相試験(KHBO1401 試験)の結果では，MST は GC 群 12.6 カ月，GCS 群 13.5 カ月であり(HR 0.791，90％CI 0.628〜0.996)，GC 療法に対する GCS 療法の優越性が示された。

　以上より，1 次化学療法では毒性プロファイルと延命効果から GCS 療法，GC 療法，GS 療法が使い分けられている。

◆ GEM＋CDDP(GC)療法 ★★★ (NEJM 2010；362：1273 PMID 20375404)

GEM	1,000 mg/m²	30 分で静注	day 1, 8
CDDP	25 mg/m²	60 分で静注	day 1, 8
3 週ごと			

◆ GEM＋S-1 療法 ★★★ (Ann Oncol 2019；30：1950 PMID 31566666)

GEM	1,000 mg/m²　30 分で静注　day 1, 8	
S-1	体表面積：1.25 m² 未満	30 mg
	1.25 m² 以上 1.5 m² 未満	40 mg
	1.5 m² 以上	50 mg
	1 日 2 回(1 日 60/80/100 mg を 2 回に分服)　day 1〜14	
3 週ごと		

◆ GEM＋CDDP＋S-1 療法 ★★★ (ESMO 2018 Congress，615O)

GEM	1,000 mg/m²　30 分で静注　day 1	
CDDP	25 mg/m²　60 分で静注　day 1	
S-1	体表面積：1.25 m² 未満	40 mg
	1.25 m² 以上 1.5 m² 未満	50 mg
	1.5 m² 以上	60 mg
	1 日 2 回(1 日 80/100/120 mg を 2 回に分服)　day 1〜7	
2 週ごと		

　進行胆道がんの 1 次化学療法における GEM＋CDDP 療法と GEM＋CDDP＋デュルバルマブ(抗 PD-L1 阻害薬)併用療法を比較した TOPAZ-1 試験では，GEM＋CDDP＋デュルバルマブ

胆道がん　**189**

群で OS は有意に良好であり（HR 0.80，95％CI 0.64〜0.97，$p=0.021$），今後標準治療となりうる（本邦では保険適用外）（2022 ASCO Gastrointestinal Cancers Symposium Abstract #378）。

❷ **2 次化学療法以降**　2 次化学療法のエビデンスは乏しいが，本邦の日常診療では GC 療法後に S-1 が使用される機会が多い。

◆ **S-1 療法** ★★（Cancer Chemother Pharmacol 2013；71：1141 **PMID** 23525694）

S-1　体表面積：1.25 m^2 未満	40 mg
1.25 m^2 以上 1.5 m^2 未満	50 mg
1.5 m^2 以上	60 mg
1 日 2 回（1 日 80/100/120 mg を 2 回に分服）　day 1〜28　6 週ごと	

胆道がんのなかでも特に肝内胆管がんの約 7〜14％ で FGFR2 融合遺伝子や遺伝子再構成が認められると報告されている。化学療法後に増悪した FGFR2 融合遺伝子/遺伝子再構成陽性の切除不能胆道がんに対する FGFR 阻害薬ペミガチニブの安全性・有効性を評価した非盲検多施設共同国際共同第 II 相試験（FIGHT-202 試験：Lancet Oncol 2020；21：671 **PMID** 32203698）の結果，奏効率は 35.5％（95％CI 26.5〜45.4）であり，本邦でも承認された。

◆ **ペミガチニブ療法** ★★（Lancet Oncol 2020；21：671 **PMID** 32203698）

ペミガチニブ（ペマジール®）　1 回 13.5 mg　1 日 1 回内服　day 1〜14　3 週ごと

適応：化学療法後に増悪した FGFR2 融合遺伝子陽性例。

- IDH1 遺伝子変異を有する化学療法治療歴のある進行胆道がんにおける ivosidenib とプラセボを比較した第 III 相試験である Clar-IDHy 試験（Lancet Oncol 2020；21：796 **PMID** 32416072）にて PFS 中央値 2.7（95％CI 1.6〜4.2）vs. 1.4（1.4〜1.6）カ月で ivosidenib の優越性が示され，FDA で承認された（2022 年 5 月現在，本邦未承認）
- GC 療法後に増悪した進行胆道がんを対象とした active symptom control（ASC）と ASC＋modified FOLFOX〔5-FU＋*l*-LV（or LV）＋L-OHP〕を比較した ABC-06 試験（Lancet Oncol 2021；22：690 **PMID** 33798493）にて OS 中央値は ASC 群 5.3 カ月 vs. ASC＋FOLFOX 群 6.2 カ月と ASC＋modified FOLFOX 群で有意に良好な結果（HR 0.69，95％CI 0.50〜0.97，$p=0.031$）であった（本邦では保険適用外）

❸ その他

放射線療法：胆管がんに対しては，有用性についてエビデンスレベルの高い報告はない。

■ 予後

◆5年生存率(%)(2008〜2013年)(J Hepatobiliary Pancreat Sci 2016；23：149 PMID 26699688)

肝外胆管がん(肝門部)	24.2
肝外胆管がん(遠位)	39.1
胆嚢がん	39.8
乳頭部がん	61.3

◆病期別の5年生存率(%)(J Hepatobiliary Pancreat Sci 2016；23：149 PMID 26699688，Stage は胆道癌取扱い規約 第6版，2013)

肝外胆管がん(肝門部)	Stage I	73.6	Stage II	35.4	Stage IIIA	21.6
	Stage IIIB	19.1	Stage IVA	15.9	Stage IVB	8.0
肝外胆管がん(遠位)	Stage IA	78.1	Stage IB	56.5	Stage IIA	38.9
	Stage IIB	21.2	Stage III	2.6	Stage IVB	6.3
胆嚢がん	Stage I	91.1	Stage II	70.9	Stage IIIA	30.4
	Stage IIIB	29.7	Stage IVA	7.3	Stage IVB	4.1
乳頭部がん	Stage IA	92.2	Stage IB	74.7	Stage IIA	47.8
	Stage IIB	31.3	Stage IV	11.7		

■ 文献

1) 日本肝胆膵外科学会 胆道癌診療ガイドライン作成委員会(編)：胆道癌診療ガイドライン 改訂第3版．医学図書出版，2019
2) Valle J, et al：Cisplatin plus gemcitabine versus gemcitabine for biliary tract cancer. N Engl J Med 2010；362：1273-1281 PMID 20375404
3) Morizane C, et al：Combination gemcitabine plus S-1 versus gemcitabine plus cisplatin for advanced/recurrent biliary tract cancer：the FUGA-BT(JCOG1113) randomized phase III clinical trial. Ann Oncol 2019；30：1950-1958 PMID 31566666
4) Sakai D, et al：Randomized phase III study of Gemcitabine, Cisplatin plus S-1(GCS) versus Gemcitabine, Cisplatin (GC) for Advanced Biliary Tract Cancer(KHBO 1401-MITSUBA). Ann Oncol 2018；29(supple_8)：viii205-viii270
5) Abou-Alfa GK, et al：Pemigatinib for previously treated, locally advanced or metastatic cholangiocarcinoma：a multicentre, open-label, phase 2 study. Lancet Oncol 2020；21：671-684 PMID 32203698

【岡田 真央】

膵がん Pancreatic Cancer

膵がんは予後不良な難治がんである。約 80% の患者が診断時にすでに切除不能な状態で発見され，また切除例も高率に再発する。

■ 疫学

1 死亡数（2019 年）/罹患数（2017 年）

• 36,356 人/40,981 人

膵がんの死亡数は年々上昇傾向にあり，悪性新生物による死因としては，肺，大腸，胃に次いで第 4 位である（男性 4 位，女性 3 位）。患者の平均年齢は男女ともに 65 歳前後で，男女比は 1：1 である。

2 発症の危険因子（リスクファクター）

• 家族歴・遺伝：膵がん（家族性，散発性），遺伝性膵がん症候群〔家族性大腸腺腫ポリポーシス，遺伝性乳がん卵巣がん症候群（HBOC），家族性異型多発母斑黒色腫（FAMMM）症候群，遺伝性膵炎，Peutz-Jeghers 症候群，Lynch 症候群など〕
• 膵がんの累積リスクは，Peutz-Jeghers 症候群，FAMMM の原因遺伝子である STK11 と CDKN2A が 10～30% と高い。また HBOC の原因遺伝子の 1 つである BRCA1/2 変異は膵がん患者の約 5% と最も高頻度にみられるが，累積リスクは 5～10% である
• 合併疾患：糖尿病，肥満，慢性膵炎，膵管内乳頭粘液性腫瘍
• 嗜好：喫煙，大量飲酒

■ 診断

1 検診（スクリーニング）方法と意義

確立したスクリーニング法は存在しない。

2 臨床症状

腹痛が最も多く，次いで黄疸，体重減少，腰背部痛などがみられる。また，糖尿病新規発症や悪化は膵がんの合併を疑う。

3 画像診断

1）腹部超音波（US）

感度 69～82%，特異度 51～89%。

簡便で非侵襲的な検査としてスクリーニングに有用であるが，膵尾部や膵鉤部が検出困難であり腫瘍検出率は低い。

2) CT

感度 86〜94%，特異度 76〜91%。

質的診断には dynamic CT の撮像が必要である。また造影 multidetector row CT(MD-CT)は存在診断のみならず血管浸潤などの進展度診断にも有用である。

US，CT で診断が困難な場合，MRI(MRCP)，内視鏡的逆行性胆管膵管造影(ERCP)，超音波内視鏡(EUS)，FDG-PET も参考となる。

4 検体検査(腫瘍マーカー)

• CA19-9：感度 70〜80%

フォローアップや診断時に補助的に使用されるが，早期検出には有用でなく，進行例を除くと陽性率は低くなる。他に DUPAN-2，SPan-1，CEA なども用いられる。

5 病理学的診断

原発巣に対する超音波内視鏡下穿刺吸引細胞診・組織診(EUS-FNA)，ERCP 下膵液・胆汁細胞診，ERCP 下膵管・胆管擦過細胞診のほか，腹水・胸水細胞診や肝転移などの転移巣生検によって行われる。

■ 病理組織分類

膵がんの約 80% が浸潤性膵管がんであり，浸潤性膵管がんの約 90% が腺癌である。

---

1. 外分泌腫瘍
   1)漿液性嚢胞腫瘍
   2)粘液性嚢胞腫瘍
   3)膵管内腫瘍
   4)浸潤性膵管癌(腺癌，腺扁平上皮癌，粘液癌，退形成癌)
   5)腺房細胞腫瘍
2. 神経内分泌腫瘍
3. 混合腫瘍
4. 分化方向の不明な上皮性腫瘍
5. 分類不能
6. その他

(膵癌取扱い規約 第 7 版増補版，2020 より抜粋)

膵がん　193

■ Staging

◆ UICC-TNM 分類（第8版, 2017）

T-原発腫瘍
- TX　原発腫瘍の評価が不可能
- T0　原発腫瘍を認めない
- Tis　上皮内癌
- T1　最大径≦2 cm
  - T1a　最大径≦0.5 cm
  - T1b　0.5 cm＜最大径≦1 cm
  - T1c　1 cm＜最大径≦2 cm
- T2　2 cm＜最大径≦4 cm
- T3　4 cm＜最大径
- T4　腹腔動脈幹または上腸間膜動脈または総肝動脈に浸潤する

N-所属リンパ節
- NX　所属リンパ節転移の評価が不可能
- N0　所属リンパ節転移なし
- N1　所属リンパ節転移1〜3個
- N2　所属リンパ節転移4個以上

M-遠隔転移
- M0　遠隔転移なし
- M1　遠隔転移あり

◆ Stage 分類

Stage 0	Tis	N0	M0
Stage ⅠA	T1	N0	M0
Stage ⅠB	T2	N0	M0
Stage ⅡA	T3	N0	M0
Stage ⅡB	T1〜3	N1	M0
Stage Ⅲ	T1〜3	N2	M0
	T4	any N	M0
Stage Ⅳ	any T	any N	M1

■ 治療

　浸潤性膵管がんに対する Stage 別の治療は以下の通りである。臨床的に切除可能，切除可能境界，切除不能（局所進行例，遠隔転移例）に分類して治療方針を決定する。

1 切除可能膵がん（Stage0〜ⅡB，一部の Stage Ⅲ）

　門脈・上腸間膜静脈高度浸潤例などを除くほとんどの症例で外科

切除が施行される。また周術期の化学療法の有用性が示されている。

1)手術療法 ★★★ (Ann Surg Oncol 2011；18：1821 PMID 21544657)

腫瘍の局在により膵頭十二指腸切除術(PD)，幽門輪温存膵頭十二指腸切除術(PPPD)，亜全胃温存膵頭十二指腸切除術(SSPPD)，膵体尾部切除術(DP)，膵全摘術(TP)を行う。

2)術後化学療法

GEM の術後投与が手術単独に対して無再発生存期間(RFS)，生存期間(OS)を延長させることが示された。その後，本邦では GEM に対して S-1 の RFS，OS における優越性が示され，術後の S-1 が標準療法である(MST：S-1 投与群 46.5 カ月 vs. GEM 投与群 25.5 カ月，HR 0.57，$p<0.001$)。一方，海外では GEM＋カペシタビンの GEM に対する OS の優越性が示されている(MST：GEM＋CAP 28.0 カ月 vs. GEM 25.5 カ月，HR 0.82，$p=0.032$)。また modified FOLFIRINOX の GEM に対する OS の優越性も示され (MST：modified FOLFIRINOX 54.4 カ月 vs. GEM 35.0 カ月，HR 0.64，$p=0.003$)，いずれも海外では標準治療となっているが，術後治療として本邦における保険適用はない。GEM による術後補助療法は，S-1 による補助療法の忍容性がない場合のオプションとして検討される。

▶ 術後化学療法

◆ GEM 療法 ★★★ (JAMA 2013；310：1473 PMID 24104372)

GEM 1,000 mg/m^2 30 分で点滴静注 day 1, 8, 15 4 週ごと 6 サイクル

◆ S-1 療法 ★★★ (Lancet 2016；388：248 PMID 27265347)

S-1 体表面積：1.25 m^2 未満 40 mg
1.25 m^2 以上 1.5 m^2 未満 50 mg
1.5 m^2 以上 60 mg
1 日 2 回(1 日 80/100/120 mg を 2 回に分服) day 1〜28 6 週ごと 4 サイクル

3)術前化学療法

手術＋術後 S-1 療法に加えて，術前に GEM＋S-1 併用療法(GS療法)を行う有用性を検証する RCT(Prep-02/JSAP-05 試験)が行われた。その結果 OS の延長が示されたため，術前 GS 療法を行うことが提案される(MST：術前療法群 36.7 カ月 vs. 標準治療群 26.6 カ月，HR 0.72，$p=0.015$，2 年生存率：術前療法群 63.7％ vs. 標準治療

群 52.5%）。

▶ 術前化学療法

◆ GEM＋S-1 療法 ★★★ 〔JCO 2019；37（4_suppl）：189〕

GEM　1,000 mg/m² 　30 分で静注　day 1, 8
S-1　体表面積：1.25 m² 未満　　　　　　　40 mg
　　　　　　　1.25 m² 以上 1.5 m² 未満　50 mg
　　　　　　　1.5 m² 以上　　　　　　　　60 mg
　1 日 2 回（1 日 80/100/120 mg を 2 回に分服）　day 1〜14
　3 週ごと　2 サイクル

2 切除可能境界膵がん（Stage Ⅰ〜Ⅲの一部）

切除可能境界膵がんとは，上腸間膜静脈や門脈に 180° 以上または上腸間膜動脈や腹腔動脈に 180° 未満の浸潤があるなど，外科切除を行っても高率にがんが遺残し，切除による生存期間延長効果を得られないものと考えられている。術前治療を含めたさまざまな治療開発が行われている。術前治療を行うべきであると示されているが，定まった治療法はない。

3 局所進行膵がん（Stage Ⅲ）

遠隔転移は伴わないが主要血管への浸潤を認め，一部の例外を除き切除不能である。局所進行膵がんを対象にこれまで放射線療法単独，化学放射線療法，化学療法単独，全身化学療法先行化学放射線療法に関する複数の比較試験が報告され，現時点では化学放射線療法（フッ化ピリミジン系または GEM 併用），または化学療法単独（Stage Ⅳの化学療法参照）が標準療法の選択肢となる。

4 遠隔転移を有する膵がん（Stage Ⅳ）

全身状態の良好な患者に対しては，生存期間の延長・症状緩和を目的とした全身化学療法が勧められる。

1）1 次化学療法

GEM 療法と 5-FU 療法を比較した RCT で GEM 療法の有用性が示され，標準療法となった（MST：GEM 療法 5.65 カ月 vs. 5-FU 療法 4.41 カ月，$p = 0.0025$）。その後，GEM 療法に対する GEM＋エルロチニブ療法の生存期間における優越性が示されたが，生存期間の改善度はそれほど大きくなく，副作用や費用対効果の面から臨床的有用性は低いと評価されている。

そのほか GEM との併用療法では，GEM＋nab-PTX 療法と GEM の RCT（MPACT 試験）の結果から，GEM＋nab-PTX 療法の優越性が示された（MST：GEM 療法 6.7 カ月 vs. GEM＋nab-PTX 療法

8.5 カ月，$p<0.001$）。

一方，GEM＋S-1 療法，S-1 療法，GEM 療法の RCT（GEST 試験）の結果，GEM 療法に対する S-1 療法の非劣性が証明されたが，GEM＋S-1 療法の優越性は証明されなかった（MST：GEM 療法 8.8 カ月 vs. S-1 療法 9.7 カ月 vs. GEM＋S-1 療法 10.1 カ月）。

また，FOLFIRINOX 療法（5-FU/LV＋CPT-11＋L-OHP）と GEM 療法の RCT（ACCORD11 試験）の結果，FOLFIRINOX 療法の生存期間における優越性が示された（MST：FOLFIRINOX 療法 11.1 カ月 vs. GEM 療法 6.8 カ月，$p<0.001$）。ただし，国内治験における FOLFIRINOX 療法の毒性が高頻度〔発熱性好中球減少症（FN）が 22.2％〕であったことから，国内第Ⅱ相試験の結果をもとに，CPT-11 の初回投与量を減量し 5-FU ボーラスを削除した modified FOLFIRINOX 療法も頻用されている。

以上より，切除不能進行膵がんの標準療法としてエビデンスがある治療は，GEM 療法に加えて，GEM 療法に対する非劣性が示された S-1 療法と，優越性が証明された GEM＋エルロチニブ療法，GEM＋nab-PTX 療法，FOLFIRINOX 療法（modified FOLFIRINOX 療法）となる。これらのうち，全身状態が良好な患者では FOLFIRINOX 療法（modified FOLFIRINOX 療法）または GEM＋nab-PTX 療法が推奨され，患者の状態によって上記 2 つの治療が適さない場合に残りの治療が推奨される。

◆ **GEM 療法 ★★★** (JCO 1997；15：2403 PMID 9196156)

GEM　1,000 mg/m²　30 分で点滴静注　day 1, 8, 15　4 週ごと

◆ **GEM＋エルロチニブ療法 ★★★** (JCO 2007；25：1960 PMID 17452677)

GEM　1,000 mg/m²　30 分で点滴静注　day 1, 8, 15 エルロチニブ　1 回 100 mg　1 日 1 回　day 1〜28 4 週ごと

◆ **S-1 療法 ★★★** (JCO 2013；31：1640 PMID 23547081)

S-1　体表面積：1.25 m² 未満　　　　　　　　40 mg 　　　　　　　1.25 m² 以上 1.5 m² 未満　　50 mg 　　　　　　　1.5 m² 以上　　　　　　　　　60 mg 1 日 2 回（1 日 80/100/120 mg を 2 回に分服）　day 1〜28　6 週ごと

膵がん | 197

◆ FOLFIRINOX 療法 ★★★（NEJM 2011；364：1817 PMID 21561347）

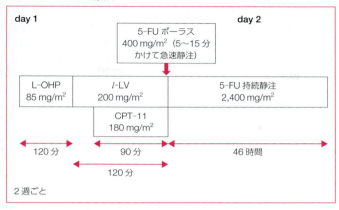

◆ modified FOLFIRINOX 療法 ★★（Cancer Chemother Pharmacol 2018；81：1017 PMID 29633005）

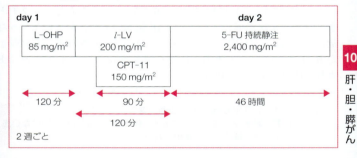

◆ GEM＋nab-PTX 療法 ★★★（NEJM 2013；369：1691 PMID 24131140）

GEM	1,000 mg/m²	30分で点滴静注	day 1, 8, 15
nab-PTX	125 mg/m²	30分で点滴静注	day 1, 8, 15
4週ごと			

2) 2次化学療法以降

1次治療後も全身状態良好な症例には，2次治療の施行が考慮される。2次化学療法のレジメンは1次治療で使用したレジメンに応じて，GEMベースかフッ化ピリミジンベースのレジメンを選択する。近年GEMベース後の2次治療として，nanoliposomal irinotecan(nal-IRI)＋5-FU＋LV療法の5-FU＋LV療法に対するOSの優越性が証明された。また臓器横断的に、化学療法後に増悪したMSI-High固形がんにペムブロリズマブが、NTRK融合遺伝子陽性の固形がんにエヌトレクチニブとラロトレクチニブが保険適用となっている。MSI-Highの膵がんは約1〜2％、NTRK融合遺伝子陽性の膵がんは1％未満と対象集団は少数であるが、投与が提案される。

◆ **nal-IRI＋5-FU＋LV療法** ★★★ (Lancet 2016；387：545 PMID 26615328)

3) 生殖細胞系列BRCA遺伝子変異陽性例

生殖細胞系列にBRCA1またはBRCA2の変異を有し、プラチナ製剤を含む1次治療に少なくとも16週間病勢進行を認めなかった症例を対象に、PARP阻害薬であるオラパリブとプラセボを比較したRCT(POLO試験)が行われ、PFSの延長を認めた(7.4カ月 vs. 3.8カ月、HR 0.53、$p=0.004$)。

◆ **オラパリブ** ★★★ (NEJM 2019；381：317 PMID 31157963)

オラパリブ　1回300 mg　1日2回　毎日
白金系抗悪性腫瘍薬を含む化学療法で、疾患進行が認められていない患者に対する維持療法として使用される

膵がん | 199

■ 予後

◆膵がん登録症例における進行度（Stage）別にみた生存率（膵癌取扱い規約 第7版増補版, 2020）

Stage	MST（カ月）	1年生存率（%）	2年生存率（%）	3年生存率（%）	5年生存率（%）
ⅠA	69.4	95.9	79.1	67.1	54.1
ⅠB	36.1	84.7	63.3	50.0	36.2
ⅡA	29.4	79.3	56.0	45.3	29.9
ⅡB	19.2	68.6	39.2	23.4	11.8
Ⅲ	18.1	68.4	36.9	20.4	10.7
Ⅳ	12.7	51.5	24.2	12.2	6.5

■文献

1) Golan T, et al：Maintenance olaparib for germline BRCA-mutated metastatic pancreatic cancer. N Engl J Med 2019；381：317-327 PMID 31157963

2) Ozaka M, et al：A phase Ⅱ study of modified FOLFIRINOX for chemotherapy-naïve patients with metastatic pancreatic cancer. Cancer Chemother Pharmacol 2018；81：1017-1023 PMID 29633005

3) Conroy T, et al：FOLFIRINOX versus gemcitabine for metastatic pancreatic cancer. N Engl J Med 2011；364：1817-1825 PMID 21561347

4) Wang-Gillam A, et al：Nanoliposomal irinotecan with fluorouracil and folinic acid in metastatic pancreatic cancer after previous gemcitabine-based therapy（NAPOLI-1）：a global, randomised, open-label, phase 3 trial. Lancet 2016；387：545-557 PMID 26615328

5) Uesaka K, et al：Adjuvant chemotherapy of S-1 versus gemcitabine for resected pancreatic cancer：a phase 3, open-label, randomised, non-inferiority trial（JASPAC 01）. Lancet 2016；388：248-257 PMID 27265347

【池田　剛】

11 神経内分泌腫瘍・消化管間質腫瘍

神経内分泌腫瘍 Neuroendocrine Neoplasm：NEN

神経内分泌腫瘍は神経内分泌細胞から発生する腫瘍で，その多くは膵臓と消化管から発生する。WHO 分類では分化度や形態像に基づき NEN を神経内分泌腫瘍（neuroendocrine tumor：NET），神経内分泌がん（neuroendocrine carcinoma：NEC）に分類している。

■ 疫学

1 罹患数

神経内分泌腫瘍（NEN）は希少がんであり，2016 年の全国調査では，膵・消化管 NEN の罹患率は 10 万人あたり 3.53 人で，罹患数は 6,735 人であった。うち膵 NEN は罹患率が 10 万人あたり 0.70 人，罹患数が 1,336 人で，消化管 NEN は罹患率が 10 万人あたり 2.84 人，罹患数が 5,399 人であった。本邦では直腸など後腸原発の頻度が最も高く，欧米では中腸原発の頻度が最も高い。

2 発症の危険因子（リスクファクター）

家族性腫瘍症候群である多発性内分泌腫瘍症 1 型（MEN1）の約 60％，von Hippel-Lindau 病の約 8〜17％ に膵・消化管 NET を合併する。

■ 診断

1 臨床症状

膵 NET の約半数，消化管 NET の約 3％ が内分泌症状を呈する機能性 NET と報告されている。機能性 NET の場合，産生するホルモンに応じて症状が出現する（インスリノーマ：低血糖，ガストリノーマ：消化性潰瘍，グルカゴノーマ：遊走性壊死性紅斑，耐糖能障害，VIP オーマ：下痢，セロトニン産生腫瘍：下痢，皮膚潮紅，喘鳴，心不全，ペラグラ症状）。非機能性 NET の場合は特異的な症状はなく，病変の部位によって黄疸や膵炎，腹部膨満感，腹痛，イレウスなどをきたすことがある。

神経内分泌腫瘍 | 201

2 画像診断

超音波検査やCT，MRIのほか，消化管内視鏡や超音波内視鏡を原発部位に応じて実施する。NETではソマトスタチン受容体を発現していることが多く，ソマトスタチン受容体シンチグラフィ（SRS）や機能性NETの局在診断に選択的動脈内刺激薬注入法（SASIテスト）が用いられる。NECであればFDG-PETも有用である。

3 検体検査

血中NSEやProGRP（NEC），クロモグラニンA（非機能性NET，保険未収載）が再発の発見や化学療法の治療効果判定の一助になる。また機能性腫瘍の場合は各種ホルモン値〔ガストリン，グルカゴン，VIP，セロトニン，ソマトスタチン，インスリノーマの場合はWhippleの3徴，インスリン（低血糖時），Cペプチドなど〕，MEN1の場合は電解質（カルシウム濃度やインタクトPTH）も診断に有用となる。

■ 病理分類

WHO分類(2019)に基づき，NENは高分化なNET G1（Ki-67 index<3%），G2（3〜20%），G3（>20%）と低分化なNEC（小細胞型，大細胞型），MiNEN（mixed neuroendocrine-non-neuroendocrine neoplasm）に分類される。MiNENはNET，NEC成分と腺癌などのnon-neuroendocrine成分を含む多彩な病態を呈する腫瘍の総称であり，WHO分類(2010)でMANEC（mixed adeno-neuroendocrine carcinoma）とよばれた腫瘍も含まれる。

◆ WHO分類(第5版, 2019)

	differentiation	Grade	Mitotic rate (mitoses/2 mm²)	Ki-67 index (%)
NET G1	Well differentiated	Low	<20	<3
NET G2		Intermediate	2〜20	3〜20
NET G3		High	>20	>20
NEC (小細胞型)	Poorly differentiated	High	>20	>20
NEC (大細胞型)			>20	>20
MiNEN	Well or poorly differentiated	Variable	Variable	Variable

11 神経内分泌腫瘍・消化管間質腫瘍

■ 予後因子

細胞増殖能と病期分類が重要である。NET では機能性，中腸（十二指腸後半〜大腸前半）原発は予後良好因子であり，後腸（大腸後半）・前腸（食道〜十二指腸前半）原発は予後不良因子と報告されている。また肝転移や非機能性 NET では腫瘍サイズが予後と関連する。NEC に関する確立された予後因子の報告はない。

■ 治療

1 切除可能症例

切除可能な NEN に対しては腫瘍の局在に見合う切除術が基本となる。また肝転移に対しても切除可能な場合は切除，あるいはラジオ波焼灼術や肝動脈化学塞栓術なども選択される。機能性の場合には症状緩和目的に減量手術が行われる。なお，これまでに術前または術後化学療法を検討したランダム化比較試験（RCT）は報告されていない。特に NEC においては，エビデンスは乏しいが，悪性度から小細胞肺がんに準じてプラチナベースの術後化学療法が推奨されている。

2 切除不能症例（NET）

切除不能 NET の治療は薬物療法であり，本邦においてはソマトスタチンアナログ，分子標的薬，細胞障害性抗がん薬が使用可能である。薬剤の使用順序に関する明確なエビデンスは乏しい。

1）ソマトスタチンアナログ

ソマトスタチンアナログは内分泌症状の緩和に加え，腫瘍増殖抑制効果も示されている。本邦で使用可能なソマトスタチンアナログはランレオチドとオクトレオチドであり，機能性腫瘍の場合には両薬剤とも原発部位を問わず使用可能である。非機能性腫瘍の場合，ランレオチドは原発部位を問わず使用可能だが，オクトレオチドは消化管原発例のみに使用可能である。

◆ ランレオチド ★★★（CLARINET 試験：消化管・膵原発 NET：NEJM 2014：371：224 PMID 25014687）

ランレオチド 120 mg/body 皮下注 day 1 4週ごと

神経内分泌腫瘍 | 203

◆ **オクトレオチド LAR ★★★**（PROMID 試験：中腸原発 NET：JCO 2009；27：4656 PMID 19704057）

> オクトレオチド LAR（サンドスタチン® LAR®）　30 mg/body　筋注
> day 1　4 週ごと

2）分子標的薬

　NET において PFS の延長を示した分子標的薬として，エベロリムス，スニチニブの 2 種類がある。エベロリムスは肺原発も含む NET 全体で使用可能だが，スニチニブは膵原発のみに使用可能である。

◆ **エベロリムス ★★★**（RADIANT-3 試験：NEJM 2011；364：514 PMID 21306238，RADIANT-4 試験：Lancet 2016；387：968 PMID 26703889）

> エベロリムス　1 回 10 mg　1 日 1 回　連日

◆ **スニチニブ ★★★**（膵原発：NEJM 2011；364：501 PMID 21306237）

> スニチニブ　1 回 37.5 mg　1 日 1 回　連日

3）細胞障害性抗がん薬

　1980 年代よりストレプトゾシンが頻用されてきた。単剤や 5-FU との併用で用いられることが多い。近年 TMZ と Cap の併用療法の開発が進められ，2018 年の ASCO では併用療法と TMZ 単剤療法を比較したランダム化第 II 相試験において，併用療法において OS，PFS ともに有意な延長を認めた。しかし同併用療法は，本邦では未承認であり，ストレプトゾシンのみが使用可能である。

◆ **ストレプトゾシン ★★★**

> ストレプトゾシン　500 mg/m² 　30 分〜2 時間で点滴静注　day 1〜5
> 　6 週ごと（daily 法）
> または
> ストレプトゾシン　1,000 mg/m² 　30 分〜2 時間で点滴静注　day 1
> 　毎週（weekly 法）

◆ **ストレプトゾシン＋5-FU ★★★**（NEJM 1980；303：1189 PMID 6252466）

> ストレプトゾシン　500 mg/m² 　30 分〜2 時間で点滴静注　day 1〜5
> 5-FU　　　　　　400 mg/m² 　急速静注　day 1〜5
> 6 週ごと

11
神経内分泌腫瘍・消化管間質腫瘍

◆ TMZ＋Cap 併用療法〔JCO 2018；36（15_suppl）：4004〕

TMZ	1回200 mg/m²	1日1回	経口	day 10～14
Cap	1回750 mg/m²	1日2回	経口	day 1～14
4週ごと				

保険適用外

4）peptide receptor radionuclide therapy（PRRT）(NEJM 2017；376：125 PMID 28076709)

ソマトスタチンアナログに放射性同位元素を標識した ^{177}Lu-DOTATATE が開発され，RCT（NETTER-1 試験）で有意な PFS の延長を示した。本邦でも 2021 年 6 月にソマトスタチン受容体陽性の神経内分泌腫瘍に対して承認された。

3 切除不能症例（NEC）

小細胞肺がんに準じた治療が行われており，初回治療としては CDDP と CPT-11 併用療法（IP），または CDDP と ETP 併用療法（EP）が頻用されている。消化管・肝胆膵原発の切除不能・再発 NEC の 1 次治療における EP 療法と IP 療法のランダム化第Ⅲ相試験（JCOG1213 試験）の結果，主要評価項目である OS は IP 療法と EP 療法で有意差はなかった（HR 1.043, 90%CI 0.794～1.370, p=0.797）。また PFS，ORR も両群で有意な差はなかった。以上の結果から，IP 療法と EP 療法のいずれも消化管・肝胆膵原発の切除不能・再発 NEC の標準治療であると考えられる（2022 ASCO Gastrointestinal Cancers Symposium, Abstract#501）。

◆ CPT-11＋CDDP 併用療法 ★★ (NEJM 2002；346：85 PMID 11784874)

CPT-11	60 mg/m²	点滴静注	day 1, 8, 15
CDDP	60 mg/m²	点滴静注	day 1
4週ごと			

◆ ETP＋CDDP 併用療法 ★★ (NEJM 2002；346：85 PMID 11784874)

ETP	100 mg/m²	点滴静注	day 1～3
CDDP	80 mg/m²	点滴静注	day 1
3週ごと			

神経内分泌腫瘍 | 205

■ 予後

◆ 5 年生存率(Stage, Grade 別：Oncologist 2018；23：422 PMID 29330208)

臨床病期	5 年生存率(%)
Ⅰ	92.6
Ⅱ	82.2
Ⅲ	81.0
Ⅳ	52.2

Grade (WHO 2010)	5 年生存率(%)
Grade 1	85.8
Grade 2	73.1
Grade 3	28.2

■ 文献

1) 日本神経内分泌腫瘍研究会(JNETS)(編)：膵・消化管神経内分泌腫瘍 (NEN)診療ガイドライン 2019 年 第 2 版. 金原出版，2019

2) Klimstra DS, et al：WHO Classification of Tumours of Digestive System Tumors, 5th ed. WHO, 2019

3) Yao JC, et al：Everolimus for advanced pancreatic neuroendocrine tumors. N Engl J Med 2011；364：514-523 PMID 21306238

4) Yao JC, et al：Everolimus for the treatment of advanced, nonfunctional neuroendocrine tumours of the lung or gastrointestinal tract (RADIANT-4)：a randomised, placebo-controlled, phase 3 study. Lancet 2016；387：968-977 PMID 26703889

5) Strosberg J, et al：Phase 3 Trial of (177) Lu-Dotatate for midgut neuroendocrine tumors. N Engl J Med 2017；376：125-135 PMID 28076709

11
神経内分泌腫瘍・消化管間質腫瘍

消化管間質腫瘍
Gastrointestinal Stromal Tumor：GIST

GISTは消化管粘膜下にある筋層のCajal介在細胞から発生する。腸間膜に発生する場合もある。病理組織における免疫染色ではKIT（＋）またはDOG1（＋），デスミン（－），S100タンパク（－）などの特徴がある。

■ 疫学
1 罹患数
　本邦においてはGIST個別の死亡統計はなく，死亡数は明らかではない。2015年の本邦の罹患数は1,261例，欧米で10万人あたり1〜2人の発生頻度であり，切除不能・再発例では年間1,000〜1,500人程度の発症と推定されている。部位としては，胃40〜60％，小腸30〜40％，大腸5％と，胃原発の頻度が最も高い。

2 発症の危険因子（リスクファクター）
　c-KIT遺伝子またはPDGFRA遺伝子の突然変異による。その他の危険因子は十分に明らかとなっていないが，GISTの発症に関連する生殖細胞系列の遺伝子異常（例：NF1，SDH）が報告されている。

■ 診断
1 臨床症状
　胃原発の場合，多くは無症状であるが，腫瘍の大きさや進展の度合いにより，吐血や下血，腹部腫瘤，腹痛などといった多様な症状が出現する。

2 画像診断
　内視鏡検査では粘膜下腫瘍として描出され，超音波内視鏡ではその深達度を評価可能である。またCTやMRI，PET-CT検査も進展度の診断に有用である。

3 検体検査
　GISTでは，80％以上でc-KIT遺伝子変異陽性であり，そのなかでもエクソン11変異は70％と最多である。約5％でPDGFRA遺伝子変異陽性である。KITやPDGFRA遺伝子の変異を認めないwild type GISTではRASやNTRKなどの遺伝子異常が認められる。神経線維腫症1型（NF1遺伝子変異），Carney-Stratakis症候

消化管間質腫瘍　　207

群（SDH遺伝子変異）に wild type GIST を合併する場合もある。遺伝子変異の種類・部位と薬剤感受性の相関が示唆されており，可能であれば治療前に遺伝学的な評価を行う。

■ 予後因子

外科的切除された GIST の再発リスク分類として，modified Fletcher 分類や Miettinen 分類などがあり，一般的には modified Fletcher 分類が頻用される。

◆ **modified Fletcher 分類**（Hum Pathol 2008；39：1411 PMID 18774375，Eur J Surg Oncol 2011；37：890 PMID 21737227）

リスク分類	腫瘍径(cm)	核分裂像数(/50HPF)	原発部位
超低リスク	≦2.0	≦5	―
低リスク	2.1〜5.0	≦5	―
中リスク	≦5.0	6〜10	胃
	5.1〜10.0	≦5	
高リスク	―	―	腫瘍破裂あり
	>10.0	―	―
	―	>10	
	>5.0	>5	
	≦5.0	>5	胃以外
	5.1〜10.0	≦5	

■ 治療

1 切除可能症例

切除可能な GIST の場合，第1選択は外科的切除である。手術時に腫瘍の偽被膜を損傷すると腹膜転移の可能性が高まるため，手術の原則は肉眼的断端陰性の完全切除である。またリンパ節郭清は，リンパ節転移が疑われる場合や明らかなリンパ節転移が証明されている場合を除き，推奨されていない。

根治切除後であっても GIST の再発は稀ではない。腫瘍径，核分裂像数，発生臓器，腫瘍破裂の有無を用いる modified Fletcher 分類が完全切除後の再発リスクの推定に汎用されている。modified Fletcher 分類で高リスクに該当する GIST 患者を対象として，肉眼的完全切除施行後にイマチニブによる術後補助化学療法を1年

11
神経内分泌腫瘍・消化管間質腫瘍

間あるいは3年間施行する群を比較した第Ⅲ相試験であるSSG XⅧ試験の結果，3年間投与群は1年間投与群と比較してRFS（HR 0.46，95%CI 0.32〜0.65，*p*=0.001），OS（HR 0.45，95%CI 0.22〜0.89，*p*=0.02）ともに良好であった．以上の結果から術後補助化学療法としてイマチニブを3年間投与することが推奨されている．

手術先行により広範囲の臓器切除が必要となる場合には，イマチニブを用いる術前補助化学療法が用いられる場合がある．術前補助化学療法のメリットとして，イマチニブの高い腫瘍縮小効果による合併切除臓器および出血量の減少，臓器機能温存による術後QOLの改善，完全切除割合の上昇が挙げられる．イマチニブを用いる術前補助化学療法の適応として，腹会陰式直腸切断術が必要な直腸GIST，胃全摘術を要する可能性がある巨大な胃GISTが含まれる．至適な術前補助化学療法の期間は定まっていないが，最大の腫瘍縮小効果を得る目的で6〜12カ月間投与がコンセンサスとなっている．

◆**イマチニブ ★★★**（JAMA 2012；307：1265 PMID 22453568）

イマチニブ　1回400 mg　1日1回　連日（術後3年間）

2　切除不能症例

切除不能症例では薬物療法が基本となる．イマチニブ（1次治療）やスニチニブ（2次治療），レゴラフェニブ（3次治療）がRCTで有効性を示したため，これらの分子標的薬が標準治療である．

◆**イマチニブ ★★★**（NEJM 2002；347：472 PMID 12181401）

イマチニブ　1回400 mg　1日1回　連日

◆**スニチニブ ★★★**（Lancet 2006；368：1329 PMID 17046465）

スニチニブ　1回50 mg　1日1回　day 1〜28　6週ごと

＊イマチニブ不応・不耐後に使用

◆**レゴラフェニブ ★★★**（GRID試験：Lancet 2013；381：295 PMID 23177515）

レゴラフェニブ　1回160 mg　1日1回　day 1〜21　4週ごと

＊イマチニブとスニチニブ不応・不耐後に使用

- イマチニブ，スニチニブ不応GISTを対象としたイマチニブ再投与 vs. プラセボを比較した第Ⅲ相試験（RIGHT試験：Lancet Oncol 2013；14：1175 PMID 24140183）においてPFS中央値1.8カ月 vs 0.9カ月（HR 0.45，*p*=0.005）とイマチニブ再投与群で良好な結果であり，イマチニブ，スニチニブ不応例にはイマチニブ再投与も考慮される

消化管間質腫瘍 | 209

- 標準治療不応例を対象とした INVICTUS 試験（Lancet Oncol 2020；21：923 PMID 32511981）をもとに ripretinib が海外では使用されている。また PDGFRA エクソン 18 変異（D842V 変異含む）を有する切除不能・転移性 GIST を対象とした NAVIGATOR 試験（Lancet Oncol 2020；21：935 PMID 32511981）で avapritinib の有効性が示され FDA で承認されたが，これらは現時点で本邦では GIST に対して薬事承認されていない

- イマチニブ，スニチニブ，レゴラフェニブ不応・不耐 GIST を対象とした経口 Heat Shock Protein 90 阻害薬ピミテスピブ（TAS-116）とプラセボを比較した第Ⅲ相試験である CHAPTER-GIST-301（ASCO 2021．Abstract #11524）でピミテスピブの PFS・OS の延長が示された。この結果をもとに 2022 年 6 月に「がん化学療法後に増悪した消化管間質腫瘍」に対して承認された

■ **予後**（切除可能症例：Eur J Surg Oncol 2011；37：890 PMID 21737227）

modified Fletcher 分類	5 年無再発発生存率（%）
超低リスク	94.1
低リスク	94.2
中リスク	85.6
高リスク	28.9

切除不能・再発症例の予後は，OS 中央値 3.9 年（JCO 2017；35：1713 PMID 28362562）。

■ **文献**

1) 日本癌治療学会，他（編）：GIST 診療ガイドライン 2014 年 4 月改訂 第 3 版．金原出版，2014
2) NCCN Guidelines®［https://www.nccn.org/professionals/physician_gls/pdf/gist.pdf］
3) Joensuu H，et al：One vs three years of adjuvant imatinib for operable gastrointestinal stromal tumor：a randomized trial．JAMA 2012；307：1265-1272 PMID 22453568
4) Demetri GD，et al：Efficacy and safety of imatinib mesylate in advanced gastrointestinal stromal tumors．N Engl J Med 2002；347：472-480 PMID 12181401
5) Demetri GD，et al：Efficacy and safety of sunitinib in patients with advanced gastrointestinal stromal tumour after failure of imatinib：a randomised controlled trial．Lancet 2006；368：1329-1338 PMID 17046465

【岡田　真央】

12 婦人科がん

子宮頸がん　Cervical Cancer

　子宮頸がんは予防可能な悪性疾患である。WHO では子宮頸がんの排除に向けた世界的戦略を策定しており，子宮頸がんの死亡率を30% 減らすことを目標に 2030 年までにすべての国で，① 15 歳までに女児の HPV ワクチン接種率は 90% 以上となること，② 子宮頸がん検診受診率は 70% 以上となり，前がん病変の治療は 90% 以上行うこと，③ 浸潤がんの治療は 90% 以上行うことが介入目標として掲げられた。本邦においては罹患率，死亡率ともに横ばいで推移しており，子宮頸がんの減少には HPV ワクチンや検診の重要性の啓蒙活動が引き続き必要であると考えられる。

■ 疫学

1 死亡数（2019 年）/罹患数（2017 年）〔人口動態統計（厚生労働省）〕

• 2,921 人/11,012 人

2 発症の危険因子（リスクファクター）

1）HPV の持続感染

　子宮頸がん患者の 90% 以上から HPV-DNA が検出される。日本人の浸潤性頸がんについて限定すれば約 60% が HPV-16・18 関連で，これらに次ぐ HPV-52・58・33・31 までで合計約 85% となる。HPV の生涯罹患率は 50～80% といわれている。罹患者の90% では HPV は免疫排除されるが，持続感染に移行した症例の一部が頸がんを発症する（0.15% に相当）。HPV 感染の危険因子には，多産，経口避妊薬，喫煙（受動喫煙を含む），低年齢での初性交，複数のセックスパートナーの存在，低所得階層が報告されている。

2）予防ワクチン

　予防ワクチンは HPV 未感染者に対し，HPV-16・18 関連の HPV感染や前がん病変～上皮内癌に相当する CIN（cervical intraepithelial neoplasia）発症をほぼ 100% 予防する効果があることが複数のランダム化比較試験（RCT）で確認されている。また 2020 年にはスウェーデンで行われた国家規模の人口統計および健康管理登録の

データベースを用いた研究で4価ワクチンが子宮頸がんの減少に関連していることが報告された(NEJM 2020 : 383 : 1340 **PMID** 32997908)。本邦では2価HPVワクチン(サーバリックス®, HPV-16・18型)と4価HPVワクチン(ガーダシル®, HPV-16・18・6・11型)に加えて2020年7月に9価ワクチン(シルガード®9, HPV-6・11・16・18・31・33・45・52・58型)が承認された。日本人の浸潤性頸がんの6割はHPV-16・18を原因としており, いずれのワクチンも同集団に対する発症予防効果が期待される。推奨年齢は10〜14歳で初回性交前である。本邦のワクチン接種率は公費助成当時の接種対象であった1994〜1999年度生まれの女児では70%程度であったのに対して, 2000年度以降生まれの女児では接種率が激減し, 2002年度以降生まれの女児では1%未満の接種率となっている。日本産科婦人科学会はHPVワクチン接種を推奨している。

■ 診断

1 検診(有効性評価に基づく子宮頸がん検診ガイドラインより)

子宮頸部擦過細胞診は30〜64歳での浸潤がん罹患率減少効果の確実なエビデンスがある。上皮内癌以上の病変を検出する感度は94%, 特異度は98%である。本邦では検診対象は20〜69歳, 検診間隔は2年で推奨されている。2019年の本邦の子宮頸がん検診受診率(20〜69歳)は43.7%である。HPV検査(単独法)については浸潤がん罹患率減少効果のエビデンスがあるが, 細胞診と比較して偽陽性率が大幅に上昇(1,000人あたり42人増加)することがわかっている。対策型検診あるいは任意検診で推奨されており, 検診対象は30〜60歳で検診間隔は5年が望ましいとされる。

2 臨床症状

早期子宮頸がんはしばしば無症状であるが, 進行するに従って不正性器出血, 性交後出血, 腟分泌物の異常などを生じる。さらに進行すると下腹部・腰背部痛や膀胱浸潤に伴う血尿, 直腸浸潤による血便などが出現する。

3 画像診断

超音波検査, CT, MRI, PET-CTといった画像診断が腫瘍径や周囲組織への浸潤など病変の広がりの評価のために用いられる。CTは遠隔転移の評価が容易であり, MRIは腫瘍サイズ, 骨盤内進展状況の評価に優れる。PET-CTは傍大動脈リンパ節の質的診断に優れるとの報告がある。

4 検体検査

細胞診，コルポスコピー下の狙い組織生検が行われる。早期子宮頸がんの一部の症例では円錐切除術により組織検体を取得する場合もある。

■ 病理組織分類

① 扁平上皮癌（約 80％）
② 腺癌（約 15％，近年増加傾向）
③ 腺扁平上皮癌（3〜5％）
④ その他：小細胞癌や神経内分泌腫瘍など

非扁平上皮癌の多くは扁平上皮癌に比べ放射線・化学療法への感受性が低く，予後不良である。

■ Staging

2020 年に FIGO2018 に基づき子宮頸がん進行期分類が改訂された。今回の改訂は，従来の理学所見に加え，CT や MRI，PET-CT などの画像所見，生検や手術摘出標本の病理学的所見を加味して，腫瘍サイズや進展度合い，リンパ節転移の評価について総合的に判断することになった。

◆子宮頸がん進行期分類（日本産科婦人科学会 2020，FIGO2018）

Stage Ⅰ　がんが子宮頸部に限局するもの（体部浸潤の有無は考慮しない）
 Stage ⅠA　病理学的にのみ診断できる浸潤癌のうち，間質浸潤が 5 mm 以下のもの。肉眼的に明らかな腫瘤形成を伴う腫瘍は従来 Stage ⅠB とされていたが，本進行期分類では肉眼的に明らかな腫瘤形成のみでは ⅠB とはしない。ⅠA の浸潤の深さは，浸潤がみられる表層上皮の基底膜より計測して 5 mm を超えないものとする。脈管（静脈またはリンパ管）侵襲があっても進行期は変更しない
  Stage ⅠA1　間質浸潤の深さが 3 mm 以下のもの
  Stage ⅠA2　間質浸潤の深さが 3 mm を超えるが 5 mm 以下のもの
 Stage ⅠB　子宮頸部に限局する浸潤癌のうち，浸潤の深さが 5 mm を超えるもの
  Stage ⅠB1　腫瘍最大径が 2 cm 以内のもの
  Stage ⅠB2　腫瘍最大径が 2 cm を超えるが，4 cm 以下のもの
  Stage ⅠB3　腫瘍最大径が 4 cm を超えるもの
Stage Ⅱ　がんが子宮頸部を越えて広がっているが，腟壁下 1/3 または骨盤壁には達していないもの

子宮頸がん | 213

Stage ⅡA　腟壁浸潤が腟壁上 2/3 に限局していて，子宮傍組織浸潤は認められないもの

　　Stage ⅡA1　腫瘍最大径が 4 cm 以下のもの

　　Stage ⅡA2　腫瘍最大径が 4 cm を超えるもの

　Stage ⅡB　子宮傍組織浸潤が認められるが，骨盤壁までは達していないもの

Stage Ⅲ　がん浸潤が腟壁下 1/3 まで達するもの，ならびに/あるいは骨盤壁にまで達するもの，ならびに/あるいは水腎症や無機能腎の原因となっているもの，ならびに/あるいは骨盤リンパ節ならびに/あるいは傍大動脈リンパ節に転移が認められるもの

　Stage ⅢA　腟壁浸潤は下 1/3 に達するが，子宮傍組織浸潤は骨盤壁にまでは達していないもの

　Stage ⅢB　子宮傍組織浸潤が骨盤壁にまで達しているもの，ならびに/あるいは明らかな水腎症や無機能腎を認めるもの

　Stage ⅢC　骨盤リンパ節ならびに/あるいは傍大動脈リンパ節に転移が認められるもの

　　Stage ⅢC1　腫骨盤リンパ節のみに転移が認められるもの

　　Stage ⅢC2　傍大動脈リンパ節に転移が認められるもの

Stage Ⅳ　がん膀胱，直腸粘膜に浸潤するか，小骨盤腔を越えて広がるもの

　Stage ⅣA　膀胱粘膜または直腸粘膜への浸潤があるもの

　Stage ⅣB　小骨盤腔を越えて広がるもの

■ 予後因子

　腫瘍の間質浸潤の深さ，リンパ節転移の個数・範囲（傍大動脈，骨盤），病期，脈管浸潤などが報告されている。

■ 治療

　臨床病期ごとに治療方針が決定されるが，生殖可能な若齢者での発症が増加していることから Stage ⅠA2 までは妊孕性温存に関する選択肢が考慮される。Stage ⅡB〜ⅣA は局所ないし領域リンパ節を含む病勢制御効率を向上させることが主眼である。Stage ⅣB は全身病態として化学療法の対象となる。再発期においてはすべての再発病変に対して根治的アプローチが可能であれば局所療法の適応を検討しうるが，それ以外の場合には Stage ⅣB と同様の化学療法を中心とした対応となる。

1 臨床病期ごとの治療方針

❶ Stage ⅠA1　リンパ節転移頻度＜1% であり頸部局所のみの治療が許容される。

- 治療方針：単純子宮全摘出術または円錐切除（妊孕性温存希望時）
  - 円錐切除検体で断端陽性やリンパ管侵襲陽性の場合には単純子宮全摘出術を追加する
  - 扁平上皮癌以外の組織型の場合には円錐切除は推奨されない

❷ Stage ⅠA2　間質浸潤の深達度増加に伴いリンパ節転移頻度が約10%あり，骨盤内リンパ節に対する治療が必要となる。

- 治療方針：準広汎±骨盤リンパ節郭清術または広汎子宮全摘出術または広汎子宮頸部摘出術（妊孕性温存希望時）または放射線療法（手術不能症例）
  - 広範子宮頸部摘出術は広汎子宮全摘出術と前向きに治療成績を比較した報告はないものの，後方視的研究では同等の長期生存率であるとの報告があり，「子宮頸癌治療ガイドライン2011年版」以降治療選択肢として記載されるようになったが，実施施設は限定的である。術後の不妊症や妊娠中の感染症リスクなどの問題も指摘されている。またがんに対する根治性，術後管理，妊娠時の周産期管理などのコンセンサスが得られていない面も多く，手術の適応については慎重な判断が必要である

❸ Stage ⅠB1・ⅡA1　外科的な完全切除が可能な病期である。

- 治療方針：広汎子宮全摘出術または根治的放射線療法（全骨盤照射＋腔内照射）
  - 傍大動脈リンパ節領域への予防照射を支持するエビデンスはない。画像的に傍大動脈リンパ節転移が疑われる場合や手術時の病理組織学的検索で傍大動脈リンパ節転移陽性が確認された症例では，傍大動脈リンパ節領域を照射範囲に含める

❹ Stage ⅠB2・ⅡA2・ⅡB　原発巣に加え周囲組織や系統的リンパ節領域に対する局所コントロールが必須である。

- 治療方針：同時化学放射線療法（CCRT），広汎子宮全摘出術±術後放射線療法も検討される
  - 傍大動脈リンパ節領域への予防照射を支持するエビデンスはない。画像的に傍大動脈リンパ節転移が疑われる場合や手術時の病理組織学的検索で傍大動脈リンパ節転移陽性が確認された症例では，傍大動脈リンパ節領域を照射範囲に含める
  - 術後化学療法に関する確立したエビデンスはない

❺ Stage Ⅲ・ⅣA　骨盤壁や膀胱や直腸への浸潤により切除不能となり手術適応はないが，腫瘍は小骨盤腔にとどまっている。

- 治療方針：同時化学放射線療法（CCRT）

❻ Stage ⅣB　小骨盤腔を越えて進展しており，出血などの症状コントロールの必要がない限り局所治療の適応がない。

子宮頸がん | 215

- 治療方針：全身化学療法
❼ **再発期**　原則として全身疾患ととらえて全身化学療法による治療を行う。孤立性の遠隔転移や照射野外の再発などには手術療法や放射線治療など局所療法の適応を検討する場合もあるが，経験的な治療であり明らかなエビデンスはない。

2　同時化学放射線療法（CCRT）

下記レジメンを放射線治療とともに行う。本邦では放射線治療としては外部照射＋腔内照射が標準治療である。

◆ **weekly CDDP 療法 ★★★** （Lancet 2001；358：781 PMID 11564482）

| CDDP | 40 mg/m² | 1 時間で点滴静注 | day 1 | 毎週 | 6 サイクル |

◆ **monthly FP 療法 ★★★** （NEJM 1999；340：1137 PMID 10202164）

CDDP	50 mg/m²	1 時間で点滴静注	day 1
5-FU	1,000 mg/m²	72 時間持続点滴静注	day 1
4 週ごと	2 サイクル		

上記の 2 レジメンは長期的な予後に有意差がないものの，FP 療法のほうが血液毒性の副作用が有意に強いため（Gynecol Oncol 2008；108：195 PMID 17963825），本邦では weekly CDDP 療法が頻用されている

❶ **外部照射**　線量は 40〜50 Gy である。強度変調放射線治療（intensity-modulated radiation therapy：IMRT）は通常の全骨盤照射（直交 4 門照射）と比して有意に急性期および晩期合併症の発生頻度を低下させるとの報告がある。

❷ **腔内照射**　線量は 15〜20 Gy であり，本邦では 24 Gy の高線量率（high dose rate：HDR）が用いられる。腔内照射における線量率を比較した報告では，低線量率（low dose rate：LDR）と HDR における局所制御率に有意差がないことが示されている。腔内照射時間の延長に伴うアプリケーターの変位や患者苦痛を勘案し，「子宮頸癌治療ガイドライン 2017 年版」では HDR が標準的であるとしている。本邦と欧米とは放射線治療の照射量や照射期間などの治療体系が異なり，欧米では HDR はエビデンスに乏しいため主流ではない。

❸ **術後照射**　NCCN ガイドラインでは子宮傍組織浸潤や骨盤リンパ節転移陽性などの術後再発高リスク群では術後 CCRT が推奨されている。

❹ **CCRT の術前・術後補助化学療法**　術前補助化学療法＋手術療法・CCRT については CCRT 単独に対して予後改善効果を示す

12
婦人科がん

エビデンスは得られていない。術前補助化学療法＋CCRT と CCRT 単独を比較するランダム化第 III 相試験(INTERLACE 試験：NCT01566240)が現在進行中である。CCRT の術後補助化学療法として TC 療法を追加する第 III 相ランダム化比較試験(OUTBACK 試験)が ASCO2021 で報告され，TC 療法の追加によって生存期間の有意な延長は認めず，毒性が強まることから CCRT 後の補助化学療法は推奨されない(ASCO2021)。

3 全身化学療法

- CDDP がキードラッグである。米国の Gynecologic Oncology Group(GOG)による GOG43 試験で CDDP $50\,mg/m^2$ 単剤の子宮頸がんに対する有用性が確認された(JCO 1985；3：1079 PMID 3894589)

- GOG169 試験は CDDP 単剤に対する CDDP＋PTX(TP)療法の比較検証を行い，TP 療法は奏効率(19％ vs. 36％)や PFS(2.8 カ月 vs. 4.8 カ月，$p<0.001$)において有意に優れていた。OS において統計学的差異は証明されなかったが(8.8 カ月 vs. 9.7 カ月)，PTX 追加による QOL 低下も認めず，TP 療法が標準的治療とされた(JCO 2004；22：3113 PMID 15284262)

- GOG204 試験は TP 療法に対する他のプラチナ併用化学療法(CDDP＋VNR/GEM/NGT)の優越性を検証した RCT であったが，中間解析で無効中止となった(JCO 2009；27：4649 PMID 19720909)

- GOG240 試験では OS における TP 療法への BV の上乗せ効果が示された(13.3 カ月 vs. 17.0 カ月，HR 0.71，98％CI 0.54〜0.95，$p=0.004$)(NEJM 2014；370：734 PMID 24552320)。本邦における標準治療は TP＋BV 療法である

- 子宮頸がん患者におけるプラチナ併用化学療法(TP または TC)＋BV に対してペムブロリズマブの上乗せ効果を検証した KEYNOTE-826 試験では，プラチナ併用療法＋BV＋ペムブロリズマブがプラセボ群と比較して PFS，OS ともに有意に延長した(PFS 10.4 カ月 vs. 8.2 カ月，HR 0.65，24 カ月 OS 53.0％ vs. 41.7％，HR 0.64)〔Ann Oncol 2021；32(suppl_5)，NEJM 2021；385：1856 PMID 34534429〕。

- JCOG0505 試験では，CBDCA＋PTX(TC)療法が TP 療法に対して OS において非劣性であることが証明された(17.5 カ月 vs. 18.3 カ月，HR 0.994，90％CI 0.789〜1.253，$p=0.032$)(JCO 2015；33：2129 PMID 25732161)。腎機能低下症例や後腹膜リンパ節転移による水腎症など潜在的な腎機能障害リスクがある患者は TC 療法の

子宮頸がん　217

よい適応となりうる。TP療法と比較して補液量が少なく心臓に基礎疾患のある患者においても使用しやすい。TC療法に対するBVの上乗せ効果を示すエビデンスは現時点では存在しない。Stage ⅣBおよび再発・増悪・残存子宮頸がんに対するconventional TC±BV併用療法 vs. dose-dense TC（ddTC）±BV併用療法のランダム化第Ⅱ/Ⅲ相比較試験（JCOG1311試験）が現在進行中であるが，phaseⅡパートの中間報告がASCO2020で報告されており，ddTCはTC療法に対して奏効割合における優越性を示せなかった〔Gynecol Oncol 2021；162：292 PMID 34016453〕

- 2次治療以降のレジメンについてBSCとの比較において有意なOS延長を示すレジメンはない。その他1次治療でプラチナとの併用時に有効性のエビデンスがあるIRIを，2次治療において単剤で使用する場合がある。IRI単剤投与は本邦において子宮頸がんに対して保険適用されている

- KEYNOTE-158試験において，MSI-Hを示す固形がんにおけるペムブロリズマブの有用性が示されている（対象集団のうち子宮頸がんは2.6％）。全体集団における奏効割合は34.3％，PFS 4.1カ月，OSは23.5カ月であり，子宮頸がんにおいてもMSI-Hの検索は検討されうる

◆ TP療法 ★★★（JCO 2004；22：3113 PMID 15284262）

PTX	135 mg/m²	24時間持続点滴静注	day 1
CDDP	40 mg/m²	1時間で点滴静注	day 2
3週ごと　6サイクル			

◆ TP＋BV療法 ★★★（NEJM 2014；370：734 PMID 24552320）

PTX	135 mg/m²	24時間持続点滴静注	day 1
BV	15 mg/kg	初回1.5時間，2回目1時間，3回目以降0.5時間で点滴静注　day 1	
CDDP	40 mg/m²	1～2時間で点滴静注	day 2
3週ごと　6サイクル			

・GOG240試験ではPTX 175 mg/m²を3時間投与によるTP療法も許容されているが，末梢神経障害の増悪に留意して選択する必要がある
・骨盤照射既往のある症例において，膀胱腟瘻や消化管腟瘻の発症リスクがBVにより増加することに注意する必要がある
・原著論文ではサイクル数の制限はなく増悪までの無制限継続である。実際は他のプラチナ併用化学療法の臨床試験に準じて6サイクルを上限としている場合が多い。また6サイクル後のBV単剤による維持療法は同試験では検証されておらずエビデンスはない

◆TC 療法 ★★★ (JCO 2015；33：2129 PMID 25732161)

CBDCA	AUC 5	0.5～1 時間で点滴静注	day 1
PTX	175 mg/m²	3 時間で点滴静注	day 1
3 週ごと　6 サイクル			

◆プラチナ併用療法＋BV＋ペムブロリズマブ ★★★〔Ann Oncol 2021；32(suppl_5)，NEJM 2021；385：1856 PMID 34534429〕

ペムブロリズマブ（キイトルーダ®）　200 mg　静注　3 週ごと
TP＋BV あるいは TC＋BV と併用

国内適応外。

■ **予後**(FIGO 26th annual report より)

臨床病期(UICC)	5 年生存率(%)
ⅠA1	97.5
ⅠA2	94.8
ⅠB1	89.1
ⅠB2	75.7
ⅡA	73.4
ⅡB	65.8
ⅢA	39.7
ⅢB	41.5
ⅣA	22.0
ⅣB	9.3
再発	MST 約 9 カ月

■ 文献

1) Kim YS, et al：Prospective randomized comparison of monthly fluoro-uracil and cisplatin versus weekly cisplatin concurrent with pelvic radio-therapy and high-dose rate brachytherapy for locally advanced cervical cancer. Gynecol Oncol 2008；108：195-200 PMID 17963825

2) Moore DH, et al：Phase Ⅲ study of cisplatin with or without paclitaxel in stage ⅣB, recurrent, or persistent squamous cell carcinoma of cer-vix：a gynecologic oncology group study. J Clin Oncol 2004；22：3113-3119 PMID 15284262

3) Monk BJ, et al：Phase Ⅲ trial of four cisplatin-containing doublet com-binations in stage ⅣB, recurrent, or persistent cervical carcinoma：a Gynecologic Oncology Group study. J Clin Oncol 2009；27：4649-4655

PMID 19720909

4) Tewari KS, et al : Improved survival with bevacizumab in advanced cervical cancer. N Engl J Med 2014 ; 370 : 734-743 PMID 24552320
5) Kitagawa R, et al : Paclitaxel plus carboplatin versus paclitaxel plus cisplatin in metastatic or recurrent cervical cancer : The open-label randomized phase Ⅲ trial JCOG0505. J Clin Oncol 2015 ; 33 : 2129-2135 PMID 25732161

【船坂　知華子】

子宮内膜がん　Endometrial Cancer

　子宮内膜がん(子宮体がん)の罹患数は漸増し，婦人科領域のがんのなかで最も多い。死亡数も漸増傾向にあり，卵巣がん，子宮頸がんに次いで多いとされる。不正性器出血が契機となって早期発見に至ることが多く，約7割がStage Ⅰで発見される。近年は出産年齢の高齢化や未経産人口増加の影響もあり，進行がんや高リスクの組織型が増加していることにより死亡率は上昇している。

■ 疫学

1 死亡数(2019年)/罹患数(2017年)
- 2,597人/16,724人
  増加傾向であり，罹患数は15年前と比較し約3倍である。

2 発症の危険因子
- 持続するエストロゲン過剰状態(unopposed estrogen)
- 未経妊・未経産
- 早い初経，遅い閉経
- 月経不順や不妊(排卵障害や多嚢胞性卵巣症候群)
- 肥満，糖尿病
- タモキシフェン投与(5年投与で2.6%増加するといわれている)
- 子宮内膜異型増殖症(30%ががんに進展する。25〜40%で子宮体がんを合併している)
- Lynch症候群：生殖細胞系列のミスマッチ修復遺伝子異常により発生する。生涯発症率は60%と高く，40歳代で発症することが多い

12

婦人科がん

■ 診断

1 検診(スクリーニング)方法と意義

スクリーニング検査として確立しているものはない。6カ月以内の不正性器出血，月経異常，褐色帯下，リスク因子を有する女性には子宮内膜細胞診を実施する。経腟超音波断層法を実施した場合，閉経後においては5mm以上の子宮内膜肥厚を要精査とすることが多い。

2 臨床症状

- 不正性器出血，月経異常，褐色帯下(約90%の患者でみられる)
- 下腹痛・腹部膨満感

3 画像検査

- 診察(内診，経腟超音波断層法)
- 画像検査(胸部/腹部/骨盤 CT，骨盤 MRI)

4 検体検査

- 腫瘍マーカー：CA125，CA19-9，CEA(十分なエビデンスはない)

5 病理診断

確定診断は病理診断により行う。

① 子宮内膜細胞診(偽陰性率：約15%，不適正検体：約5%)
② 子宮内膜組織診(偽陰性率：約10%)

診断が確定しないときには，麻酔下による子宮内膜全面搔爬術(dilatation and curettage：D&C)や子宮鏡下生検を行うこともある。

■ 病理組織分類

約80%は類内膜癌である。そのほか粘液性癌，漿液性癌，明細胞癌，神経内分泌腫瘍，混合癌，未分化癌などがある。

> I型：エストロゲン依存性で子宮体がんの9割を占める。前がん病変である子宮内膜異型増殖症を経て，類内膜癌 Grade 1/Grade 2 を主として発生する。発がんには PTEN，K-Ras の遺伝子変異，ミスマッチ修復異常，マイクロサテライト不安定性が重要とされる。周閉経期に好発し予後良好である
>
> II型：エストロゲン非依存性で萎縮性内膜を背景に突然変異により発症する。類内膜癌 Grade 3，漿液性癌，明細胞癌など。発がんには p53 遺伝子変異が関わる。高齢患者に多く，再発の頻度が高いため予後不良である

子宮内膜がん　221

◆ 組織学的分化度（類内膜癌に適応）

Grade 1	充実性部分が 5% 以下
Grade 2	充実性部分が 5～50%，または充実性成分が 5% 以下で核異型が強い場合
Grade 3	充実性部分が 50% を超える，または充実性成分が 50% 以下で核異型が強い場合

漿液性癌，明細胞癌，癌肉腫は基本的に高異型度であり異型度分類はない。

■ Staging

FIGO 分類と TNM 分類が用いられる。

◆ 子宮体がんの FIGO 分類（2008）

Stage I		子宮体部に限局する
	Stage IA	筋層浸潤が 1/2 未満
	Stage IB	筋層浸潤が 1/2 以上
Stage II		頸部間質に浸潤するが，子宮を越えていないもの
Stage III		子宮外に広がるが小骨盤腔を越えていない，または所属リンパ節へ広がるもの
	Stage IIIA	子宮漿膜ならびに/あるいは付属器を侵すもの
	Stage IIIB	腟ならびに/あるいは傍大動脈リンパ節転移のあるもの
	Stage IIIC	骨盤リンパ節ならびに/あるいは傍大動脈リンパ節転移のあるもの
	Stage IIIC1	骨盤リンパ節転移陽性のもの
	Stage IIIC2	骨盤リンパ節への転移の有無にかかわらず，傍大動脈リンパ節転移陽性のもの
Stage IV		小骨盤腔を越えているか，明らかに膀胱ならびに/あるいは腸粘膜を侵すもの，ならびに/あるいは遠隔転移のあるもの
	Stage IVA	膀胱ならびに/あるいは腸粘膜浸潤のあるもの
	Stage IVB	腹腔内ならびに/あるいは鼠径リンパ節を含む遠隔転移のあるもの

・頸管腺浸潤のみは Stage II ではなく Stage I とする
・腹水細胞診の結果については予後因子としての一貫した報告がないので進行期分類から除外されたが，将来的には再び採用される可能性もありすべての症例において結果を記載する必要がある
・子宮内膜がんの進行期分類は癌肉腫にも適応される。癌肉腫・明細胞癌・漿液性癌においては横行結腸下の大網の十分なサンプリングが推奨される

- 浸潤・転移様式：子宮外進展は起こりにくく Stage I で診断されることが多い（約 70%）。子宮筋層内・頸部，付属器，傍結合織などに浸潤する。リンパ行性転移では，骨盤内・傍大動脈リン

12

婦人科がん

パ節転移が多く，血行性転移では肺・肝が多い。術後再発の好発部位は腟，骨盤内，腹膜播種，肺，肝，リンパ節（傍大動脈リンパ節・左鎖骨上窩リンパ節）である。

■ 予後因子

◆ 術後再発リスク分類（子宮体がん治療ガイドライン 2018年版）

手術後，病理診断の結果に応じて再発リスク分類を行う。

	筋層浸潤なし	筋層浸潤1/2未満	脈管侵襲あり	筋層浸潤1/2以上	頸部間質浸潤あり	子宮外病変*あり
類内膜癌 G1/G2	低リスク	低リスク	中リスク	中リスク	高リスク	高リスク
類内膜癌 G3	中リスク	中リスク	中リスク	高リスク	高リスク	高リスク
漿液性癌 明細胞癌	中リスク	高リスク	高リスク	高リスク	高リスク	高リスク

*子宮外病変：付属器，腟壁，リンパ節，膀胱，直腸，腹腔内，遠隔転移（子宮漿膜進展含む）。腹水細胞診陽性例は予後不良との意見もある

■ 治療

1 子宮体がんの初回治療

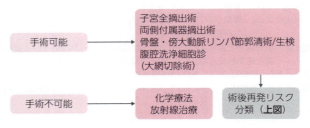

1）手術療法

子宮体がんの主治療は手術療法である。Stage Ⅰ・Ⅱには手術療法を実施し正確な Staging を行う。完全切除可能または子宮全摘と可及的腫瘍減量が可能な Stage Ⅲ・Ⅳも手術療法を実施するが，適応や術式を検討した前向き研究はない。

子宮全摘出術＋両側付属器摘出術＋骨盤・傍大動脈リンパ節郭清もしくは生検＋腹腔洗浄細胞診（＋大網切除術）を行う。手術施行が困難と判断される場合には，化学療法や放射線治療などが考慮さ

れる。

　手術進行期決定のためには骨盤内リンパ節郭清は有用であるが，予後が改善することは示されておらず(Lancet 2009；373：125 **PMID** 19070889, J Natl Cancer Inst 2008：100：1707 **PMID** 19033573)，全例に行うことは推奨されていない。再発中・高リスク群(⇒前頁の図を参照)と推定される場合には郭清を提案するが，再発低リスク群と推定される場合には1〜2％しか転移を認めなかったとの報告から省略を考慮する。

　傍大動脈リンパ節郭清に関しても同様に診断的意義はあるが，RCTで治療的意義は示されていない。後方視的研究では骨盤・傍大動脈リンパ節郭清が骨盤リンパ節郭清単独よりも再発中・高リスク群でOSを延長したといった報告や(Lancet 2010；375：1165 **PMID** 20188410)，高リスク群のみでOSを延長したとの報告がある(J Cancer Res Clin Oncol 2016；142：1051 **PMID** 26746654)。このため再発中・高リスク群と推定される場合には郭清(生検)を提案するが，再発低リスク群と推定される場合には省略を考慮する。現在，JCOG1412試験により傍大動脈リンパ節郭清の治療的意義が検討されており結果が待たれる。

2) 術後療法

　術後病期と組織学的異型度を用いて術後の再発リスクが分類され，治療方針が決定される。再発高リスク群には術後補助療法を実施するが，再発中リスク群については十分なエビデンスがない。再発低リスク群は経過観察とする。

◆再発高リスク群を対象とした第Ⅲ相試験

臨床試験	初回治療	レジメン	5年無再発率(%)	5年生存率(%)
GOG122 (2006)	手術	放射線治療	38	42
		AP療法	50	55
GOG184 (2009)	放射線治療	AP療法	62(3年間)	——
		TAP療法	64(3年間)	——
JGOG2033 (2008)	手術	放射線治療	83.5	85.3
		CAP療法	81.8	86.7
JGOG2043 (2017)	手術	AP療法	74.5	83.9
		DP療法	80.5	88.9
		TC療法	74.3	88.0

❶ **術後化学療法**　GOG122試験は，Stage Ⅲ・Ⅳで術後残存腫瘍径2cm以下の患者を対象として，術後全腹部照射群とAP（DXR＋CDDP）療法を比較した試験でAP療法の予後改善が示された。GOG184試験では放射線治療後のTAP療法（AP療法＋PTX）はAP療法に比較しPFSを延長せず，神経毒性を増加させた。上記よりAP療法が標準治療である。

◆**AP療法 ★★★**（JCO 2006：24：36　PMID 16330675）

DXR	60 mg/m^2	15分で点滴静注	day 1
CDDP	50 mg/m^2	1時間で点滴静注	day 1
3週ごと　6サイクル			

本邦では再発中・高リスク群を対象としてAP療法，DP（DTX＋CDDP）療法，TC（PTX＋CBDCA）療法を比較するJGOG2043試験が行われた。PFSにおいてDP療法とTC療法はAP療法に対する優越性は示されず，標準治療が変わるものではなかったが軽度な副作用および良好な忍容性を示していた。エビデンスレベルではAP療法が標準であるが，有効性や安全性からはTC療法も考慮されうる。

◆**TC療法 ★★**（JAMA Oncol 2019：5：833　PMID 30896757）

PTX	180 mg/m^2	3時間で点滴静注	day 1
CBDCA	AUC 6	1時間で点滴静注	day 1
3週ごと　6サイクル			

❷ **術後放射線治療**　欧米では術後照射によって局所再発率が低下するといわれ，広く行われている。しかし本邦では術式が異なり，欧米と比較して腟壁切除やリンパ節郭清が十分に行われているため局所再発のリスクは低いとされる。術後照射は骨盤内再発を減らすもののOSの改善には寄与しない（Ann Oncol 2007：18：1595　PMID 17347128，BJOG 2007：114：1313　PMID 17803718）。本邦では術後照射を行う施設は少なく，多くの施設で化学療法が選択されている。

❸ **妊孕性温存療法**　妊孕性温存を希望された場合，確立した基準は存在しないが，筋層浸潤例への適応はなく，以下を対象とする報告が多い。

• 40歳未満
• 子宮内膜異型増殖症またはStage ⅠAのうち子宮内膜に限局した類内膜癌 Grade 1相当の症例とする

本邦の多施設共同第Ⅱ相試験（JCO 2007：25：2798　PMID 17602085）では，

子宮内膜全面掻爬後に 26 週間 MPA 600 mg/日とアスピリン 81 mg/日が投与された。子宮内膜異型増殖症の 82%，類内膜癌の 55% が CR となり，その後 55% が妊娠可能であった。一方で子宮内膜異型増殖症の 38%，類内膜癌の 57% が再発した。

2 進行・再発症例に対する治療

1）術前 Stage Ⅲ・Ⅳで手術不可能な症例

患者の状況に応じて化学療法，放射線治療が考慮される。初回治療として化学療法を行い治療反応性によって手術療法を考慮することもあるが，術前化学療法についてのエビデンスは十分ではない。腫瘍減量術としての手術療法の治療的意義は乏しいが，出血コントロール目的などに子宮摘出を行うことがある。

2）再発症例

❶ **腟断端再発**　放射線治療により 5 年無病生存率は約 68〜75%，5 年全生存率は約 43〜53% と報告されている。

❷ **転移巣が単発もしくは複数の肺転移でも切除可能であるとき**　手術療法を行う。

❸ **再発巣が多発または切除が困難であるとき**　化学療法やホルモン療法を行う。

3）進行・再発症例に対する化学療法

◆ 進行・再発症例を対象とした第Ⅲ相試験

臨床試験	レジメン	奏効率（%）	PFS（カ月）	OS（カ月）
GOG177 (2004)	AP 療法	34	5.3	12.3
	TAP 療法	57	8.3	15.3
GOG209 (2012)	TAP 療法	——	13.5	40.3
	TC 療法	——	13.3（非劣性）	36.5（非劣性）

GOG107 試験では進行・再発子宮体がんに対して DXR 単剤と AP 療法を比較する試験を行い，奏効率，PFS において AP 療法が有意に優れていることが示された。他の第Ⅲ相試験でも同様の結果であり AP 療法が標準治療となった。

その後 GOG177 試験が行われ，AP 療法と PTX を上乗せした TAP 療法を比較した結果，TAP 療法が奏効率，PFS および OS のいずれも優越性を示した。しかし神経毒性の頻度が高く（Grade 2 以上の感覚神経障害が 39%），Grade 3 の心不全や治療関連死（3.7%）も認められた。TAP 療法は投与時の煩雑さもあることか

ら，AP療法が標準治療として存続した。

GOG209試験では，TC療法がTAP療法に対してOS，PFSともに非劣性が示された。毒性はTC療法においてやや軽微であった。以上より進行・再発がんに対してはAP療法，TC療法が勧められる。

しかしこれら欧米の試験では化学療法既往例が少なく，術後化学療法を行うことが多い本邦にエビデンスを当てはめることは難しい。再発例の多くは治癒が望めず合併症やQOLに配慮した選択が必要である。後方視的研究ではプラチナ製剤の投与終了から再発・再燃までの期間であるplatinum free interval（PFI）が長いほど，プラチナ製剤再投与の有効性を示す報告があるが質の高い前向きのエビデンスはない。前回投与した薬剤や再発までの期間を考慮し，TC療法やAP療法の再投与や単剤療法を選択する。TC療法は管理が比較的容易であることから多くの施設で実施されている。

◆ **TC療法 ★★** （JCO 2020；38：3841 PMID 33078978）

PTX	175 mg/m^2	3時間で点滴静注	day 1
CBDCA	AUC 6	1時間で点滴静注	day 1
3週ごと　7サイクル			

◆ **AP療法 ★★** （JCO 2004；22：2159 PMID 15169803）

DXR	60 mg/m^2	15分で点滴静注	day 1
CDDP	50 mg/m^2	1時間で点滴静注	day 1
3週ごと　7サイクル			

4) 内分泌療法

無症状の進行・再発例の治療選択の1つとなる。類内膜癌Grade 1またはエストロゲン受容体・プロゲステロン受容体陽性症例に対して考慮される。Medroxyprogesterone acetate（MPA）を内服し奏効率は25％，PFSは3.2カ月である。血栓症に注意する。

◆ **内分泌療法 ★★** （JCO 1999；17：1736 PMID 10561210）

MPA	200 mg/日	経口内服
連日内服　PDまで		

5) MSI-High固形がんに対するペムブロリズマブ

DNA複製の際に生じた核酸塩基のミスマッチを修復する機構が低下し，塩基の繰り返し配列の反復回数に不安定性をきたす現象〔マイクロサテライト不安定性（MSI）〕が高頻度にみられることを

MSI-High（MSI-H）とよび，子宮体がんの約 17% にみられる。KEYNOTE-158 および KEYNOTE-164 試験では，進行再発 dMMR*大腸癌を除く固形がんにおいてペムブロリズマブは奏効率 28〜48% であり，子宮体がんへの奏効率は 54% であった。

*MMR deficient：DNA ミスマッチ修復機能欠損

■ 予後

病期	症例数	5 年生存率（%）
Stage I	863	96.0
Stage II	142	91.5
Stage III	752	70.3
Stage IV	1,047	24.9

（国立がん研究センター　がん対策情報センター　2012-2013 年 5 年生存率集計より）

【仲尾　岳大】

卵巣がん（上皮性卵巣がん）　Epithelial Ovarian Cancer

　卵巣から発生する悪性腫瘍のうち，上皮性卵巣がんが約 90% を占める。そのほかに悪性胚細胞腫瘍，悪性性索間質性腫瘍などがある。卵管がん，原発性腹膜がんは上皮性卵巣がんと同じく Müller 管を発生学的母地とし，組織型や進展形式，治療反応，予後が類似していることから上皮性卵巣がんに準じた治療が推奨されている。特に原発性腹膜がんは，女性の原発巣不明の悪性腹水貯留の鑑別として念頭に置く必要がある。

■ 疫学

1 死亡数（2019 年）/罹患数（2017 年）

• 4,733 人/13,345 人

　死亡数は婦人科がんのうち最多である。罹患数は年齢調整罹患率を含めて近年増加しており，子宮体がん，子宮頸がんに次ぐ。40 歳を超えると罹患率が急激に増加し，50 歳代が最多で 60 歳代が続く。

2 発症の危険因子（リスクファクター）

- 未産
- 早い初経，遅い閉経
- 排卵誘発剤の使用
- エストロゲン単独のホルモン補充療法
- 遺伝性乳がん卵巣がん症候群（HBOC）：全上皮性卵巣がんの約10％が家族性に発生し，大部分が BRCA1/2 遺伝子変異による HBOC である

なお経口避妊薬の使用はリスクを低下させる。

■ 診断

1 検診（スクリーニング）方法と意義

経腟超音波断層法と CA125 による検診は，PLCO 試験および UKCTOCS 試験で一般集団に対する卵巣がんによる死亡率を有意に減少させなかった。しかし BRCA1/2 遺伝子変異例に対する経腟超音波検査と CA125 を含む卵巣がん検診は高い生涯発症危険率を踏まえ推奨されている。

2 臨床症状

卵巣は初期の自覚症状がほとんどなく silent killer とよばれ早期診断が困難である。40～50％ が腹膜播種や後腹膜リンパ節転移を有する Stage Ⅲ 以上で発見され，腹部膨満や腰痛，腹痛，易疲労感，食欲不振，頻尿などの非特異的症状がみられる。

3 画像診断

腹部診察や内診に引き続き，経腹超音波や経腟超音波断層法が行われる。良性腫瘍や転移性卵巣がんとの鑑別，局所浸潤の評価には MRI が有用である。転移性卵巣がんの鑑別として，上下部消化管内視鏡検査やマンモグラフィ，乳房超音波検査などを検討する。PET-CT が従来の画像診断と比較して有用であることは証明されていない。

4 検体検査

- CA125 が最も感度の高い腫瘍マーカーであり，感度 80～90％，特異度 65％ である。Stage Ⅰ では感度 50～60％ である。CA125 は腹膜，子宮・卵管でも産生され，子宮筋腫，子宮内膜症などの良性疾患や骨盤内の炎症性疾患でも上昇する。HE4（ヒト精巣上体タンパク 4）も保険収載されたマーカーで，感度 53％ と低いものの特異度 100％ であり，CA125 と組み合わせることで感度・

卵巣がん（上皮性卵巣がん） 229

特異度の上昇が期待できる。CA125 は消化器がんでも陽性となるが，CA125/CEA 比が 25 以上の場合は卵巣がんの可能性が高いとの報告がある
- 若年女性では胚細胞腫瘍の鑑別のために AFP や β-hCG の測定を検討する
- 確定診断は通常，病理組織検査で行う。原発巣の穿刺吸引は嚢胞の破裂や出血，悪性細胞の腹腔内播種を防ぐために避ける
- 胸腹水の細胞診は，診断の補助的役割を果たし胸水細胞診は Staging に関わる
- 他がん腫に比較し血栓塞栓症のリスクが高く，明細胞癌に多い

■ 病理組織分類

◆ 上皮性卵巣がんの組織分類

- 漿液性癌　発生頻度が本邦では 40% と最多である。高悪性度漿液性癌と低悪性度漿液性癌に分類され，高悪性度漿液性癌は TP53 や BRCA，低悪性度漿液性癌は KRAS や BRAF の変異が多く認められる
- 類内膜癌　17% を占め，子宮内膜症に関連する。組織診断が困難なことが多い
- 粘液性癌　10% を占め，子宮頸部腺上皮に類似する。消化器や子宮などからの転移性卵巣がんとの鑑別が必要である。抗悪性腫瘍薬感受性が低く，予後不良である
- 明細胞癌　本邦での発生頻度が 24% と近年増加しており，白人よりアジア人に約 2～4 倍程度多くみられる。多くは子宮内膜症を背景に発生する。ARID1A や PIK3CA の変異が多く認められる。抗悪性腫瘍薬感受性が低く，予後不良である

◆ 組織学的分化度（明細胞癌以外に適応）

Grade 1　充実性部分が 5% 以下
Grade 2　充実性部分が 5～50%，または充実性成分が 5% 以下で核異型が強い場合
Grade 3　充実性部分が 50% を超える，または充実性成分が 50% 以下で核異型が強い場合
なお漿液性癌は近年，高悪性度と低悪性度に分類され，異型度からは高悪性度は Grade 2・3，低悪性度は Grade 1 に相当するが明確に対応する定義はない。

◆ 原発性腹膜がん

上皮性卵巣がんの 10～20% 程度と推定されている。次のすべてを満たすとき原発性腹膜がんと診断する（GOG の診断基準）。

12
婦人科がん

- 卵巣は正常大，もしくは良性変化による腫大
- 卵巣表層病変より大きい卵巣外病変
- 顕微鏡的に卵巣の病巣が表層上皮に限局しているか，5×5 mm 以内
- 組織細胞学的に卵巣漿液性癌と類似

■ Staging

通常，手術療法(staging laparotomy)後に行う。FIGO 分類と TNM 分類が用いられる。

◆FIGO 手術進行期分類(2014)

Stage Ⅰ　卵巣あるいは卵巣内限局発育

　Stage ⅠA　一側の卵巣(被膜破綻がない)あるいは卵管に限局し，被膜表面への浸潤が認められないもの。腹水または洗浄液の細胞診にて悪性細胞の認められないもの

　Stage ⅠB　両側の卵巣(被膜破綻がない)あるいは卵管に限局し，被膜表面への浸潤が認められないもの。腹水または洗浄液の細胞診にて悪性細胞の認められないもの

　Stage ⅠC　一側または両側の卵巣あるいは卵管に限局し，以下のいずれかが認められるもの

　　Stage ⅠC1　手術操作による被膜破綻

　　Stage ⅠC2　自然被膜破綻あるいは被膜表面への浸潤

　　Stage ⅠC3　腹水または腹腔洗浄細胞診に悪性細胞が認められるもの

Stage Ⅱ　腫瘍が一側または両側の卵巣あるいは卵管に存在し，さらに骨盤内(小骨盤腔)への進展を認めるもの，あるいは原発性腹膜がん

　Stage ⅡA　進展ならびに/あるいは転移が子宮ならびに/あるいは卵管ならびに/あるいは卵巣に及ぶもの

　Stage ⅡB　他の骨盤部腹腔内臓器に進展するもの

Stage Ⅲ　腫瘍が一側または両側の卵巣あるいは卵管に存在し，あるいは原発性腹膜がんで，細胞学的あるいは組織学的に確認された骨盤外の腹膜播種ならびに/あるいは後腹膜リンパ節転移を認めるもの

　Stage ⅢA1　後腹膜リンパ節転移陽性のみを認めるもの(細胞学的あるいは組織学的に確認)

　　Stage ⅢA1(ⅰ)　転移巣最大径 10 mm 以下

　　Stage ⅢA1(ⅱ)　転移巣最大径 10 mm を超える

　Stage ⅢA2　後腹膜リンパ節転移の有無にかかわらず，骨盤外に顕微鏡的播種を認めるもの

　Stage ⅢB　後腹膜リンパ節転移の有無にかかわらず，最大径 2 cm 以下の腹腔内播種を認めるもの

卵巣がん（上皮性卵巣がん） 231

Stage ⅢC　後腹膜リンパ節転移の有無にかかわらず，最大径 2 cm を
超える腹腔内播種を認めるもの（実質転移を伴わない肝お
よび脾の被膜への進展を含む）
Stage Ⅳ　腹膜播種を除く遠隔転移
Stage ⅣA　胸水中に悪性細胞を認める
Stage ⅣB　実質転移ならびに腹腔外臓器（鼠径リンパ節ならびに腹腔外
リンパ節を含む）に転移を認めるもの

■ 予後因子

- 患者因子：高齢，PS 低下は予後不良
- 腫瘍因子：進行期，組織分類（明細胞癌や粘液性癌は予後不良），組織学的分化度
- 治療因子：初回手術での最大残存腫瘍径が 1 cm に満たない際には予後良好

■ 治療

1 初回治療

手術療法を基本とした集学的治療であり，化学療法を主に併用する。

◆ 初回治療

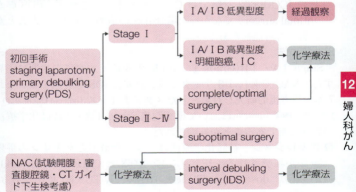

1）手術療法

手術療法の目的は卵巣腫瘍の確定診断および手術進行期の確定，最大限の腫瘍減量（cytoreduction）である。

❶ staging laparotomy　腹腔内を十分に観察および触知し，病巣

の広がりの検索および腹腔（洗浄）細胞診，生検をくまなく行う。基本的な術式は，子宮全摘・両側付属器摘出・大網切除術に加えて骨盤・傍大動脈リンパ節生検または郭清，腹腔内各所の生検である。虫垂切除術は，粘液性癌で虫垂原発がんとの鑑別を要する場合に考慮する。

❷ **primary debulking surgery（PDS）** 腹腔内播種や転移病巣の完全摘出を目指した腫瘍減量術である。術後の残存腫瘍径は予後と相関するため，最大限の腫瘍減量が達成できるように努める。肉眼的残存腫瘍のない場合を complete surgery，最大腫瘍径 1 cm 未満を optimal surgery，1 cm 以上の場合を suboptimal surgery とよぶ。基本的な術式に加え，腹膜や横隔膜，腸管，脾臓などの合併切除も考慮する。

❸ **interval debulking surgery（IDS）** 初回手術で optimal surgery が困難とされる場合，合併症や高齢，PS 低下，胸腹水貯留により全身状態が不良例の場合は，neoadjuvant chemotherapy（NAC）後の腫瘍減量術（IDS）も選択肢である。Stage Ⅲ・Ⅳの初回治療患者に対し，欧米の EORTC55971 試験および CHORUS 試験で IDS の PDS に対する OS の非劣性が示された。本邦の JCOG0602 試験では OS の非劣性は示されず，PDS 群がoptimal surgery でなかった場合 IDS の追加が許容されたことが影響した可能性がある。

2）化学療法

Stage ⅠA・ⅠB（Grade 1・Grade 2）を除くすべての病期に実施する。NAC であれば 3 サイクル後を目安に IDS を実施する。なお7 本の後方視的研究を対象としたメタアナリシス(Gynecol Oncol 2020；157：293 PMID 31980220)において明細胞癌 Stage ⅠA・ⅠB は化学療法が省略可能であることが推論された。

❶ **標準レジメン** 初回化学療法はプラチナ製剤とタキサンの併用療法が推奨される。レジメンに，PTX と CBDCA の triweekly TC療法，dose-dense TC療法，triweekly TC＋BV療法がある。

PTX の dose intensity を上げることにより，さらに高い抗腫瘍効果を期待する dose-dense TC 療法が本邦で開発され，JGOG3016 試験で dose-dense TC 療法は triweekly TC 療法と比べ PFS を延長した。一方で dose-dense TC 療法は貧血を惹起しやすく，治療中止例が多かった。ICON8 試験では，triweekly TC 療法，dose-dense TC 療法，weekly TC 療法の 3 群

卵巣がん（上皮性卵巣がん） **233**

が比較された。dose-dense TC 療法の triweekly TC 療法に対する PFS の優越性は示されなかった。

◆**triweekly TC 療法** ★★★（JCO 2000；18：3084 PMID 10963636, JCO 2003；21：3194 PMID 12860964, J Natl Cancer Inst 2003；95：1320 PMID 12953086）

Stage Ⅰ〜Ⅳに対して

PTX	175 mg/m^2	3 時間で点滴静注	day 1
CBDCA	AUC 5〜6	1 時間で点滴静注	day 1
3 週ごと	Stage Ⅰは 3〜6 サイクル	Stage Ⅱ〜Ⅳは 6 サイクル	

◆**dose-dense TC 療法** ★★★（Lancet 2009；374：1331 PMID 19767092）

Stage Ⅱ〜Ⅳに対して

PTX	80 mg/m^2	1 時間で点滴静注	day 1, 8, 15
CBDCA	AUC 6	1 時間で点滴静注	day 1
3 週ごと	6 サイクル		

BV の追加および維持療法が GOG0218 試験と ICON7 試験で検証された。GOG218 試験では Stage Ⅲ・Ⅳ卵巣がんを対象に，triweekly TC ＋ BV 療法は triweekly TC 療法に対し PFS を改善した。ICON7 では，Stage Ⅰの再発高リスクおよび Stage Ⅱ〜Ⅳを対象に，triweekly TC ＋ BV 療法は triweekly TC 療法に対し PFS を改善した。両試験とも OS 延長や QOL 改善は認めず，BV の追加には慎重な患者選択が必要である。triweekly TC 療法，dose-dense TC 療法，triweekly TC ＋ BV 療法のいずれも標準治療となった。日常臨床では❸の維持療法との関連を考慮し選択する。また貧血症例では triweekly TC 療法を，腹水貯留例や BRCA と関連の低い粘液性癌には triweekly TC ＋ BV 療法を選択するという意見もある。

◆**triweekly TC ＋ BV 療法** ★★★（NEJM 2011；365：2473 PMID 22204724, NEJM 2011；365：2484 PMID 22204725）

Stage Ⅲ・Ⅳに対して

PTX	175 mg/m^2	3 時間で点滴静注	day 1
CBDCA	AUC 6	1 時間で点滴静注	day 1
BV 15 mg/kg 初回は 90 分，2 回目は 60 分，3 回目以降は 30 分 day 1			
3 週ごと	6 サイクル		

❷ **オプションのレジメン** SCOTROC1 試験では，triweekly DC 療法は triweekly TC 療法に対し PFS の優越性を示せなかった。長期予後成績は不明であり，Grade 3 以上の好中球減少の頻度が高かった。末梢神経障害のリスクが高い場合やアルコール不

12

婦人科がん

耐例に選択肢となる。

◆ **triweekly DC 療法 ★★** (J Natl Cancer Inst 2004；96：1682 PMID 15547181)
末梢神経障害のリスクが高い場合やアルコール不耐例に対して

DTX	75 mg/m^2	1 時間で点滴静注	day 1
CBDCA	AUC 5	1 時間で点滴静注	day 1
3 週ごと	6 サイクル		

MITO7 試験では，weekly TC 療法は triweekly TC 療法に比較して優越性を示すことができなかった。一方で毒性や QOL はweekly TC 療法が勝っており，高齢者やフレイル，全身状態不良患者には選択肢となる。

◆ **weekly TC 療法 ★★** (Lancet Oncol 2014；15：396 PMID 24582486)
高齢者やフレイル，全身状態不良者に対して

PTX	60 mg/m^2	1 時間で点滴静注	day 1
CBDCA	AUC 2	1 時間で点滴静注	day 1
毎週投与	18 週間		

❸ **維持療法**　Stage Ⅲ・Ⅳでプラチナ製剤を含む化学療法に CR または PR の患者を対象に行う。

維持療法の薬剤に BV と PARP 阻害薬があり，GOG0218 試験とICON7 試験より triweekly TC＋BV 療法に引き続き BV 維持療法が実施されてきた。BRCA1/2 遺伝子は遺伝子修復機構の 1 つであり，2 本鎖 DNA 切断を修復する遺伝子相同組み換え(homologous recombination：HR)に関与する遺伝子である。上皮性卵巣がんの10〜15％ に BRCA1/2 遺伝子変異を，約 50％ に相同組換え修復欠損(homologous recombination deficiency：HRD)を有する。本邦では，組織型における BRCA1/2 遺伝子変異の割合を調査し，高悪性度漿液性癌 28.5％，低悪性度漿液性癌 20.0％，類内膜癌 6.7％，明細胞癌 2.1％ であったが粘液性癌では 0％ であった。SOLO1 試験(NEJM 2018；379：2495 PMID 30345884)では，BRCA1/2 遺伝子変異をもつ Stage Ⅲ・Ⅳを対象に，オラパリブ維持療法はプラセボに比較し 3 年 PFS を改善(60％ vs 27％，HR 0.30)した。PAOLA-1 試験(NEJM 2019；381：2416 PMID 31851799)では，Stage Ⅲ・Ⅳで triweekly TC＋BV 療法を受けた患者を対象に，オラパリブ＋BV 併用維持療法群は BV 単剤維持療法群に比較し PFS を改善(37.2 カ月 vs 17.7カ月，HR 0.59)した。サブグループ解析では，HRD 群の HR 0.33に対し，HR proficient(HRP)群は HR 1.00 であった。PRIMA 試験(NEJM 2019；381：2391 PMID 31562799)では，Stage Ⅲ・Ⅳの患者を対

象に，ニラパリブ維持療法はプラセボに比較しPFSを改善（13.8 vs 8.2カ月，HR 0.62）し，サブグループ解析では，HRDでHR 0.43，HRPでHR 0.68といずれもPFSを改善した。

◆ CRまたはPRの患者にStage Ⅲ・Ⅳでプラチナ製剤を含む化学療法に引き続き行う化学療法

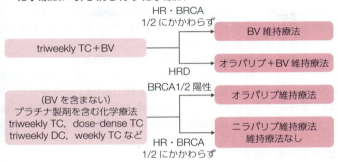

*BVを含む維持療法は前治療にBVを含む。一方，オラパリブ，ニラパリブ維持療法は前治療にBVを含まない

◆ BV維持療法 ★★★ （NEJM 2011；365：2473 PMID 22204724）
triweekly TC＋BV療法後に

| BV 15 mg/kg 30分で点滴静注 day 1 3週ごと 前治療と合計して22サイクル |

◆ ニラパリブ維持療法 ★★★ （NEJM 2019；381：2391 PMID 31562799）
BVを含まずプラチナ製剤を含む化学療法後に

| ニラパリブ 200 mg 1日1回 経口内服 連日内服3年間
投与前体重77 kg以上かつ血小板数15万/μL以上の成人には300 mg 1日1回とする |

◆ オラパリブ維持療法 ★★★ （NEJM 2018；379：2495 PMID 30345884）
BRCA1/2陽性，BVを含まずプラチナ製剤を含む化学療法後に

| オラパリブ 1回300 mg 1日2回 経口内服 連日内服 2年間 |

◆ オラパリブ＋BV併用療法 ★★★ （NEJM 2019；381：2416 PMID 31851799）
HRD，triweekly TC＋BV療法後に

| オラパリブ 1回300 mg 1日2回 経口内服 連日内服 2年間
BV 15 mg/kg 30分で点滴静注 day 1 3週ごと 前治療に引き続き合計15カ月 |

3）妊孕性温存療法

妊孕性温存の適応は，以下のとおり。

- Stage ⅠA：Grade 1 または Grade 2，明細胞癌
- Stage ⅠC：片側卵巣限局かつ腹水細胞診陰性で Grade 1 または Grade 2

術式は患側付属器摘出術＋大網切除術＋腹腔細胞診を推奨し，対側卵巣の生検，骨盤・傍大動脈リンパ節生検または郭清，腹腔内生検が考慮される。化学療法は標準治療に準じる。

4）risk-reducing salpingo-oohorectomy（RRSO）

メタアナリシス（J Natl Cancer Inst 2009；101：80 PMID 19141781）では，RRSO 後の卵巣・卵管がん発症リスクは HR 0.21 に減少した。前向き多施設研究（JAMA 2010；304：967 PMID 20810374）では全死亡率を HR 0.40 に減少した。乳がん発症歴があり BRCA1/2 陽性者に 1 次予防として RRSO を行うことが推奨されている。

5）腹腔内化学療法

腹腔内化学療法は，薬剤を腹腔内局所に高濃度かつ長時間曝露させる。optimal surgery 後の腹腔内化学療法は無病生存期間および OS を改善させることがメタアナリシス（Cochrane Database Syst Rev 2006；25：CD005340 PMID 16437527）で明らかとなった。一方，GOG252 試験では Stage Ⅱ〜Ⅳへ BV を追加した試験を実施したが有効性は示せなかった。これまでの検証では高い毒性発現率による治療完遂率の低さ，治療の煩雑さ，腹腔ポート留置に伴うトラブル，試験治療の不統一，コントロールアームの問題などから標準治療とはなりえていない。

2 再発に対する治療

プラチナ製剤の投与終了から再発・再燃までの期間である platinum free interval（PFI）が長いほど，プラチナ製剤の奏効率が高くなる。PFI が 6 カ月以上の再発をプラチナ感受性，6 カ月未満をプラチナ抵抗性と判断する。CA125 上昇のみでの治療介入は OS に差がなく QOL が低下するため，臨床症状や画像診断で再発が確認されてから治療開始する。

1）プラチナ感受性再発

卵巣がんの半数以上が再発する。再発後は根治が困難であり生存期間の延長および QOL 改善，症状緩和が主体となる。

❶ 腫瘍減量術　切除可能な症例に secondary debulking surgery（SDS）が考慮される。GOG213 および SGOG SOC-1 試験では

プラチナ感受性再発に対する腫瘍減量術を検証したが OS を改善しなかった。一方，AGO DESKTOP Ⅲ 試験では，PS 0，腹水＜500 mL，初回手術における完全切除の患者を対象にしたところ，OS の延長(53.7 カ月 vs 46.0 カ月，HR 0.75)を認めた。腫瘍の完全切除が可能な場合は腫瘍減量術を考慮する。

❷ **化学療法** プラチナ併用療法の奏効率が 40～60％，PFS が 1 年間，OS が 24～30 カ月間である。プラチナ併用療法はプラチナ単剤療法に比較して PFS，奏効率，OS 改善の報告があることから併用療法が推奨される。繰り返しの triweekly TC 療法，GC 療法(GEM＋CBDCA)，PLD-C 療法(DXR＋CBDCA)が選択肢になる。

プラチナ併用療法への BV の上乗せ効果については，GOG213 試験(Lancet Oncol 2017；18：779 PMID 28438473)で TC＋BV 療法は TC 療法に比較して，OS(HR0.48)を延長した。OCEANS 試験(JCO 2012；30：2039 PMID 22529265)で GC＋BV 療法は GC 療法に比較し PFS(HR 0.48)および奏効率を改善した。また BV を繰り返し治療する効果について MITO16B-MaNGO OV2B-ENGOT OV17 試験(Lancet Oncol 2021；22：267 PMID 33539744)で検証され，BV 治療歴の症例にプラチナ併用化学療法に BV を上乗せした群はしなかった群よりも PFS の延長(HR 0.51)を認めた。AGO-OVAR 2.21/ENGOT ov-18 試験(Lancet Oncol 2020；21：699 PMID 32305099)において，PLD-C＋BV は GC＋BV に比較し，PFS(13.3 カ月 vs 11.6 カ月，HR 0.81)および OS(31.0 カ月 vs 27.8 カ月，HR 0.81)を改善した。しかし PLD-C＋BV の BV 投与方法は他の併用レジメンと異なり，保険収載されていないため注意が必要である。いずれも副作用を考慮しレジメンを選択する必要がある。

◆ **プラチナ感受性再発に対する化学療法**

◆ triweekly TC 療法 ★★★ (Lancet 2003；361：2099 PMID 12826431)

PTX	175 mg/m^2	3 時間で点滴静注	day 1
CBDCA	AUC 5～6	1 時間で点滴静注	day 1
3 週ごと	6 サイクル		

◆ GC 療法 ★★★ (JCO 2006：24：4699 PMID 16966687)

GEM	1,000 mg/m^2	点滴静注	day 1, 8
CBDCA	AUC 4	点滴静注	day 1
3 週ごと	6 サイクル		

◆ PLD-C 療法 ★★★ (JCO 2010：28：3323 PMID 20498395)

DXR	30 mg/m^2	点滴静注	day 1
CBDCA	AUC 5	点滴静注	day 1
4 週ごと	6 サイクル		

◆ プラチナ併用化学療法＋BV 療法 ★★★ (Lancet Oncol 2017：18：779 PMID 28438473, JCO 2012：30：2039 PMID 22529265)

triweekly TC 療法（AUC 5），GC 療法と下記を併用
BV　15 mg/kg　点滴静注　day 1　に追加
6 サイクル後は BV 維持療法として
BV　15 mg/kg　点滴静注　day 1
3 週ごと　PD まで

(Lancet Oncol 2020：21：699 PMID 32305099)

PLD-C と下記を併用
BV　10 mg/kg　点滴静注　day 1, 15
6 サイクル後は BV 維持療法として
BV　15 mg/kg　点滴静注　day 1
3 週ごと　PD まで

再発卵巣がんにも PARP 阻害薬による維持療法の有効性が示されている。プラチナ製剤を含む化学療法に奏効した BRCA 遺伝子変異をもつ患者を対象とした SOLO2 試験で，オラパリブはプラセボに比較して PFS を延長（19.1 カ月 vs 5.5 カ月，HR 0.30）した。オラパリブの効果は第 II 相試験である Study 19 で BRCA 遺伝子変異にかかわらず PFS を改善した。同様にプラチナ製剤を含む化学療法に奏効した患者を対象にした NOVA 試験で，ニラパリブはプラセボに比較して BRCA 遺伝子変異や HRD・HRP にかかわらずPFS を延長した。BV，オラパリブ，ニラパリブによる維持療法の選択についていまだコンセンサスは得られていない。また，初回治療で PARP 阻害薬を維持療法で投与された患者における，プラチ

卵巣がん（上皮性卵巣がん）　239

ナ感受性再発卵巣がんで化学療法による奏効が得られた患者に対する PARP 阻害薬維持療法の再投与の有効性は，証明されていない。

また 3 レジメン以上の既往患者を対象とした第Ⅱ相試験の QUADRA 試験では，プラチナ感受性再発かつ HRD の患者において奏効率 28% を示した。

◆**オラパリブ維持療法 ★★★**（Lancet Oncol 2017：18：1274　PMID 28754483）
<u>BV を含まずプラチナ製剤を含む化学療法後に</u>

オラパリブ　1 回 300 mg　1 日 2 回　経口内服　連日内服　PD まで

◆**ニラパリブ維持療法 ★★★**（NEJM 2016：375：2154　PMID 27717299）
<u>BV を含まずプラチナ製剤を含む化学療法後に</u>

◆**ニラパリブ単剤療法 ★**（Lancet Oncol 2019：20：636　PMID 30948273）
<u>3 レジメン以上の治療歴かつ HRD を有するプラチナ感受性再発</u>

ニラパリブ　200 mg　1 日 1 回　経口内服　連日内服　PD まで

❸ **CBDCA の遅発性過敏反応**　CBDCA の反復投与により，7〜10 サイクル投与後から頻度が上昇し蓄積毒性とされる過敏反応が 10〜15% の患者に発生する。Ⅰ型アレルギーとされている。CBDCA の投与後に蕁麻疹や血管浮腫，紅斑などの皮膚症状，呼吸困難や喘鳴といった呼吸器症状，ショックなどの循環器症状およびアナフィラキシーをきたす。抗ヒスタミン薬およびステロイドの前投薬の強化および脱感作療法や CDDP へのローテーションも試みられている。

2）プラチナ抵抗性再発

前治療と交差耐性のない薬剤を用いる。併用療法の有用性は確立されておらず，単剤療法が基本である。どの薬剤も奏効率が 5〜20%，PFS 中央値が 2 カ月，OS が 10 カ月と予後不良であり，症状緩和および QOL の維持を第一に考え緩和医療も併せて検討する。単剤療法に対する BV の上乗せについて，奏効率および PFS の改善を認めたが OS の延長は明らかでないため症例選択が必要である。レジメンの選択もコンセンサスはなく，投与スケジュールや副作用を考慮し選択する。なおプラチナ抵抗性再発における腫瘍減量術のエビデンスはない。

240 | 12 婦人科がん

◆ **PLD 療法 ★★★** (JCO 2007；25：2811 PMID 17602086, JCO 2008；26：890 PMID 18281662)

DXR　40～50 mg/m^2　点滴静注　day 1　4 週ごと　PD まで

◆ **GEM 療法 ★★★** (JCO 2008；26：890 PMID 18281662)

GEM　1,000 mg/m^2　点滴静注　day 1, 8, 15　4 週ごと　PD まで

◆ **TPT 療法 ★★★** (JCO 1997；15：2183 PMID 9196130, JCO 2001；19：3312 PMID 11454878)

TPT　1.25～1.5 mg/m^2　点滴静注　day 1～5　3 週ごと　PD まで

◆ **IRI 療法 ★★** (Gynecol Oncol 2006；100：412 PMID 16298422)

IRI　100 mg/m^2　点滴静注　day 1, 8, 15　4 週ごと　PD まで

◆ **weekly PTX 療法 ★★** (JCO 2002；20：2365 PMID 11981009)

PTX　80 mg/m^2　点滴静注　day 1　毎週投与　PD まで

◆ **DTX 療法 ★★** (Ann Oncol 2000；11：1531 PMID 11205459)

DTX　70 mg/m^2　点滴静注　day 1　3 週ごと　PD まで

◆ **BV 療法 ★★** (JCO 2007；25：5165 PMID 18024863, JCO 2007；25：5180 PMID 18024865)

BV　15 mg/kg　点滴静注　day 1　3 週ごと　PD まで

◆ **単剤＋BV 療法 ★★** (JCO 2014；32：1302 PMID 24637997)

weekly PTX 療法，PLD 療法(40 mg/m^2)，TPT 療法(1.25 mg/m^2)と併用。

BV　15 mg/kg　点滴静注　day 1　3 週ごと　PD まで

◆ **経口 ETP 療法 ★★** (JCO 1998；16：405 PMID 9469322)

経口 ETP　50 mg/m^2/日　day 1～21　4 週ごと

卵巣がん（上皮性卵巣がん） 241

■ **予後**

Stage	症例数	5年生存率（％）
Ⅰ	629	87.4
Ⅱ	144	66.4
Ⅲ	601	44.2
Ⅳ	272	28.3

〔全国がん（成人病）センター協議会の生存率共同調査（2017年9月集計）より〕

■文献
1) Tokunaga H, et al：The 2020 Japan Society of Gynecologic Oncology guidelines for the treatment of ovarian cancer, fallopian tube cancer, and primary peritoneal cancer. J Gynecol Oncol 2021；32：e49 PMID 33650343
2) Fotopoulou C, et al：European Society of Gynaecological Oncology guidelines for the peri-operative management of advanced ovarian cancer patients undergoing debulking surgery. Int J Gynecol Cancer 2021；31：1199-1206 PMID 34407962

【仲尾　岳大】

13 泌尿器腫瘍

腎細胞がん Renal Cell Carcinoma

腎腫瘍のうち腎実質の近位尿細管由来の腎細胞がんが全体の90% を占める。

■ 疫学

好発年齢は 50 歳代後半で，男女比は 2：1 である。近年は本邦でも増加傾向であり，検診での CT，超音波の普及により早期発見例が増加している。

1 死亡数(2018 年)，罹患数(2016 年)

- 死亡数(腎盂を除く腎，2018 年)：4,531 人(男性 3,044 人，女性 1,487 人)
- 罹患数(腎臓など，2016 年)：29,152 人(男性 19,794 人，女性 9,357 人)

2 発症の危険因子(リスクファクター)

- 喫煙，高血圧，肥満，慢性透析，後天性嚢胞腎，腎結石の既往，ウイルス性肝炎，von Hippel-Lindau 病(VHL 病)

■ 診断

1 検診方法と意義

早期発見には健康診断の腹部超音波検査が有用である(腎癌診療ガイドライン 2017 年版，グレード B)。VHL 病患者は腎細胞がんの生涯罹患率が最大 50% とリスクが高く，15 歳からの画像スクリーニングが推奨されている(VHL 病診療ガイドライン 2017 年版)。透析患者は腎がんの高リスク因子であるものの現状では透析患者に対するスクリーニングの有効性を示す高いエビデンスは存在しない。

2 臨床症状

早期には無症状であることが多く，いわゆる古典的 3 徴(血尿，腹部腫瘤，疼痛)の症状すべてを発見時に呈するのは 10% 程度である。発熱，貧血，多血症，高 Ca 血症，肝機能異常などの腎尿路系以外の症状で発見されることがあり internist tumor といわれる。

3 画像診断

腎原発巣病変の検出感度は dynamic CT（94％），腹部超音波（79％）と CT 検査が優れている。しかし費用対効果の面から，早期診断においては腹部超音波をまず行い，その後に CT 検査が推奨される。腎血管筋脂肪腫（AML）や腎盂がんとの鑑別が問題となることがある。遠隔転移は肺が最も多く，病期診断のための胸部 CT は必須である。骨転移を疑う疼痛を有する場合や，転移・局所進行性の場合においては，骨シンチグラフィの施行が考慮される。また Staging において PET-CT の意義は明らかではない。

4 検体検査

腎細胞がんに特異的な腫瘍マーカーは存在しない。

■ 病型分類，組織分類

最も多い組織型は淡明細胞型腎細胞がんである（85％）。次に乳頭状腎細胞がん，嫌色素性腎細胞がんが続く。透析腎に特有な組織型として，WHO 分類(2016)に後天性嚢胞腎随伴腎細胞がんが加えられている。集合管癌と遺伝性平滑筋腫症腎細胞がんは，頻度は少ないものの予後不良である。

■ Staging

◆UICC-TNM 分類（第 8 版，2017）

T-原発腫瘍
- T1 　最大径が 7 cm 以下で腎に限局する腫瘍
  - T1a 　最大径が 4 cm 以下
  - T1b 　最大径が 4 cm を超えるが 7 cm 以下
- T2 　最大径が 7 cm を超え，腎に限局する腫瘍
  - T2a 　最大径が 7 cm を超えるが 10 cm 以下
  - T2b 　最大径が 10 cm を超える
- T3 　腫瘍が主要な静脈内への進展，または腎周囲脂肪組織への浸潤をきたすが同側副腎への浸潤はなく，Gerota 筋膜を越えない
  - T3a 　腎静脈または腎周囲脂肪組織へ浸潤するが Gerota 筋膜を越えない
  - T3b 　横隔膜以下の下大静脈内進展
  - T3c 　横隔膜を越える下大静脈内進展または下大静脈壁への浸潤
- T4 　Gerota 筋膜を越えて浸潤/同側副腎進展

N-所属リンパ節（腎門，腹部大動脈，大静脈リンパ節）
- N0 　所属リンパ節転移なし
- N1 　単発の所属リンパ節転移あり

M-遠隔転移

M0　遠隔転移なし

M1　遠隔転移あり

◆ **Stage 分類**

Stage Ⅰ	T1	N0	M0
Stage Ⅱ	T2	N0	M0
Stage Ⅲ	T3	N0	M0
	T1～3	N1	M0
Stage Ⅳ	T4	any N	M0
	any T	any N	M1

■ 予後因子

　組織学的予後因子として，組織型(sarcomatoid)，核異型度，壊死，脈管侵襲が挙げられる。

　転移性腎細胞がんには，臨床的予後因子を用いた予後予測分類が存在する。IMDC 分類は，① KPS(Karnofsky PS)＜80％，② 診断から治療開始まで 1 年未満，③ 補正 Ca 値≧10 mg/dL，④ Hb＜基準値下限，⑤ 血小板数が基準値上限以上，⑥ 好中球数が基準値上限以上の全 6 項目のうち，該当が 0 項目であれば予後良好群，1～2 項目であれば中間群，3 項目以上では予後不良群とし，MST はそれぞれ 43.2 カ月，22.5 カ月，7.8 カ月である(Lancet Oncol 2013：14：141 PMID 23312463)。ただし，この予後予測は薬物療法が TKI のみであったことに注意を要する。

■ 治療

1 Stage Ⅰ～Ⅲ

　根治的腎摘出術が基本だが，単腎，腎機能低下，両側腎細胞がんの症例は腎部分切除術が推奨される。近年，低侵襲治療として経皮的ラジオ波焼灼療法(RFA)や凍結療法が試みられているが，手術とのランダム化比較試験(RCT)は現時点では存在しないため，高齢者，手術リスクの高い患者に対してのみ検討される。術後化学療法について RCT が複数行われており有用性を証明できた薬剤はこれまで存在しなかったが，ASCO2021 にて淡明細胞型腎細胞がんの術後に再発リスクが中～高リスク(pT2 でかつ Grade 4 か sarcomatoid，または pT3 以上または pN1。いずれも pM0 のみ)であった患者に対して，ペムブロリズマブの 1 年間の投与はプラセボと

比較して DFS・OS の延長を示し今後の臨床導入が期待される（KEYNOTE-564 試験）。

2 Stage IV

1）手術療法

従来，腎細胞がんでは遠隔転移を有する場合でも，切除可能であれば腎摘出術が施行されてきた。これは腎摘出術 + IFN vs. IFN 単剤を検証する 2 つの RCT で，腎摘出術による生存期間延長が示されているためである（★★★）(NEJM 2001；345：1655 PMID 11759643, Lancet 2001；358：966 PMID 11583750)。また，転移病巣の切除によって生存期間延長の可能性も示されているが，後方視的検討であり適応には注意が必要である（★★）(JCO 1998；16：2261 PMID 9626229)。

2018 年，Stage IV における原発巣手術の意義を検証する RCT（原発巣切除 + スニチニブ vs. スニチニブのみ）の結果として，手術非施行群（スニチニブのみ）の非劣性が示された（★★★）(CARMENA 試験：NEJM 2018；379：417 PMID 29860937)。よって現在は，原発巣が切除可能であっても切除は推奨されない。

2）全身薬物療法

TKI（チロシンキナーゼ阻害薬）や，ICI（免疫チェックポイント阻害薬）やその併用療法などの治療効果が証明され，選択肢は多彩である。どの薬剤を優先的に使用するかは，1st line に関しては IMDC のリスク分類に応じて，また 2nd line 以降に関しては前治療歴，組織型を考慮して決定される。なお，多くの臨床試験において淡明細胞癌（clear cell carcinoma）が大部分を占めることに注意されたい。非淡明細胞型腎細胞がんの治療成績は有意に不良である。

◆ 淡明細胞型腎細胞がんの治療アルゴリズム(EAU guidelines：Eur Urol 2021 より改変)

1st line の治療

IMDC リスク分類	標準治療	ICI が不耐の場合の代替治療
予後中間・不良群	ペムブロリズマブ + アキシチニブ ニボルマブ + イピリムマブ （ニボルマブ + カボザンチニブ） （ペムブロリズマブ + レンバチニブ）	カボザンチニブ スニチニブ パゾパニブ
予後良好群	ペムブロリズマブ + アキシチニブ （ニボルマブ + カボザンチニブ） （ペムブロリズマブ + レンバチニブ）	スニチニブ パゾパニブ

❶ IMDC 予後中間・不良群の 1st line　ICI＋ICI の併用療法または
さまざまな ICI＋TKI 併用療法が RCT においてスニチニブに
対して優越性を示しており標準治療となっている。しかしいず
れのレジメンも直接比較した試験は存在せず，優劣ははっきり
としない。

a) **ニボルマブ＋イピリムマブ併用療法**：未治療の転移性淡明細胞
癌患者で IMDC リスク分類のすべてのリスク群を対象とした臨
床試験において，スニチニブ単剤と比較して IMDC 分類が中間・
不良群の患者における OS は（中央値未到達 vs. 26 カ月）有意な
延長を認めたが，ITT 集団に含まれていた予後良好群の探索的解
析では，スニチニブ群の PFS が良好な傾向であった（中央値
15.3 カ月 vs. 25.1 カ月）。本邦においては IMDC 分類が中間およ
び不良群のみに承認されている（2022 年 5 月現在）。有害事象と
して，併用療法を受けた患者の 20％ 以上に疲労，瘙痒，発疹，
下痢，悪心を認めており，下痢の Grade 3 以上は 4％ に出現する。

◆ **ニボルマブ＋イピリムマブ併用療法** ★★★（CheckMate214 試験：
NEJM 2018：378：1277 **PMID** 29562145）

> ニボルマブ（オプジーボ®）　240 mg/body　1 時間で点滴静注　day 1
> 3 週ごと
> イピリムマブ（ヤーボイ®）　1 mg/kg　30 分で点滴静注　day 1　3 週ご
> と
> 上記併用を 4 サイクル投与したのち，下記を単剤で投与する
> ニボルマブ（オプジーボ®）　240 mg/body　1 時間で点滴静注　day 1
> 2 週ごと，または
> ニボルマブ（オプジーボ®）　480 mg/body　2 時間で点滴静注　day 1
> 4 週ごと

b) **ペムブロリズマブ＋アキシチニブ併用療法**：未治療の転移性淡
明細胞癌患者で IMDC 分類のすべてのリスク群を対象として臨
床試験が行われた。スニチニブと比較し PFS（中央値 15.1 カ月
vs. 11.1 カ月）の延長を認め，また long follow-up においても
ITT で OS（中央値 NR vs. 35.7 カ月）の延長を認めすべての
IMDC リスク群において 1st line として推奨されている。有害事
象として，併用療法を受けた患者の 20％ 以上に下痢，高血圧，
甲状腺機能低下症，疲労，手足症候群（HFS），肝機能障害，発
声障害，食欲減退，悪心を認めており，Grade 3 以上は下痢
（1.9％），肝障害（1.4％）に出現する。

腎細胞がん **247**

◆ペムブロリズマブ＋アキシチニブ併用療法 ★★★ （KEYNOTE-426

試験：NEJM 2019；380：1116 PMID 30779529）

> ペムブロリズマブ（キイトルーダ®）　200 mg/body　1 時間で点滴静注
> 　day 1　3 週ごと
> アキシチニブ（インライタ®）　1 回 5 mg　1 日 2 回　連日

c) **アベルマブ＋アキシチニブ併用療法**：未治療の転移性淡明細胞癌患者で IMDC 分類のすべてのリスク群を対象として臨床試験が行われ，主要評価項目は PD-L1 陽性の患者集団における PFS，OS であった。スニチニブと比較し PD-L1 陽性の患者集団における PFS（中央値 13.8 カ月 vs. 7.2 カ月）の延長を認め PD-L1 陰性の患者集団においても同様に PFS の延長を認めた。本邦でも PD-L1 の状態を問わず 2019 年 12 月に薬事承認されている。有害事象として，併用療法を受けた患者の 20％ 以上に下痢，高血圧，疲労，HFS，発声障害，悪心，甲状腺機能低下症，口内炎，食欲減退を認めており，下痢の Grade 3 以上は 1.4％ に出現する。

◆アベルマブ＋アキシチニブ併用療法 ★★★ （JAVELIN RENAL 101 試

験：NEJM 2019；380：1103 PMID 30779531）

> アベルマブ（バベンチオ®）　10 mg/kg　1 時間で点滴静注　day 1　2 週
> 　ごと
> アキシチニブ（インライタ®）　1 回 5 mg　1 日 2 回　連日

d) **カボザンチニブ**：未治療の IMDC 分類の中間・不良群の淡明細胞癌患者で，スニチニブと比較し PFS（中央値 8.2 カ月 vs. 5.6 カ月）の延長を認めた。有害事象として，高血圧・腎障害・肝機能障害・出血・下痢などがある。本邦でも 2020 年に薬事承認された。

◆カボザンチニブ ★★★ （CABOSUN 試験：JCO 2017；35：591 PMID 28199818）

> カボザンチニブ（カボメティクス®）　1 回 60 mg　1 日 1 回　連日

13

泌尿器腫瘍

すでに下記の治療法も FDA 承認されているが本邦では未承認である(2021 年 6 月現在)。

- ◆ニボルマブ+カボザンチニブ併用療法 ★★★ (CheckMate9ER 試験：NEJM 2021；384：829 PMID 33657295)
- ◆ペムブロリズマブ+レンバチニブ併用療法 ★★★ (CLEAR 試験：NEJM 2021；384：1289 PMID 33616314)

❷ **IMDC 予後良好群の 1st line** ニボルマブ+イピリムマブ併用療法・カボザンチニブに関しては中間・不良群のみのエビデンスであるがその他の治療は予後良好群でも同様に標準治療として使用される。また ICI に不耐の場合はスニチニブやパゾパニブなどの TKI を使用することも考慮される。

- ◆ペムブロリズマブ+アキシチニブ併用療法(⇒前頁)
- ◆アベルマブ+アキシチニブ併用療法(⇒前頁)

a)**スニチニブ**：未治療患者を対象とした IFN-α との RCT で，奏効率，PFS および OS(中央値 26.4 カ月 vs. 21.8 カ月)の両方で優越性を示した。有害事象として，高血圧，骨髄抑制，肝機能障害，HFS，下痢が高頻度に認められる。

- ◆**スニチニブ** ★★★ (NEJM 2007；356：115 PMID 17215529)

| スニチニブ(スーテント®) 1 回 50 mg 1 日 1 回 day 1～28 6 週ごと |

b)**パゾパニブ**：未治療患者を対象にスニチニブと比較した RCT で，PFS(中央値 8.4 カ月 vs. 9.5 カ月)で非劣性が証明された。有害事象としては，下痢，高血圧，倦怠感，肝機能障害を認める。

- ◆**パゾパニブ** ★★★ (COMPARZ 試験：NEJM 2013；369：722 PMID 23964934)

| パゾパニブ(ヴォトリエント®) 1 回 800 mg 1 日 1 回 連日 |

2nd line 以降の治療

	標準治療	代替治療
ICI 使用後	ICI との併用で未使用の VEGF 阻害薬	
TKI 使用後	ニボルマブ カボザンチニブ	アキシチニブ

❸ **2nd line 以降の治療** 前治療歴によって薬剤を選択する。前治療で TKI を使用している場合でも他の TKI を使用することは一般的であるが，ICI 後に別の ICI を使用することの意義を検証したエビデンスは存在しない。

腎細胞がん　249

a) カボザンチニブ：2nd line 以降のエベロリムスとの RCT にて，PFS（中央値 7.4 カ月 vs. 3.8 カ月），OS（中央値 21.4 カ月 vs. 16.5 カ月）と有意に延長している。

◆ **カボザンチニブ ★★★** （METEOR 試験：Lancet Oncol 2016；17：917 PMID 27279544）

カボザンチニブ（カボメティクス®）　1 回 60 mg　1 日 1 回　連日

b) アキシチニブ：TKI やサイトカイン療法などの前治療歴を有する患者を対象に，ソラフェニブと比較した RCT で PFS（中央値 6.7 カ月 vs. 4.7 カ月）で効果を示した。有害事象としてタンパク尿，高血圧，嗄声，甲状腺機能低下，HFS などがある。

◆ **アキシチニブ ★★★** （Lancet 2011；378：1931 PMID 22056247）

アキシチニブ（インライタ®）　1 回 5 mg　1 日 2 回　連日

2 週間投与で忍容性が確認された際には 1 回 7 mg　1 日 2 回に増量可。

c) ニボルマブ：VEGF 阻害薬（スニチニブ，パゾパニブ，アキシチニブなど）の前治療歴を有する患者を対象に，エベロリムスとの RCT で OS（中央値 25.0 カ月 vs. 19.6 カ月）を有意に延長し，腎細胞がんに対する ICI として初めて承認された。Grade 3 以上の有害事象の頻度は比較的少なく忍容性は良好であった。

◆ **ニボルマブ ★★★** （CheckMate025 試験：NEJM 2015；373：1803 PMID 26406148）

ニボルマブ（オプジーボ®）　240 mg/body　1 時間で点滴静注　day 1　2 週ごと

❹ **その他の治療**　分子標的薬（mTOR 阻害薬）を用いる。

a) エベロリムス：スニチニブまたはソラフェニブによる前治療を有する患者を対象とし，プラセボと比較した RCT において，PFS の有意な延長を認めた。有害事象として口内炎，発疹，倦怠感などがある。

◆ **エベロリムス ★★★** （Lancet 2008；372：449 PMID 18653228）

エベロリムス（アフィニトール®）　1 回 10 mg　1 日 1 回　連日

b) テムシロリムス：未治療，MSKCC 分類にて予後不良群の患者を対象に，IFN-α 単独群，IFN-α＋テムシロリムスとの併用群，テムシロリムス単独群の 3 群比較の RCT の結果，テムシロリム

13

泌尿器腫瘍

ス単独群が PFS および OS の有意な延長を認めた。主な有害事象としては，無力症，発疹，貧血，悪心などがある。

◆テムシロリムス ★★★ （NEJM 2007：356：2271 PMID 17538086）

テムシロリムス（トーリセル®）　25 mg　静注　day 1　毎週

■ 予後

Stage	5 年生存率(%)
Ⅰ	97.0
Ⅱ	81.0
Ⅲ	70.4
Ⅳ	16.3

〔全国がんセンター協議会の生存率共同調査　KapWeb（2020 年 11 月集計）より〕

■文献
1）NCCN Guidelines®［http://www.nccn.org/professionals/physician_gls/f_guidelines.asp］
2）ESMO ガイドライン［http://www.esmo.org/Guidelines/Genitourinary-Cancers/Renal-Cell-Carcinoma］
3）EAU ガイドライン［http://uroweb.org/guideline/renal-cell-carcinoma/］

膀胱がん/上部尿路がん（腎盂・尿管がん）
Bladder Cancer/Renal Pelvis and Ureter Cancer

腎盂，尿管，膀胱，尿道を覆う移行上皮（尿路上皮）に発生する腫瘍である。上部尿路内に多発，異時発症する傾向がある（空間的・時間的多発性）。部位別では膀胱がんが最も多く，腎盂・尿管がんと続く。

■ 疫学
50歳代以降に好発，男女比は4：1，本邦を含むアジア人の罹患率は欧米と比べると低いが近年上昇傾向である。

1 死亡数（2018年），罹患数（2016年）
- 死亡数：膀胱がん8,635人，腎盂がん2,222人，尿管がん2,256人
- 罹患数：膀胱がん23,422人

2 発症の危険因子（リスクファクター）
喫煙が確立された危険因子であり，非喫煙者に比較して2〜5倍発症リスクを高めるとされる。そのほか職業性曝露（ナフチルアミン），薬剤性ではシクロホスファミドやフェナセチン含有鎮痛薬などの報告がある。

■ 診断
1 検診（スクリーニング）
確立されたスクリーニング方法はない。

偶発的に尿潜血陽性と診断され，他の理由がない際には，尿路上皮癌の可能性を検索する必要がある。

2 臨床症状
肉眼的もしくは顕微鏡的血尿を約80％で認める。膀胱がんでは頻尿，排尿時痛，残尿感などの膀胱刺激症状を呈することも多い。また遠隔転移に伴う症状で発見されることもある。

3 画像診断
1）膀胱鏡
最終的な診断には膀胱鏡が有用であり，最終的なT Stagingのためには経尿道的膀胱腫瘍切除術（TUR-BT）による腫瘍および壁内進展の病理学的評価が必須である。

また，尿路上皮癌は同一患者で時間的・空間的に多発するため，

原発巣が複数存在しないか注意が必要である。

2)CT，MRI

膀胱壁外や隣接臓器浸潤の同定および筋層浸潤癌での遠隔転移検索に有用である。転移頻度の高い遠隔臓器は肝臓，肺，骨，副腎，脳である。

4 検体検査

膀胱がんの尿細胞診の感度は40〜60％，特異度は90％を超える。尿細胞診陽性だが，膀胱鏡で所見がない場合には上部尿路がんを疑い逆行性腎盂造影を行う。確立した腫瘍マーカーは存在しない。

■ 組織分類

約90％以上が移行上皮癌（尿路上皮癌），約5％が扁平上皮癌，そのほか腺癌，小細胞癌なども報告されている。

■ Staging

◆ UICC-TNM 分類（第8版，2017）

T-原発腫瘍

	腎盂がん	尿管がん	膀胱がん
Ta	乳頭状非浸潤癌		
Tis	上皮内癌		
T1	上皮下結合組織に浸潤する腫瘍		
T2	筋層に浸潤する腫瘍		筋層に浸潤する腫瘍 T2a：内側 1/2，T2b：外側 1/2
T3	腎盂周囲 or 腎実質に浸潤	尿管周囲に浸潤	膀胱周囲に浸潤 T3a：顕微鏡的，T3b：肉眼的
T4	隣接臓器 or 腎実質を越えて腎周囲脂肪組織に浸潤		T4a：前立腺間質，精囊，子宮，腟に浸潤 T4b：骨盤壁，腹壁に浸潤

膀胱がん / 上部尿路がん（腎盂・尿管がん） 253

N-所属リンパ節

	腎盂がん・尿管がん	膀胱がん
N0	所属リンパ節転移なし	所属リンパ節転移なし
N1	最大径 2 cm 以下の 1 個のリンパ節転移	小骨盤内の 1 個のリンパ節転移
N2	最大径が 2 cm を超える 1 個のリンパ節転移 多発性リンパ節転移	小骨盤内の多発性リンパ節転移
N3	——	総腸骨リンパ節転移

M-遠隔転移

	腎盂がん・尿管がん	膀胱がん
M0	遠隔転移なし	遠隔転移なし
M1	遠隔転移あり	M1a：所属リンパ節以外のリンパ節転移 M1b：遠隔転移

◆ Stage 分類
（腎盂がん・尿管がん）

Stage 0a	Ta	N0	M0
Stage 0is	Tis	N0	M0
Stage Ⅰ	T1	N0	M0
Stage Ⅱ	T2	N0	M0
Stage Ⅲ	T3	N0	M0
Stage Ⅳ	T4	N0	M0
	any T	N1, N2	M0
	any T	any N	M1

（膀胱がん）

Stage 0a	Ta	N0	M0
Stage 0is	Tis	N0	M0
Stage Ⅰ	T1	N0	M0
Stage Ⅱ	T2	N0	M0
Stage ⅢA	T3, T4a	N0	M0
	T1〜4a	N0	M0
Stage ⅢB	T1〜4a	N1, N2	M0
Stage ⅣA	T4b	any N	M0
	any T	any N	M1a
Stage ⅣB	any T	any N	M1b

13
泌尿器腫瘍

■ 予後因子

臨床病期，病理組織（予後不良因子：腺癌，扁平上皮癌），組織学的異型度，深達度。

■ 治療

臨床病期に従って治療選択を行う。

1 筋層非浸潤癌（pTa，Tis，T1：Stage Ⅰ）

膀胱がん全体の約 70％ を占め，TUR-BT による完全切除を目指す。膀胱内再発は多く，50～90％ と報告されている。European Association of Urology（EAU）ガイドラインでは，腫瘍数，腫瘍サイズ，再発歴，T 因子，併発 carcinoma *in situ*（CIS）の有無，異型度の 6 項目に基づくリスク分類が示され，低・中・高リスクごとに術後治療が推奨されている。

低リスク群では，TUR-BT 後に抗悪性腫瘍薬の即時膀胱内単回注入を行うことで再発を抑制する効果がある（★★★）(J Urol 2004；171：2186 PMID 15126782)。術後 24 時間以内の投与が勧められ，薬剤としてはマイトマイシン C（MMC），ピラルビシン（THP-ADM），エピルビシン（epi-ADM）が用いられる。

中リスク群以上では，TUR ＋ BCG 膀胱内注入療法（★★★）が TUR 単独との RCT で再発率の低下と生存期間の延長を証明した標準治療である（JCO 1995；13：1404 PMID 7751885）。結核の既往など BCG が使用できない症例では MMC が用いられる。

高リスク群では，膀胱全摘除術も選択肢となる。

2 筋層浸潤癌（pT2～T3N0M0：Stage Ⅱ・Ⅲ）

Stage Ⅱ・Ⅲの標準治療は根治的膀胱全摘除＋骨盤リンパ節郭清＋尿路変向術である。両側骨盤内リンパ節郭清と，男性では前立腺，精嚢合併切除，女性では子宮腔前壁の合併切除が行われる。膀胱部分切除や術前放射線照射併用なども行われているが，RCT による優越性か非劣性かの結果は存在しない。

術前化学療法として，M-VAC 療法は手術単独と比較し，OS を改善する傾向が示されている（MST 77 カ月 vs. 46 カ月，$p = 0.06$）（★★★）(NEJM 2003；349：859 PMID 12944571)。しかし M-VAC 療法は治療関連死亡を含む毒性が強く認められた。GC 療法（GEM ＋ CDDP）が転移性症例において M-VAC 療法と効果同等であったことから，日常臨床では GC 療法が行われることが多い。

術前化学療法が困難な症例は手術が先行する（膀胱内出血コント

ロール不可，腎機能障害など)ことがある。

手術が先行した上部尿路上皮癌を対象にサーベイランスと比較してプラチナ併用化学療法による術後化学療法が DFS の延長を示した(POUT 試験：Lancet 2020；395：1268 PMID 32145825)。また ASCOGU2021 にて根治切除後の再発高リスクの筋層浸潤性尿路上皮癌患者を対象とした RCT にて，ニボルマブはプラセボと比較して DFS の延長が報告されている(CheckMate-274 試験)。

3 局所進行がん(locally advanced disease, cT4N1-2M0：Stage Ⅳ)

局所進行または所属リンパ節転移を有する症例では根治手術は困難であり，転移がん(metastatic disease)として治療を行う。術前化学療法が奏効し局所切除可能となった場合や，リンパ節転移が消失した場合は根治切除術を検討することがある。

4 転移がん(metastatic disease), 再発がん(recurrence disease)

◆ 転移性尿路上皮癌の治療アルゴリズム

(EAU guidelines：Eur Urol 2021 より改変)

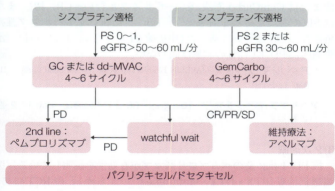

1) 1 次治療

M-VAC 療法や GC 療法が標準化学療法として広く行われる。GC 療法は，M-VAC 療法との RCT の結果，MST(13.8 カ月 vs. 14.8 カ月)・PFS 中央値(7.4 カ月 vs. 7.4 カ月)については有意差がなく，有害事象・QOL の面で優れていることが証明された(★★★)。腎機能障害の既往など，CDDP が不適である症例は，CDDP に代わって CBDCA が用いられることがあるが CDDP と同等の有効性を示

しているものではない。移行上皮癌ではない組織型では CDDP
ベースの全身化学療法は奏効しないことが多く，行う意義は明らか
でないが他の確立したレジメンも存在しない。

◆**GC 療法 ★★★** (JCO 2000；18：3068 PMID 11001674)

ゲムシタビン	1,000 mg/m^2	30 分かけて点滴静注	day 1, 8, 15
シスプラチン	70 mg/m^2	1 時間かけて点滴静注	day 2
4 週ごと			

◆**GemCarbo 療法 ★★★** (EORTC study 30986：JCO 2012；30：191 PMID 22162575)

ゲムシタビン	1,000 mg/m^2	30 分かけて点滴静注	day 1, 8
カルボプラチン	AUC 4.5	1 時間かけて点滴静注	day 1
3 週ごと			

2)1 次治療後の維持療法

JAVELIN Bladder100 試験において 1st line の化学療法(GC 療法または GemCarbo 療法)を 4〜6 サイクル行い，CR，PR，または SD であった患者を対象とし，BSC と比較してアベルマブ維持療法群の OS は良好であった(中央値 21.4 カ月 vs. 14.3 カ月)。治療適応に PD-L1 陽性の有無は問わない。

◆**アベルマブ ★★★** (JAVELIN Bladder100 試験：NEJM 2020；383：1218 PMID 32945632)

| アベルマブ(バベンチオ®) | 10 mg/kg | 60 分で点滴静注 | day 1 | 2 週ごと |

3)2 次治療

抗 PD-1 抗体薬のペムブロリズマブが有効性を証明している。医師選択治療(PTX・DTX・vinflunine のいずれか)との RCT にて，MST 10.3 カ月 vs. 7.4 カ月と OS の有意な延長を認めた。治療適応に PD-L1 陽性の有無は問わない。

◆**ペムブロリズマブ ★★★** (KEYNOTE-045：NEJM 2017；376：1015 PMID 28212060)

| ペムブロリズマブ(キイトルーダ®) | 200 mg/body | 30 分で点滴静注 day 1 | 3 週ごと |

そのほか，本邦で PTX が保険適用とされている。

なお PD-1/PD-L1 阻害薬およびプラチナ製剤を含む化学療法の治療歴のある転移性尿路上皮癌患者に対して，Nectin-4 を標的とした抗体薬物複合体であるエンホルツマブ ベドチンが本邦でも承認された。

■ 予後

◆ 膀胱がんの 5 年生存率

Stage	5 年生存率（%）
Ⅰ	87.3
Ⅱ	71.4
Ⅲ	51.0
Ⅳ	22.4

〔全国がんセンター協議会の生存率共同調査　KapWeb（2020 年 11 月集計）より〕

■ 文献

1) NCCN Guidelines®[http://www.nccn.org/professionals/physician_gls/pdf/bladder.pdf]
2) EAU oncology guidelines[http://uroweb.org/individual-guidelines/oncology-guidelines]
3) UpToDate®[http://www.uptodate.com]

前立腺がん　Prostate Cancer

■ 疫学

1 死亡数（2018 年）/罹患数（2016 年）

• 12,250 人/89,717 人

本邦の男性における罹患率は全がん種のなかで 1 位である（2016 年）。罹患率は 70 歳代が最も多く，50 歳代以下では稀である。

2 発症の危険因子（リスクファクター）

加齢，前立腺がん家族歴，遺伝性乳がん卵巣がん症候群。

■ 診断

1 検診（スクリーニング）

PSA 検診の有効性には多くの議論があり，大規模 RCT で PSA

検診によって罹患率は 1.3 倍に増える一方，前立腺がん死に対する影響に有意差はないことから過剰診断・過剰治療を指摘する報告がある。その一方で PSA 検診によって死亡率が 21% 減少したことから検診を推奨するという報告もあり，結論は出ていない（ERSPC 試験：NEJM 2012；366：981 PMID 22417251，JAMA 2014：311：1143 PMID 24643604）。

2 臨床症状

PSA の測定が普及する以前は血尿・尿閉などを契機に，現在は無症候性 PSA 高値を契機に発見されることが多い。一方で骨転移による疼痛・不全麻痺などで発見されることもある。

3 診断

1）血清 PSA 測定

前立腺肥大症などの良性疾患でも上昇することがあるので注意が必要である。年齢階層別 PSA カットオフ値は，50〜64 歳：3.0 ng/mL，65〜69 歳：3.5 ng/mL，70 歳〜：4.0 ng/mL である。

2）画像診断

局所浸潤の評価に MRI が，骨盤内リンパ節の評価として MRI，CT が広く用いられている。骨シンチグラフィは症状を有する場合や PSA＞20 ng/mL の場合，もしくは Gleason score≧8 のときに行う。

3）前立腺生検

経直腸超音波ガイド下の針生検で確定診断を行い，分化度，Gleason score を確認する。1 回目の生検で陰性でもがんの存在が強く疑われる場合の再生検での発見率は約 20% と報告されている。

■ Staging

◆ UICC-TNM 分類（第 8 版，2017）

> **T-原発腫瘍**
> T1　触知不能，または画像診断不可能な臨床的に明らかでない腫瘍
> 　T1a　切除組織の 5% 以下に偶発的に発見される腫瘍
> 　T1b　切除組織の 5% を超え偶発的に発見される腫瘍
> 　T1c　針生検により確認（例えば PSA の上昇による）される腫瘍
> T2　前立腺に限局する腫瘍
> 　T2a　片葉の 1/2 以下に認められる腫瘍
> 　T2b　片葉の 1/2 以上に認められる腫瘍
> 　T2c　両葉に認められる腫瘍
> T3　前立腺被膜を越えて進展する腫瘍
> 　T3a　被膜外へ進展する腫瘍（片葉または両葉）

前立腺がん | 259

T3b　精囊に浸潤する腫瘍
T4　精囊以外の隣接臓器に固定または浸潤する腫瘍
N-所属リンパ節
N0　所属リンパ節転移なし
N1　所属リンパ節転移あり
M-遠隔転移
M0　遠隔転移なし
M1　遠隔転移あり
　　M1a　所属リンパ節以外のリンパ節転移
　　M1b　骨転移
　　M1c　リンパ節，骨以外の転移

■ 治療

　患者年齢層は高齢で，進行が緩徐な症例も多い。よって，前立腺がんの臨床病期のみならず，前立腺がん以外の既往症と現在の年齢から予測される余命，症状の有無も加味して治療の必要性を考慮する。

◆ 限局期・進行期の治療体系

	病期	治療方針	治療薬
限局期	nmHSPC（低リスク BCR）（高リスク BCR）	RT＋HT 局所治療，経過観察 間欠的 ADT	
進行期	mHSPC（low-volume/risk）	ADT or CAB	
	（high-volume/risk）	Up front 療法	DTX，ABI＋PSL，ENZ，APA
	nmCRPC	新規ホルモン薬	ENZ，APA，DAR
	mCRPC（骨転移のみ）		²²³Ra
	mCRPC	新規ホルモン薬	ABI＋PSL，ENZ
		化学療法	DTX＋PSL，CBZ＋PSL
		BRCA 遺伝子変異	オラパリブ

mHSPC：metastatic hormone sensitive prostate cancer, nmHSPC：non-metastatic hormone sensitive prostate cancer, mCRPC：metastatic castration resistant prostate cancer, nmCRPC：non-metastatic castration resistant prostate cancer, MAB：maximum androgen blockade, ADT：androgen depletion therapy
ABI：abiraterone, ENZ：enzalutamide, APA：apalutamide, DAR：darolutamide, DTX：docetaxel, CBZ：cabazitaxel

13

泌尿器腫瘍

1 限局期(T1〜3a)/局所進行期(T3b〜4)の治療

限局期，もしくは局所進行期前立腺がんのリスク分類として以下のNCCNリスク分類がある。

◆NCCNリスク分類

	限局期			局所進行期
	低リスク	中間リスク	高リスク	
PSA (ng/mL)	<10	10〜20	20<	any
Gleason score	かつ≦6	または7	または8≦	any
原発腫瘍	かつ cT1〜2a	または cT2b, cT2c	または cT3a	cT3b〜4, any N

Gleason score は，腫瘍の腺管構造組織像に対するスコア分類であり，Primary grade および Secondary grade の合計として示される。
上記の再発リスク分類に基づき治療方針を決定する。

❶ 低リスク群
- 予測余命10年未満の場合：経過観察または放射線照射(RT)
- 予測余命10年以上の場合：active surveillance または RT または前立腺全摘±骨盤内リンパ節郭清(PLND)

❷ 中間リスク群
- 予測余命10年未満の場合：経過観察または RT ± 短期間[*1] ホルモン療法(HT)または前立腺全摘 + PLND
- 予測余命10年以上の場合：前立腺全摘 + PLND または RT ± 短期間[*1] HT

❸ 高リスク群　長期間[*2] HT + RT または前立腺全摘 + PLND
❹ 局所進行期(T3b〜4)　短期間[*1] HT + RT または長期間[*2] HT または前立腺全摘 + PLND

[*1] 短期間：計6カ月
[*2] 長期間：計2年

1)経過観察(watchful-waiting)

限局期に対する予後を比較したコホート研究で，PSA監視療法，全摘術，放射線療法における推定累積死亡率は低リスク群でそれぞれ2.4%，0.4%，1.8%，中間リスク群で5.2%，3.4%，3.8%であった。低〜中間リスク群で，特に高齢者や合併症などで予測余命が10年未満の短い症例では経過観察も妥当な選択肢である(NEJM 2016：375：1415 PMID 27626136)。

前立腺がん | 261

2) active surveillance

NCCN の active surveillance では，6 カ月ごと以上の PSA 測定，12 カ月ごと以上の直腸診，12 カ月ごとの針生検を行い，生検で Gleason score 4〜5，生検陽性の本数・がん占拠率の増加，PSA 倍加時間が 3 年未満のいずれかを認める場合を治療開始の目安（trigger）とする。

3)（根治的）前立腺全摘

10 年以上の余命が見込まれる場合に考慮する。限局期患者対象の RCT における長期追跡調査において，経過観察と比較して前立腺全摘術で死亡率が有意に 44％ 減少し，特に 65 歳以下や中間リスク群では推奨される（JCO 2010；28；126 PMID 19917860，PIVOT 試験：NEJM 2012；367；203 PMID 22808955，SPCG-4 試験：NEJM 2014；370；932 PMID 24597866）。

4) 放射線療法（RT）

限局期前立腺がん低リスク群で根治を目指した治療の選択肢となる。前立腺全摘術と同等の成績が得られるとされている。照射単独の場合，72 Gy/36 回〜80 Gy/40 回が推奨される。

5) 内分泌放射線療法（HT-RT）

中間〜高リスク群対象の複数の RCT で，RT 単独と比較して HT-RT 併用によって生存率の改善をもたらすことが証明されている。HT として MAB〔maximum androgen blockade：アンドロゲン遮断療法（ADT）と抗アンドロゲン薬の併用〕が汎用される。全体期間は中間リスク群で短期間（計 6 カ月），高リスク群で長期間（計 2 年）であり，RT は 3〜6 カ月間 HT を行ったあとに施行される。放射線量は，70 Gy/35 回〜76 Gy/38 回が推奨される。

6) 内分泌療法（HT）

限局例の放射線療法との併用，転移・再発例に対する全身治療として施行される。

❶ ADT（LH-RH アゴニスト/アンタゴニスト）

◆ LH-RH アゴニスト

下垂体での LH-RH 受容体を down regulation し，精巣由来のアンドロゲンを抑制する。精巣摘除術との治療成績は同等（★★★）。単独で開始時には一過性にテストステロンが上昇し症状の増悪（フレア）を認めるため，予防として 1〜2 週間，抗アンドロゲン薬を併用する。副作用はほてり・性機能障害・筋力低下などがある。

13

泌尿器腫瘍

リュープロレリン酢酸塩（リュープリン®）　3.75 mg　4 週ごと or 11.25 mg　12 週ごと　皮下注

ゴセレリン酢酸塩（ゾラデックス®）　1 回 3.6 mg　4 週ごと　皮下注

◆LH-RH アンタゴニスト

アンドロゲン放出を急速かつ直接的に阻害するためフレアがなく，フレア予防としての抗アンドロゲン薬併用は不要である。リュープロレリンと比較して心血管イベント・尿路感染は減少するが，注射部位反応は増加する（40％ vs. 1％ 未満）。

デガレリクス酢酸塩（ゴナックス®）　初回：1 回 120 mg 2 カ所，2 回目以降：1 回 80 mg 1 カ所　4 週ごと　皮下注

❷ **抗アンドロゲン薬**　前立腺がん組織内でアンドロゲン受容体に結合する。性機能障害は軽度だが副作用に下痢や肝障害，乳房痛がある。

ビカルタミド（カソデックス®）　1 回 80 mg　1 日 1 回

フルタミド（オダイン®）　　1 回 75 mg　1 日 3 回

2 非転移性ホルモン感受性前立腺がん（non-metastatic hormone sensitive prostate cancer：nmHSPC）

手術や放射線などの根治治療後に PSA 再発をきたし，かつ画像上遠隔転移が認められないものをさす。生化学的再発 biochemical recurrence（BCR），すなわち PSA 再発の定義としては PSA≧0.4 ng/mL（前立腺全摘後）または最低値（nadir）＋2.0 ng/mL（根治的放射線治療後）である。

前立腺全摘術後であれば RT＋6 カ月の ADT，RT 後であれば前立腺全摘術による局所の救済療法を考慮する。PSA doubling time が 1 年未満か Gleason score が 8〜10 点の高リスク群の BCR の患者には間欠的な ADT を考慮するが，PSA doubling time が 1 年以上でかつ Gleason score が 8 点の低リスク群の BCR に対して ADT 単独治療は推奨されない（Eur Urol 2019；75：896 PMID 30955970）。

前立腺がん　263

3 転移性ホルモン感受性前立腺がん（metastatic hormone sensitive prostate cancer：mHSPC）high-volume/risk

◆転移性ホルモン感受性前立腺がんにおける high-volume/risk の定義

	High	Low
CHAARTED (volume)	内臓転移または4カ所以上の骨転移（少なくとも1カ所の骨盤外または脊椎外の骨転移を含む）	High 以外
LATITUDE (risk)	以下の3つのうちの2つを満たす ①3つ以上の骨転移，②内臓転移，③Gleason score 8点以上	High 以外

　腫瘍量の多い未治療の転移性ホルモン感受性前立腺がんにおいて，初期から ADT に加え，DTX，ABI，ENZ，APA を加えることの効果は明確に示されており推奨される。しかし各薬剤間での比較試験は存在しないため各薬剤の優劣は明らかではない。毒性のプロファイルおよび患者選考によって選択されている。

❶ **ドセタキセル（DTX）**　high-volume 患者において，初期 ADT＋DTX 併用療法は，ADT 単独と比較した RCT において生存期間延長が証明されている。有害事象として骨髄抑制・倦怠感・末梢神経障害・皮疹・爪変化・脱毛・間質性肺炎がある。mHSPC で使用する場合は PSL の併用は必須ではないことに注意する。

◆**ADT＋DTX 併用療法 ★★★**（CHAARTED 試験：NEJM 2015；373：737 PMID 26244877，STAMPEDE 試験：Lancet 2016；387：1163 PMID 26719232）

ADT：LH-RH アゴニスト or 両側精巣摘除術
DTX 75 mg/m^2 1時間で点滴静注 day 1 3週ごと
6サイクル施行ののち，ADT 単独療法を継続

❷ **アビラテロン（ABI）**　LATITUDE 試験の high-risk 3 因子（Gleason score 8 以上，3カ所以上の骨転移，内臓転移）のうち，2つ以上を満たす患者を対象とした RCT にて，ADT 単独療法と比較し OS を改善した（中央値未到達 vs. 34.7 カ月）。アンドロゲン合成阻害を目的とした CYP17 阻害薬であるが，有害事象として ACTH 産生亢進による低 K 血症，高血圧，体液貯留などの鉱質コルチコイド過剰症状をきたしうるため PSL 5 mg/日を併用する。

13
泌尿器腫瘍

264 | 13 泌尿器腫瘍

◆**ADT＋ABI 併用療法** ★★★ (LATITUDE 試験：NEJM 2017；377：352 PMID 28578607, STAMPEDE 試験：NEJM 2017；377：338 PMID 28578639)

> **ADT**：LH-RH アゴニスト or 両側精巣摘除術
> **アビラテロン酢酸エステル**（ザイティガ®）　1回 1,000 mg　1日1回（食事の1時間以上前もしくは食後2時間以降）
> **PSL**　1回 5 mg　1日1回

❸ **エンザルタミド(ENZ)**　腫瘍量の多寡に関係なく，初期 ADT＋ENZ 併用療法は，ADT 単独と比較した RCT において生存期間延長が証明されている。有害事象として転倒・倦怠感・高血圧などがある。

◆**ADT＋ENZ 併用療法** ★★★ (ENZAMET 試験：NEJM 2019；381：121 PMID 31157964)

> **ADT**：LH-RH アゴニスト or 両側精巣摘除術
> **エンザルタミド**（イクスタンジ®）　1回 160 mg　1日1回

❹ **アパルタミド(APA)**　腫瘍量の多寡に関係なく，初期 ADT＋APA 併用療法は，ADT 単独と比較した RCT において生存期間延長が証明されている。有害事象として皮疹・転倒・骨折・甲状腺機能低下などがある。

◆**ADT＋APA 併用療法** ★★★ (TITAN 試験：NEJM 2019；381：13 PMID 31150574)

> **ADT**：LH-RH アゴニスト or 両側精巣摘除術
> **アパルタミド**（アーリーダ®）　1回 240 mg　1日1回

4 **転移性ホルモン感受性前立腺がん(metastatic hormone sensitive prostate cancer：mHSPC) low-volume/risk**

◆**ADT**
◆**ADT＋ENZ 併用療法**
◆**ADT＋APA 併用療法**
◆**ADT＋RT 療法**

　　HORRAD 試験や STAMPEDE 試験において標準治療である ADT 単独療法と比較して前立腺局所への RT 併用療法は，全体集団では OS の差は認めなかったものの，サブグループ解析における low burden（骨転移が4つ以下）の集団において，OS の延長を示唆するデータが得られた。またこれらのメタアナリシスにおいては，3年 OS で 7% のリスク低減を示唆するデー

タが得られている。

◆**ADT＋RT 療法 ★★★** (STAMPEDE 試験：Lancet 2016；387：1163 **PMID**
26719232，HORRAD 試験：Eur Urol 2019；75：410 **PMID** 30266309，STOPCAP：
Eur Urol 2019；76：115 **PMID** 30826218)

5 非転移性去勢抵抗性前立腺がん（non-metastatic castration resistant prostate cancer：nmCRPC）

限局期前立腺がんに対する根治療法治療後に PSA 再発をきたしホルモン治療に抵抗性の患者，または高齢者や併存合併症のために限局期前立腺がんに対して根治治療でなくホルモン治療中の患者で，去勢状態（血清テストステロン値が 50 ng/dL 未満）であるにもかかわらず，PSA が少なくとも 1 週間以上あけて測定し PSA nadir から 50％ 以上の上昇が 2 回，かつ絶対値が 2.0 ng/mL 以上であることを CRPC と定義する。そのなかでも画像検査にて遠隔転移を認めないものを nmCRPC と定義する。nmCRPC から mCRPC への進展を抑制することで生命予後を改善させ，骨関連事象や ADL の低下など転移に伴う有害事象を防ぎ，QOL を維持できると考えられる。nmCRPC に対しては ENZ・APA・DAR の 3 つの新規 ARTA（androgen receptor pathway targeting agents）がそれぞれ大規模 RCT にて有効性が証明されている。

❶ **ENZ** nmCRPC において，プラセボ群と比較し MFS（中央値 36.6 カ月 vs. 14.7 カ月）の延長，また OS（中央値 67.0 カ月 vs. 56.3 カ月）の延長を認めた。

◆**ADT＋ENZ 併用療法 ★★★** (PROSPER 試験：NEJM 2018；378：2465 **PMID** 29949494)

ADT：LH-RH アゴニスト or 両側精巣摘除術
エンザルタミド（イクスタンジ®） 1 回 160 mg 1 日 1 回

---

❷ **APA** nmCRPC において，プラセボ群と比較し MFS（中央値 40.5 カ月 vs. 16.2 カ月）の延長，また OS（中央値 73.9 カ月 vs. 59.9 カ月）の延長を認めた。

◆**ADT＋APA 併用療法 ★★★** (SPARTAN 試験：NEJM 2018；378：1408 **PMID** 29420164)

ADT：LH-RH アゴニスト or 両側精巣摘除術
アパルタミド（アーリーダ®） 1 回 240 mg 1 日 1 回

13

泌尿器腫瘍

❸ **ダロルタミド(DAR)** nmCRPC において,プラセボ群と比較し MFS(中央値 40.4 カ月 vs. 18.4 カ月)の延長,また 36 カ月の時点での生存率の延長(中央値 83% vs. 77%)を認めた。有害事象として疲労・背部痛・関節痛・下痢・高血圧などがある。

◆**ADT＋DAR 併用療法 ★★★** (ARAMIS 試験:NEJM 2019;380:1235 **PMID** 30763142)

ADT:LH-RH アゴニスト or 両側精巣摘除術
ダロルタミド(ニュベクオ®) 1 回 600 mg 1 日 2 回食後

---

6 転移性去勢抵抗性前立腺がん(metastatic castration resistant prostate cancer:mCRPC)

mCRPC の治療に関しては新規ホルモン薬や抗悪性腫瘍薬が複数あるが,その投与順序に関しては,DTX 前後の新規ホルモン薬,DTX 後の CBZ の有効性以外は明確なエビデンスは存在しない。日常臨床では,前治療で使用した薬剤とその奏効程度,自覚症状の有無,内臓転移の有無や患者選好などにより投与順序を検討する必要がある。

❶ **ABI**

◆**ABI＋PSL ★★★** (COU-AA-301 試験:NEJM 2011;364:1995 **PMID** 21612468, COU-AA-302 試験:NEJM 2013;368:138 **PMID** 23228172)

アビラテロン酢酸エステル(ザイティガ®) 1 回 1,000 mg 1 日 1 回(食事の 1 時間以上前もしくは食後 2 時間以降)
PSL 1 回 5 mg 1 日 2 回

---

❷ **ENZ**

◆**ENZ ★★★** (AFFIRM 試験:NEJM 2012;367:1187 **PMID** 22894553, PREVAIL 試験:NEJM 2014;371:424 **PMID** 24881730)

エンザルタミド(イクスタンジ®) 1 回 160 mg 1 日 1 回

---

❸ **DTX** 内分泌療法で病勢進行を認めた去勢抵抗性前立腺がんに対し,ミトキサントロンと比較した RCT で,OS を有意に改善させた。PSL を併用する。

◆**DTX＋PSL 療法 ★★★** (TAX327 試験:NEJM 2004;351:1502 **PMID** 15470213, JCO 2008;26:242 **PMID** 18182665)

DTX 75 mg/m^2 1 時間で点滴静注 day 1 3 週ごと
PSL 1 回 5 mg 1 日 2 回 連日

前立腺がん　267

❹ **カバジタキセル（CBZ）**　DTX 治療にて病勢進行を認めた去勢抵抗性前立腺がんに対し，ミトキサントロンと比較した RCT で，OS を有意に改善した。また mCRPC に対して DTX の投与歴があり新規ホルモン薬（ABI または ENZ）のうちの 1 剤で 12 カ月以内に増悪を認めた患者に対する 3rd line の治療として，CBZは未使用の新規ホルモン薬と比較し PFS（中央値 8.0 カ月 vs. 3.7カ月）の延長，また OS（中央値 13.6 カ月 vs. 11.0 カ月）の延長を認めた（CARD 試験：NEJM 2019；381：2506 PMID 31566937）。TROPIC 試験では骨髄抑制は強いが〔G3≦好中球減少 82%，発熱性好中球減少症 8%（FN）〕，CARD 試験では G-CSF 製剤を併用することで FN の発現率は 3.2% であった。なお，$25\,mg/m^2$ に対して$20\,mg/m^2$ の投与を比較した RCT において，FN などの有害事象が減少し，OS の非劣性を示した（PROSELICA 試験）。

◆ **カバジタキセル ★★★**（TROPIC 試験：Lancet 2010；376：1147 PMID 20888992）

CBZ	$25\,mg/m^2$ または $20\,mg/m^2$　1 時間で点滴静注　day 1　3 週ごと
PSL	1 回 5 mg　1 日 2 回　連日

❺ **Radium-223**　去勢抵抗性前立腺がんで，症状を伴う 2 カ所以上の骨転移があり内臓転移のない患者を対象に，プラセボ対照RCT で，SSE 予防効果に加えて主要評価項目である OS も改善させた。

◆ **Radium-223 ★★★**（ALSYMPCA 試験：NEJM 2013；369：213 PMID 23863050）

Radium-223（ゾーフィゴ®）　50 kBq/kg　静注　4 週ごと　6 カ月間	

❻ **オラパリブ**　PARP 阻害薬であるオラパリブは，相同組換え修復関連（homologous recombination repair：HRR）15 遺伝子変異を対象に試験が行われた。BRCA1/2 遺伝子または ATM 遺伝子変異陽性の患者群をメインコホートとして試験が行われた。前治療として新規ホルモン薬が行われた mCRPC を対象に，ABI または ENZ と比較して radiological PFS（rPFS）（中央値7.39 カ月 vs. 3.55 カ月）の延長，また OS（中央値 19.1 カ月 vs.14.7 カ月）の延長を認めた。有害事象として貧血・嘔気・食欲不振・倦怠感などがある。本邦では生殖細胞系由来または体細胞性由来のいかんを問わない BRCA1/2 遺伝子変異陽性の患者のみ

13

泌尿器腫瘍

を対象として保険承認されている。

◆**オラパリブ療法** ★★★ (PROfound 試験：NEJM 2019；380：1235 PMID 30763142)

オラパリブ（リムパーザ®）　1 回 300 mg　1 日 2 回

7　骨転移に対する治療薬

　骨関連事象（skeletal related events：SRE，symptomatic skele-tal related events：SSRE）*の予防目的に，顎骨壊死のリスク因子がないことを歯科医と確認連携しながら導入・継続する。抗RANKL 抗体，ビスホスホネート製剤ともに，去勢感受性前立腺がん例での有効性は示されず，去勢抵抗性の患者，またはすでにSRE が発生している去勢感受性の患者で導入を検討する。

*SRE：病的骨折，骨転移に対する手術や放射線の施行，高 Ca 血症，脊髄圧迫症候群

◆**抗 RANKL 抗体** ★★★ (Lancet 2011；377：813 PMID 21353695)

デノスマブ（ランマーク®）　120 mg　皮下注　4 週ごと

　デノスマブによる重篤な低 Ca 血症を予防するため，初回投与時から Ca 製剤・ビタミン D を連日経口補充し，血清 Ca 値を定期的に測定する。

◆**ビスホスホネート製剤** ★★★ (J Natl Cancer Inst 2002；94：1458 PMID 12359855，J Natl Cancer Inst 2004；96：879 PMID 15173273)

ゾレドロン酸水和物（ゾメタ®）　4 mg＋生理食塩水　100 mL　15 分で点滴静注　4 週ごと

ゾレドロン酸は腎機能低下に応じて減量し，Ccr 30 mL/分未満の場合には投与中止を考慮する。

■　予後

Stage	5 年生存率（%）
Ⅰ	100
Ⅱ	100
Ⅲ	100
Ⅳ	65.3

〔全国がんセンター協議会の生存率共同調査　KapWeb（2020 年 11 月集計）より〕

前立腺がん 269

■ 文献
1) NCCN Guidelines®[http://www.nccn.org/professionals/physician_gls/f_guidelines.asp]
2) NCI PDQ®[http://www.cancer.gov/types/prostate/hp/prostate-treatment-pdq]
3) UpToDate®[http://www.uptodate.com]
4) EAU ガイドライン[http://uroweb.org/guideline/renal-cell-carcinoma/]

【楠原　正太】

13

泌尿器腫瘍

14 胚細胞腫瘍 Germ Cell Tumor

　胚細胞腫瘍とは，胎生期の多分化能をもつ原始胚細胞が腫瘍化したものであり，組織学的にセミノーマと非セミノーマに分類される。その好発部位は生殖器（精巣，卵巣）と体中心線にあたる部位（縦隔，後腹膜，仙骨部，松果体，神経下垂体部）であり，それぞれ性腺原発，性腺外原発胚細胞腫瘍と呼称される。胚細胞腫瘍の大半は性腺原発であり，特に精巣胚細胞腫瘍は男性に発症する全悪性腫瘍の 1％ を占め，20〜34 歳の男性にとっては最も頻度の高い固形腫瘍である。性腺外原発胚細胞腫瘍の全身治療および残存腫瘤のマネジメントは精巣胚細胞腫瘍と同様に行われるため，本章では主に精巣胚細胞腫瘍の診断・治療について概説する。

■ 疫学

1 罹患率，死亡数

　精巣腫瘍発症のピークは 20 歳代後半〜30 歳代後半にある。本邦におけるその年齢調整罹患率は欧米と比較して低く 10 万人あたり1〜2 人であり (Int J Urol 1998；5：364 PMID 9712446)，2019 年の死亡数は68 人で，がん死亡全体に占める割合は 1％ 未満であった（がんの統計2021）。近年，全世界的に精巣腫瘍罹患率の増加が報告されているが，その原因は不明である (Int J Cancer 2015；136：E359 PMID 25220842)。

2 発症の危険因子（リスクファクター）

　精巣腫瘍の既往，精巣腫瘍の家族歴，停留精巣，不妊症，Klinefelter 症候群，HIV 感染など。

■ 診断

1 症状

　若年男性の無痛性の精巣腫瘤もしくは腫脹で診断されることが多い。急激な精巣の疼痛を契機とした発症は 10％ 程度である。性腺外胚細胞腫瘍の場合，検診の胸部異常陰影や腹部症状などが発見の契機となることがある。

2 画像診断

　精巣超音波，胸部 X 線，胸部〜骨盤部 CT。頭部 MRI は，① 脳転移を疑う神経所見，② 精巣摘除術後 β-hCG 高値（>5,000 mIU/mL），

③ 広範な肺転移，④ 絨毛癌，⑤ AFP 高値（＞10,000 ng/mL）があれば行う。PET-CT は感度が十分でない可能性があり，Staging 目的に用いるべきではない（JCO 2007；25：3090 **PMID** 17634488）。

3　血清腫瘍マーカー（JCO 2010；28：3388 **PMID** 20530278）

　精巣摘除術前および後に血清腫瘍マーカーを測定する。Staging（TNM 分類）には精巣摘除術後の値を用いる。進行性胚細胞腫瘍のリスク分類（IGCCCG 分類）には，1 次化学療法の第 1 サイクル1 日目の値を用いる。

1) β-hCG
- 精巣腫瘍で最も高頻度に上昇している血清腫瘍マーカー
- 半減期は 1.5〜3 日
- 進行期セミノーマの 15〜20％，進行期非セミノーマの 40％ で上昇
- β-hCG が 1,000 mIU/mL を超える場合は一般的に非セミノーマと考える
- 精腺機能低下症，甲状腺機能亢進症，大麻使用などにより軽度上昇（＜20 mIU/mL 程度）する

2) AFP
- 半減期は 5〜7 日
- pure seminoma（病理学的に非セミノーマ成分がなく，かつ AFP正常症例。後述の治療の項を参照）では上昇しない。進行期非セミノーマの 40％ で上昇
- 肝細胞がん，肝炎，アルコール乱用などにより軽度上昇（＜20 ng/mL）する

3) LDH
- β-hCG や AFP と比べ感度および特異度では劣るものの，一部のセミノーマでは唯一の血清腫瘍マーカーとなる
- セミノーマの 40〜60％，非セミノーマの 40〜60％ で上昇

4) 組織診断
- 精巣超音波で悪性が疑われれば，① 組織診断，② 病理学的な T 分類，③ 局所腫瘍制御を目的に高位精巣摘除術を行う
- 対側精巣に，① 精巣腫瘍を疑う超音波所見，② 停留精巣，③ 精巣萎縮があれば生検を検討する
- β-hCG や AFP 高値であるが，両側精巣に原発巣を認めない場合には，縦隔または後腹膜原発の性腺外胚細胞腫瘍を念頭に精査を行う

14

胚細胞腫瘍

- 血清腫瘍マーカー（β-hCG または AFP）が急激に上昇し，かつ転移性病変による症状を呈している精巣腫瘍患者に対しては，組織診断を待たずに化学療法を開始することも検討しうる

■ 組織分類，病期分類
1 組織分類
- 胚細胞腫瘍はセミノーマと非セミノーマに分類され，セミノーマの頻度がより高く，概して予後は良好である
- 非セミノーマには胎児性癌，絨毛癌，卵黄嚢腫瘍，（未熟または成熟）奇形腫が含まれる
2 進行性疾患
- 原発精巣病変外に画像上検出可能な病変があれば進行性疾患とみなされるが（Lancet Oncol 2003；4：738 PMID 14662430），リンパ節転移を伴わない血清腫瘍マーカー高値（つまり Stage ⅠS）についても不顕性転移があると考えて進行性疾患と同様に治療を行う

■ Staging
◆ 精巣腫瘍の AJCC/UICC-TNM 分類（第 8 版，2017）

T-原発腫瘍
　臨床病期(cT)
　　cTX　原発腫瘍が評価不能
　　cT1　原発腫瘍を認めない
　　cTis　germ cell neoplasia in situ
　　cT4　血管/リンパ管侵襲の有無にかかわらず，腫瘍が陰嚢に浸潤している
　病理学的病期(pT)
　　pTX　原発腫瘍が評価不能
　　pT0　原発腫瘍を認めない
　　pTis　germ cell neoplasia in situ
　　pT1　腫瘍が精巣に限局しており(精巣網侵襲を含む)，かつ血管/リンパ管侵襲なし
　　　pT1a*　3 cm 未満の腫瘍
　　　pT1b*　3 cm 以上の腫瘍
　　pT2　腫瘍が精巣に限局しており(精巣網侵襲を含む)，かつ血管・リンパ管侵襲あり；または血管/リンパ管侵襲の有無にかかわらず，腫瘍が精巣門軟部組織または精巣上体に浸潤している，または腫瘍が白膜外側を覆う臓側中皮膜を貫いている

pT3 血管/リンパ管侵襲の有無にかかわらず，腫瘍が精索軟部組織に直接浸潤している

pT4 血管/リンパ管侵襲の有無にかかわらず，腫瘍が陰嚢に浸潤している

N-所属リンパ節

臨床病期 (cN)

cNX 所属リンパ節が評価不能

cN0 所属リンパ節転移なし

cN1 リンパ節腫瘤に転移があり最大径が 2 cm 以下；または複数のリンパ節腫瘤に転移を認め最大径が 2 cm 以下

cN2 リンパ節腫瘤に転移があり最大径が 2 cm を超えるが 5 cm 以下；または複数のリンパ節腫瘤に転移があり最大径が 2 cm を超えるが 5 cm 以下

cN3 最大径が 5 cm を超えるリンパ節腫瘤に転移あり

病理学的病期 (pN)

pNX 所属リンパ節が評価不能

pN0 所属リンパ節転移なし

pN1 リンパ節腫瘤に転移があり最大径が 2 cm 以下，かつ陽性リンパ節 5 個以下で最大径が 2 cm 以下

pN2 リンパ節腫瘤に転移があり最大径が 2 cm を超えるが 5 cm 以下；または陽性リンパ節 5 個以上で 5 cm を超えるものがない；または腫瘍の節外浸潤あり

pN3 最大径が 5 cm を超えるリンパ節転移あり

M-遠隔転移

M0 遠隔転移なし

M1 遠隔転移あり

M1a 後腹膜リンパ節以外のリンパ節転移，または肺転移あり

M1b 肺以外の臓器転移あり

S-血清マーカー

SX マーカー検査が施行不能，または未施行

S0 マーカー検査値が正常範囲内

S1 LDH＜正常値上限の 1.5 倍かつ hCG (mIU/mL) ＜5,000 かつ AFP (ng/mL) ＜1,000

S2 LDH が正常値上限の 1.5〜10 倍かつ hCG (mIU/mL) 5,000〜50,000 かつ AFP (ng/mL) 1,000〜10,000

S3 LDH＞正常値上限の 10 倍かつ hCG (mIU/mL) ＞50,000 かつ AFP (ng/mL) ＞10,000

*pure seminoma についてのみ pT1 の亜分類を行う

TNM 分類における S0〜3 の判定には精巣摘除術後の血清腫瘍マーカー値を用いる。

14 胚細胞腫瘍

◆ 精巣腫瘍の AJCC/UICC-病期分類(第8版, 2017)

Stage 0	pTis	N0	M0	S0
Stage I	pT1〜4	N0	M0	SX
Stage I A	pT1	N0	M0	S0
Stage I B	pT2〜4	N0	M0	S0
Stage I S	any pT/TX	N0	M0	S1〜3
Stage II	any pT/TX	N1〜3	M0	SX
Stage II A	any pT/TX	N1	M0	S0〜1
Stage II B	any pT/TX	N2	M0	S0〜1
Stage II C	any pT/TX	N3	M0	S0〜1
Stage III	any pT/TX	any N	M1	SX
Stage III A	any pT/TX	any N	M1a	S0〜1
Stage III B	any pT/TX	N1〜3	M0	S2
	any pT/TX	any N	M1a	S2
Stage III C	any pT/TX	N1〜3	M0	S3
	any pT/TX	any N	M1a	S3
	any pT/TX	any N	M1b	any S

■ 予後因子

◆ 進行性胚細胞腫瘍の IGCCCG リスク分類

セミノーマ	Good risk	原発部位および hCG, LDH にかかわらず, 以下のすべてを満たす 1)肺以外の臓器転移なし 2)AFP が正常範囲内
	Intermediate risk	原発部位および hCG, LDH にかかわらず, 以下のすべてを満たす 1)肺以外の臓器転移あり 2)AFP が正常範囲内
	Poor risk	なし
非セミノーマ	Good risk	以下のすべてを満たす 1)精巣または後腹膜原発 2)肺以外の臓器転移なし 3)精巣摘除術後の腫瘍マーカーの値が以下のすべてを満たす ・AFP (ng/mL) <1,000 ・hCG (mIU/mL) <5,000 ・LDH<正常値上限の 1.5 倍

非セミノーマ	Intermediate risk	以下のすべてを満たす 1)精巣または後腹膜原発 2)肺以外の臓器転移なし 3)精巣摘除術後の腫瘍マーカーの値が以下のいずれかを満たす ・AFP (ng/mL) 1,000〜10,000 ・hCG (mIU/mL) 5,000〜50,000 ・LDH 正常値上限の 1.5〜10 倍
	Poor risk	以下のいずれかを満たす 1)縦隔原発 2)肺以外の臓器転移あり 3)精巣摘除術後の腫瘍マーカーの値が以下のいずれかを満たす ・AFP (ng/mL) ＞10,000 ・hCG (mIU/mL) ＞50,000 ・LDH＞正常値上限の 10 倍

IGCCCG Update Consortium の報告(2021 年)では ① 肺転移,② 年齢を予後因子に加え,LDH のカットオフを正常上限の 2.5 倍とした update model が提唱された(JCO 2021:39:1563 PMID 33822655)。

■ 治療

- 妊孕性を希望する患者で,精巣摘除術後に化学療法もしくは放射線療法を行う場合には,精巣摘除術前または後に精子保存を検討する
- 病理学的に pure seminoma であっても AFP 上昇があれば,検出されていない非セミノーマ成分があると考え,非セミノーマとして治療する。つまり,セミノーマとしての治療は pure seminoma の病理所見で,かつ AFP が正常範囲内の場合に限られる
- BEP 療法施行時は,肺障害のリスクが増加するため BLM の累積投与量は 360 mg を超えないようにする。また,BLM による間質性肺炎や肺線維症が画像上もしくは臨床的に疑われた場合には以後の BLM の投与を中止することが推奨される。次コース以降の導入療法については IGCCCG 分類 Good risk では EP 療法,Intermediate risk および Poor risk では EP 療法または VIP 療法が代替治療として選択可能である
- BEP 療法は 3 週サイクル厳守で行うことが重要である。次コースの開始時期の延期について,開始予定日に発熱を認める場合,

および好中球数 500/μL，血小板数 10 万/μL 未満の場合に考慮するが，延期は 3 日以内にとどめるべきとされている(Eur Urol 2008：53：497 PMID 18191015)

- 腎機能障害を認めるないし 50 歳以上の場合，BLM 肺炎のリスクが高いとされ，BLM を用いないレジメンを考慮する
- 脳転移症例では，重篤な神経症状がない限り早急に化学療法を開始する
- 進行期非セミノーマでは治療経過のいずれかのタイミングで，後腹膜リンパ節郭清術が診断もしくは治療目的で施行される症例が多い。両側性後腹膜リンパ節郭清術の主な合併症は逆行性射精であり，不妊症の原因となる。神経温存後腹膜リンパ節郭清術では 90％ の症例で順行性射精が維持される
- 後腹膜リンパ節郭清術施行の際には，正確な術前病期分類を目的に 4 週間以内に CT 撮影，7〜10 日以内に血清腫瘍マーカー値測定を行うことが推奨されている
- セミノーマの化学療法後に腫瘍が残存している症例では，腫瘍サイズおよび血清腫瘍マーカー値により経過観察の可否を検討する
- 非セミノーマで化学療法後に腫瘍が残存し，かつ血清腫瘍マーカーが正常化している症例では，全残存腫瘍切除を検討する

1 初期治療

◆ セミノーマ

Stage ⅠA, ⅠB	pT1〜3 → 経過観察 ★★★	
	CBDCA 単剤 ★★	
	RT 20 Gy/10 回 ★★	
Stage ⅠS	進行性非セミノーマと同様に治療 ★★	
Stage ⅡA	RT* 30 Gy/10 回 ★★	
	BEP×3 ★★ or EP×4 ★★	
Stage ⅡB	BEP×3 ★★ or EP×4 ★★	
	non-bulky (≦3 cm) → RT* 36 Gy/18 回 ★★	
Stage ⅡC, Ⅲ	Good risk	BEP×3 ★★★ or EP×4 ★★★
	Intermediate risk	BEP×4 ★★★ or VIP×4 ★★
化学療法後		

- 血清腫瘍マーカー正常化＋残存腫瘍なし or 残存腫瘍≦3 cm → 経過観察 ★★

- 血清腫瘍マーカー正常化＋残存腫瘍＞3 cm → 化学療法終了より6週間以上経過してから PET-CT ★★（PET-CT 施行の場合，陰性なら経過観察とし，陽性なら残存腫瘍切除または生検を施行。その結果で病理学的にセミノーマ陰性なら経過観察とし，セミノーマ陽性なら2次化学療法を施行）
- 腫瘍増大 or 血清腫瘍マーカー上昇 → 2次化学療法 ★★

*2期照射（modified dog-leg field と cone-down phase）を連続して施行する（JCO 2003；21：1101 PMID 12637477）

◆非セミノーマ

	経過観察 ★★
危険因子*のない Stage Ⅰ 危険因子*のある Stage Ⅰ	BEP×1 ★★
	神経温存後腹膜リンパ節郭清術 ★★
Stage ⅡA S0	神経温存後腹膜リンパ節郭清術 ★★
	BEP×3 ★★ or EP×4 ★★
Stage ⅡB S0	BEP×3 ★★ or EP×4 ★★

1)化学療法後

- 血清腫瘍マーカー正常化＋1 cm 以上の残存腫瘍 → 両側神経温存後腹膜リンパ節郭清術 ★★
- 血清腫瘍マーカー正常化＋残存腫瘍なし or 残存腫瘍＜1 cm → 経過観察 ★★

2)神経温存後腹膜リンパ節郭清術後

- pN0 → 経過観察 ★★
- pN1 → 経過観察 ★★ または BEP×2 ★★ or EP×2 ★★
- pN2 → BEP×2 ★★ or EP×2 ★★ または経過観察 ★★
- pN3 → BEP×3 ★★ or EP×4 ★★

Good risk：Stage ⅠS，ⅡA S1，ⅡB S1，ⅡC，ⅢA	BEP×3 ★★★ or EP×4 ★★★
Intermediate risk：Stage ⅢB	BEP×4 ★★★ or VIP×4 ★★★
Poor risk：Stage ⅢC	

1)化学療法後

- CR＋血清腫瘍マーカー正常化 → 経過観察 ★★
- PR＋血清腫瘍マーカー正常化 → 全残存腫瘍切除 ★★
- 血清腫瘍マーカー正常化せず → 経過観察または全残存腫瘍切除 ★★

2)全残存腫瘍切除後

- 奇形腫 or 壊死組織のみ → 経過観察 ★★
- 胎児性癌，卵黄嚢腫瘍，絨毛癌，セミノーマ成分あり → 化学療法（EP or VeIP or VIP or TIP）×2 追加 ★★

*危険因子（再発リスクと関連）：脈管侵襲，精索浸潤，陰嚢浸潤

2 再発性胚細胞腫瘍の治療

- 初回治療への反応, 血清腫瘍マーカーの値, 腫瘍量, 原発病変部位により再発後の予後予測が可能である
- VeIP 療法や TIP 療法などの conventional-dose 化学療法と, 自己末梢血幹細胞併用大量化学療法を含めた化学療法が施行されるが, それらの優劣は明らかではない
- 治療後の再発時に MSI/MMR 検査も考慮されるが陽性率は高くない
- 初回治療完了から 2 年以上経過した後の再発, いわゆる晩期再発は精巣腫瘍生存患者の 2～3% にみられる。晩期再発では可能な限り外科的切除を行う

3 レジメン

1) 1 次化学療法

◆ BEP 療法 ★★★ (JCO 1998 ; 16 : 702 PMID 9469360)

BLM	30 mg/body	静注	day 1, 8, 15
VP-16	100 mg/m²	静注	day 1～5
CDDP	20 mg/m²	静注	day 1～5
3 週ごと			

◆ EP 療法 ★★★ (JCO 1997 ; 15 : 2553 PMID 9215824)

VP-16	100 mg/m²	静注	day 1～5
CDDP	20 mg/m²	静注	day 1～5
3 週ごと			

◆ VIP 療法 ★★★ (JCO 1998 ; 16 : 1287 PMID 9552027)

VP-16	75 mg/m²	静注	day 1～5
メスナ	1 回240 mg/m²	1 日 3 回(IFM 投与 15 分前, 4 時間後, 8 時間後) 静注 day 1～5	
IFM	1,200 mg/m²	静注	day 1～5
CDDP	20 mg/m²	静注	day 1～5
3 週ごと			

発熱性好中球減少症の高リスクレジメンであり G-CSF 併用が推奨される。メスナの投与方法については ASCO ガイドライン(JCO 2009 ; 27 : 127 PMID 19018081)を参照。

◆ CBDCA 単剤療法 ★★ (JCO 2011 ; 29 : 957 PMID 21282539)

CBDCA	AUC 7	静注	day 1	単回投与

2) 2次化学療法

◆ VeIP療法 ★★ (Ann Intern Med 1988；109：540 PMID 2844110)

VBL	0.11 mg/kg	静注	day 1～2
メスナ	1回240 mg/m² 1日3回(IFM投与15分前, 4時間後, 8時間後) 静注 day 1～5		
IFM	1,200 mg/m²	静注	day 1～5
CDDP	20 mg/m²	静注	day 1～5
3週ごと			

発熱性好中球減少症の高リスクレジメンでありG-CSF併用が推奨される。メスナの投与方法についてはASCOガイドライン(JCO 2009：27：127 PMID 19018081)を参照。

◆ TIP療法 ★★ (JCO 2005；23：6549 PMID 16170162)

PTX	250 mg/m²/日	24時間持続静注	day 1
メスナ	1回300 mg/m² 1日3回(IFM投与15分前, 4時間後, 8時間後) 静注 day 2～5		
IFM	1,500 mg/m²	静注	day 2～5
CDDP	25 mg/m²	静注	day 2～5
3週ごと			

発熱性好中球減少症の高リスクレジメンでありG-CSF併用が推奨される。メスナの投与方法についてはASCOガイドライン(JCO 2009：27：127 PMID 19018081)を参照。

■ 予後

　一般に非セミノーマの予後はセミノーマに比べ不良であるが, 化学療法の改良によりその予後は改善してきている。また, 転移性疾患の再発のほとんどは診断後2年以内に認められるため, 進行性精巣胚細胞腫瘍診断2年時点で無病生存中の患者の予後は, セミノーマ, 非セミノーマ問わず, また疾患リスクにかかわらず極めて良好である。

◆ IGCCCG リスク分類別の予後 (JCO 2021；39：1553 PMID 33729863, JCO 2021；39：1563 PMID 33822655)

	セミノーマ		非セミノーマ	
	5年無増悪生存率(%)	5年全生存率(%)	5年無増悪生存率(%)	5年全生存率(%)
Good risk	89	95	89	92
Intermediate risk	79	88	75	80
Poor risk	——	——	41	48

■ 晩期毒性

　精巣腫瘍は若年者に多く長期生存が得られるため，2次発がん（膀胱腫瘍，白血病），心疾患，腎機能障害，神経障害などの化学療法および放射線療法による晩期毒性が，治療後の長期経過観察では重要である。

■ 文献

1) Oldenburg J, et al：Testicular seminoma and non-seminoma：ESMO-EURACAN Clinical Practice Guideline for diagnosis, treatment and follow-up. Ann Oncol 2022；33：362-375 PMID 35065204

2) Keilholz U, et al：ESMO consensus conference recommendations on the management of metastatic melanoma：under the auspices of the ESMO Guidelines Committee. Ann Oncol 2020；31：1435-1448 PMID 32763453

【松本　峻弥】

15 造血器腫瘍

急性骨髄性白血病　Acute Myeloid Leukemia：AML

■ 疫学
1 **死亡数（白血病として，2019 年）/罹患数（白血病として，2017 年）**
- 8,839 人/13,820 人

■ 診断
1 **初発症状**
　貧血，発熱，出血傾向，肝脾腫，リンパ節腫脹，歯肉腫脹など。

2 **検査**
❶ **血液検査**　白血球増多もしくは減少，末梢血中の芽球（出現しない場合もある），通常，貧血や血小板減少を伴う。
❷ **骨髄検査**　骨髄中芽球割合≧20%　形態学的診断のために May-Giemsa 染色および特殊染色（ミエロペルオキシダーゼ染色，特異的/非特異的エステラーゼ染色）を行う。
❸ **細胞表面マーカー**　フローサイトメトリーで表面抗原パターンを確認する。
- 代表的な表面マーカー
  共通系：CD13，CD33，CD34（M3 で陰性），HLA-DR（M3 で陰性），MPO（M0 で陰性）
  単球系（M4，M5）：CD14
  赤血球系（M6）：CD235a（glycophorin A）
  巨核球系（M7）：CD41，CD42，CD61
  *リンパ球マーカーである CD7，CD10，CD19 が陽性になることがある
❹ **染色体検査，遺伝子検査**　後述する WHO 分類*および予後分類に関連する。

*WHO 分類（2016）においては，骨髄系起源の白血病細胞が存在し，t(8；21)，inv(16)，t(16；16)，t(15；17)のいずれかの染色体転座を有する場合においては芽球割合に関係なく AML と診断する。それ以外の場合では末梢血かつ/または骨髄中の芽球割合が 20% 以上で AML と診断する

282 | 15 造血器腫瘍

■ 組織分類

形態学的分類を特徴とする FAB 分類と，染色体・遺伝子レベルでの情報を加味した包括的分類である WHO 分類がある。FAB 分類の多くは，WHO 分類における AML，NOS に含まれる。

◆ WHO 分類（[ ]内は割合を示す）(2016)

1) 特定の遺伝子異常を有する AML
   ① AML with t (8；21) (q22；q22)；RUNX1-RUNX1T1 [<5%]
   ② AML with inv (16) (p13.1；q22) or t (16；16) (p13.1；q22)；CBFB-MYH11 [5～8%]
   ③ APL with PML-RARA [5～8%] (M3 に相当)
   ④ AML with t (9；11) (p21.3；q23.3)；MLLT3-KMT2A [2%]
   ⑤ AML with t (6；9) (p23；q34.1)；DEK-NUP214 [1～2%]
   ⑥ AML with inv (3) (q21.3q26.2) or t (3；3) (q21.3；q26.2)；GATA2, MECOM [1～2%]
   ⑦ AML (megakaryoblastic) with t (1；22) (p13.3；q13.3)；RBM15-MKL1 [<1%]
   ⑧ AML with BCR-ABL1*
   ⑨ AML with mutated NPM1 [27～35%]
   ⑩ AML with biallelic mutations of CEBPA [6～15%]
   ⑪ AML with mutated RUNX1*
2) 骨髄異形成関連の変化を有する AML
3) 治療関連骨髄性腫瘍
4) AML, not otherwise specified, NOS
   ① AML with minimal differentiation (M1 に相当)
   ② AML without maturation (M0 に相当)
   ③ AML with maturation (M2 に相当)
   ④ Acute myelomonocytic leukemia (M4 に相当)
   ⑤ Acute monoblastic/monocytic leukemia (M5 に相当)
   ⑥ Pure erythroid leukemia (M6 に相当)
   ⑦ Acute megakaryoblastic leukemia (M7 に相当)
   ⑧ Acute basophilic leukemia
   ⑨ Acute panmyelosis with myelofibrosis
5) 骨髄肉腫
6) Down 症候群関連骨髄増殖症

*provisional entity（潜在的な疾患単位として存在するエビデンスが示されているが，十分に明確なものとして定義されていない）

■ 予後因子

予後因子として患者要因と疾患要因について検討する必要があ

急性骨髄性白血病 283

る。患者要因としては，年齢，PS，合併症などが挙げられる。疾患要因としては，従来は白血球数や形態などが重視されてきたが，染色体異常および近年の遺伝子解析結果に基づいた遺伝子変異を組み込んだ予後層別化が確立されつつある。今後さらなる遺伝子解析による予後分類の細分化が見込まれるが，2022年5月現在，AML関連の遺伝子検査として転座以外では FLT3 および NPM1 にのみ保険が適用される点に注意を要する。

◆ European LeukemiaNet(ELN)リスク分類 2017

リスク分類	染色体/遺伝子異常	臨床検査
予後良好	t(8；21)(q22；q22.1)；RUNX1-RUNX1T1	○
	inv(16)(p13.1；q22)もしくは t(16；16)(p13.1；q22)；CBFB-MYH11	○
	NPM1 変異かつ FLT3-ITD 陰性/低シグナル(シグナル比<0.5)	○
	CEBPA 両アレル変異	×
中間群	NPM1 変異かつ FLT3-ITD 高シグナル(シグナル比≧0.5)	○
	NPM1 野生型かつ FLT3-ITD 陰性/低シグナル(シグナル比<0.5)	○
	t(9；11)(p21.3；q23.3)；MLLT3-KMT2A	○
	その他，予後良好・不良のいずれにも分類されないもの	
予後不良	t(6；9)(p23；q34.1)；DEK-NUP214	○
	t(v；11q23.3)；KMT2A 再構成	△*1
	t(9；22)(q34.1；q11.2)；BCR-ABL1	○
	inv(3)(q21.3q26.2)もしくは t(3；3)(q21.3；q26.2)；GATA2，MECOM 増幅	△*2
	−5 もしくは del(5q)，−7，−17/17p 異常	○
	複雑染色体異常もしくは1つ以上のモノソミー(性染色体を除く)	○
	NPM1 野生型かつ FLT3-ITD 高シグナル(シグナル比≧0.5)	○
	RUNX1 変異(予後良好因子と同時にみられる場合は不良因子に含めない)	×
	ASXL1 変異(予後良好因子と同時にみられる場合は不良因子に含めない)	×
	TP53 変異	×

*1 キメラスクリーニングで検出できる KMT2A(MLL)再構成は4種類のみである

*2 染色体異常は G バンド染色で検出されるが，GATA2 や MECOM 増幅は検査できない

15 造血器腫瘍

■ 治療

　初回治療である寛解導入療法と，残存する白血病細胞の根絶および再発予防を目的とした寛解後療法がある。急性前骨髄球性白血病（acute promyelocytic leukemia：APL）とそれ以外では化学療法が異なる。近年は特定の遺伝子変異に対する分子標的療法の開発が進んでおり，特にFLT3-ITD/TKD変異に対するチロシンキナーゼ阻害薬が2018年12月から本邦で使用可能となり白血病治療スキームが変化しつつある。

1 AML（APLを除く）

1）初発時

❶ **寛解導入療法 ★★★**　1990年代に行われたDNR＋Ara-C vs. IDR＋Ara-Cのランダム化第Ⅲ相比較試験において，IDR群におけるCR率，生存率が従来の標準治療であったDNR群より有意に優れていたことより，IDR＋Ara-Cが標準治療となった。しかし，DNRを高用量（250〜270 mg/m²）へ増量することによりIDRに劣らない治療成績が報告されたことから，現在ではともに標準治療と考えられている。

◆ **IDR＋Ara-C療法**（JCO 1992：10：1103 PMID 1607916）

| IDR（イダマイシン®） | 12 mg/m² | 30分で点滴静注 | day 1〜3 |
| Ara-C（キロサイド®） | 100 mg/m² | 24時間持続点滴静注 | day 1〜7 |

◆ **DNR＋Ara-C療法**（JALSG AML201レジメン：Blood 2011：117：2358 PMID 20693429）

| DNR（ダウノマイシン®） | 50 mg/m² | 30分で点滴静注 | day 1〜5 |
| Ara-C（キロサイド®） | 100 mg/m² | 24時間持続点滴静注 | day 1〜7 |

❷ **地固め療法 ★★★**　3段階のAra-C投与量を比較したCALGB 8525試験により，60歳以下の症例において大量Ara-C療法の有効性が示された（NEJM 1994：331：896 PMID 8078551）。特に，予後良好染色体異常を有する例では，大量Ara-C療法の効果が高いと考えられている。一方，予後中間群・予後不良群に対してはJALSG AML201レジメンで用いられたアンスラサイクリンとAra-Cの多剤併用化学療法が大量Ara-C療法と同等の成績を収めており，ともに標準治療となっている。移植可能な年齢で全身状態が良好，適切なドナーがいれば，予後中間群・不良群に対して，第1寛解期から同種移植を考慮する。

急性骨髄性白血病 | 285

◆**大量 Ara-C 療法**（JALSG AML201 レジメン：Blood 2011：117：2366 PMID 21190996）

> Ara-C　2 g/m² 　3 時間で点滴静注　12 時間ごと　1 日 2 回　day 1〜
> 5　4 週ごと　3〜4 サイクル

CALGB による原法は，Ara-C　3 g/m²　12 時間ごと　1 日 2 回　day 1, 3, 5 投与だが，本邦での保険適用は Ara-C　2 g/m² である。

◆**多剤併用地固め療法**（JALSG AML201 レジメン：Blood 2011：117：2366 PMID 21190996）

> 第 1 コース（MA）：
> 　MIT　　　　7 mg/m²　30 分で点滴静注　　　　day 1〜3
> 　Ara-C　200 mg/m²　24 時間持続点滴静注　day 1〜5
> 第 2 コース（DA）：
> 　DNR　　　50 mg/m²　30 分で点滴静注　　　　day 1〜3
> 　Ara-C　200 mg/m²　24 時間持続点滴静注　day 1〜5
> 第 3 コース（AA）：
> 　ACR　　　20 mg/m²　30 分で点滴静注　　　　day 1〜5
> 　Ara-C　200 mg/m²　24 時間持続点滴静注　day 1〜5
> 第 4 コース（A triple V）：
> 　Ara-C　200 mg/m²　24 時間持続点滴静注　day 1〜5
> 　ETP　　100 mg/m²　1 時間で点滴静注　　　　day 1〜5
> 　VCR　0.8 mg/m²（最大 2 mg）　静注　　　　day 8
> 　VDS　　　2 mg/m²　静注　　　　　　　　　　day 10

2）治療抵抗性および再発時

　最適なレジメンは確立されていないが，上述の寛解導入療法を再度選択するか，治療薬を変更して寛解を目指す。寛解導入不応および再発期の移植成績は，5 年 OS が 15〜20% と不良であるが，化学療法単独による予後は著しく不良のため，移植可能年齢で全身状態が良好，かつ適切なドナーがいる場合は，再寛解導入後に同種造血幹細胞移植を施行する。

❶ **併用化学療法**　奏効期間が長い（通常は無治療での寛解維持期間が 6 カ月以上ある）場合には初回治療と同様のレジメンを選択することもある。初回難治もしくは奏効期間が短い場合，大量シタラビン±アンスラサイクリンか，ミトキサントロン（MIT）とエトポシド（VP-16）を用いた MEC 療法などが一般的に選択される。アンスラサイクリンを用いない FLA（G）療法も選択肢となるが，フルダラビンの AML における保険適用は"移植前処置"のみであることに留意する。なお，後述する分子標的薬の適応がある場合にはそちらをまず検討してもよい。

286 | 15 造血器腫瘍

◆大量 Ara-C±アンスラサイクリン ★★ (JCO 1985；3：992 PMID 3894588)

Ara-C(キロサイド®)	2 g/m² 3 時間で点滴静注 12 時間ごと 1 日 2 回 day 1〜5
下記のうちいずれかを併用してもよい	
DNR(ダウノマイシン®)	30 mg/m² 30 分で点滴静注 day 1〜3
IDR(イダマイシン®)	12 mg/m² 30 分で点滴静注 day 1〜3

◆MEC 療法(mini MEC) ★★ (Leuk Lymphoma 2016；57：2541 PMID 26917050)

MIT(ノバントロン®)	8 mg/m² 30 分で点滴静注 day 1〜3
VP-16(エトポシド®)	100 mg/m² 1 時間で点滴静注 day 1〜5
Ara-C(キロサイド®)	100 mg/m² 持続点滴 day 1〜7

MEC 療法には複数のレジメンが存在し, 上記はその代表例の 1 つである.

◆FLA(G)療法 ★★ (Br J Haematol 2001；112：127 PMID 11167793)

Flu(フルダラ®)	30 mg/m² 30 分で点滴静注 day 1〜5
Ara-C(キロサイド®)	2 g/m² 4 時間で点滴静注 day 1〜5

オリジナルの FLAG 療法には G-CSF の同時併用が含まれているが, 本邦では化学療法との同日投与が保険で認められていない. なお, FLA(G)療法に IDR や MIT を組み合わせることもある.

❷ ゲムツズマブ オゾガマイシン(GO) GO は, カリケアマイシン結合抗 CD33 モノクローナル抗体で, 初回再発を対象とした第Ⅱ相試験での寛解率は 28%(CR 13%, CR with incomplete platelet recovery 15%)である. 本邦では再発難治例にのみ保険適用だが, 高齢の初発 AML 患者を対象として GO と BSC とを比較した第Ⅲ相 EORTC-GIMEMA AML-19 試験(JCO 2016；34：972 PMID 26811524)において生存期間の有意な延長(GO 4.9 カ月 vs. BSC 3.6 カ月)を示している. 同種移植後投与における類洞閉塞症候群/肝中心静脈閉塞症(SOS/VOD)の発生率上昇が報告されており, 移植予定または移植後患者への投与は注意を要する.

◆ゲムツズマブ オゾガマイシン ★★ (Cancer 2005；104：1442 PMID 16116598)

GO(マイロターグ®)	9 mg/m² 2 時間で点滴静注 day 1, 15

対象：CD33 陽性例
投与回数は少なくとも 14 日間の間隔をあけて 2 回まで.

❸ FLT3 阻害薬 FLT3(FMS-like tyrosine kinase 3)は受容体型チロシンキナーゼに分類され AML の約 30% にその遺伝子変異が

急性骨髄性白血病 | 287

認められる。FLT3-ITD（internal tandem duplication）あるいは
FLT3-TKD（tyrosine kinase domain）変異の2種類に大別され，
いずれも恒常的にFLT3が活性化し白血病細胞の増殖に関与している。2022年5月現在，本邦で承認されているFLT3阻害薬はギルテリチニブ（ゾスパタ®）とキザルチニブ（ヴァンフリタ®）の2剤である。FLT3変異を有する再発難治AML患者を対象にギルテリチニブと救援化学療法とを比較した第Ⅲ相ADMIRAL試験（NEJM 2019：381：1728 PMID 31665578）において，生存期間中央値（MST）がギルテリチニブ群で9.3カ月（救援化学療法群5.6カ月）と有意な延長を認めた。同様に，キザルチニブの有効性を評価した第Ⅲ相QuANTUM-R試験（Lancet Oncol 2019：20：984 PMID 31175001）において，MSTがキザルチニブ群で6.2カ月（救援化学療法群4.7カ月）と有意な延長を認めた（2剤の薬理学的特性の違いついては Memo 参照）。

◆ **ギルテリチニブ** ★★★ （NEJM 2019：381：1728 PMID 31665578）

ギルテリチニブ（ゾスパタ®）　1回120mg　1日1回　連日

対象：FLT3-ITD/TKD変異
患者の状態を考慮して適宜増減するが，200mg/日を超えないようにする。
QT延長や肝機能障害に注意すること。

◆ **キザルチニブ** ★★★ （NEJM 2019：381：1728 PMID 31665578）

キザルチニブ（ヴァンフリタ®）　1回53mg（開始後2週間は26.5mg）
1日1回　連日

対象：FLT3-ITD変異
患者の状態を考慮し17.7mgまで減量できる。QT延長や肝機能障害に注意すること。

Memo　FLT3-ITD と TKD 変異

FLT3変異は，チロシンキナーゼ領域直上のjuxtamembrane regionが延長するITD変異と，チロシンキナーゼ領域そのものが変化するTKD変異（D835置換やI836欠失など）に大別される。Ⅰ型チロシンキナーゼ阻害薬（TKI）であるギルテリチニブは変異型キナーゼ領域にも同様に結合できるため，FLT3-ITDとTKD変異の両方に薬効を示す。一方でⅡ型TKIであるキザルチニブは野生型キナーゼ領域にしか結合できないため，FLT3-ITD変異には有効だがTKD変異には無効である。ただし，ゲートキーパー変異として知られるF691L変異は両薬剤に抵抗性を示すことに留意する。

【池　成基】

15
造血器腫瘍

❹ **IDH（isocitrate dehydrogenase）阻害薬**　2022年5月現在，本邦では未承認であるが，IDH1 および IDH2 遺伝子変異を有する再発・難治 AML に対して，それぞれ ivosidenib（NEJM 2018；378：2386 PMID 29860938）と enasidenib（Blood 2019；133：676 PMID 30510081）が FDA に承認された。第 I / II 相試験において，奏効率は ivosidenib で 42%，enasidenib で 39% であり，レスポンス維持期間の中央値は ivosidenib で 8.2 カ月，enasidenib で 5.6 カ月と報告された。これらは内服薬で利便性も高く，将来的に本邦でも承認されることを期待する。

3）減弱レジメン

年齢や PS，合併症などから標準治療を選択できない症例は少なくない。標準治療は確立されていないが，比較的忍容性のよい症例にはアザシチジン（AZA）±ベネトクラクス（VEN）や低用量 Ara-C（LDAC）±VEN，CA（G）療法などを考慮する（VEN は 2021 年 3 月に本邦で保険適用となった）。減弱レジメンも困難なフレイルの場合には BSC か，leukostasis 予防のためヒドロキシカルバミド（HU）が投与されることもある。再発・難治症例であれば，分子標的薬（GO や FLT3 阻害薬）の適応も検討する。

◆ **アザシチジン＋ベネトクラクス ★★★**（NEJM 2020；383：617 PMID 32786187）

> **AZA**（ビダーザ®）　75 mg/m²　皮下注もしくは 10 分で点滴静注　day 1〜7
> **VEN**（ベネクレクスタ®）　400 mg　1 回 1 回食後　連日内服
> 4 週ごと　PD まで継続

TLS（腫瘍崩壊症候群）予防のため，初回サイクルは VEN を 1 日目 100 mg，2 日目 200 mg，3 日目以降 400 mg と漸増する。なお，CYP3A 阻害薬との併用における VEN の減量については次頁 Memo 参照。

◆ **アザシチジン ★★★**（JCO 2010；28：562 PMID 20026804, Blood 2015；126：291 PMID 25987659）

> **AZA**（ビダーザ®）　75 mg/m²　皮下注もしくは 10 分で点滴静注　day 1〜7　4 週ごと　PD まで継続

2021 年 3 月に AML への適応が正式に添付文書に記載された（併用は VEN のみ許容）。

急性骨髄性白血病　289

◆ **低用量 Ara-C＋ベネトクラクス ★★★** （Blood 2020；135：2137 PMID 32219442）

Ara-C（キロサイド®）	20 mg/m²	皮下注 24 時間ごと	day 1～10
VEN（ベネクレクスタ®）	600 mg	1 回 1 回食後	連日内服
4 週ごと　PD まで継続			

TLS 予防のため，初回サイクルは VEN を 1 日目 100 mg，2 日目 200 mg，3 日目 400 mg，4 日目以降 600 mg と漸増する。なお，CYP3A 阻害薬との併用における VEN の減量については Memo 参照。

◆ **低用量 Ara-C ★★** （Cancer 2007；109：1114 PMID 17315155）

Ara-C（キロサイド®）	10 mg/m²	皮下注 12 時間ごと（1 日 2 回）	day 1～14　4～6 週ごと　PD まで継続

Memo　CYP3A 阻害薬併用時のベネトクラクス減量

　ベネトクラクスは CYP3A で代謝されるため，それらを阻害する薬剤（下記参照）と併用する場合にはその阻害強度に応じた減量が肝要である。
・中等度の阻害薬と併用する場合：漸増期を含めて半量もしくはそれ以下に減量
・強い阻害薬と併用する場合：1 日 50 mg に減量（漸増は 1 日目 10 mg，2 日目 20 mg，3 日目以降 50 mg）

強い CYP3A 阻害薬	中等度の CYP3A 阻害薬	
コビシスタット	アプレピタント	フルコナゾール
イトラコナゾール	アタザナビル	ホスアンプレナビル
ポサコナゾール	シプロフロキサシン	イマチニブ
リトナビル	クリゾチニブ	イストラデフィリン
ボリコナゾール	シクロスポリン	ミコナゾール
クラリスロマイシン	ジルチアゼム	トフィソパム
グレープフルーツジュース	エリスロマイシン	ベラパミル

タクロリムスやラニチジンなども弱いながら CYP3A を阻害することに留意する。

【池　成基】

◆CA（G）療法 ★★ (Leukemia 1995；9：10 PMID 7531259, J Hematol Oncol 2011；4：46 PMID 22082134)

> Ara-C（キロサイド®） 10 mg/m² 皮下注 12 時間ごと（1 日 2 回）
> day 1～14
> アクラルビシン（アクラシノン®） 14 mg/m² 30 分で点滴静注 day
> 1～4
> 4 週ごと 1～2 サイクルまで

オリジナルの CAG 療法にはフィルグラスチム（200 μg/m² 皮下注 day 1～14）の同時併用が含まれているが，本邦では化学療法との同日投与が保険で認められていない。なお，高齢者の場合にはアクラルビシンを 10 mg/m² に減量する。

◆ヒドロキシカルバミド ★ (Arch Intern Med 1977；137：1246 PMID 268956)

> HU（ハイドレア®） 1 日 500～2,000 mg を 1～3 回に分服 連日

あくまで leukostasis の予防でしかないことに留意する。

2 APL（FAB 分類：M3）

染色体転座 t（15；17）（q22；q12）；PML-RARA を特徴とする，分化誘導療法が有効な AML の一群である。

1）初発時

❶ 寛解導入療法 ★★★ 全トランス型レチノイン酸（ATRA）による分化誘導療法をベースとする。アンスラサイクリンや Ara-C 併用療法の有効性が示されている。寛解導入時には APL 細胞の分化誘導に伴うサイトカイン放出による分化症候群に注意する。APL には線溶亢進型 DIC の合併が多く，線溶抑制を含む抗凝固療法（例：リコンビナントトロンボモジュリン，ナファモスタット，ガベキサート），濃厚血小板や新鮮凍結血漿による補充療法なども必要となる。ATRA に併用する最適な化学療法レジメンは確立されていないが，一例として下記に白血球数および芽球数で層別化した JALSG APL204 の寛解導入療法レジメンを示す。後述する ATO と ATRA 併用による寛解導入療法の良好な成績も近年報告されているが（NEJM 2013；369：111 PMID 23841729），本邦において初回治療としての ATO 投与は保険適用外である。

◆ATRA (Blood 1999；94：1192 PMID 10438706)

> ATRA（ベサノイド®） 1 日 45 mg/m² を 3 回に分服 CR に至るまで連
> 日

ATRA とトラネキサム酸の併用は禁忌（血栓症の誘発）。

急性骨髄性白血病　**291**

◆**ATRA 併用化学療法レジメン**（JALSG APL204 レジメン：JCO 2014：32：3729 PMID 25245439）

WBC＜3,000/μL かつ芽球＜1,000/μL：追加化学療法なし
3,000/μL≦WBC＜10,000/μL かつ芽球≧1,000/μL：
　IDR　　　12 mg/m² 　30 分で点滴静注　　　day 1～2
　Ara-C　100 mg/m² 　24 時間持続点滴静注 day 1～5
10,000/μL≦WBC：
　IDR　　　12 mg/m² 　30 分で点滴静注　　　day 1～3
　Ara-C　100 mg/m² 　24 時間持続点滴静注 day 1～7

❷ **地固め療法 ★★★**　　アンスラサイクリン（IDR，DNR，MIT）をベースとする。Ara-C 併用の意義は現状では明らかではないが，高リスク群では Ara-C 併用によって再発率が下がるという報告もある。地固め療法の目的は，同療法完了時に分子生物学的寛解が得られていることであり，得られていない患者は予後不良である。

◆**多剤併用地固め療法**（JALSG APL204 レジメン：JCO 2014：32：3729 PMID 25245439）

第 1 コース
　MIT　　　　7 mg/m² 　30 分で点滴静注　　　day 1～3
　Ara-C　200 mg/m² 　24 時間持続点滴静注 day 1～5
第 2 コース
　DNR　　　50 mg/m² 　30 分で点滴静注　　　day 1～3
　Ara-C　200 mg/m² 　24 時間持続点滴静注 day 1～5
第 3 コース
　IDR　　　12 mg/m² 　30 分で点滴静注　　　day 1～3
　Ara-C　140 mg/m² 　24 時間持続点滴静注 day 1～5

　なお，初回治療の地固め療法として亜ヒ酸（ATO）を組み込むことで，RFS が有意に延長することが報告された（Blood 2010：116：3751 PMID 20705755）。これを受けて JALSG APL212 試験において ATO とゲムツズマブ オゾガマイシン（GO）を組み込んだ地固め療法の有効性が検証されており，解析結果の発表が待たれる。参考までにレジメンをここに紹介する〔なお，このレジメンはタミバロテン（Am80）による維持療法が続く〕。

15

造血器腫瘍

◆ **多剤併用地固め療法**(JALSG APL212 レジメン：論文未発表)

第 1，3 コース
　ATO(トリセノックス®)　0.15 mg/kg　2 時間で点滴静注　週 5 日
　　5 週間
第 2 コース
　DNR(ダウノマイシン®)　50 mg/m² 　30 分で点滴静注　　day 1〜3
　Ara-C(キロサイド®)　200 mg/m² 　24 時間持続点滴静注　day 1〜5
髄注化学療法(第 3 コース終了後)
　MTX(メソトレキセート®)　15 mg/body　3 剤を混合して髄注
　Ara-C(キロサイド®)　40 mg/body　3 剤を混合して髄注
　PSL(プレドニン®)　10 mg/day　3 剤を混合して髄注
第 4 コース
　GO(マイロターグ®)　4 mg/m² 　2 時間で点滴静注　day 1, 15

❸ **維持療法**　ATRA および併用化学療法(6-MP，MTX)による維
持療法は，無治療経過観察よりも再発率を低下させることが示
されている。ATRA より分化誘導能の高い合成レチノイドであ
る Am80 による維持療法は，JALSG APL204 試験において
ATRA 維持療法と同等の良好な RFS が示された。さらに，7 年
RFS は ATRA 維持療法群で 84％ に対し Am80 維持療法群で
93％(p＝0.031)と Am80 群で有意に良好であった。特に初発時
白血球数 10,000/μL 以上のハイリスク群ではより Am80 群が良
好であった(Leukemia 2019；33：358 PMID 30093681)。なお，維持療法
における Am80 は保険適用外である。

◆ **ATRA ★★★** (Blood 1999；94：1192 PMID 10438706)

ATRA(ベサノイド®)　1 日 45 mg/m² を 3 回に分服　2 週間投与　3 カ
月ごと

◆ **Am80 ★★★** (JCO 2014；32：3729 PMID 25245439)

Am80(アムノレイク®)　1 日 6 mg/m² を 2 回に分服　2 週間投与　3 カ
月ごと

2)再発時

血液学的寛解状態であっても，分子生物学的再発の状態で治療を
開始することで成績が改善する。ATO は再発・難治 APL を対象と
した第Ⅱ相試験において，CR 率 85％ であり，再寛解導入療法の
第 1 選択と考えられる。重要な副作用として QT 延長症候群があ
り，定期的な電解質，心電図モニタリングを要する。QTc≧500
msec で休薬を考慮する。寛解後療法として ATO の再投与を行う

が，分子学的寛解が得られた場合，大量化学療法（主に BU＋CY）＋自家造血幹細胞移植を行うことで，5 年 EFS 65%，OS 77% と報告されている（Blood 2013；121：3095 PMID 23412094）。分子生物学的寛解が得られない場合，同種造血幹細胞移植を検討する。移植適応がない場合の治療としては前述の GO 投与も選択肢となりうる。

◆ATO ★★（JCO 2001；19：3852 PMID 11559723）

> ATO　0.15 mg/kg　2 時間で点滴静注　CR に至るまで連日投与（最大 60 日間）

■ 予後

AML 全体（APL を除く）での CR 率は約 80% だが，5 年 OS は 30〜40% 台である。APL の初回寛解率は 90% 以上，5 年 OS は約 80% である。

■ 文献

1) Swerdlow SH, et al：WHO Classification of Tumors of Haematopoietic and Lymphoid Tissues, 4th ed, Revised ed. IARC Press, Lyon, 2017
2) 日本血液学会（編）：造血器腫瘍診療ガイドライン 2018 年版補訂版［http://www.jshem.or.jp/gui-hemali/table.html］
3) Döhner H, et al：Diagnosis and management of AML in adults：2017 ELN recommendations from an international expert panel. Blood 2017；129：424-447 PMID 27895058
4) Miyawaki S, et al：A randomized comparison of 4 courses of standard-dose multiagent chemotherapy versus 3 courses of high-dose cytarabine alone in postremission therapy for acute myeloid leukemia in adults：the JALSG AML201 Study. Blood 2011；117：2366-2372 PMID 21190996

骨髄異形成症候群
Myelodysplastic Syndromes：MDS

■ 診断

1 症状
慢性貧血を主とするが，時に出血傾向，発熱を認める。

2 検査
❶ 血液検査　末梢血で赤血球・白血球・血小板のうち 1〜3 系統の血球減少を認め，血球形態に異形成所見を認める。末梢血・骨髄のいずれにおいても芽球は 20% 未満である。

❷ **骨髄検査** 主に正～過形成骨髄であるが低形成の場合もある。微小巨核球，環状鉄芽球，好中球の低分葉核および顆粒減少・消失など，血球形態に多様な異形成所見を認める。

❸ **染色体検査** 5q−，−7，+8 などの MDS に特徴的な染色体異常を認めることがある。

MDS はさまざまな血液疾患と境界を接しているため診断の確定が困難な場合がある。他の血球異常をきたす疾患を除外しつつ，染色体検査などと合わせて診断されるが，血球の形態学的な判断の寄与が大きい。

■ 組織分類

◆ WHO 分類(2016)

病型	末梢血所見	骨髄所見
MDS with single lineage dysplasia (MDS-SLD)	1～2 系統の血球減少 芽球<1%	1 系統のみの異形成，芽球<5%，環状鉄芽球が全赤芽球の 15% 未満*
MDS with multilineage dysplasia (MDS-MLD)	血球減少 芽球<1%	2～3 系統の異形成，芽球<5%，環状鉄芽球が全赤芽球の 15% 未満*
MDS with ring sideroblasts (MDS-RS-SLD)	1～2 系統の血球減少 芽球<1%	1 系統の異形成，芽球<5%，環状鉄芽球が全赤芽球の 15% 以上*
MDS with ring sideroblasts (MDS-RS-MLD)	血球減少 芽球<1%	2～3 系統の異形成，芽球<5%，環状鉄芽球が全赤芽球の 15% 以上*
MDS with excess blasts-1 (MDS-EB-1)	血球減少 芽球 2～4%	芽球 5～9%，Auer 小体なし
MDS with excess blasts-2 (MDS-EB-2)	血球減少 芽球 5～19%	芽球 10～19%，もしくは Auer 小体(+)
MDS, unclassified (MDS-U)	血球減少 芽球≦1%	芽球<5%，MDS に特徴的な核型
MDS associated with isolated del(5q)	1～2 系統の血球減少 芽球<1%	芽球<5%，del(5q) の単独異常，もしくは −7/del(7q) 以外の 1 つの付加的染色体異常

* SF3B1 変異が陽性の場合は 5%

骨髄異形成症候群 **295**

■ 予後因子

予後予測スコアリングシステムとして International Prognostic Scoring System（IPSS）が提唱された（Blood 1997；89：2079 PMID 9058730）。ただし，WHO 分類以前に作成された分類のため，骨髄中の芽球 30％ までが MDS に含まれている。その後 WHO 分類を加味した WHO classification-based Prognostic Scoring System（WPSS）が作成され（JCO 2007；25：3503 PMID 17687155），さらに染色体異常の評価を細分化した Revised International Prognostic Scoring System（IPSS-R）が公表されている（Blood 2012；120：2454 PMID 22740453）。

◆ IPSS

予後因子	配点				
	0	0.5	1	1.5	2
骨髄中の芽球 核型[*1] 血球減少[*2]	<5% 良好 0/1 系統	5〜10% 中間 2/3 系統	—— 不良	11〜20%	21〜30%

[*1] 良好：正常，−Y，del(5q)，del(20q)
　　不良：複雑型，7 番染色体異常
　　中間：その他
[*2] Hb<10 g/dL，好中球数<1,800/μL，血小板数<10 万/μL

リスク群	点数	MST（年）
Low	0	5.7
Intermediate-1 (Int-1)	0.5〜1.0	3.5
Intermediate-2 (Int-2)	1.5〜2.0	1.1
High	≧2.5	0.4

◆ IPSS-R

予後因子	配点						
	0	0.5	1	1.5	2	3	4
核型*	Very good	――	Good	――	Intermediate	Poor	Very poor
骨髄芽球 (%)	≦2		>2, <5	5〜10	>10		
Hb (g/dL)	≧10	――	8〜<10	<8	――		
Plt (万/μL)	≧10	5〜<10	<5	――	――		
好中球 (/μL)	≧800	<800	――	――	――		

* Very good：−Y，del(11q)
　Good：正常，del(5q)，del(20q)，del(12p)，del(5q)含む2異常
　Intermediate：del(7q)，+8，+19，i(17q)，その他の1〜2つの異常
　Poor：−7，inv(3)/t(3q)/del(3q)，−7/del(7q)を含む2つの異常，3つの
　　異常
　Very poor：4つ以上の異常

リスク群	点数	MST(年)
Very low	≦1.5	8.8
Low	>1.5〜3.0	5.3
Intermediate	>3.0〜4.5	3.0
High	>4.5〜6.0	1.6
Very high	>6.0	0.8

■ 治療

　前述の疾患リスクに応じた治療戦略を立てる。一般的にはIPSS
におけるLow，Int-1を低リスク，Int-2，Highを高リスクと考え
ることが多い。治療目標は低リスクの場合は輸血頻度の軽減などの
骨髄不全症状の改善であり，高リスクの場合はそれに加えて白血化
の遅延，防止である。現時点で根治が期待できる治療法は同種造血
幹細胞移植のみである。

骨髄異形成症候群 | 297

1 低リスク MDS（IPSS：Low/Int-1，WPSS：Very low/Low/Intermediate）

1) del（5q）を有する MDS に対する治療

del（5q）を有する赤血球輸血依存 MDS に対するレナリドミド（Len）の有効性が報告されており，貧血改善率56.1％，細胞遺伝学的寛解率29.4％ であった（Blood 2011；118：3765 PMID 21753188）。

◆ Len ★★（NEJM 2006；355：1456 PMID 17021321）

Len　1回10 mg　1日1回　21日間内服7日間休薬

2) サイトカイン療法

血清エリスロポエチン（EPO）濃度低値の患者でEPO（±G-CSF）の投与により輸血回数を減少させる効果が報告されている（Br J Haematol 1998；103：1070 PMID 9886322）。本邦では2014年から保険適用されている。

3) 免疫抑制療法

抗ヒト胸腺細胞ウサギ免疫グロブリン（ATG）およびシクロスポリンは，低リスク MDS の一部において造血回復作用があり，特に若年者，骨髄低形成例，HLA-DR15 陽性例，PNH クローンを有する例などに効果があるという報告がある（JCO 2008；26：2505 PMID 18413642）。本邦では保険適用外である。

4) DNA メチル化阻害薬

後述する高リスク MDS が治療適応となり，低リスク MDS に対しての生存延長効果は証明されていないため，第1選択薬としては推奨されない。

5) 支持療法

輸血後鉄過剰症に対し，血清フェリチンが2カ月以上にわたって1,000 ng/mL 以上，総鉄輸血量40 単位以上を目安として，鉄キレート療法の開始が推奨される。臓器障害の予防および軽減を図るためには，連日投与による十分な治療が重要である（JCO 2012；30：2134 PMID 22547607）。経口鉄キレート薬デフェラシロクスの1日1回投与が頻用される。

6) 同種造血幹細胞移植

低リスクにおける同種移植は推奨されないが，リスクの増悪傾向がある患者，血球減少が著しい患者，他の治療に抵抗性の患者では，適切なドナーが得られれば同種移植を考慮してもよい。

2 高リスク MDS(IPSS：Int-2/High，WPSS：High/Very high)

1)同種造血幹細胞移植

移植可能年齢で全身状態が良好であれば，積極的に同種移植を実施する。芽球増多を認める場合，移植前に化学療法を行うべきかについて検討する。

2)DNA メチル化阻害薬

アザシチジンは，支持療法および低用量化学療法・強力化学療法との比較において，白血化までの期間延長，生存期間の延長を認め，予後を有意に改善した。同種移植が適応外の患者などに推奨される。効果発現には 4〜6 サイクルの投与継続が必要とされる。

◆ **アザシチジン ★★★** (Lancet Oncol 2009：10：223 PMID 19230772)

高リスク MDS を対象に従来治療(BSC も含める)とアザシチジンの比較を行ったランダム化第Ⅲ相比較試験では，主要評価項目であった OS は 24.5 カ月 vs. 15.0 カ月と有意にアザシチジン群のほうが良好な結果であった。

> アザシチジン(ビダーザ®)　1 回 75 mg/m^2　1 日 1 回　7 日間　皮下注 or 静注　4 週ごと

3)化学療法

MDS や MDS 由来の白血病に対する化学療法の成績は不良であるが，染色体異常・PS・罹病期間などの予後不良因子がない若年例では，化学療法に反応する一群があるとの報告もあるため(Cancer 2006：106：1099 PMID 16435387)，他治療に抵抗性の際は選択肢となりうる。

■ 予後

支持療法のみを行った場合の MST は，Low risk 群 5.7 年，Int-1 risk 群 3.5 年，Int-2 risk 群 1.2 年，High risk 群 0.4 年である。

■ 文献

1) Swerdlow SH, et al：WHO Classification of Tumors of Haematopoietic and Lymphoid Tissues, 4th ed, Revised ed. IARC Press, Lyon, 2017
2) 日本血液学会(編)：造血器腫瘍診療ガイドライン 2018 年版補訂版 [http://www.jshem.or.jp/gui-hemali/table.html]
3) Fenaux P, et al：Efficacy of azacitidine compared with that of conventional care regimens in the treatment of higher-risk myelodysplastic syndromes：a randomised, open-label, phase Ⅲ study. Lancet Oncol 2009：10：223-232 PMID 19230772

慢性骨髄性白血病
Chronic Myelogenous Leukemia：CML

　骨髄増殖性腫瘍の1つで，BCR-ABL1融合遺伝子によるチロシンキナーゼ型がん遺伝子の活性化が発症の原因とされている。

■ 疫学
　発症率は人口10万人あたり1～2人で，成人白血病の約20%を占める。50歳代に発症のピークがあり，小児には稀である。

■ 診断
1 臨床症状
　健診での白血球増多（無症状），脾腫による腹部膨満感，食欲低下，全身倦怠感，発熱，盗汗，体重減少など。

2 検査所見
❶ **血液検査**　白血球増多（芽球を含む各成熟段階の顆粒球の出現），好酸球・好塩基球増多，血小板増多，貧血。

❷ **骨髄検査**　過形成，各成熟段階の骨髄系細胞の増加（慢性期）。初診時に約30%の患者に線維化を認める。

❸ **染色体検査**　95%は通常の染色体検査（G-banding法，FISH法）で，フィラデルフィア染色体（Ph），すなわちt（9；22）（q34；q11）を検出できる。残りの5%では，BCR-ABL1遺伝子再構成を確認するため，RT-PCR法による検査が必要となる。

造血器腫瘍

■ 病期

◆ WHO 分類 (2016)

慢性期 (Chronic phase：CP)	移行期・急性転化期のどちらにも合致しない場合
移行期 (Accelerated phase：AP)	・末梢血中または骨髄中の芽球 10～19% ・末梢血中の好塩基球 ≧20% ・血小板数<10 万/μL：治療と無関係 ・血小板数>100 万/μL：治療抵抗性 ・治療中の付加的染色体異常の出現 ・白血球数>1 万/μL：治療抵抗性 ・持続するもしくは進行性の脾腫：治療抵抗性 ・TKI 治療への反応性*
急性転化期 (Blast phase：BP)	・末梢血中または骨髄中の芽球 ≧20% ・髄外での芽球の増殖（脾臓以外） ・骨髄生検で大きな芽球集団の存在

移行期は，上記の項目の1つ以上を満たせば診断される。

*初回の TKI 治療で血液学的効果が得られない，2種類の TKI 治療で血液学的，細胞学的，分子学的の効果のいずれも得られない，TKI 治療中に BCR-ABL1 融合遺伝子に2カ所以上の変異が発生するなどの TKI 治療への反応性も AP への移行の可能性に留意する

■ 治療

　未治療慢性期 CML を対象にした IRIS 試験で，従来の標準治療である IFN-α＋Ara-C と比較し，チロシンキナーゼ阻害薬（TKI）であるイマチニブが，治療効果判定基準である血液学的完全寛解（CHR）と細胞遺伝学的完全寛解（CCyR）において圧倒的に優れ，イマチニブが標準治療となった。その後，第2世代 TKI であるニロチニブ，ダサチニブ，ボスチニブ，ポナチニブが順次開発された。再発・難治例のみに適応のあるポナチニブ以外のどの TKI を初期治療に用いてもよいが，高リスク症例や TFR(treatment-free remission)を目指す症例においては第2世代 TKI から導入することが推奨される。なお，下記にまとめる副作用プロファイルを参考にして，用量調整や薬剤変更を適宜検討することが肝要である。

慢性骨髄性白血病　301

1）慢性期（CP）★★★

◆ **イマチニブ**（NEJM 2006；355：2408　PMID 17151364）

> **イマチニブ（グリベック®）　1回 400〜600 mg　1日1回　連日**

◆ **ニロチニブ**（NEJM 2010；362：2251　PMID 20525993）

> **ニロチニブ（タシグナ®）　1回 300〜400 mg　1日2回　連日**

◆ **ダサチニブ**（NEJM 2010；362：2260　PMID 20525995）

> **ダサチニブ（スプリセル®）　1回 100〜140 mg　1日1回　連日**

◆ **ボスチニブ**（Blood 2011；118：4567　PMID 21865346, Clin Lymphoma Myeloma Leuk 2016；16：e85　PMID 27101984）

> **ボスチニブ（ボシュリフ®）　1回 400〜600 mg　1日1回**

◆ **ポナチニブ**（Blood 2018；132：393　PMID 29567798）

> **ポナチニブ（アイクルシグ®）　1回 45 mg　1日1回**

再発・難治例のみ適応。

◆ 代表的な副作用

副作用/検査異常		イマチニブ	ニロチニブ	ダサチニブ	ボスチニブ	ポナチニブ
血液毒性	骨髄抑制	✓	✓	✓	✓	✓
循環器系	浮腫/うっ血	✓			✓	✓
	胸水/心囊液貯留			✓		
	心不全	✓				✓
	アテローム性心血管イベント		✓			
	動脈塞栓					✓
	高血圧					✓
	肺高血圧			✓		
	QT延長		✓	✓		
消化器系	消化器症状	✓			✓	✓
	肝障害	✓	✓			
	膵酵素上昇					✓
その他	電解質異常		✓			
	アスピリン様作用			✓		✓
用量調整	腎機能	要			要	
	肝機能	要	要		要	要

15

造血器腫瘍

15 造血器腫瘍

◆ TKI による 1 次治療の効果判定基準〔European Leukemia Net（ELN）〕〔Ann Oncol 2017；28(suppl_4)：iv41 PMID 28881915〕

	optimal response	warning	failure
診断時	――	高リスク 診断時付加的染色体異常	――
3 カ月	BCR-ABL1 (IS) ≦10%, and/or Ph⁺≦35%	BCR-ABL1 (IS) ≧10%, and/or Ph⁺36〜95%	Non-CHR and/or Ph⁺>95%
6 カ月	BCR-ABL1 (IS) <1%, and/or Ph⁺0%	BCR-ABL1 (IS) 1〜10%, and/or Ph⁺1〜35%	BCR-ABL1 (IS) >10%, and/or Ph⁺>35%
12 カ月	BCR-ABL1 (IS) <0.1%	BCR-ABL1 (IS) 0.1〜1%	Ph⁺≧1% BCR-ABL1 (IS) >1%
>18 カ月	BCR-ABL1 (IS) <0.01%*	BCR-ABL1 (IS) 0.1〜1%	――
時期を問わず	――	――	MMR の喪失

*無治療寛解（treatment-free remission）を目指す場合

◆ リスク計算式

	計算式	リスク
Sokal, et al	$e^{0.0116×（年齢-43.4）+0.0345×（脾臓-7.51）+0.188×〔（血小板数/700）^2-0.563〕+0.0887×（芽球-2.1）}$	低リスク：<0.8 中間リスク：0.8〜1.2 高リスク：>1.2
Hasford, et al	0.666[50 歳以上] + (0.042×脾臓)+1.0956[血小板数>1,500×10⁹/L] + (0.0584×芽球) + 0.20399[好塩基球>3%] + (0.0413×好酸球)×100	低リスク：≦780 中間リスク：781〜1,480 高リスク：>1,480
EUTOS	脾臓×4+好塩基球×7	低リスク：<87 高リスク：≧87

脾臓：肋弓下 cm，血小板数：×10⁹/L，芽球・好塩基球・好酸球：%

慢性骨髄性白血病 303

◆染色体検査・RT-PCR による治療効果判定（ELN）

	治療効果判定	定義
血液学的効果 Hematologic response	complete（CHR）	血小板数＜45 万/μL。白血球数＜1 万/μL。末梢血中に幼若細胞認めず。好塩基球比率＜5％，脾腫なし
細胞遺伝学的効果 Cytogenic response	none（noCyR）	Ph⁺＞95％
	minimal（minCyR）	Ph⁺66〜95％
	minor（mCyR）	Ph⁺36〜65％
	partial（PCyR）	Ph⁺1〜35％
	complete（CCyR）	Ph⁺細胞なし（染色体分析）or BCR-ABL1⁺細胞＜1％（FISH）
分子遺伝学的効果 Molecular response	major（MMR）	BCR-ABL1 (IS) ≦0.1％
	MR⁴·⁰	BCR-ABL1 (IS) 0.01％ 以下のレベルで陽性
	MR⁴·⁵	BCR-ABL1 (IS) 0.0032％ 以下のレベルで陽性
	molecular undetectable leukemia	PCR で BCR-ABL1 が検出されない。対照となる遺伝子コピー数を付記するべき

◆failure/intolerance 後の治療 ★★

1 次治療	2 次治療	3 次治療以降
イマチニブ，ニロチニブ，ダサチニブ，ボスチニブ	1 次治療で未使用の TKI もしくはポナチニブ	未使用の TKI 臨床試験 同種移植

- BCR-ABL1 遺伝子変異：治療中に BCR-ABL1 遺伝子に突然変異を生じ治療抵抗性となることがある。変異解析を行い，有効な TKI を選択する。耐性変異として有名な T315I に加え，多数の ABL1 遺伝子変異が報告されている

15
造血器腫瘍

◆ABL1 変異型と TKI への感受性 (Hematol Oncol Clin North Am 2017;31: 589 PMID 28673390)

変異部位	変異型	イマチニブ	ニロチニブ	ダサチニブ	ボスチニブ	ポナチニブ
	野生型	S	S	S	S	S
P-loop	M244V	S	S	S	S	Int.
	L248R	R	R	R	R	Int.
	L248V/E	Int.	Int.	Int.	Int.	Int.
	Q252H	S	Int.	Int.	S	Int.
	Y253F	Int.	Int.	S	S	Int.
	Y253H	Int.	R	Int.	S	Int.
	E255K	Int.	Int.	Int.	Int.	Int.
	E255V	R	R	Int.	Int.	R
C-helix	D276G	Int.	S	S	S	Int.
	E279K	Int.	S	S	S	Int.
	E292L	S	S	S	S	S
ATP 結合部	V299L	S	S	Int.	R	S
	T315A	S	Int.	R	Int.	S
	T315I/V	R	R	R	R	Int.
	F317L	Int.	Int.	Int.	Int.	S
	F317R	Int.	Int.	R	R	Int.
	F317V	S	S	R	R	Int.
SH2-contact	M343T	S	S	S	S	S
	M351T	S	S	S	S	S
基質結合部	F359I	Int.	R	Int.	Int.	Int.
	F359V	Int.	Int.	S	Int.	Int.
A-loop	L348M	S	Int.	Int.	S	Int.
	H369P	Int.	Int.	S	S	S
	H369R	Int.	Int.	S	S	Int.
C 末端 lobe	F486S	Int.	S	Int.	Int.	Int.
その他	L248R +F359I	R	R	R	R	R

S (sensitive): IC50 が野生型の 2 倍未満, Int. (intermediate): 2〜10 倍未満, R (resistant): 10 倍以上

2）移行期（AP）★★

　慢性期と同様に TKI による寛解導入が試みられるが，移植適応のある患者については診断時（もしくは AP 移行時）から計画を立てることが推奨される。AP の場合は一般的に第 2 世代 TKI が選択されるが，イマチニブを用いる場合には 600 mg 以上の高用量が推奨される。なお，イマチニブとダサチニブは CP と AP/BP とで推奨用量が異なることに留意する。

◆ **イマチニブ**（Haematologica 2009：94：205 PMID 19144656）

イマチニブ（グリベック®）　1 回 600 mg　1 日 1 回 or 1 回 400 mg　1 日 2 回

CP と異なる。

◆ **ニロチニブ**（Leukemia 2012：26：1189 PMID 22076466）

ニロチニブ（タシグナ®）　1 回 300〜400 mg　1 日 2 回

◆ **ダサチニブ**（Blood 2009：113：6322 PMID 19369231）

ダサチニブ（スプリセル®）　1 回 70〜90 mg　1 日 2 回

CP と異なる。

◆ **ボスチニブ**〔JCO 2010：28（15_suppl）：6509〕

ボスチニブ（ボシュリフ®）　1 回 400〜600 mg　1 日 1 回

◆ **ポナチニブ**（NEJM 2013：369：1783 PMID 24180494）

ポナチニブ（アイクルシグ®）　1 回 45 mg　1 日 1 回

3）急性転化期（BP）★★

1）myeloid BP の場合：TKI（±AML の寛解導入療法）ののち，同種造血幹細胞移植の施行を検討
2）lymphoid BP の場合：TKI 併用 Ph⁺ALL の寛解導入療法ののち，同種造血幹細胞移植の施行を検討

■ 予後

　IRIS 試験（CML-CP に対するイマチニブ vs. IFN-α＋Ara-C のランダム化第 Ⅲ 相比較試験）の 10 年間のフォローアップでは，82.8% が CCyR に到達し，10 年 OS が 83.3%，晩期毒性も許容できるものであった（NEJM 2017：376：917 PMID 28273028）。

■文献

1) Swerdlow SH, et al : WHO Classification of Tumors of Haematopoietic and Lymphoid Tissues, 4th ed, Revised ed. IARC Press, Lyon, 2017

2) 日本血液学会(編):造血器腫瘍診療ガイドライン 2018 年版補訂版 [http://www.jshem.or.jp/gui-hemali/table.html]

3) Hochhaus A, et al : Chronic myeloid leukaemia : ESMO Clinical Practice Guidelines for diagnosis, treatment and follow-up. Ann Oncol 2017 ; 28(suppl_4) : iv41-iv51 PMID 28881915

急性リンパ性白血病
Acute Lymphoblastic Leukemia : ALL

■ 診断

1 臨床症状

AML と同様の症状のほか, 髄外浸潤によるリンパ節腫大, 肝脾腫, 縦隔腫瘤, 中枢神経浸潤をきたしやすい。

2 検査

❶ 血液検査　AML の項を参照(⇒281 頁)。

❷ 骨髄検査　AML の項を参照。ペルオキシダーゼ染色は陰性。

❸ 細胞表面マーカー　B 細胞系か T 細胞系かの鑑別に有用。TdT は共通して陽性。B-ALL では CD19, CD10, 細胞質 CD79a, HLA-DR が陽性であることが多く, T-ALL では CD7 や細胞質 CD3 が陽性のことが多い。

❹ 染色体検査, 遺伝子検査　後述する WHO 分類および予後分類に関連する。

◆WHO 分類(2016)

B-lymphoblastic leukemia/lymphoma
    B-lymphoblastic leukemia/lymphoma, NOS
    B-lymphoblastic leukemia/lymphoma with recurrent genetic abnormalities
    B-lymphoblastic leukemia/lymphoma with t (9 ; 22) (q34.1 ; q11.2) ; BCR-ABL1
    B-lymphoblastic leukemia/lymphoma with t (v ; 11q23.3) ; KMT2A rearranged
    B-lymphoblastic leukemia/lymphoma with t (12 ; 21) (p13.2 ; q22.1) ; ETV6-RUNX1

急性リンパ性白血病 | 307

B-lymphoblastic leukemia/lymphoma with hyperdiploidy
B-lymphoblastic leukemia/lymphoma with hypodiploidy
B-lymphoblastic leukemia/lymphoma with t(5；14)(q31.1；q32.3)；
　IL3-IGH
B-lymphoblastic leukemia/lymphoma with t(1；19)(q23；p13.3)；
　TCF3-PBX1
B-lymphoblastic leukemia/lymphoma，BCR-ABL1-like*
B-lymphoblastic leukemia/lymphoma with iAMP21*

T-lymphoblastic leukemia/lymphoma
Early T-cell precursor lymphoblastic leukemia*
Natural killer(NK) cell lymphoblastic leukemia/lymphoma*

*provisional entity(潜在的な疾患単位として存在するエビデンスが示されて
いるが，十分に明確なものとして定義されていない)

■ 予後不良因子

　ALL の予後不良因子については臨床試験ごとに一致していない
が，NCCN ガイドラインでは，年齢(小児レジメンを適応可能かど
うか，高齢は予後不良因子)，診断時の白血球数(B-ALL：
30,000/μL 以上，T-ALL：100,000/μL 以上)，染色体異常〔Hypo-
diploidy，KMT2A rearranged t(4；11)，t(v；14q23)/IgH，複雑
核型，Ph-like ALL〕などが予後因子として抽出されている。寛解
導入療法後や強化療法後にフローサイトメトリーや PCR などで検
出される微小残存病変(MRD)が陽性の患者は予後不良と考えられ
ているため，MRD のモニタリングが有用である。なお，Ig/TCR
遺伝子再構成を PCR 法でモニタリングする「骨髄微小残存病変量」
が保険収載された。

■ 治療

1 Ph 陰性 ALL

1)初発時

　ALL に対する標準治療は確立されておらず，欧米の医療施設/学
術団体(CALGB など)を中心に複数のレジメンが提唱されている。
基本的にビンクリスチン，アンスラサイクリン，そしてステロイド
を基本骨格としており，寛解導入部分と地固め部分とに分かれた多
剤併用化学療法あるいは Hyper-CVAD/MA の 2 種類に大別される。
初回寛解導入率はおおむね 8 割以上である。本邦においては
JALSG レジメンや Hyper-CVAD/MA 療法が選択されることが多

15
造血器腫瘍

く，本書ではその2レジメンを紹介する。従来，成人よりも小児の治療成績のほうが良好であり，MTXやL-ASP，ステロイドなどを高用量用いる小児型レジメンの成人への導入が検証されている。

◆ JALSG ALL202-O レジメン★★ (Leukemia 2018：32：626 PMID 28914260)

① 寛解導入療法
VCR 1.3 mg/m²（最大2 mg） 静注 day 1, 8, 15, 22
DNR 60 mg/m²（*¹30 mg/m²） 1時間で点滴静注 day 1～3
CPA 1,200 mg/m²（*¹800 mg/m²） 3時間で点滴静注 day 1
L-ASP 3,000 U/m² 2時間で点滴静注 day 9, 11, 13, 16, 18, 20
PSL 60 mg/m² 内服 day 1～21（*¹day 1～7）

② 地固め療法 C-1
Ara-C 2 g/m²（*¹1 g/m²） 3時間で点滴静注 12時間ごと day 1～3
ETP 100 mg/m² 1時間で点滴静注 day 1～3
DEX 40 mg/m² 内服 day 1～3
MTX 15 mg＋DEX 4 mg 髄注 day 1, 15

③ 地固め療法 C-2
MTX 3 g/m²（*²1.5 g/m²） 24時間で点滴静注 day 1, 15
VCR 1.3 mg/m²（最大2 mg） 静注 day 1, 15
6-MP 25 mg/m² 内服 day 1～21
MTX 15 mg＋DEX 4 mg 髄注 day 1, 15

④ 地固め療法 C-3
VCR 1.3 mg/m²（最大2 mg） 静注 day 1, 8, 15
ADR 30 mg/m² 1時間で点滴静注 day 1, 8, 15
DEX 10 mg/m² 内服 day 1～8, 15～22
CPA 1,000 mg/m² 3時間で点滴静注 day 29
6-MP 60 mg/m² 内服 day 29～42
Ara-C 75 mg/m² 3時間で点滴静注 day 29～33, 36～40
MTX 15 mg＋DEX 4 mg＋Ara-C 40 mg 髄注 day 1, 29

⑤ 地固め療法 C-4：C-1 と同じ
⑥ 地固め療法 C-5：C-2 と同じ
⑦ 維持療法：4週ごとに，治療開始から24カ月目まで
VCR 1.3 mg/m²（最大2 mg） 静注 day 1
PSL 60 mg/m² 内服 day 1～5
MTX 20 mg/m² 内服 day 1, 8, 15, 22
6-MP 60 mg/m² 内服 day 1～28

ALL202-O は25歳以上が対象。25歳未満は ALL202-U が推奨。
*¹ 60歳以上65歳未満の高齢者に対する減量事項
*² 50歳以上に対する減量事項

急性リンパ性白血病 | **309**

◆ Hyper-CVAD/MA ★★ （JCO 2000；18：547 PMID 10653870）

- Hyper-CVAD パート（第 1, 3, 5, 7 コース）

CPM	300 mg/m^2	3 時間で点滴静注　12 時間ごと　day 1～3
	（計 6 回）	
VCR	2 mg	静注　day 4, 11
DXR	50 mg/m^2	2 時間で点滴静注　day 4
DEX	40 mg	静注もしくは内服　day 1～4, 11～14

- MTX＋Ara-C（MA）パート（第 2, 4, 6, 8 コース）

MTX	1 g/m^2	24 時間で点滴静注　day 1
	（ロイコボリンレスキューは規定どおり）	
Ara-C	3 g/m^2	2 時間で点滴静注　12 時間ごと　day 2～3（計 4 回）
mPSL	50 mg	1 日 2 回点滴静注　day 1～3

◆ 髄注化学療法

　CNS 再発リスクに応じ，寛解導入中に計 4～16 回の髄注化学療法を検討する．オリジナルのレジメンでは各サイクルの day 2 に 12 mg の MTX を，day 8 に Ara-C 100 mg を髄注することになっているが，実臨床では MTX と Ara-C を同時に投与することもしばしば行われている．

◆ 縦隔照射

　T-ALL で診断時に縦隔病変が指摘されている場合には，寛解導入後に 30～40 Gy の縦隔照射を考慮する．

◆ 維持療法

　分化度の高い B-ALL や移植を予定している場合を除いて，2 年間の維持療法を検討する．レジメンは JALSG のそれと類似するためここでは省略する．

2）再発・難治例

　再寛解導入療法の標準治療は確立しておらず，CR 率は 30～50％ である．初回治療から 3 年以上経過した晩期再発であれば，初回治療のリトライも選択肢である．単剤療法もしくは免疫療法について下記にまとめる．

❶ T-ALL に対する治療薬

◆ ネララビン ★★ （Blood 2007；109：5136 PMID 17344466）

ネララビン（アラノンジー®）　1,500 mg/m^2　2 時間以上で点滴静注　day 1, 3, 5　3 週ごと

T 細胞に対して選択的に作用するプリンヌクレオシド誘導体．再発・難治 T-ALL/LBL に対し，CR 率 31％．

❷ B-ALL に対する治療薬

◆イノツズマブ オゾガマイシン ★★ (NEJM 2016；375：740 PMID 27292104)

> **イノツズマブ オゾガマイシン（ベスポンサ®）　0.8 mg/m² day 1,**
> **0.5 mg/m² day 8 および day 15　1時間以上で点滴静注　1サイク**
> **ル目は 21～28 日，2 サイクル目以降は 28 日ごと**

B-ALL に発現する CD22 を標的とするモノクローナル抗体およびカリケアマイシンで構成されている。INO-VATE1022 試験において，ベスポンサ群は血液学的完全寛解率が 80.7％であり，標準化学療法群と比較して有意に良好であった。また，PFS は 5.0 カ月で有意に延長したが，OS は 7.7 カ月で有意差は認められなかった。この結果を受けて，2018 年 1 月に本邦で製造販売承認された。

◆ブリナツモマブ ★★★ (NEJM 2017；376：836 PMID 28249141)

> **ブリナツモマブ（ビーリンサイト®）　1週目：9 μg/日　2週目以降：**
> **28 μg/日　持続点滴静注　4週間連続投与，2週間休薬　6週ごと**

Bi-specific T-cell engager（BiTE）ともよばれる。CD19 と CD3ε にそれぞれ特異的に結合する構造をもつ。CD19 陽性 B-ALL と CD3ε 陽性細胞傷害性 T 細胞を結合させることにより抗腫瘍効果を発揮する。再発難治 Ph 陰性 ALL に対するランダム化第Ⅲ相比較試験では CR 率 34％と良好な成績であり，2018 年 9 月に本邦でも製造販売承認を取得した。

◆チサゲンレクルユーセル（キムリア®）★★ (NEJM 2018；378：439 PMID 29385370)

CD19 を認識する抗原受容体をコードした遺伝子を，ウイルスベクターで導入した遺伝子改変 T 細胞（CD19 chimeric antigen receptor T-cell：CD19 CAR-T cell）を用いる細胞療法が開発された。再発・治療抵抗性の B-ALL 患者に対する第Ⅱ相試験ではチサゲンレクルユーセルによる治療を受けた患者の 83％が，3 カ月以内に CR を達成した。25 歳未満の再発・治療抵抗例に対して 2019 年 3 月本邦でも製造販売承認された。

2 Ph 陽性 ALL

1）初発時

TKI 併用化学療法が行われる。本邦で初めてイマチニブと化学療法を併用した JALSG Ph＋ALL208IMA レジメンでは寛解導入療法における感染症を中心とした有害事象が多く，移植に到達できない患者が多いことが課題であった。続く Ph＋ALL213 試験では，寛解導入療法は第 2 世代の TKI であるダサチニブとステロイドのみで開始し，その後強化地固め療法を行う 2 段階導入療法が検討された。その結果，初回寛解導入療法で 98.7％が CR/CRi を達成，移植に関しても 74％が CR1 で同種移植を受けることが可能であっ

急性リンパ性白血病 | 311

た。全体の 3 年 DFS は 67%，移植を受けた患者の 3 年 EFS は 72% と良好な成績が報告されている(Blood Adv 2022；6：624 PMID 34516628)。現状ではダサチニブによる寛解導入療法が有望な治療選択肢と考えられるが，2022 年 5 月時点で Ph 陽性 ALL におけるダサチニブの適応は再発難治例のみである。

◆JALSG Ph(＋) ALL213 レジメン(Blood Adv 2022；6：624 PMID 34516628)

① 寛解導入療法
PSL(プレドニン®)　　　　　　　　60 mg/m²　　1 日 1 回　day 1〜21
ダサチニブ(スプリセル®)　　140 mg/body　1 日 1 回　day 8〜35
髄注化学療法†　day 22

② 強化地固め療法
CPA(エンドキサン®)　1,200 mg/m²(*900 mg/m²)　3 時間で点滴静注　day 1
DNR(ダウノマイシン®)　45 mg/m²(*30 mg/m²)　1 時間で点滴静注　day 1〜3
VCR(オンコビン®)　1.3 mg/m²(最大 2 mg)　静注　day 1, 8, 15, 22
PSL　　　　　　　　60 mg/m²(*45 mg/m²)　内服　day 1〜21
ダサチニブ(スプリセル®)　100 mg/body　1 日 1 回　day 4〜31
髄注化学療法†　day 1

③ 地固め療法：C1 と C2 を交互に 4 サイクルずつ行う
• C1：4 週/サイクル
MTX(メソトレキセート®)　1 g/m²　24 時間で点滴静注　day 1
Ara-C(シタラビン®)　　2 g/m²(*1 g/m²)　3 時間で点滴静注　day 2, 3
mPSL(ソル・メドロール)　1 回 50 mg/m²　1 時間で点滴静注　1 日 2 回　day 1〜3
ダサチニブ(スプリセル®)　100 mg/body　1 日 1 回　day 4〜24
髄注化学療法†　day 1
• C2：4 週/サイクル
CPA(エンドキサン®)　　　1,200 mg/m²　3 時間で点滴静注　day 1
DNR(ダウノマイシン®)　　45 mg/m²　1 時間で点滴静注　day 1
VCR(オンコビン®)　　　　1.3 mg/m²(最大 2 mg)　静注　day 1
PSL　60 mg/m²　day 1〜7
ダサチニブ(スプリセル®)　100 mg/body　1 日 1 回　day 2〜22
髄注化学療法†　day 1

④ 維持療法：CR 後から 24 カ月まで 4 週ごとに繰り返す
VCR(オンコビン®)　1.3 mg/m²(最大 2 mg)　静注　day 1
PSL(プレドニン®)　　60 mg/m²　　　　　　　　day 1〜7
ダサチニブ(スプリセル®)　100 mg/body　1 日 1 回　day 1〜28

* 60 歳以上 64 歳以下の高齢者の減量投与量　　†次頁を参照

312 | 15 造血器腫瘍

◆髄注化学療法[†]

MTX（メソトレキセート®）	15 mg/body	2剤を適量に調製して髄注
DEX（デキサート®）	3.3 mg/body	2剤を適量に調製して髄注

　　他の候補としては HyperCVAD などの高強度レジメンと TKI を組み合わせる選択肢もあるが，TKI 併用のもと高強度レジメンと減弱レジメン（例：VCR＋DEX）とで奏効率や予後に差がなかったとする報告（Blood 2015；125：3711 PMID 25878120）もあり，レジメン選択は個々の症例ごとに検討すべきである。また，ダサチニブとステロイドのみで寛解導入を行った第Ⅱ相試験（NEJM 2020；383：1613 PMID 33085860）においても 98％ の CR 率が報告されており，特に臓器予備能に余裕のない症例などにおいてはこちらも現実的な代替案となるだろう。

◆TKI＋ステロイド ★★（NEJM 2020；383：1613 PMID 33085860）

TKI（例：ダサチニブ 140 mg 1日1回）　連日内服
DEX　10 mg/m² 経口もしくは 30 分で点滴静注　day 1〜7

上記を 28 日で 2 サイクル行う。

2）再発・難治例

　　イマチニブ不応の Ph 陽性 ALL に対しては，第 2 世代以降の TKI が適応となる。BCR-ABL キメラ遺伝子の変異状況によっては，これらの薬剤にも耐性となるため，事前に検査すべきである（⇒304 頁，表「ABL1 変異型と TKI への感受性」参照）。TKI に不応/不耐容の場合には，再発難治 Ph 陰性 ALL と同様に治療する。

◆ダサチニブ ★★（Am J Hematol 2010；85：164 PMID 20131302）

ダサチニブ（スプリセル®）　1回 140 mg　1日1回 or 1回 70 mg　1日2回

1日1回投与では胸水貯留が少なく，有効性は同等であったと報告されている。

◆ポナチニブ ★★（NEJM 2013；369：1783 PMID 24180494）

ポナチニブ（アイクルシグ®）　1回 45 mg　1日1回

T315I 変異にも活性あり。

◆ニロチニブ ★★（NEJM 2006；354：2542 PMID 16775235）

ニロチニブ（タシグナ®）　1回 400 mg　1日2回

保険適用外。

急性リンパ性白血病 | 313

◆ ボスチニブ ★★ (Blood 2014；123：1309 PMID 24345751)

ボスチニブ(ボシュリフ®)　1回500 mg　1日1回

保険適用外。

3) 移植適応

ALL において，第2寛解期以降の移植は第1緩解期のそれと比べて長期生存率が10～20％ほど劣ることから，標準リスク以外のほとんどの(条件のよい)症例において第1寛解期での同種造血器幹細胞移植が施行されている。また，再発・難治例であっても可能な症例には(再)移植を検討することが望ましい。参考までに，造血器移植学会ガイドライン(第3版, 2020年)に掲載されている移植適応表を抜粋して紹介する。

◆ Ph 陰性 ALL

病期	HLA 適合同胞	HLA 合致非血縁	臍帯血	自家移植
CR1 標準リスク	推奨せず～考慮	推奨せず～考慮	推奨せず～考慮	推奨せず
CR1 リスク不明	考慮	考慮	考慮	推奨せず
CR1 高リスク	推奨	推奨	推奨	推奨せず
CR2 以降	推奨	推奨	推奨	推奨せず
難治例	考慮	考慮	考慮	推奨せず

◆ Ph 陽性 ALL

病期	HLA 適合同胞	HLA 合致非血縁	臍帯血	自家移植
CR1	推奨	推奨	推奨	研究領域～非推奨
CR2 以降	推奨	推奨	推奨	推奨せず
難治例	考慮	考慮	考慮	推奨せず

CR1：第1寛解期，CR2：第2寛解期

■ 予後

成人 ALL の寛解率は60～90％であるが，5年 OS は約30％と低い。再発例の予後は著しく不良であるが，造血幹細胞移植を施行した場合に長期生存する患者が存在する (Blood 2007；109：944 PMID 17032921)。

■ 文献

1) Swerdlow SH, et al：WHO Classification of Tumors of Haematopoietic and Lymphoid Tissues, 4th ed, Revised ed. IARC Press, Lyon, 2017
2) 日本血液学会（編）：造血器腫瘍診療ガイドライン 2018 年版補訂版［http://www.jshem.or.jp/gui-hemali/table.html］
3) NCCN guidelines® ［https://www.nccn.org/professionals/physician_gls/pdf/all.pdf］

成人 T 細胞白血病/リンパ腫
Adult T-cell Leukemia/Lymphoma：ATL

ATL は，多様な組織形態をとり，レトロウイルスである human T-lymphotropic virus type 1（HTLV-1）の感染に起因する成熟 T 細胞腫瘍である。

■ 疫学

HTLV-1 は，輸血，性交渉，主に母乳を介した母児感染の 3 つの経路が知られているが，ATL 患者の母親の大多数が HTLV-1 キャリアであることから母児感染が発症要因の多くを占めることが判明している。現在は全国の妊婦健診において抗 HTLV-1 抗体検査が公費負担となり，陽性の場合は人工栄養などが推奨されるなどして，年々キャリアの数は減少傾向にある。HTLV-1 キャリアの一部で 50〜60 年の潜伏期間を経て，年間 1,000 人あたり 0.6〜0.7 人が ATL を発症するとされ，診断年齢の中央値は 68 歳である。

■ 診断

1 臨床症状

Flower cell（花細胞）と呼ばれる異常リンパ球の増殖を主体とした白血球増多，リンパ節腫脹，皮膚病変，ATL 細胞の浸潤による多臓器障害，高 LDH 血症，高 Ca 血症，日和見感染症などが出現する。

2 画像診断

悪性リンパ腫の Staging に準じて検索を行う。

3 検体検査

腫瘍細胞は，活性化成熟 Th2/制御性 T 細胞の表面マーカーであ

成人Ｔ細胞白血病／リンパ腫 **315**

る CD3（＋），CD4（＋），CD8（－），CD25（＋），CCR4（＋），FoxP3（＋）もしくは（－）を有することが典型的である。また，末梢血中に異常細胞が出現している場合には，フローサイトメトリーにて，腫瘍細胞が CD4（＋），CD25（＋）であることを確認する。

ATL は，末梢血の異常リンパ球，リンパ節，皮膚，あるいはその他の腫瘍形成部位からの生検で病理学的に末梢性Ｔ細胞リンパ腫と診断され，さらに血清抗 HTLV-1 抗体陽性が確認されれば診断可能である。保険適用はないが，サザンブロット法で腫瘍細胞中に HTLV-1 プロウイルスの単クローン性取り込みを確認することが望ましい。

■ 病型分類

予後の観点より急性型，リンパ腫型，慢性型，くすぶり型の 4 病型，さらに慢性型は予後不良因子（BUN あるいは LDH が施設正常上限を超える，血清アルブミンが施設正常下限未満である）のいずれか 1 つでも有すれば予後不良因子を有する慢性型，いずれも有さない場合は予後不良因子を有さない慢性型に分けられる（⇒次頁の**表**を参照）。

■ 治療

急性型，リンパ腫型，予後不良因子を有する慢性型は比較的急速な臨床経過をたどることから aggressive ATL とされ，化学療法に引き続き可能な限り，同種造血幹細胞移植を目指す。一方で，予後不良因子を有さない慢性型，くすぶり型は indolent ATL とし，化学療法が生存期間を延長しないことが報告されており現時点では急性転化をきたすまで無治療経過観察が推奨されている。しかし，indolent ATL といえど長期予後は不良であることが報告されており（Blood 2010：115：4337 PMID 20348391），新たな治療戦略の開発が必要である。indolent ATL に対し，海外の後方視的検討では IFN-α/ジドブジン（AZT）併用療法の有用性が報告されており（JCO 2010：28：4177 PMID 20585095），本邦でも IFN/AZT 療法と無治療経過観察を比較する第Ⅲ相試験を実施中である（JCOG1111C 試験）。

1 初発 aggressive ATL

非交差耐性薬剤である MCNU や CBDCA を取り入れ，中枢神経浸潤予防として髄注を併用した多剤併用化学療法である modified LSG15（mLSG15）療法が開発され，治療強度を高めた CHOP-14

◆ATL の臨床病型の診断基準〔日本血液学会（編）：造血器腫瘍診療ガイドライン 2018 年版補訂版〕

	くすぶり型	慢性型	リンパ腫型	急性型
抗 HTLV-1 抗体	+	+	+	+
リンパ球数（×10³/μL）*1	<4	≧4	<4	
異常リンパ球*2	≧5%*3	+*4	≦1%	+*4
花細胞（ATL 細胞）			なし	+
LDH	≦1.5×N	≦2.0×N		
補正 Ca 値（mg/dL）	<11	<11		
組織学的に ATL 病変と確定されたリンパ節腫大	なし		あり	
腫瘍病変				
皮膚	*3			
肺	*3			
リンパ節	なし		+	
肝腫大	なし			
脾腫大	なし			
中枢神経	なし	なし		
骨	なし	なし		
胸/腹水	なし	なし		
消化管	なし	なし		

N：正常値上限
*1 リンパ球数は，正常リンパ球と異常リンパ球を含むリンパ球様細胞の実数
*2 異常リンパ球は形態学的に明らかな ATL 細胞をさす
*3 異常リンパ球 5% 未満でくすぶり型と診断するためには，皮膚または肺に組織学的に証明された病変が必要
*4 異常リンパ球 5% 未満で慢性型あるいは急性型と診断するためには，組織学的に証明された病変が必要

成人T細胞白血病/リンパ腫

◆ ATL の病型分類のフローチャート (Lancet Oncol 2014;15:e517 PMID 25281470 より改変)

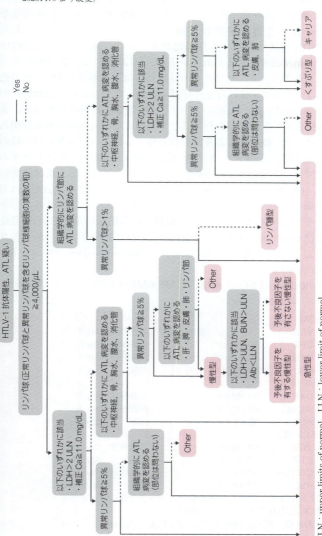

ULN: upper limits of normal, LLN: lower limit of normal
Other に該当する場合は, ATL 以外の疾患や HTLV-1 キャリアの可能性を検討する。

とのランダム化第Ⅲ相比較試験が行われた（JCOG9801試験）。CR率は40％ vs. 25％（$p=0.02$）と有意にmLSG15療法が良好であった。OSに関しては有意差がなかったもののPS不良や巨大腫瘤病変などの予後不良因子が両群で偏りがあり，補正することによりmLSG15療法で有意に生存期間が長かった。以上より，mLSG15療法が標準治療と考えられているが，mLSG15療法はCHOP療法に比し毒性は強く，サブグループ解析では，高齢者やPS不良の患者では，両群でOSに有意差を認めなかったことから，高齢者におけるmLSG15療法の適応については十分な検討が必要である。また同種造血幹細胞移植を行うことで長期生存を見込める可能性があるため，化学療法による奏効を得た場合には，速やかな同種移植の施行を考慮する（★★）。未治療ATLに対しmLSG15療法とモガムリズマブ併用mLSG15療法を比較したランダム化第Ⅱ相試験が行われ，CR率52％ vs. 33％とモガムリズマブ併用群で良好なCR率が報告されている（Br J Haematol 2015；169：672 PMID 25733162）。しかし，モガムリズマブは，同種造血幹細胞移植後の重症GVHD発症およびtreatment-related mortality（TRM）上昇のリスクが報告されており注意が必要である（Biol Blood Marrow Transplant 2016；22：1608 PMID 27220263）。

◆ **modified LSG15療法（VCAP-AMP-VECP）** ★★★ （JCO 2007；25：5458 PMID 17968021）

VCAP療法：

VCR	1 mg/m² （最大2mg）	点滴静注	day 1
CPA	350 mg/m²	点滴静注	day 1
DXR	40 mg/m²	点滴静注	day 1
PSL	40 mg/m²	内服	day 1

AMP療法：

DXR	30 mg/m²	点滴静注	day 8
MCNU	60 mg/m²	点滴静注	day 8
PSL	40 mg/m²	内服	day 8

VECP療法：

VDS	2.4 mg/m²	点滴静注	day 15
ETP	100 mg/m²	点滴静注	day 15〜17
CBDCA	250 mg/m²	点滴静注	day 15
PSL	40 mg/m²	内服	day 15〜17

28日1サイクルとして最大6サイクルまで施行
髄注（2, 4, 6サイクル目前に施行）：
　Ara-C　40 mg＋**MTX**　15 mg＋**PSL**　10 mg

白血球数≦1,000/μLとなった時点でG-CSF製剤の投与を開始する。

成人Ｔ細胞白血病/リンパ腫　**319**

2 再発・難治性 ATL

　可能であればびまん性大細胞型 B 細胞リンパ腫（DLBCL）や末梢性 T 細胞リンパ腫（PTCL）などの再発 aggressive リンパ腫に準じた多剤併用化学療法を施行するか，単剤治療ではモガムリズマブ，レナリドミドが選択肢となる。

1) モガムリズマブ

　制御性 T 細胞に高発現している CC chemokine receptor 4（CCR4）が ATL にも高発現していることが報告され，モガムリズマブは開発された。再発 ATL 患者に対して，PFS の中央値が 5.2 カ月，OS の中央値は 14.4 カ月であった。皮疹の出現が多く報告されており（63%），多くが対症療法で改善するものの Stevens-Johnson 症候群に進展した症例も報告されており注意が必要である。

◆ **モガムリズマブ単剤療法** ★★ （JCO 2012；30：837 PMID 22312108）

モガムリズマブ（ポテリジオ®）　1.0 mg/kg　点滴静注　1 週間間隔で合計 8 回

2) レナリドミド

　再発・難治性 ATL（ただし直前の治療に対し SD 以上の奏効を得ている患者）を対象としてレナリドミド 25 mg を連日投与し，ORR 42%（CR/CRu 19%），奏効期間中央値は未到達であった。腫瘍のサブタイプとしてはリンパ腫型に対し良好な奏効を示した（急性型 vs. 予後不良因子を有する慢性型 vs. リンパ腫型：33% vs. 50% vs. 57%）。

◆ **レナリドミド単剤療法** ★★ （JCO 2016；34：4086 PMID 27621400）

レナリドミド（レブラミド®）　1 回 25 mg　1 日 1 回　連日

3) ツシジノスタット

　経口ヒストン脱アセチル化酵素（HDAC）阻害薬で，エピジェネティックな作用を有するイムノモジュレーターである。再発・難治性 ATL に対して行われた国内第Ⅱb 相試験では，ORR 30%，奏効期間中央値は 9 カ月であり，2021 年 6 月承認された。

◆ **ツシジノスタット単剤療法** ★★ （Cancer Sci 2022；113：2778 PMID 35579212）

ツシジノスタット（ハイヤスタ®）　1 回 45 mg　週 2 回，3 または 4 日間隔

15

造血器腫瘍

■ 文献

1) Swerdlow SH, et al : WHO Classification of Tumors of Haematopoietic and Lymphoid Tissues, 4th ed, Revised ed. IARC Press, Lyon, 2017
2) 日本血液学会（編）：造血器腫瘍診療ガイドライン 2018 年版補訂版 [http://www.jshem.or.jp/gui-hemali/table.html]
3) Ishitsuka K, et al : Human T-cell leukaemia virus type I and adult T-cell leukaemia-lymphoma. Lancet Oncol 2014 ; 15 : e517-e526 PMID 25281470
4) Tsukasaki K, et al : VCAP-AMP-VECP compared with biweekly CHOP for adult T-cell leukemia-lymphoma : Japan Clinical Oncology Group Study JCOG9801. J Clin Oncol 2007 ; 25 : 5458-5464 PMID 17968021

悪性リンパ腫　Malignant Lymphoma

Ⅰ 悪性リンパ腫総論

　悪性リンパ腫は，リンパ球（B 細胞，T 細胞，NK 細胞）に由来する悪性腫瘍の総称である。リンパ節腫大を主訴として診断に至ることも多いが，リンパ組織が存在する全身の臓器に発生するため，極めて多様性に富む。

■ 疫学

1 死亡数（2019 年）/罹患数（2017 年）

• 13,049 人/34,568 人

　罹患率は全世界的に増加傾向である。本邦では悪性リンパ腫の約 90 % が非 Hodgkin リンパ腫（NHL）であり，そのうち約 70 % は B 細胞性である。欧米に比して成人 T 細胞白血病/リンパ腫（ATL）の頻度が高いため T 細胞リンパ腫の割合が高いが，Hodgkin リンパ腫（HL）と慢性リンパ性白血病は少ない。組織型としてはびまん性大細胞型 B 細胞リンパ腫（DLBCL）が NHL のなかで最も発症頻度が高い。

2 病因

　多くは不明であるが，一部のリンパ腫では下記の要因がその発生に関与している。

❶ 免疫不全　先天性，後天性（AIDS，移植後など）。
❷ 自己免疫疾患　関節リウマチ，Sjögren 症候群，橋本病など。

悪性リンパ腫 | 321

❸ 感染症 　*Helicobacter pylori*（胃 MALT リンパ腫），EB ウイルス〔Burkitt リンパ腫（BL），HL〕など。

■ 診断

1 臨床症状

- リンパ節腫大：頸部や腋窩，鼠径部など。通常は無痛性だが，急速に大きくなった場合や，場所によっては痛みを訴えることもある。リンパ節腫大による圧迫・閉塞症状が出ることがある（上大静脈症候群，水腎症，閉塞性黄疸，下腿浮腫など）
- 節外病変病変による症状：胸腹水や，骨髄浸潤による血球減少など
- B 症状（38℃ 以上の原因不明の発熱，寝具の交換が必要になる盗汗，半年で 10 kg 以上の体重減少）
- その他にも，全身倦怠感，皮疹，皮膚瘙痒，肝脾腫による腹部膨満などを伴うこともある

2 診断のための検査

- 採血：血算・生化学検査，タンパク分画，β_2-ミクログロブリン（β_2-MG），赤沈（HL の患者では必須），HIV 抗体，B 型肝炎ウイルス関連検査（特にリツキシマブを含む治療前）を行う。可溶性 IL-2 受容体は，ウイルス性疾患や自己免疫性疾患など悪性リンパ腫以外の疾患でも高値となることが多く，悪性リンパ腫に対する特異性は低い
- 画像検査：頸部から鼠径部までの全身造影 CT や FDG-PET/CT
- 組織生検：悪性リンパ腫の診療においては正確な病理診断が最も重要である。原則的には十分な検体量を確保するために切除生検が好ましいとされる。しかし病変部位によっては必ずしも切除生検が安全に施行できないこともあるため，そのような状況では針生検が考慮される。フローサイトメトリー法や染色体解析は，悪性リンパ腫の補助診断として非常に有用な検査であるが，ホルマリン固定前の生標本が必要であるため事前に生検施行医師と連携をとっておく必要がある

3 病期診断のための検査

- 骨髄穿刺・生検検査：原則としてすべてのリンパ腫で行うが，HL 患者において FDG-PET/CT を行った場合は不要である。また DLBCL でも骨/骨髄に FDG 集積を認めた場合は骨髄検査を行わなくてよいとされている

15
造血器腫瘍

- 上部消化管内視鏡検査：NHL の患者では，胃・十二指腸への浸潤を認めることがあるため行う。血便などの臨床症状もあれば下部消化管内視鏡検査も考慮する。マントル細胞リンパ腫の患者においては，高率に大腸への浸潤を伴うことがあり，下部消化管内視鏡検査も考慮する
- 髄液検査：中枢神経病変を伴う場合，中枢神経浸潤のリスクが高い場合に行う。NCCN ガイドラインなどでは，DLBCL では HIV 関連リンパ腫，精巣原発，腎臓/副腎への浸潤例，CNS risk score 4〜6*に該当する CNS 浸潤高リスク症例，その他の組織型ではマントル細胞リンパ腫の一部，高悪性度 B 細胞リンパ腫（HGB），BL で髄液検査を行うことを勧めている

*年齢>60 歳，LDH 高値，PS 2 以上，Stage Ⅲ/Ⅳ，2 つ以上の節外性病変を有する，腎臓や副腎への浸潤を有する，の各項目につき 1 点としてその合計点数

- そのほか，必要に応じて頭部造影 MRI 検査，腹部超音波検査，呼吸機能検査（特に BLM を含む治療前は DL_{CO} も含める）などを施行する。化学療法施行前に，心電図，心臓超音波（特にアンスラサイクリンを含む化学療法の実施前）は原則として全例に行う

■ 病理分類，組織分類(WHO 分類 改訂第 4 版，2017)

悪性リンパ腫の診断は，WHO 分類に従って行われる。WHO 分類は，形態学のみではなく，臨床情報と免疫形質や染色体・遺伝子検査などのさまざまな情報に基づいて疾患単位を定義している点が特徴である。2017 年に出版された「WHO 分類 改訂第 4 版」では，遺伝子変異の重要性（リンパ形質細胞リンパ腫での MYD88 L625 や，予後不良の高悪性度 B 細胞リンパ腫，double hit/triple hit lymphoma における MYC and BCL2 and/or BCL6 など）が提唱されている。

◆ リンパ系腫瘍の WHO 分類(WHO 分類 改訂第 4 版，2017)

前駆細胞リンパ系腫瘍
- B リンパ芽球性白血病/リンパ腫
- T リンパ芽球性白血病/リンパ腫

成熟 B 細胞腫瘍(主なもの)
- 慢性リンパ性白血病/小リンパ球性リンパ腫
- B 細胞前リンパ球性白血病
- 脾辺縁帯リンパ腫
- ヘアリー細胞白血病
- 脾 B 細胞リンパ腫/白血病，分類不能型

悪性リンパ腫　　**323**

- リンパ形質細胞性リンパ腫（原発性マクログロブリン血症含む）
- 重鎖病
- 形質細胞腫瘍
- 節外性濾胞辺縁帯粘膜関連リンパ組織リンパ腫（MALTリンパ腫）
- 節性濾胞辺縁帯リンパ腫
- 濾胞性リンパ腫
- マントル細胞リンパ腫
- びまん性大細胞型B細胞リンパ腫（DLBCL），非特異型
- 慢性炎症関連DLBCL
- リンパ腫様肉芽腫症
- 縦隔原発大細胞型B細胞リンパ腫
- 血管内大細胞型B細胞リンパ腫
- ALK陽性大細胞型B細胞リンパ腫
- 形質芽球性リンパ腫
- 原発性体腔液リンパ腫
- HHV8関連多中心性Castleman病に発生するDLBCL
- Burkittリンパ腫
- 高悪性度B細胞リンパ腫，double hit/triple hit（MYC and BCL2 and/or BCL6）
- DLBCLとHLの中間的特徴を有する分類不能B細胞リンパ腫

成熟T/NK細胞腫瘍（主なもの）
- T細胞前リンパ球性白血病
- T細胞大顆粒リンパ性白血病
- 慢性NK細胞リンパ増殖性疾患
- 攻撃性NK細胞白血病
- 小児EBV陽性T細胞リンパ増殖性疾患
- 成人T細胞白血病/リンパ腫
- 鼻型節外性NK/T細胞リンパ腫
- 腸管症関連T細胞リンパ腫
- 肝脾型T細胞リンパ腫
- 皮下脂肪織炎様T細胞リンパ腫
- 菌状息肉症/Sézary症候群
- 原発性皮膚CD30陽性T細胞リンパ増殖性疾患
- 皮膚原発末梢性T細胞リンパ腫，稀な亜型
- 末梢性T細胞リンパ腫，非特異型
- 血管免疫芽球性T細胞リンパ腫
- 濾胞性T細胞リンパ腫
- ALK陽性未分化大細胞型リンパ腫
- ALK陰性未分化大細胞型リンパ腫
- 豊胸術関連未分化大細胞リンパ腫

Hodgkinリンパ腫（HL）
- 結節性リンパ球優位型Hodgkinリンパ腫

15

造血器腫瘍

・古典的 Hodgkin リンパ腫（結節優位型・混合細胞型・リンパ球豊富型・リンパ球減少型）
免疫不全関連リンパ増殖性疾患

■ Staging
1 病期診断

以前は Ann Arbor 分類が用いられていたが，FDG-PET/CT の登場以降は，より積極的に FDG-PET/CT 所見を病期分類に用いる Lugano 分類が用いられる。

◆ **Lugano 分類**（JCO 2014；32：3048 PMID 25113771）

限局期	Ⅰ期	1つのリンパ節領域の病変（Ⅰ期），または1つのリンパ節外の限局性病変（ⅠE期）
	Ⅱ期	横隔膜の片側にとどまる2つ以上のリンパ節領域の病変（Ⅱ期） または1つのリンパ節外の限局性病変と横隔膜の同側のリンパ節領域の病変（ⅡE期）
進行期	Ⅲ期	横隔膜の上下にわたる複数のリンパ節領域の病変（Ⅲ期）
	Ⅳ期	リンパ節病変の有無にかかわらず，1つ以上のリンパ節外のびまん性・多発性病変，または所属リンパ節以外の病変を伴う1つのリンパ節外病変

1) HL 患者においては，随伴症状，所見の有無により以下の記号を付記する。
　A：B 症状を有さない
　B：以下の3症状（B 症状）のうち少なくとも1つを認める
　　・>38℃ の発熱（他の原因を除外可能）
　　・寝具を換えなければならないほどの盗汗（drenching night sweats）
　　・診断前6カ月以内の>10% の体重減少（他の原因を除外可能）
2) CT で測定される最大腫瘍径を付記する。

2 効果判定

固形がんに用いられる RECIST ではなく，CT と FDG-PET/CT を組み合わせた独自の効果判定規準（Lugano 規準）を用いる。FDG-PET/CT に関しては，FDG の集積レベルを定量的に評価するために，「5 point scale」とよばれる規準を使用する。治療効果判定の FDG-PET/CT を撮影する際には，化学療法の最終投与から最低3週間，できれば6〜8週間あける。また放射線治療後は最終照射から3カ月あけて行うことが推奨されている。十分な間隔をあけずに FDG-PET/CT を撮影した場合，偽陽性あるいは偽陰性となる可能性があり，適切な評価が行えないため注意が必要である。

悪性リンパ腫 | 325

◆効果判定

評価臓器	FDG-PET/CT による奏効基準	CT による奏効基準
	complete metabolic response（CMR）以下すべて満たす	complete response（CR）以下すべて満たす
標的病変	・score 1〜3 まで FDG 集積が低下 ・残存腫瘍径は問わない	・節性病変が長径≦1.5 cm に縮小 ・節外病変の消失
非標的病変 臓器腫大		消失 正常サイズに縮小
新規病変	なし	なし
骨髄	FDG 集積なし	浸潤なし
	partial metabolic response（PMR）以下すべて満たす	partial response（PR）以下すべて満たす
標的病変	・治療前より FDG 集積が低下するが score 4・5 にとどまる ・残存腫瘍径は問わない	SPD が 50％ 以上縮小
非標的病変 臓器腫大		なし，または縮小/非増大 脾腫を有する場合，長径が 50％ 以上縮小
新規病変	なし	なし
骨髄	正常より強い FDG 集積が残存するが，治療前より低下している	
	no metabolic response 以下すべて満たす	stable disease（SD）以下すべて満たす
標的病変	score 4・5 のまま FDG 集積の程度が治療前と不変	・SPD の縮小が 50％ 未満にとどまるが PD の基準は満たさない ・PD の基準を満たす増大がない
非標的病変 臓器腫大		PD の基準を満たす増大がない
新規病変	なし	なし
骨髄	治療前から変化なし	

（次頁につづく）

15

造血器腫瘍

（前頁よりつづき）

評価臓器	FDG-PET/CT による奏効基準	CT による奏効基準
	progressive metabolic disease 以下いずれかが該当	progressive disease（PD） 以下いずれかが該当
標的病変	score 4・5 で FDG の集積レベルが治療前より上昇	長径 1.5 cm 以上の病変で SPD の最小値から 50％ 以上の増大
非標的病変		新規出現または既存の非標的病変の明らかな進行
臓器腫大		・治療前に脾腫を有する場合，50％ 以上の増大 ・脾腫以外の場合，治療前から 2 cm 以上の増大
新規病変	リンパ腫として矛盾しない FDG 集積病変の出現（生検による確認が望ましい）	新規病変の出現または一度縮小した病変の再増大
骨髄	FDG 集積病変の新規出現または再発	新規出現または再発

SPD：sum of the products of the greatest diameters

◆ 5 point scale（Deauville criteria）

Score	集積の程度
1	集積なし
2	集積はあるが縦隔の集積よりも低い
3	集積が縦隔よりも高いが，肝臓よりは低い
4	集積が肝臓の集積よりもやや高い
5	集積が肝臓の集積よりも著しく高い／新規集積の出現
X	悪性リンパ腫の可能性が低い新規集積

3 経過観察

　リンパ腫診療における適切なフォローアップの方法に関しては定まった見解がない。

　定期的に CT を撮影することはあるが，FDG-PET/CT によるフォローアップは推奨されない。再発が疑われて FDG-PET/CT を行った場合も，FDG 集積のみで再発と診断してはならず，集積部位の生検を行い，組織学的に再発を確認する。

悪性リンパ腫　327

■ 予後因子

これまでさまざまな予後因子が抽出されているが，悪性リンパ腫は多様な組織型と臨床経過をたどる疾患で各組織型ごとに層別化因子が異なっており，ここでは代表的な International Prognostic Index（IPI）に関して述べる。

◆ IPI

予後因子	予後不良因子
年齢	61 歳以上
血清 LDH	正常上限値を超える
PS	2～4
臨床病期	Ⅲ，Ⅳ期
節外病変数	2 個以上

リスク分類 （予後不良因子数）	5 年 OS（リツキシマブ 登場前）（%）	3 年 OS（リツキシマブ 登場後）（%）
Low（0～1 個）	73	91
Low-Intermediate（2 個）	51	81
High-Intermediate（3 個）	43	65
High（4～5 個）	26	59

Ⅱ Hodgkin リンパ腫　Hodgkin Lymphoma：HL

古典的 Hodgkin リンパ腫（classic HL：cHL）

■ 疫学

- 本邦における発症頻度は悪性リンパ腫全体の 10% 程度の稀な組織型である（欧米と比較して 1/3 程度の発症頻度）
- 好発年齢は 20 歳代と 50～60 歳代の二峰性にピークがある
- 若年者では結節硬化型 HL が多く，高齢者では混合細胞型 HL が多い

■ 診断

1 臨床症状

リンパ節腫大で診断されることがほとんどで，頸部，縦隔に病変を有することが多い。骨髄浸潤は稀である。腫瘍は連続性に進展することが多い。また，約 40% の患者で B 症状を伴う。

15
造血器腫瘍

2 画像診断

PET-CT，造影 CT で評価を行う。特徴的な画像所見はなく，生検で確定診断する。リンパ腫のなかでも，DLBCL と同様に FDG の集積が強い組織型である。

3 検体検査

特異的な検査所見は存在しないが，ESR，貧血，血清アルブミン値，貧血，白血球増加，リンパ球減少などは，予後因子として重要である(⇒以下の「予後因子」参照)。

4 病理所見

多彩な炎症細胞を背景に，大型の腫瘍細胞(Hodgkin 細胞，Reed-Sternberg 細胞)が孤立散在性に存在する。腫瘍細胞は CD30 および PDL1 を発現している。CD30 は抗 CD30 抗体薬物複合体であるブレンツキシマブ ベドチン(BV)の治療標的である。

■ 病型分類

cHL は，結節硬化型，混合細胞型，リンパ球豊富型，リンパ球減少型の 4 つの亜型に分類される。混合細胞型とリンパ球減少型は予後不良といわれているが，組織亜型によって治療方針を変更することはない。

■ 予後因子

1 限局期(Ⅰ・Ⅱ期)cHL の予後因子

欧米の臨床試験により，いくつかのリスク因子が抽出されているが，研究グループにより予後不良群の層別化に用いる因子が異なる。次頁の表に代表的な予後不良因子を示す。

悪性リンパ腫　329

◆ 限局期 cHL の予後不良因子

リスク因子	GHSG	EORTC	NCIC
年齢		≧50歳	≧40歳
組織型			MC or LD
血沈とB症状	>50mm（B症状なし） >30mm（B症状あり）	>50mm（B症状なし） >30mm（B症状あり）	>50mm or B症状あり
縦隔病変	MMR>0.33	MTR>0.35	MMR>0.33 or >10cm
リンパ節領域数	>2*	>3*	>3*
E lesion	Any		

GHSG：German Hodgkin Study Group，EORTC：European Organization for the Research and Treatment of Cancer，NCIC：National Cancer Institute，Canada，MC：mixed cellularity，LD：lymphocyte depleted，MMR：mediastinal mass ratio（maximum width of mass/maximum intrathoracic diameter），MTR：mediastinal thoracic ratio（maximum width of mass/thoracic diameter at Th5-6）
＊リンパ節領域数の数え方は Ann Arbor 分類とは異なる点に注意が必要
（NCCN ホームページより）

2 進行期（Ⅲ・Ⅳ期）cHL の予後因子

7項目（年齢，性別，血清アルブミン値，ヘモグロビン，病期，白血球数，リンパ球数）を用いた International Prognostic Score（IPS）が提唱されている（NEJM 1998：339：1506 PMID 9819449）。5年 OS は，IPS 3項目未満で 89％，IPS 3項目以上で 70％ である。しかし，IPS によって初回治療方針を規定することはできず，中間 PET による治療反応性に基づいた層別化などが試みられている。

15
造血器腫瘍

■ 治療

◆ cHL の治療方針

限局期（Ⅰ・Ⅱ期）予後良好群[*1]
  ABVD 2 サイクル＋IFRT[*2] 20 Gy ★★★
  放射線療法の適応がない場合：ABVD 6 サイクル ★★
限局期（Ⅰ・Ⅱ期）予後不良群
  ABVD 4 サイクル＋IFRT[*2] 30 Gy ★★★
  放射線療法の適応がない場合：ABVD 6 サイクル ★★
進行期（Ⅲ・Ⅳ期）[*3]
  ABVD 6 サイクル ★★★（∓ IFRT）
  ブレンツキシマブ ベドチン＋AVD 6 サイクル ★★★（±IFRT）

[*1] GHSG の予後不良因子をもたない
[*2] IFRT（involved field radiation therapy）。現在は，三次元 CT 治療計画により，周囲の正常組織の被曝量を低下させ，さらに小さい範囲に照射が可能な ISRT（involved site radiation therapy）が行われている
[*3] 研究グループによっては，ⅡB 期を進行期として扱うことがある

1 限局期 cHL の治療

- 標準治療は，ABVD 療法 4 サイクル＋IFRT（30〜36 Gy）

German Hodgkin Study Group（GHSG）では，晩期毒性の軽減を目的として，予後不良因子を有さない限局期 HL に対して ABVD 療法 2 サイクル＋IFRT 20 Gy を推奨している。Bulky 病変を認めない場合は，ABVD 6 サイクル単独療法も選択肢となる。

2 進行期 cHL の治療

- 標準治療は，ABVD 6 サイクルあるいはブレンツキシマブ ベドチン＋AVD 6 サイクル

初発進行期の cHL に対して標準治療である ABVD 療法と抗 CD30 モノクローナル抗体に monometyl auristatin E をリンカー結合させた antibody-drug conjugate（ADC）であるブレンツキシマブ ベドチン＋AVD 療法を比較したランダム化第Ⅲ相試験（ECHELON-1 試験：NEJM 2018：378：331 PMID 29224502）（★★★）が施行され，主要評価項目である 2 年 modified PFS〔再燃，死亡に加えて治療終了時点での PET-CT で DS（Deauville score，5 point scale）3〜5 の病変に対する RT を含めた追加治療を行うこともイベントに含まれる〕で 82.1％ vs. 77.2％，従来の 2 年 PFS で 84.2％ vs. 78％（HR＝0.7）とブレンツキシマブ ベドチン＋AVD 療法で有意な改善を認めた〔Blood 2018：132（Suppl 1）：2904〕。また 5 年 PFS でも，82.2％ vs. 75.3％ とブレンツキシマブ ベドチン＋AVD 療法で持続的な有効

性を示している（Lancet Haematol 2021；8：e384 PMID 34048674）。しかし，末梢神経障害や好中球減少，感染症の増加などブレンツキシマブ ベドチン＋AVD 療法は有害事象が多いため，患者年齢や合併症などを考慮して治療選択を行う。また，ブレンツキシマブ ベドチン＋AVD 療法では G-CSF による 1 次予防が推奨される。

GHSG では，進行期 cHL 患者において dose density を高めた増量 BEACOPP 療法が標準治療として結論づけられているが，ABVD 療法との RCT で PFS での優位性は示されたものの，OS での優位性は示されず（NEJM 2011；365：203 PMID 21774708），毒性も強いことから他のグループでは標準治療にはなりえていない。

ABVD 療法 2 サイクル後の FDG-PET（中間 PET）に基づき，治療強度を変更する層別化治療に関する臨床試験が実施され，良好な成績が報告された（SWOG S0816）が，5 年フォローアップの報告では，PET 陰性群（ABVD 継続群）の約 25％ に再発が認められた一方，PET 陽性群（増量 PEACOPP 群）の PFS はプラトーとなったものの，2 次がんの発生が問題とされた（Blood 2019；134：1238 PMID 31331918）。現時点では，中間 PET による層別化治療については，臨床試験内にとどめられている。

化学療法後に PET 陽性の残存腫瘍が認められる場合，照射可能な範囲内に限局していれば ISRT の追加照射を行う。

◆ ABVD 療法 ★★★ （JCO 2003；21：607 PMID 12586796）

ADR（DXR）	25 mg/m^2	点滴静注	day 1, 15
BLM	10 mg/m^2（最大 15 mg）	点滴静注	day 1, 15
VLB	6 mg/m^2（最大 10 mg）	静注	day 1, 15
DTIC	375 mg/m^2	点滴静注	day 1, 15
4 週ごと　6 サイクル			

◆ ブレンツキシマブ ベドチン＋AVD 療法 ★★★ （NEJM 2018；378：331 PMID 29224502）

ADR（DXR）	25 mg/m^2	点滴静注	day 1, 15
VLB	6 mg/m^2（最大 10 mg）	静注	day 1, 15
DTIC	375 mg/m^2	点滴静注	day 1, 15
ブレンツキシマブ ベドチン	1.2 mg/kg	点滴静注	day 1, 15
4 週ごと　6 サイクル			

3 初回治療抵抗例・再発例に対する治療指針

「救援化学療法」とよばれる強化化学療法を行う。救援化学療法のレジメンを直接比較した臨床試験はないが，いずれのレジメンも

70〜80％程度の奏効率である。救援化学療法により PR 以上の奏効が得られれば，引き続いて自家末梢血幹細胞移植併用大量化学療法（HDC/ASCT）を実施することにより，長期生存割合の改善（5 年生存割合：30〜65％）が示されている。

- HDC/ASCT でも再発リスクが高いと予想される患者群（初回治療抵抗性，初回治療後 1 年以内の再発，またはリンパ節外浸潤を伴う再発）に対して，HDC/ASCT 後のブレンツキシマブ ベドチンの地固め療法により PFS の延長が認められている（★★★）（Lancet 2015；385：1853 PMID 25796459）
- ブレンツキシマブ ベドチンは HDC/ASCT 後再発・治療抵抗性患者を対象に第Ⅱ相試験が行われ，全奏効率 75％（CR 34％）と良好な結果を残している。現時点では HDC/ASCT の適応がない患者（年齢 65 歳以上，臓器障害あり，PS 不良など）や，HDC/ASCT 後再発した場合，ブレンツキシマブ ベドチンが第 1 選択である
- cHL に対して，抗 PD-1 抗体療法の高い有効性が報告されており，ニボルマブは第Ⅰ相試験（n＝23）でほとんどの患者が HDC/ASCT 後再発，ブレンツキシマブ ベドチン既治療という濃厚な前治療歴を有していたにもかかわらず全奏効率 87％（CR 17％）であった。ペムブロリズマブに関しても同様のデータであり，本邦では再発または難治例に対して両剤とも承認されている
- HDC/ASCT 後再発，または不適格患者を対象に，ペムブロリズマブとブレンツキシマブ ベドチンを比較した第Ⅲ相試験が行われ，PFS の中央値は，それぞれ，25.7 カ月と 13.2 カ月であり，ペムブロリズマブが有効であったという結果が示された（KEYNOTE-204 試験：Lancet Oncol 2021；22：e184 PMID 33932383）
- 病変が限局している場合は，放射線照射を考慮してもよい

  ◆ **ブレンツキシマブ ベドチン療法** ★★ （JCO 2012；30：2183 PMID 22454421）

  ブレンツキシマブ ベドチン（アドセトリス®）　1.8 mg/kg　点滴静注　day 1　3 週ごとに最大 16 サイクル施行

  ◆ **ニボルマブ療法** ★★ （NEJM 2015；372：311 PMID 25482239）

  ニボルマブ（オプジーボ®）　240 mg/body　点滴静注　day 1　2 週ごと

悪性リンパ腫 | 333

◆ペムブロリズマブ療法 ★★★ (JCO 2017 ; 35 : 2125 PMID 28441111)

ペムブロリズマブ(キイトルーダ®) 200 mg/body 点滴静注 day 1
3週ごと

◆cHL に対して汎用される救援療法 ★★
　再発・難治性の症例には救援化学療法を施行する。比較試験はな
く，救援化学療法の優劣は不明である。臓器障害などを考慮し総合
的に判断することになるが，いずれも全奏効率は 70% 以上とされ
ている。

ICE(IFM+CBDCA+ETP) (Blood 2001 ; 97 : 616 PMID 11157476)

DHAP(DEX+high-dose Ara-C+CDDP) (Ann Oncol 2002 ; 13 : 1628
　PMID 12377653)

ESHAP(ETP+mPSL+high-dose Ara-C+CDDP) (Ann Oncol 1999 ;
　10 : 593 PMID 10416011)

GDP(GEM+DEX+CDDP) (Ann Oncol 2003 ; 14 : 1762 PMID 14630682)

■ 予後

• 限局期 cHL の 10 年 OS および PFS はいずれも 90% を超える
• 限局期 cHL は高率に治癒する疾患であるため，治療に関連する
　晩期毒性として不妊，心肺毒性および 2 次がんの発症が問題と
　なる
• 進行期 cHL の 5 年 OS は 80〜90% だが，5 年 PFS は 70〜80%
　程度である

結節性リンパ球優位型 Hodgkin リンパ腫(nodular lym-phocyte predominant HL：NLPHL)

■ 疫学

• 発症頻度は HL の 2〜6% 程度。極めて稀な病型である
• NLPHL は大半が診断時に限局期で，緩徐な経過をとる

■ 診断

　典型的な症例は頸部に限局した病変を有する IA 期で診断され

15

造血器腫瘍

る。病理組織学的には，反応性リンパ球を背景に，大型の異型細胞（LP 細胞とよばれる）が増生する。LP 細胞は，CD20 陽性，CD30 陰性である。

■ 治療

- NLPHL として典型的な IA 期 non-bulky の患者では IFRT 単独が推奨される（Ann Oncol 2005：16：1683 PMID 16093276）
- IA 期であっても 5 cm 以上の病変を含む患者群では ABVD 療法を併用するほうが予後良好であるとする後方視的報告もあり，IFRT 単独は推奨されない（Blood 2011：118：4585 PMID 21873543）
- IA 期以外の患者や，照射野の適切な設定が困難な患者では，cHL の治療戦略に準じる

■ 予後

基本的に予後良好である（10 年 OS は 90% 程度）。再発時に DLBCL へ組織型が変化することがあり，再発が疑われた場合は必ず再生検を考慮する。

Ⅲ びまん性大細胞型 B 細胞リンパ腫
Diffuse Large B-Cell Lymphoma：DLBCL

■ 疫学

- B 細胞リンパ球由来の中悪性度リンパ腫である。NHL の 30〜40% を占め最も頻度が高い
- 1/3 で B 症状を有し，約半数は限局期（Ⅰ・Ⅱ期），40% は節外発症である
- de novo に発症する場合と FL などの低悪性度リンパ腫から組織学的進展をきたして発症する場合がある

■ 診断
1 臨床症状

症状は多彩で，約半数はリンパ節腫大で診断されるが，節外発症も多い。

2 画像診断

基本的に造影 CT で評価を行う。特徴的な画像所見はなく，生検

で確定診断する。リンパ腫のなかでもFDGの集積が強い組織型である。

3 検体検査

特異的な検査所見は存在しない。進行の速いaggressiveなリンパ腫であり，病勢が激しい患者では血清LDH高値，高尿酸血症，凝固異常を呈することがある。

節外に病変を有することも多く，Stagingに際しては，FDG-PET/CTや消化管内視鏡検査などによる評価を行う。

4 病理所見

正常なリンパ節構造は破壊され，大型の異型リンパ球(腫瘍細胞)がびまん性に増生する像を呈する。B細胞系マーカー(CD19/CD20など)が陽性である。

■ 予後因子

1 International Prognostic Index (IPI)

NHLの予後指標として，中高悪性度リンパ腫患者の解析により同定された5つの因子を用いて層別化する国際予後指標(IPI)(⇒327頁)が用いられる。ただし，IPIの解析はリツキシマブ導入前に行われたものであり，リツキシマブ登場後は，IPIを3群に層別化し直したrevised IPIも提唱されている(Blood 2007；109：1857 PMID 17105812)。

◆IPIの各リスク群の予後

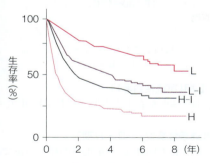

リスク群	5年OS(%)
L	73
L-I	51
H-I	43
H	26

リツキシマブ登場以前のデータであることに注意

2 GCB typeとABC type

- DLBCLはgene expression profilingによりgerminal center B-cell(GCB) typeとactivated B-cell(ABC) typeに分類される

(Nature 2000;403:503 PMID 10676951)。ABC type は TNFAIP3/CARD11/CD79B/MYD88 などの NF-κB シグナル経路や B 細胞受容体関連の遺伝子変異が多く，GCB type では MLL2/EZH2/CREBBP/EP300 といったエピゲノム関連の変異が多い

- 日常臨床でゲノム解析を行うことは現実的ではないが，免疫染色を用いて，GCB type と Non-GCB type におおまかに分類でき，予後層別に有用である (Blood 2004;103:275 PMID 14504078)

  ◆ 免疫染色による GCB type と Non-GCB type の分類

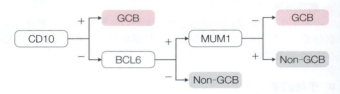

■ 治療

◆ DLBCL の治療方針

> Ⅰ・Ⅱ期 (連続性病変) かつ bulky 病変なし
>   R-CHOP 3 サイクル+IFRT 30〜36 Gy[*1] ★★
>   R-CHOP 6〜8 サイクル±IFRT 30〜36 Gy ★★
> Ⅰ・Ⅱ期 (連続性病変) かつ bulky 病変あり
>   R-CHOP 6〜8 サイクル ★★★ ±IFRT 30〜40 Gy
> Ⅱ (非連続性病変)・Ⅲ・Ⅳ期
>   R-CHOP 6〜8 サイクル ★★★ (±RT[*2])

[*1] 特にⅠ期，≦60 歳，PS 0〜1，LDH 正常をすべて満たす予後良好群
[*2] 初診時 bulky 病変を有する患者などで RT を追加する

1 限局期 DLBCL〔Ⅰ・Ⅱ期 (連続性病変)〕

特に予後不良因子や bulky 病変を有する患者では R-CHOP 6〜8 サイクル±IFRT が望ましい。

2 進行期 DLBCL〔Ⅱ (非連続性病変)・Ⅲ・Ⅳ期〕

リツキシマブの登場以降，R-CHOP 療法が現在の標準治療である (次頁の Memo 参照) (NEJM 2002;346:235 PMID 11807147, JCO 2005;23:4117 PMID 15867204, Lancet Oncol 2006;7:379 PMID 16648042)。

悪性リンパ腫　337

◆ R-CHOP 療法 ★★★ (NEJM 2002：346：235 PMID 11807147)

リツキシマブ(リツキサン®)	375 mg/m²	点滴静注	
CPA	750 mg/m²	点滴静注	day 1
ADR	50 mg/m²	点滴静注	day 1
VCR	1.4 mg/m²(最大 2.0 mg)	静注	day 1
PSL	100 mg/body		day 1〜5
3 週ごと			

・リツキシマブは CHOP の各サイクル中に 1 回投与。day 1 に投与するのが
　一般的だが，day 2 以降の投与も許容される
・リツキシマブ投与時の注意点：infusion reaction が頻発するため，抗ヒス
　タミン薬やアセトアミノフェンなどの解熱鎮痛薬の前投薬を行う

3　再発・治療抵抗性患者

　十分な臓器機能が保持されている 65 歳以下の患者の場合，救援化学療法を行い，PR 以上の奏効が得られた場合は，完治を目標に，大量化学療法併用自家移植を行う。自家移植の適応でない場合も，延命・症状緩和を目的として，救援化学療法を行うことが多い。また，2019 年には，キメラ抗原受容体-T 細胞(CAR-T 療法)が保険収載され，自家移植後の再発例だけでなく，自家移植非適応例にも広く施行され始めている。さらに，二重特異性 T 細胞誘導抗体製剤である epcoritamab も第 I/II 相試験で良好な成績を収めており，現在，第III相試験が進行中である。

Memo　未治療 DLBCL に対する PV-CHP 療法

　IPI 2 点以上の DLBCL を対象に，R-CHOP 療法に対するポラツズマブ ベドチン-R-CHP 療法(末梢神経障害の毒性のため VCR は除外された)の優越性を検証した第III相試験(POLARIX 試験)が行われた。追跡期間中央値 28.2 カ月の時点で 2 年 PFS 76.7% と 70.2%(HR 0.73，95%CI 0.57〜0.950)とポラツズマブ ベドチン-R-CHP 療法群で有意に良好な結果が得られた。毒性のプロファイルは両群でおおむね同等であり，ポラツズマブ ベドチン-R-CHP 療法の高い有効性と安全性が示された。OS については両群に有意差を認めておらず，今後長期追跡が予定されている。ポラツズマブ ベドチン-R-CHP 療法は R-CHOP 療法に比して薬価が非常に高額となるため，OS でも改善が得られるかが重要となるが，本結果をもって現在ポラツズマブ ベドチンの未治療 DLBCL に対する適応拡大申請がなされており，20 年ぶりに DLBCL の標準治療が変わることが期待されている。

【福原　傑】

15
造血器腫瘍

加えて，CD79B を標的抗原とする抗体医薬品であるポラツズマ ブ ベドチンも 2021 年に本邦でも承認され，再発難治 DLBCL の治療は近年，大きく様変わりしつつある。

◆救援化学療法 ★★

ICE（IFM＋CBDCA＋ETP）±R（Blood 2004；103：3684 PMID 14739217）

DHAP（DEX＋Ara-C＋CDDP）±R（JCO 2010；28：4184 PMID 20660832）

ESHAP（ETP＋mPSL＋Ara-C＋CDDP）±R（Haematologica 2008；93：1829 PMID 18945747）

CHASE（CPA＋Ara-C＋DEX＋ETP）±R（Cancer Sci 2008；99：179 PMID 17991293）

EPOCH（ETP＋VCR＋CPA＋ADR）±R（Ann Oncol 2004；15：511 PMID 14998858）

GDP（GEM＋DEX＋CDDP）±R（Cancer 2004；101：1835 PMID 15386331）

◆キメラ抗原受容体-T 細胞（CAR-T）療法 ★★ （NEJM 2019；380：45 PMID 30501490，NEJM 2017；377：2531 PMID 29226797，Lancet 2020；396：839 PMID 32888407）

- CAR-T 療法とは，腫瘍細胞の標的抗原を特異的に認識する細胞外ドメインと T 細胞受容体由来の細胞内ドメインを結合したキメラ受容体（CAR）遺伝子をウイルスベクターなどを利用して患者由来の T リンパ球に遺伝子導入し，増殖させた後，患者に輸注することで，抗腫瘍効果を発揮する免疫治療の一種である
- CAR-T 療法の有用性は高く，2019 年 5 月にチサゲンレクルユーセルが再発難治 DLBCL および若年者の再発難治 ALL に対して本邦で保険収載されたのを皮切りに，2021 年にアキシカブタゲン シロルユーセル，リソカブタゲン マラルユーセルが相次いで，本邦で承認された。これらはいずれも CD19 を標的抗原とする CAR-T である
- 再発・難治 DLBCL に対するチサゲンレクルユーセルの国際共同第Ⅱ相試験（JULIET 試験）では，ORR 52％（CR 40％，PR 12％）と主要評価項目を満たした。奏効が得られた患者の 1 年 PFS も 65％ と良好な成績が得られた。同様に，アキシカブタゲン シロルユーセルでは，再発難治 DLBCL・濾胞性リンパ腫の形質転換（trFL）・縦隔原発大細胞型 B 細胞リンパ腫（PMBL）症例を対象

悪性リンパ腫 **339**

とした第Ⅱ相試験(ZUMA1 試験)において，ORR 83%(CR 58%，PR 25%)，OS 中央値 2 年以上と良好な成績を収めた(Lancet Oncol 2019：20：31 PMID 30518502)。リソカブタゲン マラルユーセルも再発難治 DLBCL・trFL・PMBL・FL3B を対象とした第Ⅱ相試験(TRANSCEND NHL001 試験)で ORR 73%，CR 53% と良好な成績が報告されている

- アキシカブタゲン シロルユーセルやリソカブタゲン マラルユーセルは，チサゲンレクルユーセルと CAR の構造は基本的に同じである(第 2 世代 CAR とよぶ)が，細胞外ドメインや細胞内ドメインの構造が少しずつ異なる。また，リソカブタゲン マラルユーセルは，輸注する CAR-T 細胞中の CD4 陽性 T 細胞と CD8 陽性 T 細胞の比率のバラツキを抑え，1：1 にすることで，CRS の発症率を抑えている

	チサゲンレクルユーセル	アキシカブタゲンシロルユーセル	リソカブタゲンマラルユーセル
細胞外ドメイン	FMC63	FMC63	SJ25C1
ヒンジ/膜貫通	CD8	CD28	IgG4/CD28
細胞内ドメイン	4-1 BB & CD3ζ	CD28 & CD3ζ	4-1 BB & CD3ζ
ウイルスベクター	レンチウイルス	レトロウイルス	レトロウイルス
対象疾患	DLBCL，ALL	DLBCL，PMBL，trFL，HGB	DLBCL，PMBL，trFL，HGB，FL3B
特徴	4-1 BB 共刺激系→persistence が長い	CD28 共刺激系→寛解導入が迅速	細胞除去技術，CD4：CD8＝1：1→CRS 発症率の減少

- 免疫治療特有の有害事象であるサイトカイン放出症候群(CRS)や神経毒性は時に致死的となるため，適切に評価・管理する必要がある

◆ **ポラツズマブ ベドチン-BR 療法 ★★★**

ポラツズマブ ベドチンは抗 CD79b 抗体と微小管阻害作用を持つ MMAE をリンカーで結合した抗体薬物複合体の一種である。Pola-BR 群と BR 群を比較した第Ⅲ相試験で，CR 率(40% vs. 18%)，ORR(63% vs. 25%)と，ともに Pola-BR 群が有意に優れていた(JCO 2020：38：155 PMID 31693429)。

15

造血器腫瘍

15 造血器腫瘍

◆ Pola-BR 療法 ★★★ (JCO 2020；38：155 PMID 31693429)

リツキシマブ（リツキサン®）	375 mg/m²	点滴静注	day 1

リツキシマブ（リツキサン®）　375 mg/m²　点滴静注　day 1
ベンダムスチン（トレアキシン®）　90 mg/m²　点滴静注　1 サイクル目：day 2～3　2 サイクル目以降：day 1～2
ポラツズマブ ベドチン（ポライビー®）　1.8 mg/kg　点滴静注　1 サイクル目：day 2　2 サイクル目以降：day 1
3 週ごと　6 サイクル

■ DLBCL の類縁疾患

1 High-grade B-cell lymphoma with MYC and BCL2 and/or BCL6 rearrangements

- 非常に激しい臨床症状および経過をたどり，高悪性度 B 細胞リンパ腫に分類される。髄外腫瘤を伴うことが多い。腫瘍細胞の FISH 検査で，MYC 転座が陽性，かつ，IgH-BCL2 転座，または，IgH-BCL6 転座が陽性であることが特徴で，double hit lymphoma とよばれることもある

- 標準治療は確立されていない。若年患者では，DA-EPOCH-R，R-CODOX-M/IVAC，R-hyper CVAD/MA などの治療強度の強いレジメンが PFS，OS ともに R-CHOP 療法を上回ることが報告されており，これら治療強度の強いレジメンで治療されることも多い。第 1 寛解期での地固めとしての自家末梢血幹細胞移植の意義は不明である（JCO 2017：35：2260 PMID 28475457）。一方で，形態が DLBCL で検査により診断された症例では R-CHOP 療法と治療強度の強いレジメンで成績に差がないとの報告もある

2 中枢神経原発 DLBCL

- 高齢者に多く，急な認知機能障害の進行や脳梗塞様の症状で発見されることが多い。他の脳腫瘍との鑑別のため，髄液検査や造影 MRI 検査および生検検査を行う

- 標準治療は確立されていないが，中枢神経に移行しやすい MTX を骨格とした化学療法で寛解導入療法を行い，寛解達成後に，地固め療法として，放射線療法（全脳照射）や大量シタラビン療法や自家移植を施行することが多い。ただ，寛解導入率は高いものの（50% 以上），長期間，寛解を維持できる症例は少ないのが現状であり，今後，より効果的な地固め療法や維持療法の開発・検討が待たれる

- 寛解導入療法として，R-MPV 療法など，MTX を含む他剤併用

悪性リンパ腫 341

薬剤療法が推奨される

- 地固め療法の内容については，施設間で差異がある。5サイクルのR-MPV療法後，HD-AraCによる地固め療法を施行した第Ⅱ相試験（全脳照射も併用可）では，mOS 51カ月，mPFS 129カ月と極めて良好であったものの，治療関連神経毒性が30%と多く，特に全脳照射併用群で高率に認められた（JCO 2006；24：4570 PMID 17008697）。このようなデータをもとに，自家移植を選択する施設が増えているが，確立されたエビデンスはまだない

- 2020年，再発難治例に，BTK阻害薬の1種であるチラブルチニブが承認された。チラブルチニブは第2世代BTK阻害薬の1種で，第1世代BTK阻害薬であるイブルチニブと比べて，BTKへの選択性が高く，阻害は不可逆である。再発難治例に対する第Ⅱ相試験で，有用性（ORR 64%）と安全性が示された。また，grade 3以上の有害事象として，全体の9.1%で好中球減少を認めたが，高血圧や心房細動といったイブルチニブに特徴的な有害事象は認めなかった

◆ R-MPV療法 ★★ （JCO 2013；31：3971 PMID 24101038）

リツキシマブ（リツキサン®）	500 mg/m²	点滴静注	day 1
MTX（メソトレキセート®）	3.5 g/m²	点滴静注	day 2
VCR（オンコビン®）	1.4 mg/m²	点滴静注	day 2
PCZ（塩酸プロカルバジン®）	100 mg/m²	内服	day 1～7　奇数サイクルのときのみ

- リツキシマブ 500 mg/m² は国内適応外。本邦では 375 mg/m² で投与する
- MTX 投与時の注意点：MTX 排泄遅延の原因となる NSAIDs/フロセミド/スルファメトキサゾール・トリメトプリム配合錠は MTX 開始 3 日前から使用を禁止する。MTX 投与直前より，大量補液および利尿薬としてアセタゾラミド（ダイアモックス®）を開始し，MTX の排泄を促す。また，MTX の毒性軽減のために，活性型葉酸であるホリナート（ロイコボリン®）を定期投与する。MTX 血中濃度測定は毎日行い，血中濃度に応じて，これら薬剤の投与量を調整する

◆ チラブルチニブ単剤療法 ★★ （Neuro Oncol 2021；23：122 PMID 32583848）

チラブルチニブ（ベレキシブル®）	480 mg/day	内服（空腹時）

■ 予後

- 限局期 DLBCL の 5 年 OS は約 80%，PFS は約 70%
- 進行期 DLBCL の 5 年 OS および PFS は約 50%

Ⅳ Burkitt リンパ腫/白血病　Burkitt Lymphoma：BL

■ 疫学

　高悪性度 B 細胞リンパ腫に分類される。赤道付近のアフリカ諸国の男児に好発する endemic BL，全世界で小児・若年成人に好発する sporadic BL，HIV 感染に関連する immunodeficiency-associated BL がある。

■ 臨床症状

　多くはリンパ節外で急速に増大する腫瘍もしくは白血病化した状態で発見される。B 症状を呈し，また初発時から中枢神経浸潤が高い頻度で認められる。

■ 検査

❶ **血液検査**　（⇒320 頁，「悪性リンパ腫総論」参照）
❷ **細胞表面マーカー**　B 細胞系マーカー（CD19，CD20，CD22）に加えて CD10 が陽性，BCL6，CD38，CD77，CD43 が陽性。BCL2 は一般的に陰性で，TdT 陰性。Ki-67 はほぼすべての細胞で陽性。
❸ **染色体検査，遺伝子検査**　t(8；14)(q24；q32)，IgH/MYC 転座がみられる。染色体分析および FISH が有効。

■ 治療

1 初発時

　治癒を目的とした多剤併用化学療法が施行される。CODOX-M（CPA，VCR，DXR，MTX）/IVAC（IFM，ETP，Ara-C）±リツキシマブ療法(Int J Hematol 2010；92：732 PMID 21120644)，R-Hyper-CVAD 療法(Cancer 2006；106：1569 PMID 16502413)，DA-EPOCH-R 療法(NEJM 2013；369：1915 PMID 24224624)が代表的である。中枢神経浸潤の頻度が高い腫瘍であるため，中枢神経移行性のある全身化学療法・抗悪性腫瘍薬の髄注が必要である。初回抗悪性腫瘍薬治療時には高率に腫瘍崩

悪性リンパ腫 **343**

壊症候群を合併するため，十分な対策を行う。寛解後の自家末梢血幹細胞移植および同種移植の意義は明らかではない。

2 再発・難治例

標準治療は確立されていない。臨床試験への症例登録が望まれる。

■ **予後**

NCI SEER database での検討では，2002〜2008 年に診断された BL の 5 年 OS は 56% であった(Blood 2013；121：4861 **PMID** 23641015)。

Ⅴ **濾胞性リンパ腫** Follicular Lymphoma：FL

■ **疫学**

・NHL の 10〜20% を占める。低悪性度リンパ腫に分類され，臨床経過は緩徐であるが，再発を繰り返し，治癒は困難である
・一部の症例で，DLBCL へ組織学的形質転換を起こすことが知られている（発症から 5 年間で 10% 程度）

■ **診断**

❶ **臨床症状** 診断時 70〜85% の患者が臨床病期Ⅲ・Ⅳ 期の進行期であり，骨髄浸潤を高率に認める。
❷ **画像診断** DLBCL の画像所見に準じるが，FDG 集積は弱い組織型である。
❸ **検体検査** 特異的な検査所見は存在しない。一部の症例で血清 LDH 高値を示すことがある。
❹ **病理所見** リンパ節の胚中心細胞由来の低悪性度リンパ腫で，病変リンパ節は濾胞構造が保たれており，病名の由来となっている。なお，分子遺伝子学的検査では，約 80% の FL 患者で t(14；18)(q32；q21)，BCL-2-IgH 転座を認める。加えて，エピゲノム関連の遺伝子変異も併せもつことが多く，なかでも MLL2 遺伝子変異は全症例の約 90% に認めることが知られており，ドライバー変異の 1 つと推測されている。

なお，胚中心芽細胞の比率により組織学的悪性度が定義されており，grade 1・2・3a・3b に分類される。ただし，grade 3b の場合は DLBCL に準じて治療されることが多く，次に FL grade 1〜3a について述べる。

15

造血器腫瘍

■ 予後因子

FL に特化した予後予測モデルとして，FL International Prognostic Index（FLIPI）があり，年齢 61 歳以上，臨床病期Ⅲ期以上，LDH 上昇，Hb 12 g/dL 未満，節性病変領域数 5 領域以上，の 5 つの因子で計算する。また，リツキシマブ導入後のモデルとしてFLIPI2 が提唱され，年齢 61 歳以上，血清 β_2-MG 上昇，Hb 12 g/dL 未満，最大のリンパ節病変の長径 6 cm 以上，骨髄浸潤ありを予後不良因子としている。

◆ **FLIPI**（Blood 2006；108：1504 PMID 16690968）

予後予測因子の数	リスク分類	5 年 OS（%）
0〜1 個	Low	90
2 個	Intermediate	77
3 個以上	High	52

◆ **FLIPI2**（JCO 2009；27：4555 PMID 19652063）

予後予測因子の数	リスク分類	3 年 PFS（%）	3 年 OS（%）
0 個	Low	91	99
1〜2 個	Intermediate	65	96
3 個以上	High	51	84

また，ゲノム解析に基づいた予後予測因子として，m7-FLIPI が提唱されている。これは濾胞性リンパ腫に認められることが多い 7 遺伝子（EZH2/ARID1A/MEF2B/EP300/FOXO1/CREBBP/CARD11）の変異の有無と FLIPI，ECOG PS を組み合わせて計算される（Lancet Oncol 2015；16：1011 PMID 26256759）。しかし，m7 FLIPI は R-CHOPベースの治療を行う患者群の予後予測には有用だが，ベンダムスチンベースの治療を行う患者群の予後予測には役立たないとされる〔Blood 2019；134（Suppl_1）：122〕。

その他の予後予測因子として，POD24 がある。これは，初回治療の治療効果に基づく予後予測であり，初回治療から 24 カ月以内に再発した群は，その他の群と比べて，5 年 OS が 50% vs. 90%と有意に予後不良であった（JCO 2015；33：2516 PMID 26124482）。

■ 治療

1 初発時

1) 限局期（Ⅰ期，bulky 病変のないⅡ期）に対する初回治療

局所放射線療法（ISRT）24～30 Gy では，奏効率 90% 以上，10年 OS は 50～80% と報告されている。照射範囲が広汎になる場合には，進行期に準じた対応も検討する。

2) 進行期（bulky 病変のあるⅡ期，Ⅲ・Ⅳ期）に対する初回治療

腫瘍量をもとに治療方針を決めることが多く，腫瘍量の指標としては，GELF 規準を用いることが多いが，国際的に統一された規準はない。

◆ **GELF 規準**（JCO 1997；15：1110 PMID 9060552）

> 下記の 1 項目以上に該当する場合に高腫瘍量とする
> ・3 cm 以上のリンパ節領域が 3 個以上ある
> ・7 cm 以上の節性または節外性病変がある
> ・B 症状あり
> ・脾腫あり
> ・胸水または腹水あり
> ・尿管/眼窩/消化管などの閉塞症状を認める
> ・血球減少（白血球数 1,000/μL 未満または血小板数 10 万/μL 未満）
> ・白血化（腫瘍細胞 5,000/μL 以上）

- 低腫瘍量の場合，3～6 カ月ごとに画像評価を行いながら，無治療経過観察することも選択肢となる
- 高腫瘍量の場合，G（R）B 療法や G（R）-CHOP 療法などを検討する

◆ **初発進行期 FL の治療方針**

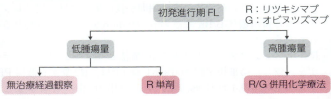

オビヌツズマブ（ガザイバ®）は，リツキシマブと比べて，抗体依存性細胞傷害活性を高めた糖鎖改変型タイプⅡ抗 CD20 モノクローナル抗体として開発された。GALLIUM 試験では，未治療進行期 FL を対象として，リツキシマブ-化学療法併用群とオビヌツズマブ-化学療法併用群をランダムに割り付け，治療を行った。その後，

治療効果が得られた症例に対しては，各群それぞれの抗体製剤を用いて，2カ月ごと最大2年間の維持療法を行った。結果は，3年PFSが80.0% vs. 73.3%とオビヌツズマブ群が有意に良好（HR 0.66，95%CI 0.51〜0.85）であり，本邦では2018年7月に製造販売承認を取得した。一方，同試験における有害事象の比較では，Grade 3〜5の好中球減少や感染症が，オビヌツズマブ併用療法群のほうにやや多い傾向にあったため，高齢者などフレイルな症例の場合，現在でもリツキシマブ併用療法を選択することがある。

◆ オビヌツズマブ ★★★（NEJM 2017：377：1331 PMID 28976863）

> オビヌツズマブ（ガザイバ®）　1,000 mg/body　点滴静注
> 　1サイクル目：day 1, 8, 15　2サイクル目以降：day 1
> ベンダムスチン（トレアキシン®）　90 mg/m² 　点滴静注　day 1, 2
> 4週ごと　6サイクル

CHOP療法もしくはベンダムスチン療法と併用する。CHOP療法と併用の場合は3週ごとに合計6サイクル，ベンダムスチン療法との併用の場合は4週ごとに合計6サイクル後，奏効を得られた患者は2カ月ごと2年間のオビヌツズマブ維持療法を継続する。

2 再発・治療抵抗例

- まずは，DLBCLへ形質転換を起こしていないか，再生検を行い，確認する。形質転換していた場合はDLBCLに準じた化学療法を検討する
- 形質転換を認めない場合は，初回治療の内容と再発までの期間，病変の広がり，組織学的形質転換の有無，患者の希望などを考慮して，無治療〜強度の低い治療（リツキシマブ単剤療法など）〜強度の強い治療〔G（R）-B療法やG（R）-CHOP療法など〕から治療方針を決定する。前治療の奏効期間が長い場合には，同じレジメンによる再治療（GB/BR療法のre-challengeなど）が行われることもある
- R2（リツキシマブ・レナリドミド）療法とリツキシマブ・プラセボを比較した第Ⅲ相試験（AUGMENT試験）では，R2群が有意にPFSを延長した（39.4カ月 vs. 14.1カ月，HR 0.46）。有害事象として，R2群はGrade 3以上の好中球減少が50%の症例で認められた。chemo-free regimenとして幅広く使用されている
- リソカブタゲン マラルユーセル（ブレヤンジ®）はGrade 3bに限り使用可能である
- タゼメトスタットはヒストンメチル基転移酵素の1つであるEZH2を選択的に阻害する。再発難治の濾胞性リンパ腫患者に対

する第Ⅱ相試験では、EZH2 変異陽性症例で、ORR 69% を達成した。2021 年 6 月に EZH2 変異陽性の再発・難治性濾胞性リンパ腫にかかわる効能効果で製造販売承認を取得した。なお、先述の第Ⅱ相試験では、EZH2 変異陰性症例でも ORR 35% を達成しており、FDA では陰性例に対しても承認されている

- リンパ腫細胞の生存に大きく関与している PI3K 経路とよばれる細胞シグナル伝達経路を阻害する PI3K 阻害薬も開発が進んでいる。コパンリシブの第Ⅲ相試験では、治療抵抗性の indolent lymphoma（濾胞性リンパ腫・辺縁帯リンパ腫など）に対して、リツキシマブに対する上乗せ効果が認められた（mPFS 21.3 カ月 vs. 1.8 カ月、HR 0.52）。FL に限ったサブグループ解析でも、HR 0.58 と良好な成績だった。現在、承認申請中である
- その他、放射性免疫療法薬として ^{90}Y-イブリツモマブ チウキセタンも治療選択肢として検討することがある
- 初回治療から 24 カ月以内に再発した症例（POD24）のうち、65 歳以下で臓器機能に問題がない場合は自家移植を検討することがある

◆ R2（リツキシマブ・レナリドミド）療法 ★★★ (JCO 2019：37：1188 PMID 30897038)

リツキシマブ　375 mg/m^2　1 サイクル目：day 1, 8, 15, 22　2〜5 サイクル目：day 1　点滴静注
レナリドミド（レブラミド®）　20 mg　day 1〜21　内服
4 週ごと　最大 12 サイクルまで

◆ タゼメトスタット単剤療法 ★★ (Lancet Oncol 2020：21：1433 PMID 33035457)

タゼメトスタット（タズベリク®）　1,600 mg/day　1 回 800 mg　1 日 2 回

Ⅵ 慢性リンパ性白血病　Chronic Lymphocytic Leukemia：CLL
小リンパ球性リンパ腫　Small Lymphocytic Lymphoma：SLL

■ 疫学

CLL は、抗原提示を受けた小型成熟 B リンパ球が末梢血、骨髄、脾臓、リンパ節で増殖する疾患であり、これらの細胞は CD5 と CD23 を共発現する。SLL は、非白血病状態の患者において CLL の形質を呈する組織を認めた場合の名称である。欧米では最も多い

白血病であるが，本邦では稀であり，高齢者，男性にやや多い。
DLBCLへの形質転換（Richter症候群）も起こりうる。

■ 診断

　検診でのリンパ球増多，リンパ節腫脹，発熱といった臨床症状を
契機に発見されることが多いが，液性免疫異常（自己免疫性溶血性
貧血，自己免疫性血小板減少症など）を合併することも多く，診断
にあたっては，これらの有無を評価することも重要である。

◆ CLL診断基準(International Workshop on CLL 改訂版：Blood 2018；131：
　2745 PMID 29540348)

> ・クローナルなBリンパ球数5,000/μL以上
> ・前リンパ球55%以下
> ・B細胞表面抗原陽性(CD19陽性，CD20弱陽性，CD23陽性)
> ・CD5弱陽性
> ・surface Ig弱陽性(sIgMまたはsIgD陽性)，かつ軽鎖陽性(κ鎖またはλ
> 　鎖陽性)

■ 病期分類

◆ 改訂Rai分類

改訂Rai分類	Rai分類病期	所見
低リスク	0	末梢血リンパ球数>15,000/μL かつ骨髄リンパ球>40%
中間リスク	Ⅰ	0期かつリンパ節腫大
	Ⅱ	0〜Ⅰ期かつ肝腫または脾腫高リスク
高リスク	Ⅲ	0〜Ⅱ期かつ Hb 11 g/dL または Ht<33%
	Ⅳ	0〜Ⅲ期かつ血小板数<10万/μL

◆ Binet分類

病期	所見
A	Hb≧10 g/dL かつ血小板数≧10万/μL かつ腫大リンパ節領域数*≦2
B	Hb≧10 g/dL かつ血小板数≧10万/μL かつ腫大リンパ節領域数>2
C	Hb<10 g/dL または血小板数<10万/μL。腫大リンパ節領域数は規定なし

*リンパ節領域：頭頸部，腋窩，鼠径，脾臓，肝臓の5領域

悪性リンパ腫 | 349

■ 予後因子

旧来の化学療法が治療の主流だったころは，del(11q)，免疫グロブリン重鎖遺伝子可変領域（IGHV）の変異なしが予後不良因子の1つとして知られたが，BTK阻害薬の登場に伴い，これらの予後不良因子を有する症例であっても，有さない症例とほとんど遜色ない予後になってきている。しかし，一方で，del(17p)，TP53遺伝子変異（TP53 dysfunction）はいまだに予後不良因子である。

■ 治療

無治療経過観察が可能な症例も比較的多く，下記の条件のいずれかを満たす場合には，治療の開始が推奨される。

◆ **CLL治療開始の目安**（Blood 2018：131：2745 PMID 29540348）

- CLLに関連する自覚症状の出現（全身倦怠感，発熱，盗汗，体重減少のいずれか）
- 骨髄不全による有症状の貧血や血小板減少の出現
- bulky diseaseの出現（脾腫，リンパ節腫大）
- 2カ月間で50%を超えるリンパ球の増加，または6カ月以内にリンパ球数が倍増
- Rai分類のⅢ・Ⅳ期，Binet分類のC期

1 初回治療

❶ イブルチニブ単剤療法 ★★★

- イブルチニブとchlorambucilのランダム化第Ⅲ相比較試験（RESONATE-2試験）においてPFS・OSともイブルチニブが勝ることが示されて以降（NEJM 2015：373：2425 PMID 26639149），旧来の化学療法との比較試験が行われ，その優越性が証明されてきた。Alliance A041202試験では，高齢CLL患者を対象に，BR療法とイブルチニブ（＋リツキシマブ）療法を比較し，2年PFSが優れている（イブルチニブ vs BR：HR 0.39，イブルチニブ＋リツキシマブ vs BR：HR 0.38）ことが示された。また，ECOG-E1912試験では，70歳以下のCLL患者を対象に，FCR療法とイブルチニブ療法を比較し，PFS（HR 0.34）およびOS（HR 0.17）の優越性が示された
- また，化学療法の効果がほとんど期待できないdel(17p)を伴う症例に対しても，ある程度の効果を有することが知られている
- 一方で，イブルチニブ療法はcontinuous therapyであり，fixed duration therapyではないため，医療経済面で負担が大きいこ

15
造血器腫瘍

とに留意する必要がある。一部の症例では，旧来の化学療法も，fixed duration therapy として治療選択肢として残るだろう

◆ イブルチニブ単剤療法 ★★★ (NEJM 2014；371：213 PMID 24881631)

イブルチニブ（イムブルビカ®） 1回420mg 1日1回

・イブルチニブ投与後に一過性のリンパ球増加を認めることがある。CLL 細胞と間質細胞の接着が阻害されることにより血中に遊離されるためと考えられている
・有害事象として心房細動，出血，高血圧には留意が必要である

◆ FCR 療法 ★★★ (Lancet 2010；376：1164 PMID 20888994)

リツキシマブ（リツキサン®） 500 mg/m² 点滴静注 day 1（1サイクル目は 375 mg/m² 点滴静注 day 0 とする）
Flu 25 mg/m² 点滴静注 day 1〜3
CPA 250 mg/m² 点滴静注 day 1〜3
4週ごと 6サイクル

◆ BR 療法 ★★ (Lancet Oncol 2016；17：928 PMID 27216274)

リツキシマブ（リツキサン®） 500 mg/m² 点滴静注 day 1（1サイクル目は 375 mg/m² 点滴静注 day 0 とする）
ベンダムスチン（トレアキシン®） 90 mg/m² 点滴静注 day 1, 2
4週ごと 6サイクル

2 再発・治療抵抗例

リツキシマブ/ベネトクラクス療法，アカラブルチニブ単剤療法，旧来の化学療法などを検討する。現状では，イブルチニブ後の再発・再燃であればリツキシマブ/ベネトクラクス療法，BTK 阻害薬にナイーブな症例であれば，BTK 阻害薬，リツキシマブ/ベネトクラクス療法のいずれかが，第1選択薬となる。

❶ リツキシマブ/ベネトクラクス療法 ★★★ (NEJM 2018；378：1107 PMID 29562156)

• ベネトクラクスは BCL2 を選択的に阻害することで，腫瘍細胞のアポトーシスを誘導する。再発難治 CLL 患者を対象に，リツキシマブ/ベネトクラクス療法または BR 療法を比較した第Ⅲ相試験（MURANO 試験）では，2年無増悪生存率はそれぞれ 84.9% と 36.3%（HR 0.17）とリツキシマブ/ベネトクラクス療法で有意に良好な結果が得られた。また，リツキシマブ/ベネトクラクス療法群は，最大2年の治療期間が終了し休薬期間に入った後も，長期間の寛解を維持し，治療終了後 24 カ月後の PFS は 68% だった（JCO 2020；38：4042 PMID 32986498）

悪性リンパ腫 | 351

- リツキシマブ/ベネトクラクス療法は BTK 阻害薬同様 17p 欠失患者に対しても有効である
- ベネトクラクスは TLS 予防のため 20 mg から 400 mg まで 5 週間かけて漸増する

> リツキシマブ（リツキサン®）　500 mg/m² 　点滴静注　2〜6 サイクル目：day 1（1 サイクル目：375 mg/m² 　点滴静注）
> ベネトクラクス（ベネクレクスタ®）　1 回 400 mg　1 日 1 回　連日内服（20 mg から開始し，5 週間かけて 400 mg に漸増する）
> 1 サイクル　28 日間，リツキシマブは 6 サイクル目まで使用，ベネトクラクスはその後，最大 2 年間内服継続可能

❷ アカラブルチニブ単剤療法 ★★★ (NEJM 2014：371：213 PMID 24881631)

- アカラブルチニブに代表される第 2 世代の BTK 阻害薬は，BTK への選択性をイブルチニブよりも高め，EGFR/TEC/ITK など他のキナーゼへの影響を減らすことで，高血圧や心房細動といった有害事象の出現率を減らすことに成功した
- 治療抵抗性 CLL 患者に対して，アカラブルチニブ単剤療法とリツキシマブ/イデラリシブ療法またはリツキシマブ/ベンダムスチン療法を比較した第Ⅲ相試験では，アカラブルチニブ群は PFS を有意に改善し，病勢進行または死亡のリスクを 69％ 減少させた(JCO 2020：38：2849 PMID 32459600)
- アカラブルチニブとイブルチニブの直接比較である ELEVATE-RR 試験では，17p 欠失または 11q 欠失を認めた治療抵抗性の CLL 患者を対象に，アカラブルチニブ群の PFS の非劣性を証明した。また，アカラブルチニブ群はイブルチニブ群と比較して，心房細動の発現率が有意に低いことが示された(16.0% vs. 9.4%，$p = 0.02$)(JCO 2021：39：3441 PMID 34310172)

> アカラブルチニブ（カルケンス®）　1 回 100 mg　1 日 2 回　内服

Ⅶ MALT リンパ腫　Extranodal Marginal Zone Lymphoma of Mucosa-Associated Lymphoid Tissue Lymphoma

15

造血器腫瘍

　MALT リンパ腫は，濾胞辺縁帯細胞，単球様細胞，小型リンパ球に加え，免疫芽細胞や胚中心芽細胞に類似した細胞が散在する節外性腫瘍とされる。濾胞性リンパ腫同様，低悪性度 B 細胞リンパ腫に分類される。各臓器の慢性炎症が背景にあることが多く，胃

MALTリンパ腫と*H. pylori*との関連のほか，眼付属器MALTリンパ腫と*Chlamydia psittaci*，腸管MALTリンパ腫と*Campylobacter jejuni*，皮膚MALTリンパ腫と*Borrelia burgdorferi*，甲状腺MALTリンパ腫と橋本病，唾液腺MALTリンパ腫とSjögren症候群などの関連が報告されている。限局期で診断されることが多く，局所療法のみで予後良好なことが大半であるが，DLBCLへの形質転換も起こりうる。

■ 治療

1 限局期（Ⅰ・Ⅱ期）に対する治療

- 胃MALTリンパ腫の場合，*H. pylori*陽性例では除菌療法が第1選択となり，その寛解率は60〜80%とされる。ただし，t(11；18)(q21；q21)を有する胃MALTリンパ腫は*H. pylori*除菌療法に抵抗性を示す。除菌療法後に残存を認める場合には，放射線療法や化学療法が選択肢となる
- 他の臓器の場合，診断目的を兼ねた手術や放射線療法，症状に乏しければ経過観察を行うことが多い

◆*H. pylori*除菌療法 ★★★ (Gut 2016；65：1439 PMID 26935876)

クラリスロマイシン（クラリシッド®）	1回200 mg	1日2回
アモキシシリン（サワシリン®）	1回750 mg	1日2回
ボノプラザン（タケキャブ®）	1回 20 mg	1日2回
朝・夕食後 7日間		

2 進行期（Ⅲ・Ⅳ期）に対する治療

濾胞性リンパ腫の治療戦略に準じる（⇒345頁）。

Ⅷ マントル細胞リンパ腫 Mantle Cell Lymphoma：MCL

■ 疫学

- 本邦では全悪性リンパ腫の3%を占める。中年男性に多い
- 中悪性度B細胞リンパ腫の一種に分類されることが多いが，組織亜型であるblastoid variant型などの一部の症例は激しい臨床経過をたどる

悪性リンパ腫 | 353

■ 診断

❶ 臨床症状 他の B 細胞リンパ腫の症状に準じるが，リンパ節病変に加えて消化管病変を有することが多く，脾臓，骨髄，末梢血にも腫瘍細胞を認めることが多い。

❷ 画像診断 他のリンパ腫に準じる。特異的な画像所見はない。

❸ 検体検査 他のリンパ腫に準じる。特異的な検査所見はない。

❹ 病理所見 リンパ節の胚中心外側を取り囲むマントル帯由来の B 細胞リンパ腫である。免疫染色では，CD5 が陽性で CD23 が陰性であることが多い。染色体転座 t(11：14)(q13：q32)を有し，結果，ほとんどの症例で Cyclin D1 が陽性になる。また，Cyclin D1 陰性例であっても SOX11 が陽性になること知られている。

■ 予後因子

MCL に特化した予後予測モデルとして，年齢，PS，高 LDH 血症，白血球数を用いた MCL International Prognostic Index(MIPI) が提唱された。さらに，European MCL Network より MIPI と Ki-67 陽性細胞率(30％ をカットオフとする)を組み合わせた MIPIc の有効性が報告された(Blood 2008；111：558 PMID 17962512, JCO 2016；34：1386 PMID 26926679)。

その他，blastoid morphology や TP53 遺伝子異常，濾胞性リンパ腫と同様 POD24 などが予後不良因子として報告されている。

◆ MIPI score

$\{0.03535 \times (年齢)\} + 0.6978[if\ ECOG\ PS > 1] + \{1.367 \times \log_{10}(LDH/正常上限値)\} + \{0.9393 \times \log_{10}(白血球数)\}$

MIPI score		生命予後
低リスク(<5.7)	44%	5 年 OS 60%
中間リスク(5.7≦スコア<6.2)	35%	OS 中央値 51 カ月
高リスク(≧6.2)	21%	OS 中央値 21 カ月

15
造血器腫瘍

15 造血器腫瘍

■ 治療

1 自家移植適応

- European MCL Network より自家移植を行うことで PFS の延長が得られることが報告された(Blood 2005；105：2677 PMID 15591112)。また Nordic Lymphoma Group や仏国 GELA から，高用量 Ara-C を組み込んだ導入療法を行うことで予後の改善が示された(Blood 2008：112：2687 PMID 18625886，Blood 2013；121：48 PMID 22718839)。したがって現在は，高用量 Ara-C を軸にした導入療法に引き続く自家移植が標準治療として位置づけられている

- 本邦では，R-high-CHOP 療法 1 サイクルと CHASER 療法 3 サイクルに続いて自家移植を行う JCOG0406 試験が実施され，8 年 PFS 17％，5 年 OS 69％ と良好な結果が得られている(EHA 2019 PS1259)

- 近年ではベンダムスチンを寛解導入療法に組み込んだ試験が複数行われ，良好な成績が報告されている

- 仏国 LYSA を中心とするグループより自家移植後にリツキシマブの維持療法を行うことで PFS および OS が有意に改善する(4 年 PFS 83％ vs. 64％；HR 0.4；$p<0.001$，4 年 OS 89％ vs. 80％；HR 0.5；$p<0.04$)ことが示されており，維持療法の施行が推奨される(NEJM 2017；377：1250 PMID 28953447)[*]

[*]本臨床試験のリツキシマブ維持療法は 375 mg/m² を 2 カ月ごと 3 年間であり，本邦で承認されている投与方法とは異なるので留意すること

◆R-high-CHOP 療法(1 サイクル目のみ)

CPA	1,500 mg/m²	点滴静注	day 3
ADR	75 mg/m²	点滴静注	day 3
VCR	1.4 mg/m²（最大 2 mg）	点滴静注	day 3
PSL	100 mg/body	内服	day 3～7
DEX [*]	40 mg/body	点滴静注	day 1, 15
リツキシマブ（リツキサン®）[*]	375 mg/m²	点滴静注	day 1, 15

G-CSF は通常量を day 6 より開始し，白血球数>5,000/μL まで継続する。day 15 の化学療法は白血球数を問わず投与する。

[*]原法では，リツキシマブの infusion reaction 軽減のため DEX を使用，CHASE との間を 1 日空けていたが，適宜省略，調整可能である

悪性リンパ腫　　355

◆CHASER 療法

CPA	1,200 mg/m²	点滴静注	day 3
Ara-C	2 g/m²	点滴静注	day 4, 5
ETP	100 mg/m²	点滴静注	day 3〜5
DEX	40 mg/body	点滴静注	day 3〜5
リツキシマブ（リツキサン®）*		375 mg/m²　点滴静注　day 1, 15	
3 週ごと　第 2 サイクル以降合計 3 サイクル			

G-CSF は通常量を day 7 より開始し，白血球数>5,000/μL まで継続する。
*原法ではリツキシマブの infusion reaction 軽減のため DEX を使用，high-CHOP，CHASE との間を 1 日空けていたが，適宜省略，調整可能である。
CHASER 療法 1〜2 サイクル目で CD34 陽性細胞数 2.0×10⁶/kg を目標に末梢血幹細胞採取を行う

2 自家移植非適応

　高齢者や臓器機能障害を有するような自家移植非適応例では，DLBCL をはじめとした aggressive B 細胞リンパ腫に準じて R-CHOP 療法を行うことが一般的であったが，ボルテゾミブやベンダムスチンを含むレジメンに関しても検証がなされ，現時点では① R-CHOP 療法＋リツキシマブ維持療法，② VR-CAP 療法，③ BR 療法が選択肢となりうる。

◆自家移植非適応患者に対するレジメンの比較

	導入：R-CHOP vs. R-FC 維持：リツキシマブ vs. IFN-α	VR-CAP vs. R-CHOP	BR vs. R-CHOP
デザイン	ランダム化第Ⅲ相	ランダム化第Ⅲ相	ランダム化第Ⅲ相
対象	485 人（年齢中央値 70 歳）	487 人（年齢中央値 66 歳）	94 人（年齢中央値 70 歳）
結果	R-CHOP>R-FC 4 年 OS 62% vs. 47% p=0.005	VR-CAP>R-CHOP PFS 中央値 24.7 カ月 vs. 14.4 カ月 HR 0.63，p<0.001	BR>R-CHOP PFS 中央値 35.4 カ月 vs. 22.1 カ月 HR 0.49，p=0.0044

FC：Flu＋CPA

15
造血器腫瘍

◆ R-CHOP＋リツキシマブ維持療法 ★★★ (NEJM 2012；367：520 PMID 22873532)

R-CHOP 療法　3 週ごと　8 サイクル
奏効を得た患者に
リツキシマブ　375 mg/m² 　2 カ月ごと　病勢進行を認めるまで投与

リツキシマブ維持療法に関しては本邦で承認されている投与方法とは異なるので留意すること。また，リツキシマブ維持療法は PD まで継続する。R-CHOP 群に割り付けられた患者群ではリツキシマブ維持療法の OS 改善効果が示されている。

◆ VR-CAP 療法 ★★★ (NEJM 2015；372：944 PMID 25738670)

リツキシマブ(リツキサン®)	375 mg/m²	点滴静注	day 1
CPA	750 mg/m²	点滴静注	day 1
ADR	50 mg/m²	点滴静注	day 1
PSL	100 mg/m²	内服	day 1〜5
BOR	1.3 mg/m²	静注	day 1, 4, 8, 11
3 週ごと　6〜8 サイクル			

原法では BOR が静注であるが，施設基準に合わせて皮下注射でも施行可能である。VR-CAP は血小板減少が高頻度に発現し，サイクル開始 2 週間程度で 89 % の患者で輸血を要していることから慎重な経過観察が必要である。

◆ BR 療法 ★★★ (Lancet 2013；381：1203 PMID 23433739)

リツキシマブ(リツキサン®)	375 mg/m²	点滴静注	day 1
ベンダムスチン(トレアキシン®)	90 mg/m²	点滴静注	day 1, 2
4 週ごと　6 サイクル			

3 再発・難治例

BTK 阻害薬ナイーブな症例であれば，イブルチニブの使用を検討する。単剤療法の ORR は 68 %，奏効期間中央値 17.5 カ月と報告されている(NEJM 2013；369：507 PMID 23782157)。また，12 例と非常に少数のサンプルサイズであるが，再発難治例に対する BR の成績は ORR 92 %，奏効期間中央値 19 カ月と報告されている(JCO 2008；26：4473 PMID 18626004)。その他，現時点で国内適応外であるが，第 2 世代 BTK 阻害薬のアカラブルチニブや BCL-2 阻害薬であるベネトクラクスの効果も報告されている(いずれも国内適応外)(Lancet 2018；391：659 PMID 29241979，NEJM 2018；378：1211 PMID 29590547)。また，細胞除去技術を工夫した CD19-CAR である brexucabtagene autoleucel が 2020 年 7 月に FDA で迅速承認された(本邦未承認)(NEJM 2020；382：1331 PMID 32242358)。

悪性リンパ腫 357

◆ **イブルチニブ単剤療法** ★★ （NEJM 2013；369：507 PMID 23782157）

> **イブルチニブ（イムブルビカ®）　1回560 mg　1日1回　連日　病勢増悪もしくは許容できない有害事象の発現まで**

Ⅸ 末梢性T細胞リンパ腫 Peripheral T-Cell Lymphoma：PTCL

　成熟T/NK細胞腫瘍のうち，末梢性T細胞リンパ腫，非特異型（PTCL, not otherwise specified：PTCL, NOS），血管免疫芽球性T細胞リンパ腫（angioimmunoblastic T-cell lymphoma：AITL），未分化大細胞リンパ腫（anaplastic large cell lymphoma：ALCL）を節性PTCLと総称することが多い。また，WHO分類 改訂第4版からはTFH（T follicular helper）細胞由来のPTCLとして，Nodal PTCL with TFH phenotypeと濾胞性T細胞リンパ腫（follicular T-cell lymphoma）が，AITLの類縁疾患として分類されている。これらの腫瘍細胞は，TFH関連抗原であるPD-1・CD10・BCL6・CXCL13・ICOSなどの抗原を高率に発現している。

　節外性PTCLには，腸管症関連T細胞リンパ腫（enteropathy-associated T-cell lymphoma：EATL），単形性上皮向性腸管T細胞リンパ腫（monomorphic epitheliotropic intestinal T-cell lymphoma：MEITL），肝脾T細胞リンパ腫（hepatosplenic T-cell lymphoma：HSTCL），皮下脂肪組織炎様T細胞リンパ腫（subcutaneous panniculitis-like T-cell lymphoma：SPTCL），菌状息肉症（mycosis fungoides：MF），Sézary症候群（SS）などがある。

　以下，主要な病型について述べる。

1 PTCL, NOS

　他の成熟T細胞リンパ腫に分類されない雑多な疾患単位である。節性病変が主であるが，骨髄や肝臓に浸潤することもある。PTCLの約30%を占める。予後予測モデルとして，年齢，PS，LDH，骨髄浸潤を用いたprognosis index for PTCL-u（PIT）score（Blood 2004；103：2474 PMID 14645001）が用いられ，ALK陽性ALCL以外は，おおむねDLBCLよりも予後不良とされる。

◆ **PIT score**

	5年OS（%）	10年OS（%）
Group 1（リスク因子0個）	62.3	54.9
Group 2（リスク因子1個）	52.9	38.8
Group 3（リスク因子2個）	32.9	18.0
Group 4（リスク因子3〜4個）	18.3	12.6

2 AITL

中高年に好発し，全身リンパ節腫脹，肝脾腫，B症状，皮疹，多クローン性高γグロブリン血症で発症することが多い。組織学的には，多彩な反応性の細胞浸潤と高内皮細静脈と濾胞樹状細胞のmeshworkの拡大を伴うことが特徴である。細胞起源は濾胞ヘルパーT細胞であるとされCD10，CXCL13，PD-1など濾胞ヘルパーT細胞マーカー陽性となることが多い。特徴的な遺伝子異常（TET2，DNMT3A，RHOA）を発現する。

3 ALCL

豊富な細胞質と多形性の核を有するCD30陽性大型T細胞からなる腫瘍で，表面マーカーとしては細胞障害性分子を発現する。ALK遺伝子の転座の有無により，ALK陽性とALK陰性に区別され，CHOP類似療法後の5年OSは，79％と46％であり，ALK陽性で予後良好と報告されている（Blood 1999；93：3913 PMID 10339500）。

■ 治療

1 初回治療

> **限局期（Ⅰ・Ⅱ期）**
> CHOP 3サイクル＋ISRT ★★★
> 放射線療法の適応がない場合：CHOP 6サイクル ★★
> **進行期（Ⅲ・Ⅳ期）**
> CHOP 6サイクル ★★★ ∓IFRT
> CD30陽性のとき：
> ブレンツキシマブ ベドチン＋CHP 6サイクル ★★★ ±IFRT

標準治療は確立されていないが，CHOP療法が行われることが多く，限局期では放射線療法が追加される（DLBCLの治療方針からリツキシマブを除いたものと同様）。治療成績改善のために，第1寛解期での自家造血幹細胞移植併用大量化学療法も試みられており，5年PFSが44％，5年OSが51％との報告がある（JCO 2012；30：3093 PMID 22851556）が，現時点ではその有用性は明らかではない。

ブレンツキシマブ ベドチン（BV）の標的分子であるCD30は，ほぼすべてのALCLに高発現し，またその他のPTCLにおいても約50％で陽性である。第Ⅲ相比較試験（ECHELON-2）において，CD30陽性（腫瘍細胞の10％以上と定義された）PTCLにおいて，BV＋CHP（末梢神経障害を考慮し，VCR抜き）療法が，CHOP療法と比較して，有意にPFSとOSの延長を認めた（Lancet 2019；393：229 PMID

悪性リンパ腫 | 359

30522922)ことから CD30 陽性 PTCL では BV-CHP 療法は標準治療の 1 つとして位置づけられた。G-CSF の 1 次予防により FN の頻度は減少したが，CHOP 療法よりは骨髄抑制・FN の頻度がやや多いこと，症例数が少ないためそれのみでの評価はできないがサブグループ解析で AITL や PTCL-NOS においては有意性を認めていないことには留意が必要である。

2 再発・治療抵抗例

移植適応患者では DLBCL に準じた多剤併用救援化学療法に続く造血幹細胞移植が選択肢となる。第 2 寛解期以降の PTCL に対する自家移植と同種移植の優劣は，RCT がないため明らかではないが，化学療法感受性の低い患者や治療レジメン数が多い患者では，reduced-intensity conditioning を用いた同種移植が優先される。移植非適応患者では延命や QOL の改善を目的とした救援化学療法が行われる。

3 新規治療薬

2017 年にプララトレキサート(第 2 世代葉酸代謝拮抗薬)，ロミデプシン(HDAC 阻害薬)，フォロデシン(PNP 阻害薬)が本邦で新たに製造販売承認され，近年，再発・難治性 T 細胞リンパ腫に対する治療選択肢は増えている。しかしながら，ALCL に対するブレンツキシマブ ベドチンを除き奏効率の観点では大きな差はなく，どの薬剤を優先的に使用すべきかに関しては明確にはなっていない。患者の背景(治療歴や臓器機能)と有害事象を考慮して薬剤を選択するというのが現状である。以下に近年承認された新規薬剤に関して特徴や注意点をまとめた。

◆ 新規薬剤の治療成績

	作用機序	対象疾患	有効性 ORR	有害事象
プララトレキサート	葉酸代謝拮抗	R/R PTCL	29% (CR 11%)	粘膜障害
ロミデプシン	HDAC 阻害	R/R PTCL	25% (CR 15%)	血小板減少 悪心・嘔吐
フォロデシン	PNP 阻害	再発 PTCL	24% (CR 10%)	リンパ球減少 EBV-LPD
モガムリズマブ	抗 CCR4 抗体	再発 CCR4＋ PTCL/CTCL	35% (5/37 CR)	血液毒性 IRR，皮疹
ブレンツキシマブ ベドチン	抗 CD30 抗体	R/R ALCL CD30＋PTCL	86%(CR 57%) 41%(CR 24%)	血液毒性 末梢神経障害

(次頁につづく)

15
造血器腫瘍

（前頁よりつづき）

	作用機序	対象疾患	有効性 ORR	有害事象
アレクチニブ	ALK 阻害	R/R ALK+ ALCL	80% (6/10 CR)	好中球減少
デニロイキン ジフチトクス	細胞障害性融合 タンパク	CTCL/PTCL	36% (CR 3%)	肝酵素上昇 低 Alb 血症
ツシジノスタット	HADC 阻害	R/R PTCL	46% (CR 11%)	血液毒性
ダリナパルシン	有機ヒ素化合物	R/R PTCL	17% (CR 8%)	発熱，血液毒性

R/R：再発治療抵抗性，CTCL：皮膚 T 細胞リンパ腫，ORR：全奏効率，LPD：リンパ増殖性疾患，IRR：輸注関連反応

◆ BV＋CHP 療法 ★★★ （Lancet 2019；393：229 PMID 30522922）

> ブレンツキシマブ ベドチン（アドセトリス®） 1.8 mg/kg 点滴静注 day 1
> **CPA** 750 mg/m² 点滴静注 day 1
> **ADR** 50 mg/m² 点滴静注 day 1
> **PSL** 100 mg 点滴 or 経口 day 1〜5
> 3 週間ごと 6〜8 サイクル

◆ **プララトレキサート単剤療法** ★★ （JCO 2011；29：1182 PMID 21245435）

> プララトレキサート（ジフォルタ®） 30 mg/m² 点滴静注 day 1, 8, 15, 22, 29, 36 7 週ごと PD もしくは許容できない有害事象の発現まで

粘膜炎を軽減するために葉酸とビタミン B_{12} の補充が必要である。初回投与日の 10 日以上前から，葉酸として 1 日 1.0〜1.25 mg（例：パンビタン® 2 g）を連日内服する。ビタミン B_{12} として 1.0 mg（例：フレスミン® S 1,000 µg）の筋肉内投与を 2 カ月ごとに行う。補充は本剤投与期間中継続する。ロイコボリンの内服を投与 24 時間後から行うことで口腔粘膜障害が軽減されるとの報告がある。

◆ **ロミデプシン単剤療法** ★★ （JCO 2012；30：631 PMID 22271479）

> ロミデプシン（イストダックス®） 14 mg/m² 点滴静注 day 1, 8, 15 4 週ごと PD もしくは許容できない有害事象の発現まで

化学療法に伴う悪心・嘔吐対策を適宜講じること。

◆ **フォロデシン単剤療法** ★★ （Cancer Sci 2012；103：1290 PMID 22448814, Ann Hematol 2019；98：131 PMID 29974231）

> フォロデシン（ムンデシン®） 1 回 300 mg 1 日 2 回 PD もしくは許容できない有害事象の発現まで

本邦で行われた第 II 相試験では治療抵抗性症例は対象疾患に含まれていない点に留意。2 次性 EBV 陽性 DLBCL（10%，5/48 例）の発症が報告されている。

◆ **モガムリズマブ単剤療法** ★★ （JCO 2014；32：1157 PMID 24616310）

投与方法は ATL の項を参照（⇒319 頁）。

悪性リンパ腫 **361**

◆ブレンツキシマブ ベドチン単剤療法 ★★ (JCO 2012；30：2190 PMID 22614995)

> ブレンツキシマブ ベドチン（アドセトリス®）　1.8 mg/kg　点滴静注　day 1　3 週ごと　最大 16 サイクルまで

末梢神経障害が出現するため留意して治療を行う。Grade 2～3 末梢神経障害が出現した場合には Grade 1 まで改善することを確認して 1.2 mg/kg へ減量を行うこと。

◆アレクチニブ単剤療法 ★★ (Cancer Sci 2020；111：4540 PMID 33010107)

> アレクチニブ（アレセンサ®）　1 回 300 mg　1 日 2 回　1 サイクル 21 日，最大 16 サイクルまで

体重 35 kg 未満の場合は 1 回 150 mg に減量。

◆デニロイキン ジフチトクス単剤療法 ★★ (Cancer Sci 2021；112：2426 PMID 33792128)

> デニロイキン ジフチトクス（レミトロ®）　1 回 9 μg/kg　点滴静注　day 1～5　3 週ごと　最大 8 サイクルまで

infusion reaction を軽減させるために，本剤投与開始 30 分前に抗ヒスタミン薬，解熱鎮痛薬，副腎皮質ホルモン薬の前投与を行う。

◆ツシジノスタット単剤療法 ★★ 〔Hematol Oncol 2021；39(Supp_2)：210〕

> ツシジノスタット（ハイヤスタ®）　1 回 45 mg　週 2 回，3 または 4 日間隔

◆ダリナパルシン単剤療法 ★★ 〔Blood 2021；138(supp_1)：1376〕

> ダリナパルシン（ダルビアス®）　1 回 300 mg/m²　day 1～5　3 週ごと

Ⅹ 節外性鼻型 NK/T 細胞リンパ腫
Extranodal NK/T-Cell Lymphoma, Nasal Type：ENKL

　ENKL は，アジアやメキシコなどの中南米に多い疾患であり，EB ウイルスの関与が判明している。組織学的には，広範な壊死，血管中心性ないし血管破壊性に増殖し，腫瘍細胞の表面 CD3 陰性，細胞質 CD3ε 陽性，CD56 陽性，EBER *in situ* hybridization 陽性を特徴とする。鼻腔に生じることが多く，皮膚，軟部組織，消化管，精巣でもみられる。腫瘍細胞は多剤耐性に関与する P 糖タンパクを発現しており，CHOP 療法抵抗性である。

15 造血器腫瘍

■ 予後因子

❶ **NK/T-cell Lymphoma Prognostic Index（NKPI）** B症状，進行期，高LDH血症，所属リンパ節病変ありの4つの予後因子を組み合わせて判定する。NKPIは，CHOP類似レジメンで治療を行われた患者を対象としている点に注意が必要である。

❷ **Prognostic Index for Natural Killer Cell Lymphoma（PINK）** 60歳以上，進行期，遠隔リンパ節病変あり*，非鼻腔病変の4つの予後因子から判定する。

*遠隔リンパ節病変は，腋窩・鎖骨下・縦隔リンパ節病変をさす（一括照射ができないことを意味する）

◆ **PINK**（Lancet Oncol 2016；17：389 PMID 26873565）

リスク分類	3年OS（%）
Low（0個）	81
Intermediate（1個）	62
High（2～4個）	25

❸ **末梢血中EBV-DNA定量** 末梢血中のEBV-DNAコピー数が治療反応性やOSに関する予後予測因子になることが報告されている。本邦でも保険収載され測定が可能である（Blood 2011；118：6018 PMID 21984805）。

❹ **可溶性IL-2受容体** 限局期ENKLに対しRT-2/3DeVIC療法を施行した患者を対象とした後方視的解析で，治療前の可溶性IL-2受容体高値は有意にOSとPFSが不良であったと報告された（JCO 2017；35：32 PMID 28034070）。

■ 治療

1 限局期

本邦で行われた第 I / II 相試験の結果を受け，IMRT-2/3DeVIC療法が行われることが多い。同試験では，完全奏効率77%，5年PFS 67%，5年OS 73%であった。

悪性リンパ腫　363

◆ RT-2/3DeVIC 療法 ★★（JCO 2012：30：4044　PMID 23045573）

RT	50〜50.4 Gy（1.8〜2.0 Gy/回）		
CBDCA	200 mg/m²	点滴静注	day 1
ETP	67 mg/m²	点滴静注	day 1〜3
IFM	1 g/m²	点滴静注	day 1〜3
DEX	40 mg/body	点滴静注	day 1〜3
3 週ごと　3 サイクル			

口腔粘膜障害が強いため麻薬性鎮痛薬を含めた支持療法に努める。

2 進行期，再発・治療抵抗性例

　L-ASP を用いたレジメンが国内外から報告されている。国内では，初発進行期と再発・難治の症例を対象に SMILE 療法の第Ⅱ相試験が行われ，奏効率 79％，1 年 PFS 53％，1 年 OS 55％であった。SMILE 療法に続く自家または同種造血幹細胞移植の有効性が報告されている。

◆ SMILE 療法 ★★（JCO 2011：29：4410　PMID 21990393）

MTX	2 g/m²	点滴静注　day 1
LV	1 回 15 mg　1 日 4 回	点滴静注　day 2〜4
IFM	1,500 mg/m²	点滴静注　day 2〜4
メスナ（ウロミテキサン®）　1 回 300 mg/m²　1 日 3 回　点滴静注 day 2〜4		
DEX	40 mg/body	点滴静注　day 2〜4
ETP	100 mg/m²	点滴静注　day 2〜4
L-ASP	6,000 U/m²	点滴静注　day 8〜20 の隔日
4 週ごと		

骨髄抑制が高度となるため G-CSF の 1 次予防投与は必須である。治療開始前リンパ球数<500/μL の患者に関しては感染症のハイリスクであり十分に留意して治療を行う。

■ 文献

1) Swerdlow SH, et al：WHO Classification of Tumors of Haematopoietic and Lymphoid Tissues, 4th ed, Revised ed. IARC Press, Lyon, 2017
2) 日本血液学会（編）：造血器腫瘍診療ガイドライン 2018 年版補訂版［http://www.jshem.or.jp/gui-hemali/table.html］
3) NCCN guidelines® Hodgkin Lymphoma, Version：2. 2022［https://www.nccn.org/professionals/physician_gls/pdf/hodgkins.pdf］
4) NCCN guidelines® B-Cell Lymphomas, Version：5. 2022［https://www.nccn.org/professionals/physician_gls/pdf/b-cell.pdf］
5) NCCN guidelines® T-Cell Lymphomas, Version：2. 2022［https://www.nccn.org/professionals/physician_gls/pdf/t-cell.pdf］

15
造血器腫瘍

多発性骨髄腫　Multiple Myeloma：MM

■ 疫学

- 死亡数（2019 年）/罹患数（2017 年）
  4,374 人/7,880 人
- 全悪性腫瘍の 1％，造血器腫瘍の 10％ 程度を占める
- 診断時の年齢中央値は 70 歳。診断時から自家移植非適応の症例が多い
- 高齢化に伴い疾患数の増加が予想される

  ◆ MM およびくすぶり型骨髄腫（smoldering multiple myeloma：SMM）の診断基準：International Myeloma Working Group（IMWG）診断基準（2014 年改訂版）

病名	定義
MM	骨髄中の形質細胞が 10％ 以上または生検による形質細胞腫が認められ，かつ以下の 1～5 の骨髄腫診断事象（myeloma-defining events：MDE）のうち 1 項目以上を満たす。 ［MDE］ 　1.　高 Ca 血症（C）：血清 Ca＞11 mg/dL，または基準値より 1 mg/dL を超える上昇 　2.　腎不全（R）：血清 Cr＞2 mg/dL，または Ccr＜40 mL/分 　3.　貧血（A）：Hb 値が基準値より 2 g/dL 以上低下，または 10 g/dL 未満 　4.　骨病変（B）：溶骨病変（全身骨単純 X 線，MRI，CT，FDG-PET/CT） （1～4 をまとめて CRAB と表記することが多い） 　5.　バイオマーカー（以下のいずれかを満たす） 　　・骨髄中単クローン性形質細胞≧60％（S） 　　・血清遊離軽鎖（Li）（free light chain：FLC）κ/λ 比≧100 　　・MRI（M）で 5 mm 以上の巣状病変が 2 カ所以上* 　　（SLiM 基準：Sixty, Light chain, MRI）
SMM	・血清 M タンパク（IgG または IgA）が 3 g/dL 以上，または蓄尿中 M タンパクが 500 mg/24 時間以上かつ/または骨髄中単クローン性形質細胞が 10～60％ ・MDE およびアミロイドーシスの合併がない

*FDG-PET/CT の FDG 集積のみでは病変としない

多発性骨髄腫 365

◆ **monoclonal gammopathy of undetermined significance (MGUS)および類縁疾患のIMWG診断基準**(2014年改訂版)

病名	定義
非IgM型MGUS	・非IgM型血清Mタンパク<3g/dL ・骨髄中単クローン性形質細胞<10% ・臓器障害(CRAB)やアミロイドーシスがない ・進展〔骨髄腫,孤発性形質細胞腫,免疫グロブリン関連アミロイドーシス(AL,AHL,AH)〕は1年に1%
IgM型MGUS	・IgM型血清Mタンパク<3g/dL ・骨髄中リンパ形質細胞<10% ・貧血,全身症状,過粘稠症候群,リンパ節腫大,肝脾腫やリンパ増殖性疾患に関連する臓器障害がない ・進展〔マクログロブリン血症,免疫グロブリン関連アミロイドーシス(AL,AHL,AH)〕は1年に1.5%
軽鎖MGUS	・FLCκ/λ比<0.26(λ型の場合)または>1.65(κ型の場合) ・血清中のinvolved FLCの上昇 ・免疫固定法で血清中に重鎖の発現がない ・CRABやアミロイドーシスなどの形質細胞増殖性疾患関連の臓器障害がない ・骨髄中単クローン性形質細胞<10% ・尿中Mタンパク<500mg/24時間 ・進展(ライトチェーンMM,ALアミロイドーシス)は1年に0.3%
孤立性形質細胞腫	・生検で骨軟部の孤発病変が証明されている ・骨髄中に単クローン性形質細胞がない ・画像検査で原発巣以外に骨病変がない ・CRABなどのリンパ形質細胞増殖性疾患関連の臓器障害がない ・進展(MM)は3年で10%
微小骨髄浸潤を伴う孤立性形質細胞腫	・生検で骨軟部の孤発病変が証明されている ・骨髄中単クローン性形質細胞<10% ・画像検査で原発巣以外に骨病変がない ・CRABなどのリンパ形質細胞増殖性疾患関連の臓器障害がない ・進展(MM)は3年以内に60%が骨,20%が軟部組織

(次頁につづく)

15 造血器腫瘍

（前頁よりつづき）

病名	定義
POEMS 症候群	・多発神経炎 ・単クローン性形質細胞の増加（ほとんどλ型 M タンパク） ・以下の大基準のうちいずれかを満たす 　硬化性骨病変，Castleman 病，VEGFA の上昇 ・以下の小基準のうちいずれかを満たす 　・臓器腫大（肝腫大，脾腫，リンパ節腫大） 　・体液貯留（浮腫，胸水，腹水） 　・内分泌異常（副腎，甲状腺，下垂体，性腺，副甲状腺，膵臓） 　・皮膚症状（色素沈着，多毛，血管腫，先端チアノーゼ，発赤，爪の白色化） 　・乳頭浮腫 　・血小板増加/多血症
全身性 AL アミロイドーシス	・アミロイド沈着による臓器障害を認める（腎臓，肝臓，心臓，消化管，末梢神経へのアミロイド沈着） ・コンゴレッド染色陽性のアミロイド沈着を認める（脂肪吸引生検，骨髄生検，臓器生検で確認） ・質量分析に基づいたプロテオミクス解析または免疫電子顕微鏡を用いた検査で軽鎖由来のアミロイドを確認 ・モノクローナルな形質細胞腫瘍（血中または尿中 M タンパク，FLC 比の異常，または骨髄のクローナルな形質細胞増殖）の確認

1 臨床症状

骨痛が最も多い自覚症状で 60〜80% の患者に出現し，病的骨折がみられることもある。ほかに貧血，腎障害，高 Ca 血症，易感染性に伴う症状を呈する場合もある。過粘稠症候群をきたし，出血傾向，眼症状，神経症状などもみられる。

2 画像診断

2014 年版 IMWG 診断基準では，FDG-PET/CT 検査が採用され，FDG-PET/CT 検査，全身 CT 検査，全身または全脊椎 MRI 検査のうちの 1 つを可能な限り行うことを推奨している。

3 検体検査

原因不明の病的骨折や高 Ca 血症，腎不全やタンパク尿，総タンパク・アルブミン乖離を認める場合などは，MM を疑う必要がある。血算，生化学検査，IgG/A/M，血清タンパク分画，尿タンパク分画と定量，血清や尿の免疫電気泳動検査や免疫固定検査による

多発性骨髄腫　367

Mタンパク同定，骨髄穿刺および生検，染色体検査，フローサイトメトリーを行う。血清β_2-MG，Alb，LDH，Ca，FLC測定が必要である。血中の正常な免疫グロブリン産生は抑制されていることが多い。骨融解をきたしていることも多いため，骨髄穿刺は腸骨で行う。病理組織では，骨髄腫細胞は塩基性に富んだ細胞質を有し，形質細胞より大きい細胞である。

■ 分類

1 病期・予後分類

病期分類は Durie & Salmon 分類（Cancer 1975；36：842 PMID 1182674），International Staging System（ISS）（JCO 2005；23：3412 PMID 15809451），Revised-ISS（R-ISS）（JCO 2015；33：2863 PMID 26240224）が使用される。

◆ Durie & Salmon 分類（Cancer 1975；36：842 PMID 1182674）

病期	基準	生体内骨髄腫細胞数
I	以下の項目をすべて満たす ① Hb＞10 g/dL ② 血清 Ca：正常（＜12 mg/dL） ③ 骨X線像：骨構造正常または孤立性形質細胞腫 ④ Mタンパク成分は少量 　a) IgG＜5 g/dL 　b) IgA＜3 g/dL 　c) 尿中 BJP＜4 g/日	＜0.6×10^{12}/m^2
II	病期 I・IIIのいずれでもないもの	0.6～1.2×10^{12}/m^2
III	次の項目が1つ以上認められるもの ① Hb＜8.5 g/dL ② 血清 Ca＞12 g/dL ③ 進行した骨融解病変，骨折 ④ Mタンパク成分は多量 　a) IgG＞7 g/dL 　b) IgA＞5 g/dL 　c) 尿中 BJP＞12 g/日	＞1.2×10^{12}/m^2

亜型
A. 腎機能が比較的維持されている（血清 Cr＜2 mg/dL）
B. 腎機能低下を伴う（血清 Cr≧2 mg/dL）

15
造血器腫瘍

◆ ISS (JCO 2005；23：3412 PMID 15809451)

病期	基準	MST（カ月）
I	血清 β_2-MG＜3.5 mg/L，血清 Alb≧3.5 g/dL	62
II	病期 I・III のいずれでもないもの	44
III	血清 β_2-MG＞5.5 mg/L	29

病期 II は 2 つに分類される
- 血清 β_2-MG＜3.5 mg/L かつ血清 Alb＜3.5 g/dL
- 血清 β_2-MG≧3.5 かつ＜5.5 mg/L（Alb 値にかかわらず）

◆ R-ISS (JCO 2015；33：2863 PMID 26240224)

病期	ISS 病期	染色体異常	LDH 値	MST（カ月）
I	I	Standard-risk	血清 LDH≦正常上限	未到達
II	R-ISS I・III のいずれでもないもの			83
III	III	*High-risk	*血清 LDH＞正常上限	43

Standard-risk：High-risk 染色体異常をもたない
High-risk：del（17p）かつ/または t（4；14）かつ/または t（14；16）を有する
*ISS 病期 III でいずれかを満たせば病期 III とする

2 染色体異常 (Blood 2016；127：2955 PMID 27002115)

高リスク群
t（4；14）または t（14；16）または t（14；20）
17p13 欠失
非高二倍体（non-hyperdiploid）
1q 重複，1p 欠失

3 病型分類

M タンパクの種類に応じて，以下のように大別される。

IgG 型 κ または λ	MM の 50～60％
IgA 型 κ または λ	MM の約 20％
IgM 型 κ または λ	MM では極めて稀。Waldenström マクログロブリン血症（悪性リンパ腫）で認められる
IgD 型 κ または λ	MM の 1％。男性に多く，比較的若年発症。BJP 陽性が多く，腎障害をきたしやすい。髄外病変も多く，予後不良
IgE 型 κ または λ	稀である

BJP 型 κ または λ	尿中に M タンパクを認めるが，血液中は M タンパク陰性。他の MM でも BJP が検出される
非分泌型	M タンパクが産生されない

■ 治療効果判定

1 治療効果判定規準

IMWG 2014 改訂診断規準（JCO 2014；32：587 PMID 24419113）で行われる。抗体薬を含む新規治療薬の開発に伴い，NGS（next generation sequencing）や NGF（next generation flow cytometry）を用いたより深い奏効も定義された（Lancet Oncol 2016；17：e328 PMID 27511158）。

◆ IMWG 2014 改訂診断規準（JCO 2014；32：587 PMID 24419113）

効果	規準
CR (complete response)	以下の項目のすべてを満たす ・血清と尿の免疫固定法検査が陰性 ・軟部組織の形質細胞腫瘤の消失 ・骨髄中形質細胞<5% ※測定可能病変が FLC のみの場合には，上記項目に加えて，FLC 比が正常（0.26～1.65）であること
sCR (stringent CR)	上記の CR の規準を満たすとともに，以下の項目のすべてを満たす ・FLC 比が正常（0.26～1.65） ・免疫組織化学検査または 2～4 カラーのフローサイトメトリーで骨髄中の単クローン性形質細胞が消失
iCR (immunophenotypic CR)	sCR の定義を満たすとともに，マルチパラメーターフローサイトメトリー法（5 カラー以上）で骨髄中の腫瘍細胞が陰性（検出感度約 10^{-4}）
mCR (molecular CR)	CR の定義を満たすとともに，allele-specific oligonucleotide PCR 検査で腫瘍細胞が陰性（検出感度約 10^{-4}～10^{-6}）
VGPR (very good PR)	以下の項目のいずれかを満たす ・血清および尿中の M タンパクが免疫固定法検査では陽性だが，電気泳動検査では陰性 ・血清 M タンパクが 90% 以上減少，かつ尿 M タンパク<100 mg/24 時間 ※測定可能病変が FLC のみの場合，血清 FLC 値の involved FCL と uninvolved FLC の差（dFLC）>90% 減少

（次頁につづく）

（前頁よりつづき）

PR (partial response)	・血清 M タンパクが 50％ 以上減少し，かつ 24 時間尿 M タンパクが 90％ 以上減少または＜200 mg まで減少 ※測定可能病変が FLC のみの場合，血清 FLC 値の dFLC が 50％ 以上減少 ※ FLC および M タンパクが検出できない場合には，骨髄中形質細胞の 50％ 以上減少（ただし治療前の骨髄中形質細胞≧30％ の場合のみ） ・上記に加えて，治療前の軟部組織に形質細胞腫がある場合は，その大きさが 50％ 以上減少
MR (minor response) 再発治療抵抗例にのみ適応	・血清 M タンパクの減少が≧25％ かつ≦49％，かつ 24 時間尿中 M タンパク減少が 50～89％ ・上記に加え診断時に軟部腫瘍があれば大きさが 25～49％ 減少 ・溶骨性病変のサイズや数の増加を認めない（圧迫骨折の発症は除外しない）
SD（stable disease）	CR，VGPR，PR，あるいは PD のいずれでもない場合
PD (progressive disease)	以下の項目のいずれかを満たす ・血清 M タンパクが治療後最低値（ベースライン値）から 25％ 以上増加（500 mg/dL 以上の増加が必要） ・尿中 M タンパクが治療後最低値から 25％ 以上増加（200 mg/24 時間以上増加が必要） ・非分泌型骨髄腫での M タンパクに一致する FLC 値の dFLC が治療後最低値から 25％ 以上増加（10 mg/dL 以上増加が必要） ・M タンパクが検出できず FLC でも測定できない場合，骨髄中形質細胞が治療後最低値から 25％ 以上増加（絶対値として 10％ 以上増加が必要） ・新規骨病変・軟部組織の形質細胞腫出現，または既存の病変の増大 ・形質細胞増殖性疾患に起因する高 Ca 血症（補正血清 Ca 値≧11.5 mg/dL）の出現

1) 治療効果判定には連続する 2 回の評価を要する。
2) 測定可能病変の定義：すべてのカテゴリーおよび，CR を除くサブカテゴリーの効果判定には，下記の測定可能病変のうち，最低 1 つを有する必要がある。
 ・血清 M タンパク≧1 g/dL
 ・尿中 M タンパク≧200 mg/24 時間
 ・FLC の κ/λ 比が異常であり，かつ M タンパクに一致する（involved）FLC 値≧10 mg/dL

多発性骨髄腫 **371**

◆IMWG MRD 基準(Lancet Oncol 2016；17：e328 PMID 27511158)

Sustained MRD-negative	NGS and/or NGF および画像評価で確認された MRD の陰性化が少なくとも 1 年間以上持続している状態
Flow MRD-negative	骨髄液中に Euro Flow と同等の NGF でクローナルな形質細胞が指摘されない状態
Sequencing MRD-negative	骨髄液中に NGS でクローナルな形質細胞が指摘されない状態
Imaging plus MRD-negative	NGF または NGS によって定義される MRD 陰性に加えてベースラインの PET/CT で指摘された SUV 集積病変が正常化した状態

2 再発の定義，治療タイミング

再発性多発性骨髄腫	PD の基準を満たした骨髄腫
再発・難治性多発性骨髄腫	MR 以上の治療効果が得られ，救援化学療法または最後の治療から 60 日以内に進行した多発性骨髄腫
原発性難治性多発性骨髄腫	一度も MR 以上の治療効果が得られない多発性骨髄腫

　症候性再発，または M タンパクが 2 カ月以内に倍化する(2 回の連続する測定で，血清 M タンパクが 1 g/dL 以上または，尿中 M タンパクが 500 mg/日が必要)場合は即座に治療介入が必要である(JCO 2014；32：587 PMID 24419113)。その他の再発の場合は 1〜3 カ月ごとの慎重な経過観察も勧められる。

■ 治療

- くすぶり型骨髄腫：3〜6 カ月ごとに経過を観察し，MDE が認められれば治療開始を検討する
- 多発性骨髄腫：
① 移植適応がある患者は，初回導入療法に引き続いて自家末梢血幹細胞移植(ASCT)併用大量化学療法を行い，維持療法を行う。
② 65 歳以上，重篤な臓器合併症を有するなど，移植非適応患者に関しては免疫調節薬(immunomodulatory drugs：IMiDs)もしくはプロテアソーム阻害薬(PI)を含むレジメンが施行される。
- 再発性多発性骨髄腫：前治療レジメン・奏効期間，予後不良因子

15

造血器腫瘍

の出現，合併症の有無などを考慮して治療レジメンを選択する

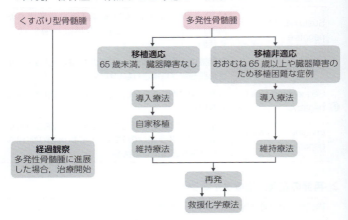

1〜3：ASCT 適応患者
1 導入療法（ASCT 適応患者）

本邦では，初発多発性骨髄腫の新規治療薬としてボルテゾミブ（BOR）とレナリドミド（LEN）が承認されている．3 剤併用療法として BLd 療法や BCD 療法が推奨されるが，腎障害や末梢神経障害などで 3 剤併用療法が困難な場合，2 剤併用療法として BD 療法や Ld 療法が推奨される．また，ダラツムマブ（Dara）を含む 4 剤併用療法の有効性も報告され始めている．導入化学療法サイクル数は定まっていないことが多いが，3〜4 サイクル施行されることが多い．

1) 3 剤併用療法

❶ BLd 療法 ★★（NEJM 2017；376：1311　PMID 28379796）　BLd 療法後 ASCT の有無を比較するランダム化第Ⅲ相比較試験が行われた．ASCT 群で PFS 中央値が 50 カ月，VGPR 以上の奏効率が 88％ であった．BD 療法との直接比較試験はないが，標準導入療法と見なされている．

多発性骨髄腫　373

◆BLd 療法

BOR	1.3 mg/m²	静注または皮下注	day 1, 4, 8, 11
Len	25 mg	内服	day 1～14
DEX	20 mg	内服	day 1, 2, 4, 5, 8, 9, 11, 12
3 週ごと			

BOR の皮下投与は，静脈内投与と比して末梢神経障害が有意に少なく（Lancet Oncol 2011；12：431 [PMID 21507715]），通常，皮下投与される。

❷ **BCD 療法 ★★★**（Leukemia 2015；29：1721 [PMID 25787915]）　BCD 療法と PAD 療法（BOR＋DXR＋DEX）を比較するランダム化第Ⅲ相比較試験が実施され，VGPR 以上の奏効率が BCD 療法群で 37％ に対し PAD 療法 34.3％ と BCD 療法の非劣性が示された。重篤な有害事象は BCD 療法のほうが少なかった。

◆BCD 療法

BOR	1.3 mg/m²	静注または皮下注	day 1, 4, 8, 11
CPA	900 mg/m²	点滴静注	day 1
DEX	40 mg	内服	day 1, 2, 4, 5, 8, 9, 11, 12
3 週ごと			

なお，BCD 療法と BTD 療法（BOR＋Thal＋DEX）を比較するランダム化第Ⅲ相比較試験（Blood 2016；127：2569 [PMID 27002117]）では BTD 療法群で有意に移植前の奏効率が高かった。Dara の上乗せ効果をみる D-BTD 療法と BTD 療法とのランダム化第Ⅲ相比較試験（Lancet 2019；394：29 [PMID 31171419]）も行われ D-BTD 療法の有効性が報告されているが，本邦では Thal の初発適応はない。

2）2 剤併用療法

❶ **BD 療法 ★★★**（JCO 2010；28：4621 [PMID 20823406]）　ASCT 前の CR，VGPR，全奏効率は VAD 療法と比較して優れる。

◆BD 療法 4 サイクル

BOR	1.3 mg/m²	静注または皮下注　day 1, 4, 8, 11
DEX	40 mg	内服　day 1～4（全サイクル），day 9～12（1, 2 サイクル目のみ）
3 週ごと		

❷ **Ld 療法 ★★★**（Lancet Oncol 2010；11：29 [PMID 19853510]）　Len は末梢血幹細胞採取に悪影響を与えることが報告されており，Ld 療法の 4 サイクル目までを目安に採取を行うことが推奨される。

15

造血器腫瘍

374 | 15 造血器腫瘍

◆Ld 療法

Len	25 mg	内服	day 1〜21
DEX	40 mg	内服	day 1, 8, 15, 22
4週ごと			

2 自家末梢血幹細胞移植（ASCT）★★★

　新規薬剤が使用可能となった現在でも，大量化学療法に引き続く ASCT は化学療法単独と比較して PFS の延長を認めており標準治療として推奨される（JAMA Oncol 2018；4：343 PMID 29302684）。ASCT を2回連続して行う tandem ASCT は，新規薬剤が組み込まれた複数の臨床試験において，予後不良染色体異常を伴う症例で PFS の改善が報告されている〔JCO 2020；38(15_suppl)：8506，Lancet Haematol 2020；7：e456 PMID 32359506〕。一方で Therapy Related Mortality（TRM）が確実に上昇することから，適応に関しては各施設基準や個々の症例に合わせて慎重に判断されるべきである。幹細胞採取レジメンとしては，G-CSF＋プレリキサホルや，大量 CPA での採取が行われる。前処置はメルファラン大量療法を行う。

3 維持療法

❶ **Len ★★★**（JCO 2017；35：3279 PMID 28742454）　自家移植後の Len 維持療法は，3つの臨床試験で検証されており（IFM2005-02，CALGB 100104，RV-MM-PI209），これらの統合解析の結果，観察期間中央値79.5 カ月で Len 維持療法群は中央値未到達，プラセボ/経過観察群は 86 カ月と OS が有意に延長した。その後，同様の試験（Lancet Oncol 2019；20：57 PMID 30559051）でも OS の改善が示されている。ただし，Len 維持療法では，2次発がんの頻度が高いことには留意が必要である（投与群 3.1％ vs. 非投与群 1.4％）（Lancet Oncol 2014；15：333 PMID 24525202）。

◆Len ★★★

Len	10〜15 mg 連日内服 病勢の増悪もしくは許容できない有害事象の発現まで継続

本邦で承認されている用法・用量とは異なる。

❷ **IXA ★★★**（Lancet 2019；393：253 PMID 30545780）　経口の PI であるイキサゾミブ（IXA）の維持療法を，プラセボと比較するランダム化第Ⅲ相試験（TOURMALINE-MM3）が行われた。追跡期間中央値 31 カ月で PFS 中央値が 26.5 カ月 vs. 21.3 カ月と IXA 維持群で有

意に延長した。特に予後不良染色体異常を有する症例で選択肢
となりうる。

◆ IXA ★★★

IXA　1〜4 サイクル目：3 mg　5〜26 サイクル目：4 mg（忍容性があれ
ば増量）　内服　day 1, 8, 15
4 週ごと

4〜5：ASCT 非適応患者

4　導入療法（ASCT 非適応患者）

　Dara の登場後，初発 ASCT 非適応の患者で標準治療であった
MPB，Ld 療法への Dara の上乗せ効果を検討する第Ⅲ相試験がそ
れぞれ行われた。両試験とも Dara 併用群で PFS の延長が認めら
れ標準治療となった。Ld 療法に関しては BOR の上乗せを検討す
る第Ⅲ相試験も行われ，BOR 上乗せ群で PFS，OS の延長が示さ
れた。

　高齢者では個々の frailty により，薬剤の減量や，毒性の低いレ
ジメンの選択も考慮される。

❶ DLd 療法 ★★★（NEJM 2019：380：2104　PMID 31141632）　移植非適応患
者に対し，DLd 療法と Ld 療法を比較する第Ⅲ相試験（MAIA）が行
われた。追跡期間中央値 28 カ月で，PFS 中央値が DLd 療法群
未到達，Ld 療法群 31.9 カ月と DLd 療法群で有意に PFS が延
長した。

◆ DLd 療法

Dara（ダラザレックス®）　16 mg/kg　静注　1〜2 サイクル目：day 1,
　8, 15, 22　3〜6 サイクル目：day 1, 15　7 サイクル目以降：day 1
Len　25 mg　内服　day 1〜21
DEX　40 mg　内服または静注　day 1, 8, 15, 22
4 週ごと

❷ DMPB 療法 ★★★（NEJM 2018：378：518　PMID 29231133）　移植非適応
患者に対し，DMPB 療法と MPB 療法を比較する第Ⅲ相試験（AL-
CYONE）が行われた。追跡期間中央値 16.5 カ月で 18 カ月の PFS
は DMPB 群で 71.6％，MPB 療法群で 50.2％ であり，DMPB
療法群で有意に延長した。

376 | 15 造血器腫瘍

◆DMPB 療法

Dara（ダラザレックス®） 16 mg/kg 静注 1 サイクル目：day 1, 8, 15, 22, 29, 36 2〜9 サイクル目：day 1, 22 10 サイクル目以降：day 1
BOR 1.3 mg/m² 皮下注 1 サイクル目：day 1, 4, 8, 11, 22, 25, 29, 32 2〜9 サイクル目：day 1, 8, 22, 29
MEL 9 mg/m² 内服 1〜9 サイクル目：day 1〜4
PSL 60 mg/m² 内服 1〜9 サイクル目：day 2〜4
DEX 20 mg/body 静注または内服 1 サイクル目：day 1, 8, 15, 22, 29, 36 2〜9 サイクル目：day 1, 22 10 サイクル目以降：day 1
6 週ごと

Dara の投与法では，皮下投与製剤が静脈投与製剤と比して，全奏効率と最高血中トラフ濃度の非劣性が確認された（Lancet Haematol 2020；7：e370 PMID 32213342）。投与時間も短縮し，infusion-related reaction も少ないことから，皮下投与が一般的になりつつある。

◆Daratumumab and Hyaluronidase-fihj ★★★ （Lancet Haematol 2020；7：e370 PMID 32213342）

Dara（ダラザレックス®） 1,800 mg＋rHuPH20 30,000 U flat dose を 3〜5 分かけて皮下注

❸ **BLd 療法** ★★★ （Lancet 2017；389：519 PMID 28017406） BLd 療法と Ld 療法を比較する第Ⅲ相試験（SWOG S0777）。PFS の中央値が 43 カ月と 30 カ月，OS の中央値が 75 カ月と 64 カ月と BLd 療法群で有意に延長した。一方で，即座に自家移植を行わない患者も参加可能であったため，65 歳未満の患者が全体の半数以上を占めており，移植非適応の試験として結果の解釈に注意が必要である。

◆BLd 療法

レジメンは移植適応の項を参照（⇒372 頁）。

BLd 療法 8 サイクル終了後に，Ld による維持療法が規定されている。

◆Ld 維持療法

Len 25 mg 内服 day 1〜21
DEX 40 mg 内服 day 1, 8, 15, 22
4 週ごと 病勢の増悪もしくは許容できない有害事象の発現まで継続

多発性骨髄腫　377

5　維持療法

❶ IXA ★★★ （JCO 2020：38：4030　PMID 33021870）　移植非適応の患者においても，経口のPIであるIXAの維持療法を，プラセボと比較するランダム化第Ⅲ相試験（TOURMALINE-MM4）が行われた。追跡期間中央値21.1カ月でPFS中央値が17.4カ月 vs. 9.4カ月とIXA維持群で有意に延長した。なお，上述の導入療法（DLd，DMPB，BLd）はレジメンごとの維持療法が含有されている。

◆IXA ★★★
レジメンは移植適応の項を参照（⇒374頁）。

6　再発・治療抵抗例の治療

　再発・治療抵抗性例に対するさまざまな新規薬剤が開発されており，実際の治療においては，患者の全身状態や臓器障害の程度・前治療歴・予後不良染色体異常の有無などを考慮して治療レジメンを選択する。CAR-T細胞療法の有用性も報告（NEJM 2021：348：705　PMID 33626253）されており，さらなる治療選択肢の増加が期待される。以下に再発・難治例に対する主要な臨床試験の結果を次頁の**表**に示す。

1）プロテアソーム阻害薬

❶ ボルテゾミブ

◆Bd療法（ボルテゾミブ＋DEX）★★★ （APEX試験：NEJM 2005：352：2487　PMID 15958804，JCOG 0904　試験：Cancer Sci 2018：109：1552　PMID 29478257）

BOR　1.3 mg/m^2　静注または皮下注　1〜8サイクル目：day 1, 4, 8, 11　3週ごと　9サイクル目以降：day 1, 8, 15, 22　5週ごと **DEX**　20 mg　内服　1〜2サイクル目：day 1, 2, 4, 5, 8, 9, 11, 12　3〜8サイクル目：day 1, 2, 4, 5　3週ごと　9サイクル目以降　day 1, 2, 3, 4　5週ごと

❷ カルフィルゾミブ　静注プロテアソーム阻害薬で，BORと異なり結合が不可逆的であり，高い抗腫瘍効果を発揮する。セリンプロテアーゼに対するオフターゲット効果を有さないことから末梢神経障害が少ないと考えられている。心障害が起こりやすいことに注意を要する。

15
造血器腫瘍

◆ 再発・難治性の MM に対する代表的な第Ⅲ相臨床試験

試験名	治療レジメン	ORR（%）	≧VGPR（%）	PFS中央値(カ月)（HR）
ENDEAVOR	Kd vs. Bd	77 vs. 63	54 vs. 29	18.7 vs. 9.4 (0.53)
A. R. R. O. W	Kd（週1回投与）vs. Kd（週2回投与）	62.9 vs. 40.8	34 vs. 13	11.2 vs. 7.6 (0.693)
ASPIRE	Ld±カルフィルゾミブ	87 vs. 67	70 vs. 40	26 vs. 18 (0.69)
TOURMALINE-MM1	Ld±イキサゾミブ	78 vs. 72	48 vs. 39	20.6 vs. 14.7 (0.74)
POLLUX	Ld±ダラツムマブ	93 vs. 76	76 vs. 44	NR vs. 18.4 (0.37)
CANDOR	Kd±ダラツムマブ	84 vs. 75	69 vs. 49	NR vs. 15.8 (0.63)
CASTOR	Bd±ダラツムマブ	83 vs. 63	59 vs. 29	NR vs. 7.16 (0.39)
ICARIA-MM	Pd±イサツキシマブ	60 vs. 35	32 vs. 9	11.5 vs. 6.47 (0.596)
ELOQUENT2	Ld±エロツズマブ	79 vs. 66	33 vs. 28	19.4 vs. 14.9 (0.70)
ELOQUENT3 (rP2 試験)	Pd±エロツズマブ	53 vs. 26	20 vs. 9	10.3 vs. 4.7 (0.51)
MM-003	Pd vs. HDD	31 vs. 10	6 vs. ＜1	4 vs. 1.9 (0.48)
OPTIMISMM	Bd±ポマリドミド	82.2 vs. 50	52.7 vs. 18.3	11.2 vs. 7.1 (0.61)
PANORAMA1	Bd±パノビノスタット	61 vs. 55	not mentioned	12 vs. 8 (0.63)

Kd：カルフィルゾミブ＋DEX，Bd：BOR＋DEX，Ld：Len＋DEX，Pd：ポマリドミド＋DEX，HDD：高用量DEX，NR：未到達

多発性骨髄腫　379

◆ KLd 療法(カルフィルゾミブ＋Len＋DEX) ★★★ (ASPIRE 試験：
NEJM 2015：372：142 PMID 25482145)

カルフィルゾミブ(カイプロリス®)　静注　1 サイクル目：20 mg/m²：
　day 1, 2　27 mg/m²：day 8, 9, 15, 16
　2〜12 サイクル目　：27 mg/m²　day 1, 2, 8, 9, 15, 16
　13 サイクル目以降：27 mg/m²　day 1, 2, 15, 16
Len　25 mg　内服　day 1〜21
DEX　40 mg　経口または静注　day 1, 8, 15, 22
4 週ごと

◆ Kd 療法(カルフィルゾミブ＋DEX) ★★★ (ENDEAVOR 試験：Lancet
Oncol 2016：17：27 PMID 26671818)

カルフィルゾミブ(カイプロリス®)　静注　1 サイクル目：20 mg/m²：
　day 1, 2　56 mg/m²：day 8, 9, 15, 16
　2 サイクル目以降：56 mg/m²　day 1, 2, 8, 9, 15, 16
DEX　20 mg　経口または静注　day 1, 2, 8, 9, 15, 16, 22, 23
4 週ごと

◆ Kd 療法(カルフィルゾミブ＋DEX) ★★★ (A. R. R. O. W 試験：Lancet
Oncol 2018：19：953 PMID 29866475)

カルフィルゾミブ(カイプロリス®)　静注　1 サイクル目：20 mg/m²：
　day 1　70 mg/m²：day 8, 15
　2 サイクル目以降：70 mg/m²　day 1, 8, 15
DEX　40 mg　経口または静注　day 1, 8, 15, 22(day 22 の投与は 1〜
　9 サイクル目のみ)
4 週ごと

❸ **イキサゾミブ**　経口の PI であり，BOR と比べて解離半減期が
短いため，腫瘍組織に移行しやすい。TOURMALINE-MM1 試
験(ILd vs. Ld)では ILd 群で高リスク染色体異常を有する群でも
PFS の延長が示された。有害事象は嘔吐・下痢などの消化器毒
性があるが，末梢神経障害や心毒性は比較的少ない。

◆ ILd(イキサゾミブ＋Len＋DEX) ★★★ (TOURMALINE-MM1 試験：
NEJM 2016：374：1621 PMID 27119237)

イキサゾミブ(ニンラーロ®)　4 mg　内服(空腹時に)　day 1, 8, 15
Len　25 mg　内服　day 1〜21
DEX　40 mg　内服　day 1, 8, 15, 22
4 週ごと

2) IMiDs

◆ Ld 療法(Len＋DEX) ★★★ (MM-010 試験：NEJM 2007；357：2123 PMID 18032762, MM-021 試験：J Hematol Oncol 2013；6：41 PMID 23782711)

> **Len** 25 mg 内服 day 1～21
> **DEX** 40 mg 内服 day 1, 8, 15, 22(76 歳以上は 20 mg に減量)
> 4 週ごと

◆ ポマリドミド(P)＋低用量 DEX(Pd)療法 ★★★ (MM-003 試験：Lancet Oncol 2013；14：1055 PMID 24007748)

> **ポマリドミド(ポマリスト®)** 4 mg 内服 day 1～21
> **DEX** 40 mg 内服 day 1, 8, 15, 22
> 4 週ごと

◆ PBd 療法 ★★★ (OPTIMISMM 試験：Lancet Oncol 2019；20：781 PMID 31097405)

> **ポマリドミド(ポマリスト®)** 4 mg 内服 day 1～14
> **BOR** 1.3 mg/m² 静注または皮下注 1～8 サイクル目：day 1, 4, 8, 11 9 サイクル目以降：day 1, 8
> **DEX** 20 mg(75 歳以上 10 mg) 内服 1～8 サイクル目：day 1, 2, 4, 5, 8, 9, 11, 12 9 サイクル目以降：day 1, 2, 8, 9
> 3 週ごと

3) HDAC 阻害薬

◆ パノビノスタット＋BD 療法 ★★★ (PANORAMA1 試験：Lancet Oncol 2014；15：1195 PMID 25242045)

> **パノビノスタット(ファリーダック®)** 20 mg 内服 day 1, 3, 5, 8, 10, 12
> **BOR** 1.3 mg/m² 静注または皮下注 day 1, 4, 8, 11
> **DEX** 20 mg 内服 day 1, 2, 4, 5, 8, 9, 11, 12
> 3 週ごと

4) 抗体薬

❶ **ダラツムマブ(Dara)** 腫瘍表面に発現する CD38 抗原を標的とし, 補体依存性細胞傷害(CDC)活性, 抗体依存性細胞傷害(ADCC)活性, 抗体依存性細胞貪食(ADCP)活性, Fc 領域の架橋によるアポトーシス誘導作用を併せもつ. 注意すべき有害事象として infusion reaction(呼吸器症状が多い)がある. 皮下注製剤に置き換わりつつある(⇒376 頁).

多発性骨髄腫 | 381

◆ DLd 療法 ★★★ （POLLUX 試験：NEJM 2016；375：1319 PMID 27705267）

Dara（ダラザレックス®） 16 mg/kg 点滴静注
　1～2 サイクル目 ：day 1, 8, 15, 22
　3～6 サイクル目 ：day 1, 15
　7 サイクル目以降：day 1
Len 25 mg 内服 day 1～21
DEX 20 mg 点滴静注（ダラツムマブ投与翌日は内服）
　1～2 サイクル目：day 1, 2, 8, 9, 15, 16, 22, 23
　3～6 サイクル目：day 1, 2, 15, 16（day 8～14，day 22～28 にも
　40 mg/週を投与）
　7 サイクル目以降：day 1, 2（day 8～14，day 15～21，day 22～28
　にも 40 mg/週を投与）
4 週ごと

◆ DKd 療法 ★★★ （CANDOR 試験：Lancet 2020；396：186 PMID 32682484）

Dara（ダラザレックス®） 16 mg/kg 静注
　1～2 サイクル目（1 サイクル目：day 1, 2 のみ 8 mg/kg）：day 1, 8,
　15, 22
　3～6 サイクル目 ：day 1, 15
　7 サイクル目以降：day 1
カルフィルゾミブ（カイプロリス®） 56 mg/m² （1 サイクル目：day 1, 2
　のみ 20 mg/m²） 静注 day 1, 2, 8, 9, 15, 16
DEX 20 mg 経口または静注 day 1, 2, 8, 9, 15, 16, 22（day 22 のみ
　40 mg）
4 週ごと

◆ DBd 療法 ★★★ （CASTOR 試験：NEJM 2016；375：754 PMID 27557302）

Dara（ダラザレックス®） 16 mg/kg 静注
　1～3 サイクル目 ：day 1, 8, 15
　4～8 サイクル目 ：day 1
　9 サイクル目以降：day 1
BOR 1.3 mg/m² 静注または皮下注 day 1, 4, 8, 11（1～8 サイクル目）
DEX 20 mg 経口または静注 day 1, 2, 4, 5, 8, 9, 11, 12（1～8
　サイクル目）
1～8 サイクル目：3 週ごと 9 サイクル目以降：4 週ごと

❷ イサツキシマブ（Isa） Dara と同様，腫瘍表面に発現する CD38
抗原を標的とし抗腫瘍効果を有するモノクローナル抗体である。
レナリドミドと PI の治療歴がある再発，難治の多発性骨髄腫に
対して Pd 療法への Isa の上乗せ効果が示された。

◆ Isa-Pd 療法 ★★★（ICARIA-MM 試験：Lancet 2019；394：2096 PMID 31735560）

> イサツキシマブ（サークリサ®）　10 mg/kg　静注
> 　1 サイクル目　　：day 1, 8, 15, 22
> 　2 サイクル目以降：day 1, 15
> POM　4 mg　内服　day 1〜21
> DEX　40 mg（75 歳以上 20 mg）　静注または内服　day 1, 8, 15, 22
> 4 週ごと

❸ **エロツズマブ**　エロツズマブは抗 SLAMF7 抗体であり，NK 細胞や骨髄腫細胞膜上に発現する SLAMF7 に結合して，直接的な NK 細胞の活性化と ADCC 活性を誘導し，腫瘍増殖抑制に働くと考えられている。

◆ ELd 療法 ★★★（ELOQUENT2 試験：NEJM 2015；373：621 PMID 26035255）

> エロツズマブ（エムプリシティ®）　10 mg/kg　点滴静注
> 　1〜2 サイクル目　：day 1, 8, 15, 22
> 　3 サイクル目以降：day 1, 15
> Len　25 mg　内服　day 1〜21
> DEX　エロツズマブ投与ありの週：33 mg　点滴静注，投与なしの週：
> 　40 mg　内服　day 1, 8, 15, 22
> 4 週ごと

◆ EPd 療法 ★★（ELOQUENT3 試験：NEJM 2018；379：1811 PMID 30403938）

> エロツズマブ（エムプリシティ®）　点滴静注
> 　1〜2 サイクル目　：10 mg/kg　day 1, 8, 15, 22
> 　3 サイクル目以降：20 mg/kg　day 1
> ポマリドミド　4 mg　day 1〜21
> DEX　エロツズマブ投与ありの週：8 mg 点滴静注＋内服 28 mg（75 歳以下）8 mg（76 歳以上），投与なしの週：40 mg（75 歳以下）20 mg（76 歳以上）　内服　day 1, 8, 15, 22
> 4 週ごと

■ 合併症の治療

　病変の進行を抑えるために，破骨細胞を抑制するビスホスホネート（BP）製剤の使用が推奨されている。BP 製剤投与後は，急性腎障害や顎骨壊死の発症に注意が必要で，投与前後の歯科受診が推奨されている。破骨細胞形成に必須の因子である RANKL（receptor activator of NF-κB ligand）の活性を阻害するデノスマブも使用できる。BP 製剤同様に顎骨壊死には注意を要する（JCO 2011；29：1125

多発性骨髄腫　　**383**

PMID 21343556)。痛みを伴う椎体圧迫骨折の場合は，バルーン椎体形成術(Lancet Oncol 2011：12：225 PMID 21333599)を検討する。その他の骨痛がある場合は，原疾患の治療に加え局所放射線療法(8 Gy 単回，または 1 回 2～3 Gy で計 10～30 Gy)(Strahlenther Onkol 2017：193：742 PMID 28573476)，オピオイド・鎮痛補助薬の使用などを検討する。NSAIDs は腎障害を惹起するため使用を避ける。

■ 文献

1) Swerdlow SH, et al：WHO Classification of Tumors of Haematopoietic and Lymphoid Tissues, 4th ed, Revised ed. IARC Press, Lyon, 2017
2) 日本血液学会(編)：造血器腫瘍診療ガイドライン 2018 年版補訂版[http://www.jshem.or.jp/gui-hemali/table.html]
3) NCCN guidelines® Multiple Myeloma, Version：5. 2022[https://www.nccn.org/professionals/physician_gls/pdf/myeloma.pdf]

【池　成基，中村　洋貴，古川　晴斐，堀　善和】

15

造血器腫瘍

16 骨軟部悪性腫瘍
Soft Tissue and Bone Malignant Tumors

　原発性骨軟部腫瘍は大きく分けて原発性悪性骨腫瘍と原発性悪性軟部腫瘍(軟部肉腫)に分けることができる。肉腫は非上皮性悪性腫瘍の総称であり，骨組織より発生するものと軟部組織(皮下組織，筋肉，後腹膜など)より発生するものがあるが，実質臓器や皮膚などにも発生する。

　WHO分類は2020年に改訂され，分子遺伝学的解析の進歩による疾患概念の変化と新規疾患項目の増加を認める。悪性骨腫瘍は23種類，軟部肉腫は43種類に分類され，さらに中間悪性・良性を含めると骨腫瘍は51種類，軟部腫瘍は135種類にも上る。前WHO分類では独立していた名称の一部が統合され，新たに確立した項目も散見される。

■ 疫学

1 罹患数(2017年)

- 骨軟部悪性腫瘍の罹患数は，悪性骨腫瘍では人口10万あたり約0.5人，軟部肉腫では約1.4人と稀である
- 日本整形外科学会が実施する全国骨・軟部腫瘍登録によれば，本邦における2017年の新規登録数は原発性悪性骨腫瘍が604例，軟部肉腫が1,790例である。悪性骨腫瘍では骨肉腫，軟骨肉腫の順に，軟部肉腫では脂肪肉腫，未分化多形肉腫の順に多い。骨軟部悪性腫瘍は小児と高齢者に多く，15歳未満が15%，55歳以上が40%を占める。一般に小児の骨軟部悪性腫瘍は化学療法に対する感受性が高く，成人では低い(全国骨軟部腫瘍登録2017年)

2 発症の危険因子(リスクファクター)

❶ 生殖細胞遺伝子変異

- NF1遺伝子：神経線維腫症1型(神経線維腫，悪性末梢神経鞘腫瘍)
- RB1遺伝子：家族性網膜芽細胞腫(網膜芽細胞腫)
- TP53遺伝子：Li-Fraumeni症候群(骨肉腫，軟部肉腫)
- EXT1/2遺伝子：多発性骨軟骨腫症(骨軟骨腫，軟骨肉腫)
- IDH1/2遺伝子：内軟骨腫，軟骨肉腫
- WRN，RECQL3，RECQL4遺伝子：Werner，Bloom，Rothmund-Thomson症候群(悪性黒色腫，骨肉腫など)　　　など

❷ 放射線 照射範囲において肉腫の発症リスクが高まる(骨肉腫, 血管肉腫など)。放射線関連では特に骨肉腫が 71% を占めており, 発症まで 1〜55 年(平均 12.9 年), 5〜9 年での発症が 34% と最も多いのに対し, 28% が 20 年以上と多岐に渡る(Dahlin's Bone Tumors, 6th ed, Chapter 11 : pp139-141, Wolters Kluwer/Lippincott Williams & Wilkins, Philadelphia, 2010)。

❸ 感染 human herpesvirus 8(Kaposi 肉腫), EBV(平滑筋肉腫)。

❹ 化学療法 先行するアルキル化薬, アンスラサイクリンの投与(骨肉腫, 軟部肉腫)。

❺ その他 術後リンパ浮腫(血管肉腫), 骨梗塞(骨肉腫, 未分化多形肉腫), 骨 Paget 病(骨肉腫), 塩化ビニルモノマー(血管肉腫)などが知られている。

■ 診断

1 スクリーニング

骨軟部悪性腫瘍は発生頻度が低いため, 検診の意義は低い。

2 臨床症状

悪性骨腫瘍は局所の運動時痛, 腫脹を主訴とすることが多いが, 病的骨折をきたして発覚することもある。軟部肉腫は無痛性の腫瘤形成で発症することが多い。臨床所見として, 直径 3 cm 以上(脂肪性の場合は 5 cm 以上), 可動性がない(深部発生), 増大傾向, 再発腫瘍であるなどの場合は悪性の可能性を考慮し, 速やかに専門医にコンサルテーションを行うことが強く推奨される。

3 画像診断

- 局所の画像診断としては単純 X 線, CT, MRI(造影が望ましい)を用いる。単純 X 線は骨腫瘍では必須であるが, 軟部肉腫の場合も腫瘍内の石灰化や骨化(滑膜肉腫, 脂肪肉腫, 骨外性骨肉腫など)が診断のヒントとなることがある。MRI では造影剤を用いることで血流や病巣の広がりの描出や補助療法の効果予測などに有用である

- 全身検査としては, 造影 CT や PET-CT, 骨シンチグラフィによって転移検索が行われる。骨軟部転移検索のため, PET-CT は下腿まで含めて撮影する

4 検体検査

骨軟部腫瘍においては特異的な腫瘍マーカーはほとんどない。Ewing 肉腫や炎症細胞浸潤を伴う未分化多形肉腫, 脂肪肉腫の一

386 | 16 骨軟部悪性腫瘍

部では，CRP や LDH の高値，白血球増多がみられる。骨肉腫では ALP の上昇がみられる

5 組織診断

❶ **生検**　診断に十分な量を採取する必要があるが，周囲組織が腫瘍に汚染されないよう，また腫瘍切除時に生検経路も含め一塊として切除できるよう，細心の注意を払って実施する必要がある。状況に応じて経皮的針生検，IVR での CT あるいは超音波ガイド下針生検，切開生検，切除生検を選択する。

❷ **組織診断**　骨軟部腫瘍の病理診断は難解であり，疫学や画像診断についても知識を有する骨軟部腫瘍を専門とする病理医にコンサルテーションを行うことが望ましい。

❸ **免疫染色**　骨軟部腫瘍の組織学的分類は，腫瘍細胞の起源ではなく分化の方向によって決定される。分化方向を知るために特に軟部腫瘍では免疫染色が頻用される。

a)頻用される免疫染色抗体

- サイトケラチン（AE1・3 など）：上皮性腫瘍との鑑別に使われ，上皮様形態をとる肉腫（類上皮肉腫，滑膜肉腫，類上皮血管肉腫，類上皮血管内皮腫）でかなりの頻度で陽性となる。限局的な陽性はさまざまな肉腫で報告されている
- desmin，SMA（smooth muscle actin），myogenin，myoD1，h-caldesmon：筋原性マーカー。横紋筋肉腫，平滑筋肉腫で陽性となる。SMA の特異度は低い。myogenin や myoD1 は横紋筋，SMA や h-caldesmon は平滑筋への分化を示す
- S100 タンパク：神経系マーカーであり，悪性末梢神経鞘腫瘍，メラノーマ，明細胞肉腫で陽性となるが，軟骨や脂肪に分化した細胞も陽性になる
- CD34，CD31，ERG：血管系マーカー。血管肉腫，Kaposi 肉腫で陽性になる。CD34 は類上皮肉腫，GIST や中間悪性腫瘍の隆起性皮膚線維肉腫，solitary fibrous tumor など血管系以外の腫瘍でも陽性となる

b)腫瘍に特徴的とされている免疫染色抗体

- MDM2，CDK4：共陽性は 12q13-15 の増幅を示唆する（高分化型/脱分化型脂肪肉腫，低悪性度骨肉腫など）
- brachyury（脊索腫）
- MUC4（低悪性度線維粘液性肉腫，硬化性類上皮線維肉腫）
- STAT6（孤立性線維性腫瘍）

- NKX2.2，PAX7（Ewing 肉腫），ETV4，WT1（CIC 再構成肉腫）
- βカテニン（デスモイド型線維腫症）
- H3.3G34W（骨巨細胞腫）
- H3K27me3 の染色性が消失（悪性末梢神経鞘腫瘍）
- DOG1（GIST）　　など

6 遺伝子検査

　骨軟部腫瘍では特徴的な遺伝子異常を認めることが多い（下の表を参照）。EWSR1-FLI1 遺伝子（Ewing 肉腫）や SS18-SSX 遺伝子（滑膜肉腫）など融合遺伝子を同定されているものだけでなく，MDM2/CDK4 遺伝子の増幅（脱分化型脂肪肉腫），H3.3G34W などの遺伝子点突然変異（骨巨細胞腫），SMARCB1 遺伝子の不活性化/欠失のある腫瘍（類上皮肉腫/悪性ラブドイド腫瘍）など，遺伝子異常に関する診断上の重要性が増しており，PCR や FISH 法による検索は有用である。

　また，がん遺伝子パネル検査の導入による網羅的な遺伝子異常検索によって，NTRK 融合遺伝子陽性肉腫に対するエヌトレクチニブが承認され，今後も治療標的の探索が拡大していく傾向にある。

◆ 融合遺伝子を有する主な骨軟部腫瘍

組織型	融合遺伝子
滑膜肉腫	SS18-SSX1/2/4
Ewing 肉腫	EWSR1-FLI1/ERG/ETV1/4/FEV/E1AF
	FUS-ERG/FEV
EWSR1-non-ETS 融合遺伝子陽性肉腫	EWSR1-POU5F1/NFATC2/PATZ1/SMARCA5/SP3
CIC 遺伝子再構成肉腫	CIC-DUX4
BCOR 遺伝子異常肉腫	BCOR-CCNB3
線維形成性小円形細胞腫瘍	EWSR1-WT1
明細胞肉腫	EWSR1-ATF1/CREB1
低悪性度線維粘液性肉腫	FUS-CREB3L1/2
硬化性類上皮線維肉腫	FUS-CREB3L1/2
	EWSR1-CREB3L1/2

（次頁につづく）

（前頁よりつづき）

組織型	融合遺伝子
骨外性粘液型軟骨肉腫	EWSR1-NR4A3
	TAF12/15-NR4A3
間葉性軟骨肉腫	HEY1-NCOA2
粘液型脂肪肉腫	FUS-DDIT3
	EWSR1-DDIT3
胞巣型横紋筋肉腫	PAX3/7-FOXO1
胞巣状軟部肉腫	ASPSCR1-TFE3
類上皮血管内皮腫	WWTR1-CAMTA1
	YAP1-TFE3
結節性筋膜炎	MYH9-USP6
隆起性皮膚線維肉腫	COL1A1-PDGFRB
孤立性線維性腫瘍	NAB2-STAT6
乳幼児線維肉腫	ETV6-NTRK3
腱鞘巨細胞腫	CSF1-COL6a3

■ 組織分類

1 WHO による軟部腫瘍の分類（悪性のみ）(2020)

1) 脂肪性腫瘍（adipocytic tumours）
　高分化型脂肪肉腫（liposarcoma, well-differentiated, NOS）
　　脂肪腫様脂肪肉腫（lipoma-like liposarcoma）
　　炎症性脂肪肉腫（inflammatory liposarcoma）
　　硬化性脂肪肉腫（sclerosing liposarcoma）
　脱分化型脂肪肉腫（dedifferentiated liposarcoma）*
　粘液型脂肪肉腫（myxoid liposarcoma）
　多形型脂肪肉腫（pleomorphic liposarcoma）
　　類上皮脂肪肉腫（epithelioid liposarcoma）
　粘液型多形脂肪肉腫（myxoid pleomorphic liposarcoma）
2) 線維芽/筋線維芽細胞性腫瘍（fibroblastic/myofibroblastic tumours）
　孤立性線維性腫瘍, 悪性（solitary fibrous tumour, malignant）
　線維肉腫, NOS（fibrosarcoma, NOS）
　粘液線維肉腫（myxofibrosarcoma）
　　類上皮粘液線維肉腫（epithelioid myxofibrosarcoma）
　低悪性度線維粘液肉腫（low-grade fibromyxoid sarcoma）

硬化性類上皮線維肉腫 (sclerosing epithelioid fibrosarcoma)

3) **いわゆる線維組織球性腫瘍 (so-called fibrohistiocytic tumours)**
悪性腱鞘滑膜巨細胞腫 (malignant tenosynovial giant cell tumour)

4) **血管性腫瘍 (vascular tumours)**
類上皮血管内皮腫 (epithelioid haemangioendothelioma, NOS)
　WWTR1-CAMTA1 陽性類上皮血管内皮腫 (epithelioid haemangio-endothelioma with WWTR1-CAMTA1 fusion)
　YAP1-TFE3 陽性類上皮血管内皮腫 (epithelioid haemangioendothe-lioma with YAP1-TFE3 fusion)
血管肉腫 (angiosarcoma)

5) **血管周皮性腫瘍 (pericytic/perivascular tumours)**
悪性グロームス腫瘍 (glomus tumour, malignant)

6) **平滑筋性腫瘍 (smooth muscle tumours)**
平滑筋肉腫 (leiomyosarcoma, NOS)

7) **骨格筋性腫瘍 (skeletal muscle tumours)**
胎児型横紋筋肉腫 (embryonal rhabdomyosarcoma, NOS)
　多形性胎児型横紋筋肉腫 (embryonal rhabdomyosarcoma, pleo-morphic)
胞巣型横紋筋肉腫 (alveolar rhabdomyosarcoma)
多形型横紋筋肉腫 (pleomorphic rhabdomyosarcoma, NOS)
紡錘形細胞横紋筋肉腫 (spindle cell rhabdomyosarcoma)
　VGLL2/NCOA2/CITED2 遺伝子再構成先天性紡錘形細胞横紋筋肉腫 (congenital spindle cell rhabdomyosarcoma with VGLL2/NCOA2/CITED2 rearrangements)
　MYOD1 遺伝子変異を有する紡錘形細胞/硬化性横紋筋肉腫 (MYOD1-mutant spindle cell/sclerosing rhabdomyosarcoma)
　TFCP2/NCOA2 遺伝子再構成を有する骨内紡錘形細胞横紋筋肉腫 (intraosseous spindle cell rhabdomyosarcoma with TFCP2/NCOA2 rearrangements)
外胚葉性間葉腫 (ectomesenchymoma)

8) **消化管間質腫瘍 (gastrointestinal stromal tumours：GIST)**
消化管間質腫瘍 (gastrointestinal stromal tumour)

9) **軟骨および骨形成性腫瘍 (chondro-osseous tumours)**
骨外性骨肉腫 (osteosarcoma, extraskeletal)

10) **末梢神経腫瘍 (peripheral nerve sheath tumours)**
悪性末梢神経鞘腫瘍 (malignant peripheral nerve sheath tumour：MPNST)
　類上皮悪性末梢神経鞘腫瘍 (MPNST, epithelioid)
悪性黒色性神経鞘腫 (melanotic malignant peripheral nerve sheath tumour)
悪性顆粒細胞腫 (granular cell tumour, malignant)
悪性神経周膜腫 (perineurioma, malignant)

11) 分化不明腫瘍 (tumours of uncertain differentiation)

悪性高リン尿性間葉系腫瘍 (phosphaturic mesenchymal tumour, malignant)

NTRK 遺伝子再構成紡錘形細胞腫瘍 (NTRK rearranged spindle cell neoplasm)

滑膜肉腫 (synovial sarcoma, NOS)

　紡錘形細胞型滑膜肉腫 (synovial sarcoma, spindle cell)

　二相型滑膜肉腫 (synovial sarcoma, biphasic)

　低分化型滑膜肉腫 (synovial sarcoma, poorly differentiated)

類上皮肉腫 (epithelioid sarcoma)

　近位型/大細胞型類上皮肉腫 (proximal or large cell epithelioid sarcoma)

　古典型類上皮肉腫 (classic epithelioid sarcoma)

胞巣状軟部肉腫 (alveolar soft part sarcoma)

明細胞肉腫 (clear cell sarcoma, NOS)

骨外性粘液性軟骨肉腫 (extraskeletal myxoid chondrosarcoma)

線維形成性小円形細胞腫瘍 (desmoplastic small round cell tumour)

ラブドイド腫瘍 (rhabdoid tumour, NOS)

悪性血管周囲類上皮細胞腫瘍 (perivascular epithelioid tumour, malignant)

内膜肉腫 (intimal sarcoma)

悪性骨化性線維粘液性腫瘍 (ossifying fibromyxoid tumour, malignant)

筋上皮癌 (myoepithelial carcinoma)

未分化肉腫 (undifferentiated sarcoma)

未分化紡錘形細胞肉腫 (spindle cell sarcoma, undifferentiated)

未分化多形肉腫 (pleomorphic sarcoma, undifferentiated)

未分化円形細胞肉腫 (round cell sarcoma, undifferentiated)

＊高分化型脂肪肉腫は中間群 (局所侵襲性) に分類されている

2 WHO による骨軟部組織発生未分化小円形細胞肉腫の分類 (悪性のみ) (2020)

Ewing 肉腫 (Ewing sarcoma)

EWSR1-non-ETS 融合遺伝子陽性肉腫 (round cell sarcoma with EWSR1-non-ETS fusions)

CIC 遺伝子再構成肉腫 (CIC-rearranged sarcoma)

BCOR 遺伝子異常肉腫 (sarcoma with BCOR genetic alterations)

3 WHO による骨腫瘍の分類 (悪性のみ) (2020)

1) 軟骨原性腫瘍 (chondrogenic tumours)

軟骨肉腫 (chondrosarcoma, grade I / II / III)

骨膜性軟骨肉腫 (periosteal chondrosarcoma)

淡明細胞型軟骨肉腫 (clear cell chondrosarcoma)
間葉性軟骨肉腫 (mesenchymal chondrosarcoma)
脱分化型軟骨肉腫 (dedifferentiated chondrosarcoma)

2) 骨形成性腫瘍 (osteogenic tumours)
低悪性度中心型骨肉腫 (low-grade central osteosarcoma)
骨肉腫 (osteosarcoma, NOS)
通常型骨肉腫 (conventional osteosarcoma)
血管拡張型骨肉腫 (telangiectatic osteosarcoma)
小細胞型骨肉腫 (small cell osteosarcoma)
傍骨性骨肉腫 (parosteal osteosarcoma)
骨膜性骨肉腫 (periosteal osteosarcoma)
表在性高悪性度骨肉腫 (high-grade surface osteosarcoma)
二次性骨肉腫 (secondary osteosarcoma)

3) 線維性腫瘍 (fibrogenic tumours)
線維肉腫 (fibrosarcoma, NOS)

4) 脈管性腫瘍 (vascular tumours of bone)
類上皮血管内皮腫 (epithelioid hemangioendothelioma, NOS)
血管肉腫 (angiosarcoma)

5) 富破骨型巨細胞性腫瘍 (osteoclastic giant cell-rich tumours)
悪性骨巨細胞腫 (giant cell tumour of bone, malignant)

6) 脊索性腫瘍 (notochordal tumours)
脊索腫 (chordoma, NOS)
軟骨様脊索腫 (chondroid chordoma)
低分化脊索腫 (poorly differentiated chordoma)
脱分化型脊索腫 (dedifferentiated chordoma)

7) その他の骨間葉系腫瘍 (other mesenchymal tumours of bone)
アダマンチノーマ (adamantinoma of long bone)
脱分化型アダマンチノーマ (dedifferentiated adamantinoma)
平滑筋肉腫 (leiomyosarcoma, NOS)
未分化多形肉腫 (pleomorphic sarcoma, undifferentiated)
骨転移 (bone metastasis)

8) 造血系腫瘍 (haematopoietic neoplasm of bone)
骨形質細胞腫 (plasmacytoma of bone)
非 Hodgkin 悪性リンパ腫 (malignant lymphoma, non-Hodgkin, NOS)
Hodgkin 病 (Hodgkin disease, NOS)
びまん性大細胞 B 細胞リンパ腫 (diffuse large B-cell lymphoma, NOS)
濾胞性リンパ腫 (follicular lymphoma, NOS)
辺縁帯 B 細胞リンパ腫 (marginal zone B-cell lymphoma, NOS)
T 細胞リンパ腫 (T-cell lymphoma, NOS)
未分化大細胞リンパ腫 (anaplastic large cell lymphoma, NOS)

リンパ芽球性悪性リンパ腫(malignant lymphoma, lymphoblastic, NOS)

Burkitt リンパ腫(Burkitt lymphoma, NOS)

Langerhans 細胞組織球症(Langerhans cell histiocytosis, NOS)

播種性 Langerhans 細胞組織球症(Langerhans cell histiocytosis, disseminated)

Erdheim-Chester 病(Erdheim-Chester disease)

Rosai-Dorfman 病(Rosai-Dorfman disease)

■ Staging

1 悪性骨腫瘍の TNM 分類(AJCC/UICC 第 8 版, 2017)

T-原発腫瘍

TX　原発腫瘍の評価が不可能

T0　原発腫瘍を認めない

(四肢骨, 躯幹骨, 頭蓋骨, 顔面骨)

T1　最大径で 8 cm 以下の腫瘍

T2　最大径が 8 cm を超える腫瘍

T3　原発巣と同一骨内の非連続性腫瘍

(脊柱)

T1　単一の脊椎区域[*1] または隣接する 2 つの脊椎区域に限局する腫瘍

T2　隣接する 3 つの脊椎区域に限局する腫瘍

T3　隣接する 4 つの脊椎区域に限局する腫瘍

T4a　脊柱管に浸潤する腫瘍

T4b　隣接血管に浸潤する腫瘍または隣接血管内の腫瘍血栓

[*1] 脊椎の 5 区域とは, 右椎弓根部, 右椎体部, 左椎体部, 左椎弓根部, 後方部分

(骨盤)

T1a　大きさが 8 cm 以下で単一の骨盤区域[*2] に限局し骨外進展のない腫瘍

T1b　大きさが 8 cm を超え単一の骨盤区域に限局し骨外進展のない腫瘍

T2a　大きさが 8 cm 以下で単一の骨盤区域に限局し骨外進展がある, または 2 個の骨盤区域に限局し骨外進展のない腫瘍

T2b　大きさが 8 cm を超え単一の骨盤区域に限局し骨外進展がある腫瘍, または 2 個の骨盤区域に限局し骨外進展のない腫瘍

T3a　大きさが 8 cm 以下で 2 個の骨盤区域に限局し骨外進展がある

T3b　大きさが 8 cm を超え 2 個の骨盤区域に限局し骨外進展がある

T4a　隣接する 3 つの骨盤区域に進展する, または仙腸関節を越えて仙骨神経孔に至る腫瘍

T4b　外腸骨血管を囲む腫瘍または主要な骨盤血管の肉眼的腫瘍血栓

[*2] 骨盤の 4 区域とは, 仙骨孔より外側の仙骨, 腸骨翼, 臼蓋/臼蓋周囲, 恥骨・恥骨結合・坐骨

N-所属リンパ節
　NX　リンパ節の評価が不可能
　N0　リンパ節転移なし
　N1　リンパ節転移あり

M-遠隔転移
　M0　遠隔転移なし
　M1　遠隔転移あり
　　M1a　肺転移
　　M1b　肺以外の遠隔部位

G-組織学的悪性度換算表(軟部腫瘍と共通)

2 段階分類	3 段階分類	4 段階分類
Low grade	Grade 1	Grade 1 / 2
High grade	Grade 2	Grade 3
	Grade 3	Grade 4

◆ 悪性骨腫瘍の Stage 分類

Stage ⅠA	T1	N0	M0	Low grade, G1 or GX
Stage ⅠB	T2〜3	N0	M0	Low grade, G1 or GX
Stage ⅡA	T1	N0	M0	High grade, G2 or 3
Stage ⅡB	T2	N0	M0	High grade, G2 or 3
Stage Ⅲ	T3	N0	M0	High grade, G2 or 3
Stage ⅣA	any T	N0	M1a	any grade
Stage ⅣB	any T	N1	any M	any grade
	any T	any N	M1b	any grade

2 悪性軟部腫瘍の TNM 分類 (AJCC/UICC 第 8 版, 2017)

T-原発腫瘍
　TX　原発腫瘍の評価が不可能
　T0　原発腫瘍を認めない
　(四肢および躯幹浅部, 後腹膜)
　T1　最大径が 5 cm 以下の腫瘍
　T2　最大径が 5 cm を超えるが 10 cm 以下の腫瘍
　T3　最大径が 10 cm を超えるが 15 cm 以下の腫瘍
　T4　最大径が 15 cm を超える腫瘍
　(頭頸部)
　T1　最大径が 2 cm 以下の腫瘍
　T2　最大径が 2 cm を超えるが 4 cm 以下の腫瘍
　T3　最大径が 4 cm を超える腫瘍

T4a 眼窩，頭蓋底または硬膜，正中臓器，顔面骨格または翼突筋に浸潤する腫瘍

T4b 脳実質に浸潤する腫瘍，頸動脈を包み込む腫瘍，椎前筋に浸潤する腫瘍，または神経周囲進展により中枢神経系に浸潤する腫瘍

（胸部および腹部臓器）

T1 単一の臓器に限局する腫瘍

T2a 漿膜または臓側腹膜に浸潤する腫瘍

T2b 漿膜を越える顕微鏡的な進展を伴う腫瘍

T3 2つの臓器に浸潤する腫瘍または漿膜を越える肉眼的な進展を伴う腫瘍

T4a 単一の臓器内で2部位以下に浸潤する多病巣性腫瘍

T4b 2部位を超えるが5部位以下に浸潤する多病巣性腫瘍

T4c 5部位を超えて浸潤する多病巣性腫瘍

N-所属リンパ節

NX リンパ節の評価が不可能

N0 リンパ節転移なし

N1 リンパ節転移あり

M-遠隔転移

M0 遠隔転移なし

M1 遠隔転移あり

G-組織学的悪性度

軟部肉腫では FNCLCC 分類（Int J Cancer 1984；33：37 PMID 6693192）による3段階分類を用いることが多い

◆ **軟部肉腫の Stage 分類（体幹・四肢）**

Stage Ⅰ A	T1	N0	M0	G1，GX
Stage Ⅰ B	T2〜4	N0	M0	G1，GX
Stage Ⅱ	T1	N0	M0	G2，G3
Stage Ⅲ A	T2	N0	M0	G2，G3
Stage Ⅲ B	T3〜4	N0	M0	G2，G3
Stage Ⅲ B	any T	N1	M0	any G
Stage Ⅳ	any T	any N	M1	any G

胎児型・胞巣型横紋筋肉腫は IRSG（Intergroup Rhabdomyosarcoma Study Group）の分類を参照（J Pediatric Hematol Oncol 2001；23：215 PMID 11846299）。また，Kaposi 肉腫，臓器（乳腺を除く）発生肉腫，血管肉腫，GIST にはこの分類を適用しない。

■ 予後因子

組織型，発症年齢（高年齢），発生部位（体幹深部），不適切な切除縁はほとんどの腫瘍に共通した予後不良因子である。横紋筋肉腫では胎児型の予後がよい（詳細は上記の IRSG のリスク分類を参照）。胞巣型横紋筋肉腫では PAX7-FKHR 融合遺伝子をもつ症例のほうが PAX3-FKHR 融合遺伝子に比べて予後がよいなど，融合遺伝子のサブタイプによって予後が異なる腫瘍もある。

■ 治療

1 外科療法

骨軟部悪性腫瘍の治療の基本は根治的手術であり，適切なマージンを確保した切除を行う。切除困難例や進行例に対しては，組織型に応じて化学療法・放射線療法を考慮するが，これらが著効した場合には根治や長期のコントロールを目指した切除が，また非著効例でも QOL 向上のための切除が行われることがある。切除可能な肺転移を有する軟部肉腫は，化学療法と外科切除（原発巣＋転移巣）にて 5 年生存率は 20〜30％ 程度である。

2 放射線治療

❶ **Ewing 肉腫**　放射線感受性が高いため，外科的切除が困難な症例では根治的局所療法として放射線治療が行われる。

❷ **横紋筋肉腫**　集学的治療の一環として術後放射線療法を行う。粘液型脂肪肉腫は比較的放射線感受性が高く，術後療法として行うこともある。

❸ **そのほかの肉腫**　一般に放射線感受性は低いが，切除断端陽性（R1 切除以上）あるいはそれに近いマージンの場合は術後放射線療法を行うことが推奨されている。切除困難な症例に対しては症状や部位により緩和的照射を考慮する。

また，放射線感受性が低い腫瘍でも，重粒子線や陽子線（保険適用：厚生労働省第 39 回先進医療会議議事次第 2016，資料先-3-1）といった粒子線治療で長期的な局所コントロールが得られる症例もあり，特に脊索腫に対する重粒子線治療は高い局所制御率を示す。

3 がん薬物療法

1) 疾患別に治療のある肉腫

化学療法に対する感受性が高い腫瘍（骨肉腫，Ewing 肉腫，横紋筋肉腫）では切除可能な症例でも手術前後に化学療法を追加することで治療成績が向上する。

❶ **骨肉腫** 原発性骨腫瘍のなかでは最も頻度が高い。思春期と50～60歳代の二峰性の発症ピークがあるが，高齢発症の骨肉腫は化学療法抵抗性で予後不良である。骨内低悪性度骨肉腫，傍骨性骨肉腫は低悪性度かつ化学療法感受性が低いため化学療法は行われない。骨肉腫は化学療法後の組織学的腫瘍壊死率がその後の予後と相関する。

a)**限局例**：小児の骨肉腫に対する化学療法の標準治療はAP療法に大量MTXを組み合わせたMAP療法である。術前化学療法の組織学的腫瘍壊死率により予後が異なる〔治療効果良好群（90%以上の壊死）：5年生存率70～80%，不良群（90%未満の壊死）：45～60%〕。治療効果不良群に対する術後IE療法追加は，予後改善に寄与しないと報告されている（EURAMOS-1試験：JCO 2015：33：2279 PMID 26033801）。

◆ **MAP療法 ★★★**

術前・術後にMAP療法を行う（術前・術後でスケジュールが異なることに注意）。

術前・MAP療法

週	1	2	3	4	5	6	7	8	9	10	11
コース	1		2	3		4			5	6	
治療	AP			M	M	AP				M	M

	(12)	(13)									
	(7)	(8)									
	(M)	(M)									

( )…骨再建に伸長型人工関節の使用を予定する場合はMTX(M)を2回まで追加可

術後・MAP療法

週	1	2	3	4	5	6	7	8	9	10	11
コース	1				2	3		4		5	6
治療	AP				M	M	A			M	M

12	13	14	15	16	17	18	19	20
7				8	9		10	
AP				M	M	A		

AP：**ADM** 30 mg/m²/日 24時間静注 day 1, 2
    CDDP 120 mg/m²/日（30歳以上は100 mg/m²/日） 24時間静注 day 1
M：**MTX** 12 g/m²（20歳以上は10 g/m²，40歳以上は8 g/m²）
    4～6時間かけて静注 day 1
A：**ADM** 30 mg/m²/日（40歳以上は25 mg/m²/日） 24時間静注
    day 1～3

b）**遠隔転移を有する症例**：切除可能な肺転移に対しては，転移巣の完全切除と限局例に準じた集学的治療により 50％ 以上の 5 年無増悪生存が期待できる。一方，完全切除不能な転移を有する症例に対する化学療法や 2nd line 以降の化学療法は確立されていない。大量 MTX や ADM＋CDDP（AP 療法），IFM＋VP-16，GEM＋DTX（保険適用外）などで奏効率 20〜40％ が得られる。

❷ **Ewing 肉腫**　10〜20 歳の発症が 70％ を占め，大腿骨・脛骨・上腕骨の骨幹部や骨盤に好発する。肺，骨に加え骨髄への転移も多く，遠隔転移の検索には骨髄穿刺を追加する。

a）**限局例**

◆ **VDC-IE 療法 ★★★** （NEJM 2003；348：694 PMID 12594313）

VDC と IE を 3 週ごとに交互に投与し，4 サイクル終了後に局所療法（手術＋放射線療法）を加え，合計 17 サイクルで終了。

（VDC 療法）			
VCR	2 mg/m^2（最大 2 mg）	静注	day 1
ADM	75 mg/m^2　静注　day 1（総投与量が 375 mg/m^2 に達したら		
ACT-D	1.25 mg/m^2　day 1 へ変更）		
CPA	1,200 mg/m^2	静注	day 1（メスナ併用）
（IE 療法）			
IFM	1,800 mg/m^2	静注	day 1〜5（メスナ併用）
VP-16	100 mg/m^2	静注	day 1〜5

b）**遠隔転移を有する症例**：VDC 療法を 17 サイクル行い，適宜局所治療を行う。IE 療法の追加効果は認められない。10 年生存率は 20〜30％ である。肺転移のみの症例では原発巣への局所治療（手術±放射線療法）および転移巣への放射線療法で約 40％ に10 年以上の長期生存を認めた（JCO 2004；22：2873 PMID 15254055）。2nd line での標準治療は確立されていないが，IE（＋CDDP）療法などが施行されている。

❸ **横紋筋肉腫**　小児の軟部肉腫では最多。胎児型，胞巣型，多形型，紡錘形細胞/硬化型に分類される。胎児型の予後が最も良好である。多形型は成人発症が多く予後不良であり，標準的化学療法は確立されていない。横紋筋肉腫は全身に発生するが，傍髄膜，頭頸部，眼窩，泌尿生殖器系，四肢などに多い。Staging に際しては，腫瘍が骨髄や脊髄付近にある場合は髄液検査を行うことが推奨される。また，肉腫のなかでは例外的にリンパ節転移が多く，腫大があるときには生検を行う。腫瘍が完全切除

可能なときは切除後に術後病期分類(JCO 1990；8：443 PMID 2407808)を行う。

治療は，リスク分類(J Pediatric Hematol Oncol 2001；215：23 PMID 11846299)ごとに異なるが，VAC療法(＋3〜4サイクル後の放射線併用)が基本である。NCIデータベース(SEER)によると，成人発症横紋筋肉腫の5年生存率は有意に予後不良であり，5年生存率で成人27% vs. 小児61%と報告されている(JCO 2009；27：3391 PMID 19398574)。成人発症の胎児型，胞巣型横紋筋肉腫は可能な限り小児と同様の治療戦略をとることが望ましい。

a)限局期

◆ **VAC療法** ★★★ (JCO 2009；27：5182 PMID 19770373)

VCR	1.5 mg/m^2(最大2 mg)	静注 day 1, 8, 15
ACT-D	0.045 mg/kg(最大2.5 mg)	静注 day 1
CPA	2.2 g/m^2(メスナ併用：1回440 mg/m^2 1日3回)	静注 day 1
3週ごと 14サイクル		

放射線療法中は通常ACT-Dを省略し，VCRのday 8, 15も省略する。

b)遠隔転移を有する横紋筋肉腫：VAC療法を行い(レジメンは若干上記と異なる)(JCO 2001；19：3091 PMID 11408506)，症状が落ち着いていれば原発巣・転移巣への局所治療を検討する。

❹ **血管肉腫** 軟部肉腫の2%程度を占める。皮膚・乳腺にも発生する。リンパ浮腫や放射線治療は発症の危険因子である。悪性度が高く，5年生存率は35%程度である。PTXの毎週投与法が現在最も有効な治療であるが，奏効率は20%程度である。

◆ **PTX毎週投与法** ★★ (JCO 2008；26：5269 PMID 18809609)

PTX	80 mg/m^2 静注 day 1, 8, 15 4週ごと

❺ **胞巣状軟部肉腫** 分化不明であるが非常に血管に富み，高率に肺・脳転移をきたすにもかかわらず緩徐に進行する特殊な肉腫である。殺細胞性の化学療法には抵抗性であるため，無症状であれば経過観察とし，進行が認められる症例には血管新生阻害薬の使用を検討する(JAMA Oncol 2019；5：254 PMID 30347044)。

◆ 進行例 ★★

| パゾパニブ（ヴォトリエント®）　1回 800 mg　1日1回 |
| スニチニブ（スーテント®）　1回 50 mg　1日1回　4週投与2週休薬 or 3週投与3週休薬 |

脳転移がある場合，脳出血に注意する。保険適用外。

❻ 消化管間質腫瘍（GIST）　GIST の項を参照（⇒206頁）。

2) 疾患別に治療が確立していない肉腫に対する周術期化学療法

上記以外の骨軟部悪性腫瘍は一般に化学療法感受性が低く，周術期化学療法の有用性は確立されていない。

骨原発の悪性腫瘍（骨未分化多形肉腫，脱分化型軟骨肉腫，骨平滑筋肉腫など）では骨肉腫に準じて術前術後化学療法として MAP 療法を考慮してよいが（JCO 1999；17：3260 PMID 10506628），これらの腫瘍は高齢者に多く，副作用を考慮して AI 療法を選択することも多い（★）。高悪性度で腫瘍サイズが大きな「高リスク」軟部肉腫患者において，特に腫瘍縮小によって手術施行上のメリットが見込める場合には術前化学療法としての AI 療法が考慮される。

◆ AI 療法 ★★

| ADM　30 mg/m^2　静注　　　　　　day 1, 2 IFM　　2 g/m^2　4時間で静注　day 1～5 3週ごと　術前3サイクル（＋術後2サイクル） |

3) 個別治療が確立していない肉腫の切除不能例，進行例に対する化学療法

主に症状緩和を目的として以下の治療を適宜選択して行う。ADM 単剤の個別治療が確立していない軟部肉腫に対する奏効率は 20～30％ である。PS が良好で腫瘍縮小によって症状緩和が期待される場合には AI 療法を選択することもある。ADM を含むレジメン投与後の進行例には 2nd line としてパゾパニブ，トラベクテジン，エリブリン3剤の投与が選択される。希少がんのために組織型ごとの化学療法として確立しておらず，L-sarcoma（脂肪肉腫，平滑筋肉腫）や染色体転座を有する肉腫に対するトラベクテジン，脂肪肉腫以外の肉腫や胞巣状軟部肉腫に対するパゾパニブ，L-sarcoma に対するエリブリンなど臨床試験で有用性も個々にみられるものの，各薬剤間の比較や他組織型を含めた検討は存在しないため，JCOG1802 での第Ⅱ相試験をはじめとした今後の検討が必要

である。

◆ADM 単剤療法 ★★★

ADM　60〜75 mg/m^2　静注　day 1　3週ごと

◆前化学療法歴を有する進行期軟部肉腫に対する 2nd line 化学療法 ★★★

パゾパニブ　1回 800 mg　1日1回

海外では脂肪肉腫への適応はない（Lancet 2012；379：1879 PMID 22595799）。概要：脂肪肉腫以外の軟部肉腫進行例で PFS 4.6 カ月，奏効率 PR 6%/SD 67% とプラセボと比較して有用であった。

トラベクテジン　1.2 mg/m^2　24時間かけて持続点滴静注　day 1, 2　3週ごと

（JCO 2016；34：786）概要：脂肪肉腫と平滑筋肉腫を対象とし，ダガルバジン群と比較して PFS が 4.2 カ月 vs 1.5 カ月　$p < 0.001$ と有意に延長したが，OS に差はなかった。

エリブリン　1.4 mg/m^2　2〜5分で静注　day 1, 8　3週ごと

（Lancet Oncol 2011；12：1045 PMID 21937277）概要：進行/再発軟部肉腫において，無増悪生存率が脂肪肉腫 46.9%，平滑筋肉腫 31.6%，滑膜肉腫 21.1%，その他 19.2% であった。

◆その他の治療例 ★★

IFM　9 g/m^2　3〜5日間の総量として（メスナ併用）

（Lancet Oncol 2014；15：415 PMID 24618336）

GEM+DTX

保険適用外（JCO 2007；25：2755 PMID 17602081）。

DTIC

（Oncol Res Treat 2014；37：355 PMID 24903768）

■ 予後

◆ 主な骨軟部悪性腫瘍の Stage 別 5 年生存率（%）

組織	Stage Ⅰ	Stage Ⅱ	Stage Ⅲ	Stage Ⅳ
通常型骨肉腫	——	60～80		15～40
Ewing 肉腫	——	約 70		15～30
通常型軟骨肉腫		92		NA
間葉性軟骨肉腫	——	52		
脱分化型軟骨肉腫	——	0		
血管肉腫		31		
脱分化型脂肪肉腫	——	65		0
粘液型脂肪肉腫		91		
粘液型脂肪肉腫（円形細胞成分 5% 以上あり）	——	58		
胞巣状軟部肉腫	——	約 80		約 30

滑膜肉腫と脂肪肉腫については Memorial Sloan Kettering Cancer Center が
ノモグラムを提供している。

■ 文献
1) WHO Classification of Tumours Editorial Board：WHO classification of Tumours, 5th ed, Vol 3, Soft Tissue and Bone Tumours. IARC Press, Lyon, 2020
2) NCCN Guidelines®[http://www.nccn.org/professionals/physician_gls/f_guidelines.asp]
3) Brierley JD, et al(eds), UICC 日本委員会 TNM 委員会（訳）：TNM 悪性腫瘍の分類 第 8 版日本語版. 金原出版, 2017

【菅谷　潤】

17 皮膚がん Skin Cancer

皮膚がんは基底細胞がん，有棘細胞がん（扁平上皮癌，表皮内癌を含む），悪性黒色腫が代表的で，ほかに乳房外 Paget 病や Merkel 細胞がん，脂腺がんなど皮膚や毛包，汗腺などの皮膚付属器に由来する稀ながんがある。本章では近年，治療法が急速に発展しつつある悪性黒色腫を中心に述べる。

■ 疫学

1 死亡数/罹患数

- 皮膚がん全体：1,622 人（2018 年，死亡率は人口 10 万人あたり 1.3 人/年）/29,931 人（上皮内癌を含める，2017 年，罹患率は 10 万人あたり 18.7 人/年）
- 悪性黒色腫：死亡数 604 人（2016 年），罹患数 1,807 人（2017 年，罹患率は 10 万人あたり 1.5 人/年）
- 悪性黒色腫以外の皮膚がん：死亡数 949 人（2016 年）
- 皮膚がんの罹患率は人種差が大きく，白人では罹患率が高いが日本人では稀であり，悪性黒色腫の人口 10 万人あたりの罹患率は白人：黒人：アジア系で 32.3：1.0：1.7
- 日本人の悪性黒色腫の原発部位は皮膚が 80.5%（頭頸部 6.3%，上肢 16.6%，体幹 14.0%，下肢 49.8%，境界領域など 13.4%），皮膚以外では粘膜 14.8%，ぶどう膜 2.9%，原発不明 1.8%
- 発症年齢は 60〜70 歳代がピーク，男女比は 1：1.19

2 発症の危険因子（リスクファクター）

悪性黒色腫の危険因子を検討した報告は，大部分が白人を対象としたものであり，日本人に外挿するには注意が必要である。

- 遺伝的要因：スキンタイプ*，悪性黒色腫の既往・家族歴，臨床的に異型な母斑の多発，巨大先天性色素細胞母斑
- 環境要因：過度な日光曝露，紫外線による人工的な日焼け
- 日本人は足底の発症が多いが，特に荷重部に多くみられ外傷の関与が想定されている

*スキンタイプとは紫外線に対する皮膚の反応性で I 〜 VI に分類しており，日光皮膚炎が高度で色素沈着を起こしにくい I と II は high risk とされる

■ 診断

1 臨床症状

　悪性黒色腫はメラノサイト（色素細胞）の悪性腫瘍であり，多くは黒〜褐色調の病変としてみられる。進行した病変では潰瘍を伴った黒褐色の結節性病変を呈し，診断は比較的容易である。早期病変の特徴として American Cancer Society の ABCDE ルールがある。

◆ ABCDE ルール

A：Asymmetry（非対称性）	片側と対側の形状が異なる
B：Border（境界）	不規則で辺縁が不整（scalloped），あるいは不明瞭
C：Color（色調）	病変内で濃淡のある褐色，茶，黒あるいは白，赤，青など多彩
D：Diameter（直径）	診断時には 6 mm を超えることが多いが，小型の病変もある
E：Evolving（変化）	他のほくろと異なる，大きさや形，色調が変わる

2 画像診断

　早期病変に対する診断にはダーモスコピーが有用であり，肉眼による診察と比較し相対診断オッズ比は約 4〜15.6 と報告されている。また，掌蹠の病変では皮丘優位の帯状色素沈着がみられ，感度86％，特異度99％と診断に有用であるが，診断には習熟を要する。

　高周波エコー（20〜100 MHz）は原発巣の tumor thickness（腫瘍の厚さ）を正確に予測でき，術前に有用である。超音波検査はリンパ節転移の検出能に優れており，触診と組み合わせると PET よりも検出率が高まるとする報告がある。転移の検索には頭部 MRI，全身 CT，PET-CT が有用である。

　Stage Ⅰ，Ⅱの初回再発は局所，in-transit 転移*，所属リンパ節が約 70％ を占める一方，Stage Ⅲでは約 50％ が遠隔転移として再発する。フォローアップの際は病期と再発リスクを考慮した画像検査を実施する。

*in-transit 転移とは，原発部位から 2 cm 以上離れた所属リンパ節領域との間の皮膚・皮下組織に確認される非連続性病巣をいう

3 検体検査

　病理組織検査によって診断の確定，T 分類の決定となるが，視診，ダーモスコピーで診断可能な場合は，通常生検は行われない。悪性黒色腫の病理診断には全体構築の観察が重要であるため，生検

をする場合には1～3mmのマージンをつけた全切除生検が推奨される。大型の病変や顔面，足底などの単純縫縮が難しい場合には，部分生検を行ってもよいが診断精度の低下，tumor thicknessが低く見積もられる危険性などの欠点がある。

免疫染色ではS100，HMB45，MelanA，SOX10などが有用である。

治療薬剤の適応や効果の予測にBRAF V600の遺伝子変異，PD-L1の発現率を調べる。

■ 病型分類，組織分類

病理組織学的な特徴によって4型に分類するClark分類が広く用いられてきたが，近年はDNAコピー数や遺伝子変異などの結果をもとに発生部位や紫外線曝露の程度で4型に分類したBastianらによる分類が用いられるようになってきている。

◆ Clark分類

① 悪性黒子型(lentigo maligna melanoma：LMM)：高齢者の顔面に好発。慢性的な日光曝露が関与するとされ，長期にわたる黒褐色の斑状病変としてみられる

② 表在拡大型(superficial spreading melanoma：SSM)：青壮年の体幹や四肢に好発し，白人における最頻病型。濃淡差を示す黒褐色，不整な形状の局面，結節を呈する

③ 結節型(nodular melanoma：NM)：好発部位・年齢がなく，各年齢の全身各所にみられる。周囲に色素斑を伴わないことが特徴。無～低色素性の紅色結節となることもある

④ 末端黒子型(acral lentiginous melanoma：ALM)：手掌，足底，爪部に好発し，足底が最も多い。日本人含め有色人種の最頻病型

◆ Bastianらによる分類

① chronic sun-damaged(CSD)型：慢性的日光曝露部皮膚に発生する。病理組織学的に真皮の日光弾性線維症*を認める。主に顔面，前腕，下腿に発生する

② non chronic sun-damaged(non-CSD)型：非慢性的日光曝露部皮膚に発生する。日光弾性線維症がみられないか軽度なもの。体幹，四肢近位に多く，欧米では最多の病型

③ acral型：手掌，足底，爪部など，日光への曝露がほとんどない部位に発生するもの。日本では最多の病型

④ mucosal型：日光の曝露を全く受けない粘膜上皮に生じるもの

*日光弾性線維症：紫外線によって真皮内に変性エラスチンが蓄積され，弾性線維の変性を呈する。慢性的な紫外線への曝露によって生じる光老化の一種

◆ 各分類の病型と遺伝子変異の頻度

Bastian らによる分類	Clark 分類	病型（%）		遺伝子変異（%）			
		日本	欧米	BRAF	NRAS	KIT	GNAQ/GNA11
CSD	LMM	6	12	6	14	28	
non-CSD	SSM	15	63	56	17	0	
acral	ALM	33	5	21	19	36	
	NM	16	14		27		
	分類不能	10					
mucosal	粘膜*	15	1	3		39	
	ぶどう膜*	3	3～5	0	0	0	90

*粘膜，ぶどう膜は Clark 分類には含まれない
Bastian らによる分類と Clark 分類の対応はおおよそのものであり，完全には対応していない。

■ Staging

1 皮膚悪性黒色腫の TNM 分類（AJCC 第 8 版，2017）

T 分類 原発腫瘍	厚さ（mm）	潰瘍の有無
TX	評価不能（例：部分生検など）	——
T0	原発巣なし（原発不明，完全消退など）	——
Tis	上皮内悪性黒色腫	——
T1a	<0.8	なし
T1b	<0.8	あり
	0.8～1.0	あり/なし
T2a	>1.0～2.0	あり
T2b	>1.0～2.0	なし
T3a	>2.0～4.0	あり
T3b	>2.0～4.0	なし
T4a	>4.0	あり
T4b	>4.0	なし

（次頁につづく）

（前頁よりつづき）

N 分類 領域リンパ節	転移の数	in-transit 転移，衛星 病巣，微小衛星病巣[3]
NX	評価不能	なし
N0	0	なし
N1a	1（臨床的に潜在性[1]）	なし
N1b	1（臨床的に明らか[2]）	なし
N1c	0	あり
N2a	2～3（臨床的に潜在性[1]）	なし
N2b	2～3（臨床的に明らか[2]）	なし
N2c	1	あり
N3a	≧4（臨床的に潜在性[1]）	なし
N3b	≧4（臨床的に明らか[2]）	なし
N3c	≧2	あり

M 分類 遠隔転移	転移臓器	血清 LDH
M0	なし	接尾辞
M1a	領域外の皮膚，皮下組織，リンパ節	(0) LDH 正常
M1b	肺	(1) LDH 高値
M1c	中枢神経系を除くその他の部位	
M1d	中枢神経系	

[1] 臨床的に潜在性のリンパ節転移とは，臨床，画像検査で明らかではなかったが，センチネルリンパ節生検で転移が診断されたものをさす

[2] 臨床的に明らかなリンパ節転移とは，臨床，画像検査などで同定されたもので，通常病理組織学的な検査で確認される

[3] 衛星病巣は 2 cm 以内の皮膚，皮下転移で臨床的に明らかなもの，微小衛星病巣（microsatellite）は原発腫瘍から離れた場所で顕微鏡的に発見される正常間質で境界された皮膚，皮下転移をさす

2 **皮膚悪性黒色腫の病期分類**（AJCC 第 8 版, 2017）**と 5 年・10 年生存率**

病理学的病期			5 年生存率（%）	10 年生存率（%）
Stage 0	Tis	N0	M0		
Stage I A	T1a/b	N0	M0	99	98
Stage I B	T2a	N0	M0	97	94
Stage II A	T2b, T3a	N0	M0	94	88
Stage II B	T3b, T4a	N0	M0	87	82
Stage II C	T4b	N0	M0	82	75
Stage III A	T1a/b, T2a	N1a, N2a	M0	93	88
Stage III B	T0	N1b/c	M0	83	77
	T1a/b, T2a	N1b/c, N2b	M0		
	T2b, T3a	N1a/b/c, N2a/b	M0		
Stage III C	T0	N2b/c, N3b/c	M0	69	60
	T1a/b, T2a/b, T3a	N2c, N3a/b/c	M0		
	T3b, T4a	any N N≧1	M0		
	T4b	N1a/b/c, N2a/b/c	M0		
Stage III D	T4b	N3a/b/c	M0	32	24
Stage IV	any T, Tis	any N	M1	7〜19*	3〜6*

*AJCC 第 8 版では Stage IV の M 分類の変更はあったものの, Stage IV のデータは第 7 版のデータベースを使用しているため第 7 版の予後を記載した

■ 予後因子

病期分類に含まれるもの以外に下記のものが挙げられる。

- 患者因子：年齢, 性別, 発生部位（高齢, 男性, 頭頸部・体幹は予後不良因子）
- 腫瘍因子：核分裂像, センチネルリンパ節の腫瘍量, リンパ管浸潤, 組織型, 自然消退

■ 治療

1 外科切除

- 根治切除が可能な場合は外科切除が第 1 選択となる
- 原発巣は拡大切除が基本であり, tumor thickness によってマージンを設定する〔in situ：3〜5 mm（顔面で最大径 2 cm 以上の病変は 5 mm 以上）, 厚さ 1 mm 以下：1 cm, 厚さ 1 mm 超 2 mm

以下：1～2cm，厚さ2mm超：2cm〕
- 深部マージンについてはエビデンスがなく，腫瘍の深さに応じて決定する。真皮内の病変は皮下脂肪組織全層を含めて切除することが多い
- 遠隔転移巣が単発で切除可能な場合には，症状緩和が得られる場合がある

2 センチネルリンパ節生検，リンパ節郭清

臨床的にリンパ節転移が明らかでない場合には，潜在性転移の検索のためセンチネルリンパ節生検が推奨される。原発が *in situ* および厚さ 0.75 mm 以下の場合はリンパ節転移が極めて稀であるため，通常は推奨されない。臨床的にリンパ節転移が明らかで遠隔転移がない場合は所属リンパ節領域のリンパ節郭清が推奨される。

厚さ 1.2 mm 以上の病変にセンチネルリンパ節生検を施行し，リンパ節転移陽性ならリンパ節郭清をすることで予後が改善するかを検討した海外の多施設共同 RCT(MSLT-I)では，センチネルリンパ節生検を行わず転移が出現した時点で郭清する群と比較し，生存の延長を認めなかった。しかし，センチネルリンパ節転移の有無が最も強い予後因子であることを示した。

センチネルリンパ節転移陽性例に対するリンパ節郭清の意義を検証する，2 つの RCT(DeCOG-SLT：登録困難とイベント数が少なく途中中止，MSLT-II：無効中止)の結果，それぞれの主要評価項目である 3 年無遠隔転移生存，3 年メラノーマ特異生存にはリンパ節郭清群，経過観察群で有意差を認めなかった。

本邦におけるセンチネルリンパ節転移陽性例に対するリンパ節郭清については，これら海外の試験を外挿してよいか不明であり，コンセンサスが得られていない。

3 術後補助療法

pStage III 以上の術後補助療法としてニボルマブ(NIV)療法とペムブロリズマブ療法，BRAF V600 遺伝子変異を有する患者に対する BRAF 阻害薬のダブラフェニブと MEK 阻害薬のトラメチニブ併用療法が承認されている。NIV 療法とイピリムマブ(IPI)療法の RCT では NIV 療法の優越性が証明され(CheckMate238 試験：4 年 RFS 51.7% vs. 41.2%)，ダブラフェニブ＋トラメチニブ療法はプラセボコントロールの RCT(COMBI-AD 試験)で 5 年 RFS 52%，3 年 OS 86%(プラセボはそれぞれ 39%，77%)と，有意に改善された。

米国では Stage Ⅲ術後補助療法として高用量 IPI(1 回 10 mg/kg を 3 週ごと 4 回，その後 12 週ごと，3 年まで)が FDA に認可されている。プラセボコントロールの RCT(EORTC18071 試験)では RFS 中央値 26.1 カ月とプラセボ群 17.1 カ月に比して有意に改善したが，毒性が強く 475 人中 5 人が治療関連死している。

さらに，再発高リスク Stage Ⅲ を対象とした術後補助療法のペムブロリズマブの有用性が示された(EORTC1325/KEYNOTE-054 試験：3 年 RFS でペムブロリズマブ 63.7% vs. プラセボ 44.1%)。

◆**NIV 療法** ★★★ (NEJM 2017：377：1824 PMID 28891423)

NIV　240 mg　30 分で点滴静注　day 1　2 週ごと　投与期間は 12 カ月間まで
または
NIV　480 mg　30 分で点滴静注　day 1　4 週ごと　投与期間は 12 カ月間まで　(2020 年 9 月に追加)

◆**ペムブロリズマブ療法** ★★★ (NEJM 2018：378：1789 PMID 29658430)

ペムブロリズマブ　200 mg　30 分で点滴静注　day 1　3 週ごと　投与期間は 12 カ月間まで
または
ペムブロリズマブ　400 mg　30 分で点滴静注　day 1　6 週ごと　投与期間は 12 カ月間まで　(2020 年 8 月に追加)

◆**ダブラフェニブ＋トラメチニブ療法** ★★★ (NEJM 2017：377：1813 PMID 28891408)

ダブラフェニブ　1 回 150 mg　1 日 2 回　連日
トラメチニブ　1 回 2 mg　1 日 1 回　連日
投与期間は 12 カ月間まで

THxID® BRAF キットで BRAF 遺伝子 V600E または V600K 変異を検出した患者に対して承認。

4 全身性がん薬物療法

米国で 2011 年に IPI が承認されて以降，悪性黒色腫の新規薬剤は目覚ましい進歩を遂げている。2014 年世界に先駆けて本邦で NIV が承認されて以来，本邦でも世界と同様に新規薬剤が承認されてきている。

新規薬剤は分子標的薬と免疫チェックポイント阻害薬の 2 系統に大別される。それぞれの薬剤には特徴があり，BRAF 阻害薬に代表される分子標的薬は奏効率が高いものの，薬剤耐性のため奏効期間が限定的であり，免疫チェックポイント阻害薬は奏効すれば長

期生存が期待できるが奏効率が低いとされてきた。近年ではそれらの問題を克服するべく,さまざまな治療の併用療法が実施されてきている。

根治切除不能な悪性黒色腫における薬物選択は,BRAF遺伝子変異を確認のうえ,PSや腫瘍量,合併症などを症例ごとに検討して決定する。分子標的薬はBRAF遺伝子変異がある場合のみ選択されるが,耐性の問題があるため臨床的に最良効果が確認されたのちに薬剤の変更も考慮する。

1)分子標的薬

◆ **根治切除不能な悪性黒色腫における薬物選択**〔日本皮膚悪性腫瘍学会:悪性黒色腫(メラノーマ)薬物療法の手引き version 1. 2019 より改変〕

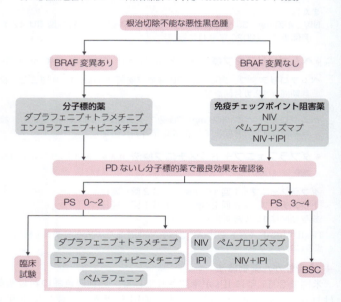

悪性黒色腫では細胞内シグナル伝達経路の1つであるMAPK経路の異常が頻繁に起こっているとされ,シグナル伝達を阻害することで抗腫瘍効果を示すことが明らかになった。そのなかでもBRAF遺伝子変異は本邦では20〜30%,欧米では半数程度の患者にみられる。

未治療例における BRAF 遺伝子変異陽性例に対するダカルバジン（DTIC）に対する BRAF 阻害薬ベムラフェニブの PFS ならびに OS の優越性が RCT で証明された（BRIM-3 試験：NEJM 2011；364：2507 PMID 21639808）。同様に BRAF 阻害薬であるダブラフェニブも DTIC に対する PFS の延長が RCT で示されている（BREAK-3 試験：Lancet 2012；380：358 PMID 22735384）。さらに，ダブラフェニブ単剤に対するダブラフェニブ＋MEK 阻害薬トラメチニブの併用療法の優越性を検証した RCT（COMBI-d 試験）の結果から，MEK 阻害薬の上乗せ効果が示された。

　ベムラフェニブ単剤に対するベムラフェニブと MEK 阻害薬 cobimetinib の併用を比較した RCT（coBRIM 試験）で PFS，OS の中央値がそれぞれ単剤群 7.2 カ月，17.4 カ月，併用群 12.3 カ月，22.3 カ月と併用群で有意に改善された。さらに，ベムラフェニブ単剤と他の BRAF 阻害薬＋MEK 阻害薬であるエンコラフェニブ＋ビニメチニブを比較した RCT（COLUMBUS 試験）では PFS 中央値が単剤群 7.3 カ月，併用群 14.9 カ月であり，併用群で有意に良好であった。

　BRAF 阻害薬単独では，半年前後で薬剤耐性が生じることや有棘細胞がんなどの皮膚腫瘍が生じる副作用が問題となっていた。MEK 阻害薬と併用することで，単独療法よりも臨床効果に優れ，これらの問題を克服できるようになってきた。

◆ **ダブラフェニブ＋トラメチニブ療法** ★★★ （Lancet 2015；386：444 PMID 26037941）

ダブラフェニブ	1 回 150 mg	1 日 2 回	連日
トラメチニブ	1 回　2 mg	1 日 1 回	連日

THxID® BRAF キットで BRAF 遺伝子 V600E または V600K 変異を検出した患者に対して承認。

◆ **エンコラフェニブ＋ビニメチニブ療法** ★★★ （Lancet Oncol 2018；19：603 PMID 29573941）

ビニメチニブ	1 回　45 mg	1 日 2 回	連日
エンコラフェニブ	1 回 450 mg	1 日 1 回	連日

THxID® BRAF キットで BRAF 遺伝子 V600E または V600K 変異を検出した患者に対して承認。

◆ **ベムラフェニブ療法** ★ （NEJM 2011；364：2507 PMID 21639808）

ベムラフェニブ	1 回 960 mg	1 日 2 回	連日

コバス® BRAF V600 変異検出キットで変異を確認した患者に対して承認。

◆BRAF 阻害薬＋MEK 阻害薬の臨床試験

	エンコラフェニブ ＋ビニメチニブ	ダブラフェニブ ＋トラメチニブ	ベムラフェニブ ＋cobimetinib
奏効率（%）	76	68	70
OS 中央値（カ月）	33.6	25.1	22.3

2）免疫チェックポイント阻害薬

免疫チェックポイント分子は多数存在し，そのなかで CTLA-4，PD-1 を標的とした治療薬が実用化している。

免疫チェックポイント阻害薬は細胞障害性抗がん薬や分子標的薬と異なった特徴を有しており，腫瘍が増大あるいは新規病変が出現したあとでも腫瘍が縮小する症例，緩徐に腫瘍が縮小し数カ月かけて PR となる症例，奏効が得られたあと長期間（症例によっては治療中止後も）奏効が持続する症例などがある。

❶ 抗 CTLA-4 抗体　海外第Ⅲ相試験で IPI とペプチドワクチン gp100 を比較して，OS 中央値が IPI 群 10.1 カ月と gp100 群 6.4 カ月に対し有意に延長し，米国では 2011 年に承認された。国内第Ⅱ相試験を経て，本邦では 2015 年に承認された。

現在では抗 PD-1 抗体のほうが抗腫瘍効果や忍容性に優れるため，2nd line もしくは後述する NIV との併用療法として用いられる。

◆IPI 療法 ★★★（NEJM 2010；363：711 PMID 20525992）

IPI　3 mg/kg　90 分で点滴静注　day 1　3 週ごと　4 サイクル

❷ 抗 PD-1 抗体　NIV は BRAF 遺伝子変異のない未治療患者を対象とした RCT（CheckMate066 試験）で DTIC と比較して優れた臨床効果が示された（12 カ月 OS 72.9% vs. 42.1%，PFS 中央値 5.1 カ月 vs. 2.2 カ月）。国内では当初 2 mg/kg，3 週ごと，海外では 3 mg/kg，2 週ごとの投与であったが，3 mg/kg と 240 mg を 2 週間間隔で投与した場合の有効性・安全性に明確な差異はないというシミュレーション結果をもって，2018 年 8 月に 240 mg，2 週ごとの投与に用法，用量が変更され，その後 2020 年 9 月に 480 mg，4 週ごとの投与方法も追加された。

ペムブロリズマブは IPI と比較した RCT（KEYNOTE-006 試験）で，6 カ月 PFS 46.4% vs. 26.5%，12 カ月 OS 68.4% vs. 58.2%，奏効率 32.9% vs. 11.9% と IPI に対する優越性を示した。2018 年

12月に1回2 mg/kg（体重）から1回200 mg，3週ごとの投与に用法，用量が変更された。その後，シミュレーション解析に基づき，3週間隔投与と比較して有効性および安全性に明確な差異がないことが予測され，2020年8月に400 mg，6週ごとの投与方法も追加された。

◆ **NIV 療法 ★★★** （NEJM 2015；372：320 PMID 25399552）

NIV　240 mg　30分で点滴静注　day 1　2週ごと
または
NIV　480 mg　30分で点滴静注　day 1　4週ごと　（2020年9月に追加）

◆ **ペムブロリズマブ療法 ★★★** （NEJM 2015；372：2521 PMID 25891173）

ペムブロリズマブ　200 mg/kg　30分で点滴静注　day 1　3週ごと
または
ペムブロリズマブ　400 mg/kg　30分で点滴静注　day 1　6週ごと
（2020年8月に追加）

❸ **抗 PD-1 抗体＋抗 CTLA-4 抗体併用**　化学療法未治療例を対象とした NIV＋IPI 併用群，NIV 単剤群，IPI 単剤群の RCT（Check-Mate067試験）では，PFS 中央値11.5カ月，6.9カ月，2.9カ月，OS 中央値は未到達，37.6カ月，19.9カ月であった。IPI の上乗せ効果は腫瘍細胞の PD-L1 発現率によって異なる傾向（PFS が，PD-L1 陽性：NIV＋IPI 群14.0カ月，NIV 群14.0カ月，PD-L1 陰性：NIV＋IPI 群11.2カ月，NIV 群5.3カ月）が示唆されており，PD-L1 陽性（1％以上）の場合は IPI 併用の毒性の観点から NIV 単独療法も検討する。しかしながら，PD-L1 は同一患者であっても検体採取部位や採取時期によって発現が異なることが知られており，実臨床では PD-L1 の発現率だけでなく，全身状態や合併症，腫瘍量や転移部位などを総合的に判断して NIV＋IPI 併用を行うかどうかを判断している。

◆ **NIV＋IPI 併用療法 ★★★** （NEJM 2015；373：23 PMID 26027431）

NIV　80 mg　1時間で点滴静注　day 1
IPI　3 mg/kg　90分で点滴静注（NIV 投与完了後30分間隔を空ける）
　day1
3週ごと　4サイクル　その後，NIV 240 mg を2週ごとまたは480 mg
を4週ごと

5 放射線療法

悪性黒色腫は放射線抵抗性とされているが，症候性の転移性病変に対する放射線治療で症状緩和を得られることは多い。

中枢神経系転移に対する定位照射は，後ろ向き研究で1年局所制御率は72〜100%と報告されている。ただし，定位照射の適応となるのは病変の最大径が3cm以下，病変数が一般的には3〜4個以下，多くても10個程度までに限られる。

BRAF阻害薬ベムラフェニブ，ダブラフェニブは放射線感受性があり，放射線療法と併用して毒性が増強されたとする報告がある。

免疫チェックポイント阻害薬と放射線療法の併用についての後ろ向き研究では毒性の悪化はなかったとされている。また，奏効率やOSの改善，放射線非照射病変での反応（abscopal効果）が観察されたという報告もあり，前向き臨床試験が進行中である。

■ 予後

407頁の**表**を参照のこと。Stage IVの生存率はAJCC第7版の2008年時点のデータをもとにしている。

■ 文献

1) Gershenwald JE, et al：Melanoma staging：evidence-based changes in the American Joint Committee on Cancer eighth edition cancer staging manual. CA Cancer J Clin 2017；67：472-492 PMID 29028110
2) NCCN Guidelines®［https://www.nccn.org/professionals/physician_gls/pdf/cutaneous_melanoma.pdf］
3) 皮膚悪性腫瘍診療ガイドライン 第3版. 日皮会誌 2019；129：1759-1843

【陣内　駿一】

18 原発不明がん

原発不明がんは，組織学的に転移性悪性腫瘍と証明されているが，十分な検索にもかかわらず，臨床的に原発巣を同定できないものと定義される。原発不明がんは，病理学的所見や病歴聴取，身体所見，血液検査，画像検査などをもとに，推定される原発巣に準じた特異的な治療が可能な予後良好群と，それ以外の予後不良群に分類され，予後良好群は原発不明がんのうちの 15～20%，予後不良群は原発不明がんのうちの 80～85% 程度を占める。

■ 疫学

1 罹患数

米国の統計ではすべてのがんの 2% 程度を占める (CA Cancer J Clin 2017：67：7 PMID 28055103)。診断技術の向上に伴い，減少傾向にある。本邦においては，厚生労働省の各種疫学情報などから，原発不明がんの年間罹患数は約 7,500 人と推定される。

2 発症の危険因子（リスクファクター）

原発不明がんの 2.8% が家族性発症であることや，肺がんや腎がん，肝臓がん，卵巣がんなどのがんの家族歴がある患者では原発不明がんの発症が多いことが報告されている。また，危険因子としては，喫煙習慣や，組織型が扁平上皮癌である原発不明がんおいては，ヒトパピローマウイルスなどが挙げられる。

■ 診断

原発巣の検索が重要であるが，20～50% の患者では剖検でも原発巣が同定されないため，必要以上の検査に時間を費やし治療の時期を逃すことがないよう留意する必要がある。「原発不明がん診療ガイドライン」(2018 年)では，検査に費やす期間は 1 カ月を目処とすべきとしている。

1 臨床症状

腫瘍の転移部位，臓器に関連した症状を起こす。

2 詳細な病歴・身体所見

現病歴，生活歴，既往歴，家族歴を聴取し，乳房，泌尿器診察，婦人科診察，直腸診を含めた全身の詳細な身体診察を行う。

3 画像診断

　初期評価では胸部・腹部・骨盤部の造影 CT が推奨されている。女性で腋窩リンパ節が腫大しているときはマンモグラフィ，乳房 MRI を追加する。消化器症状や便潜血陽性など，臨床症状や臨床検査所見から，消化管原発が疑われるときは上下部内視鏡検査の追加を検討するが，患者への身体的・経済的負担が大きいため，ルーチンでの施行は慎重に行う。PET-CT は頸部リンパ節が病変の主座とする原発不明がんや単一転移病変に対して有用性が認められている。

4 検体検査

　初期評価では一般血液検査，尿検査，尿細胞診，便潜血を行う。血清腫瘍マーカーは一部で有用性が認められているもの(胚細胞腫瘍，甲状腺がん，前立腺がん，卵巣がん・卵管がん・腹膜がん)があり，病態に応じて測定する。

◆ 原発巣精査目的に測定が推奨される腫瘍マーカー

40 歳以上の男性，年齢関係なく腺癌の骨転移のある男性	PSA
腹膜播種主体の腺癌	CA125
50 歳以下の縦隔リンパ節，65 歳未満の後腹膜腫瘍身体の正中に病変が分布	β-hCG，AFP
甲状腺に結節を認める症例	サイログロブリン

5 組織診断

　組織診は原発巣の同定や，予後良好群の診断にも重要な役割を果たすことから不可欠の検査であり，確実に十分な組織を採取する(針生検やセルブロック法を併用した穿刺吸引細胞診)ことが重要である。また，臨床経過など，診断の過程で重要な情報が病理医と共有できるように，病理医と臨床医のコミュニケーションを十分に図るべきである。

　組織診断においてはまず悪性腫瘍かを判別する。悪性腫瘍であれば，上皮性悪性腫瘍，リンパ腫やその他の血液悪性腫瘍，肉腫，悪性黒色腫，胚細胞腫瘍の鑑別を行っていく。

1)組織型と頻度

- 中〜高分化腺癌：約 60%
- 低分化癌，低分化腺癌：約 20〜30%
- 扁平上皮癌：約 5%

- 低分化悪性腫瘍：約5％（悪性リンパ腫，悪性黒色腫，肉腫との鑑別が困難なもの）
- 神経内分泌腫瘍：約1％

2）鑑別に有用な免疫染色

　原発組織の同定を試みるために，生検標本を免疫組織化学（IHC）法で分析することが多い。上皮性悪性腫瘍の場合，サイトケラチン（CK）7とCK20の発現の組み合わせが原発巣推定に有用な場合がある。鑑別に有用な免疫染色を合わせて示す。

◆ 免疫組織化学的マーカーによる原発巣の絞り込み

	CK7（＋）	CK7（−）
CK20（＋）	粘液性卵巣がん 尿路上皮癌 膵がん 胆管細胞がん 胃がん	大腸がん（CDX2） Merkel細胞がん 胃がん
CK20（−）	非粘液性卵巣がん（PAX8） 甲状腺がん（TTF-1，thyro-globulin） 乳がん（ER，GCDFP-15，mammaglobin，GATA3） 肺がん（TTF-1，napsin A） 子宮内膜がん（PAX8，ビメンチン） 悪性中皮腫（calretinin，CK5/6，D2-40，mesothelin）	副腎がん（SF-1，Melan-A） 胚細胞腫瘍（OCT3/4） 前立腺がん（PSA，PSAP） 肝細胞がん（HepPar-1，CEA） 腎細胞がん（RCC，PAX2，CD10，ビメンチン） 神経内分泌腫瘍（chromo-granin，synaptophysin） 扁平上皮癌（CK5/6，p63，p40）

上皮性悪性腫瘍以外においては，悪性リンパ腫ではLCA（＋），CD45（＋），肉腫では，デスミン（＋），ビメンチン（＋），悪性黒色腫ではS100（＋），HMB45（＋），NSE（＋），Melan-A（＋）となる。

3）遺伝子・染色体検査で鑑別が可能な疾患

- 上咽頭がん：EBVの検出
- 中咽頭がん：HPVの検出
- 非Hodgkinリンパ腫：t（14；18）（q32；q21），t（11；14）（q13；q32），t（8；14）（q24；q32）
- Ewing肉腫/PNET：t（11；22）（q24；q12）

　そのほか，骨・軟部肉腫においては組織特異的な融合遺伝子や染色体転座が存在する疾患があり，確定診断に有用な場合がある。

4) 分子生物学的診断

　メッセンジャー RNA や DNA あるいはマイクロ RNA を用いた遺伝子発現プロファイリングアッセイから原発不明がんがもつ遺伝子変異・分子プロファイルを同定し，原発巣を推測する手法として検討されている。しかし，本邦の検討(JCO 2019：37：570 PMID 30653423)では，マイクロアレイのプロファイリングに基づいた部位別治療は，経験的な化学療法と比較して予後を改善せず，検査精度は不十分である可能性がある。今後のさらなる検証は必要であるが，近年，次世代シークエンサー(NGS)を用いて原発部位の推定やバイオマーカーを特定する試みも行われている。NGS による遺伝子発現や遺伝子変化のプロファイリングに基づいた分子標的治療を含む部位別治療は有効であったという本邦の研究(JAMA Oncol 2020：6：1931 PMID 33057591)もあり，実臨床での活用が期待される。

■ Staging

　原発巣が不明な転移性腫瘍であるため Staging は存在しない。

■ 予後因子

　特異的な治療が可能なサブグループかどうか(予後良好群かどうか)が予後因子となる。その他，PS 不良，複数臓器への転移，合併症の存在，LDH 高値，低アルブミンが予後不良因子として挙げられる。

■ 治療

1 特異的な治療が可能なサブグループ(予後良好群)

　8つの予後良好群を示す。このサブグループを診断し，適切な治療を行うことが重要である。

◆ 予後良好群と推奨治療

予後良好群	治療方針
漿液性腺癌，女性，がん性腹膜炎，CA125 上昇	FIGO 分類Ⅲ期の卵巣がんに準じた治療 標準的外科手術＋化学療法
腺癌，女性，腋窩リンパ節のみ	腋窩リンパ節転移陽性の乳がんに準じた治療
腺癌，男性，造骨性骨転移，PSA 上昇	転移性の前立腺がんに準じた治療
扁平上皮癌，頸部リンパ節転移	頭頸部がんに準じた治療
扁平上皮癌，鼠径リンパ節転移	局所療法
低分化型神経内分泌がん	進展型小細胞肺がんの治療
高分化型神経内分泌腫瘍	膵・消化管神経内分泌腫瘍(NET) G1・G2 に準じた治療
正中線上に病変が分布，50 歳未満の男性，β-hCG，AFP の上昇	精巣に病変がない場合，poor risk の性腺外胚細胞腫瘍に準じた治療

2 それ以外のサブセット（予後不良群）

　予後不良群は，PS や LDH によりさらに予後が分類され，化学療法の適応があるかを検討する。ESMO ガイドラインでは，PS 0～1 で LDH が正常な患者に対しては 2 剤併用化学療法を検討するが，PS 2 以上，LDH 上昇，またはその両方を有する患者に対しては単剤化学療法，あるいは BSC も検討することが推奨されている。

　用いられる化学療法として，現時点で確立した標準治療はなく，2 剤併用化学療法では，白金製剤にタキサン系，GEM，CPT-11 などを併用した治療がいくつかの臨床試験で試みられてきた。そのなかで，OS が 10 カ月を超えるレジメンである CBDCA と PTX の併用レジメンが，最も頻用されている。至適投与量や投与期間も決められたものはなく，個別の症例に応じた投与方法となる。

　初回化学療法に抵抗性となった後の 2 次治療として，DTX や GEM，CPT-11 などの単剤や併用療法が検討されてきたが，奏効割合は 0～10％ 程度であり，2 次治療の意義は明らかではなかったが，本邦で行われた第Ⅱ相医師主導治験（NivoCUP 試験：JCO 2020；38：106 PMID 31675249）では，既治療例におけるニボルマブ単剤療法が奏効割合 22.2％，PFS 4.0 カ月，生存期間中央値 15.9 カ月，未治療例におけるニボルマブ単剤療法は奏効割合 18.2％，PFS 2.8 カ月，

生存期間中央値未到達と良好な成績を示した。

また，EGFR 遺伝子など特定のドライバー遺伝子変異を有する原発不明がんに対する分子標的治療薬の有効性を検証する動きもあるが，その臨床的有益性はいまだ不明である。

3 マイクロサテライト不安定性（MSI）やミスマッチ修復機構欠損（dMMR）を有するサブセット

MSI-High または dMMR を有する原発不明がんは少数（1〜2%程度）とされるものの，免疫チェックポイント阻害薬の効果を予測するバイオマーカーとなりうる。NCCN ガイドラインでは，原発部位にかかわらず，MSI-High または dMMR の患者に対して，ペムブロリズマブの使用が提案されており，本邦でも投与可能である。

◆TC 療法 ★★（JCO 2000；18：3101 PMID 10963638）

CBDCA	AUC 5〜6	day 1	点滴静注
PTX	175〜200 mg/m^2	day 1	点滴静注
3 週ごと	6 サイクル		

■ 予後

予後不良群では，MST はわずか半年程度とされる。予後良好群の予後はそれぞれのサブセットで異なるが，一般的に予後不良群の原発不明がんと比較して予後は良好である。

■ 文献

1) Siegel RL, et al：Cancer statistics, 2017. CA Cancer J Clin 2017；67：7-30 PMID 28055103
2) 厚生労働省．平成 29 年全国がん登録 罹患数・率 報告. 2020［https://www.mhlw.go.jp/content/10900000/000624853.pdf］
3) NCCN Guidelines®［http://www.nccn.org/professionals/physician_gls/f_guidelines.asp］
4) ESMO Guidelines Committee：Cancers of unknown primary site：ESMO Clinical Practice Guidelines for diagnosis, treatment and follow-up. Ann Oncol 2015；26（Suppl 5）：v133-v138 PMID 26314775
5) 日本臨床腫瘍学会（編）：原発不明がん診療ガイドライン 改訂第 2 版. 南江堂, 2018［https://minds.jcqhc.or.jp/docs/gl_pdf/G0001078/4/Carcinoma_of_Unknown_Primary.pdf］

【虎澤　匡洋】

19 脳腫瘍
Central Nervous System Tumors

　脳腫瘍は原発性脳腫瘍と転移性脳腫瘍に大別される。本章では原発性悪性脳腫瘍としては最も頻度の高い神経膠腫と，転移性脳腫瘍を中心に解説する。胚細胞腫瘍については 14 章（⇒270 頁），がん性髄膜炎については 20 章（⇒441 頁）を参照のこと。

■ 疫学

1 原発性脳腫瘍

　原発性脳腫瘍の発生頻度について，人口 10 万人あたりの年齢調整罹患率は本邦では 16.31 人（2016 年全国がん登録データ），米国では 23.41 人（CBTRUS2012-2016）である。

- 本邦の組織別頻度（2016 年全国がん登録データ）：髄膜腫（34.5%），下垂体腺腫（16.0%），神経鞘腫（9.2%），膠芽腫（7.3%），中枢神経系原発悪性リンパ腫（4.1%）である
- 危険因子：一部の遺伝性疾患，放射線照射などを除き，原発性脳腫瘍の発生と直接関連のある因子は明らかではない

2 転移性脳腫瘍

　転移性脳腫瘍の頻度の正確な統計はないが，全悪性腫瘍患者の 10% 以上に発生するとされている（米国）。

- 脳腫瘍全体に占める割合（脳腫瘍全国統計 2005〜2008 年）：19.1%
- 原発臓器（2005〜2008 年）：肺がん（46.1%），乳がん（14.5%），結腸がん（6.0%），腎がん（4.2%），原発不明がん（3.6%），胃がん（3.3%），直腸/肛門がん（3.0%）

■ 診断

1 症状

　脳腫瘍に伴う神経症状は多彩である。症状は腫瘍の脳組織圧排などによる局所症状（巣症状）と腫瘍増大や脳浮腫などによる頭蓋内圧亢進症状に大別される。

　局所症状としては，片麻痺，言語障害，痙攣，感覚障害，視野障害，失算・失書・注意障害などの高次脳機能障害などが代表的である。全頭蓋内腫瘍の約 30〜40%，転移性脳腫瘍の約 15% が経過中に痙攣発作を発症する。大脳皮質に障害をきたす場合，痙攣発作

を発症する危険性が高くなる。

頭蓋内圧亢進症状としては，頭痛，悪心・嘔吐が主なものであり，朝方の頭痛は典型的である。意識レベルの低下は脳ヘルニアの初期徴候である可能性があり，緊急対応が必要な場合がある。

2 画像所見

脳腫瘍の画像診断においては MRI が重要であるが，石灰化や骨の評価には CT が有用である。MRI では一般的に T1WI/T2WI/FLAIR/拡散強調画像，造影 T1WI 画像を行うが，鑑別診断において T2 STIR や磁化率強調画像（SWI），灌流画像（perfusion），MR spectroscopy（MRS）の重要性が報告されている。造影効果は腫瘍によりさまざまであるが，膠芽腫はリング状に造影されて周囲に強い浮腫を伴う画像が典型的である。より悪性度の低い神経膠腫の造影効果は組織型により大きく異なる。CT や MRI などで多血性腫瘍が疑われる場合，手術による治療を前提に脳血管撮影を行うことがあるが，最近は CT angiography や MR angiography で代用する。胚細胞腫や髄芽腫，中枢神経原発悪性リンパ腫は脊髄病変を伴うことがあるため，全脊髄 MRI は必須である。また，症例によっては脳腫瘍切除範囲決定のため，術前に拡散テンソル解析（diffusion tensor imaging：DTI）による神経路の確認や functional MRI（fMRI）による脳機能の局在を確認する必要がある。

FDG を用いた PET-CT/MRI は脳腫瘍の鑑別診断や悪性度，再発診断のために有用な情報を提供することがある。MET-PET は FDG よりも低悪性度神経膠腫の検出や再発診断に有用との報告がされているが，保険適用外である。

3 検体検査

原発性脳腫瘍の確定診断には，摘出あるいは生検標本での病理組織検査が必要である。また，WHO 分類（2016）では主な神経膠腫の確定診断に IDH 変異や 1p19q 共欠失，H3K27M 変異などの分子診断が必須である。転移性脳腫瘍の診断は臨床・画像診断で行われる場合が多いが，鑑別が難しい場合には生検術などを考慮する。

脳実質内腫瘍に対する髄液検査はほとんど診断的価値をもたず，むしろ頭蓋内圧亢進症状のある場合には腰椎穿刺は禁忌である。造影 MRI にて軟膜膜に沿った造影所見を認め，感染性髄膜炎やがん性髄膜炎などの鑑別が困難な場合には，髄液培養検査や細胞診を考慮する。

■ 悪性度分類，組織分類

1 原発性脳腫瘍

　原発性脳腫瘍は原則として中枢神経系の外へ転移せず，TNM 分類は定義されていない。腫瘍の形態学的特徴に基づく WHO 悪性度分類（WHO Grade）が用いられる。組織分類は WHO による中枢神経系腫瘍組織分類を用いて行われるが，2016 年に改訂され，形態学的および悪性度による診断に分子診断を組み合わせて行うこととなった。しかしながら，この改訂にはいくつか問題点があり，国際的な枠組みとして The Consortium to Inform Molecular and Practical Approaches to CNS Tumor Taxonomy-Not Official WHO（cIMPACT-NOW）が形成され，WHO 分類の問題点を解決すべく次世代の分類に対して複数の提言が行われており，これらの重要な提言が次回の改訂におおむね反映される予定である。

◆悪性度分類（WHO Grade）

WHO Grade Ⅰ：増殖能が低く，境界明瞭な性質を示し，外科切除単独で治癒の可能性がある

WHO Grade Ⅱ：分裂能は低いが浸潤性であり，Grade Ⅰよりも頻繁に局所療法後に再発する病変を含む。より高い悪性度に進行する傾向あり

WHO Grade Ⅲ：核異型性や分裂能増加といった悪性の組織学的証拠を有する病変。退形成の組織型および浸潤能を有する

WHO Grade Ⅳ：高い分裂能と強い浸潤性，壊死傾向を示す病変を含み，一般的に術前および術後に急速な進行を呈する

◆WHO 分類（2016）

1) びまん性星細胞系および乏突起膠細胞系腫瘍（diffuse astrocytic and oligodendroglial tumours）
　びまん性星細胞腫（IDH 遺伝子変異）（Grade Ⅱ），退形成性星細胞腫（IDH 遺伝子変異）（Grade Ⅲ），乏突起膠腫（IDH 遺伝子変異および 1p/19q 共欠失）（Grade Ⅱ），退形成性乏突起膠腫（IDH 遺伝子変異および 1p/19q 共欠失）（Grade Ⅲ），膠芽腫（IDH 遺伝子野生型）（Grade Ⅳ）など

2) 上衣系腫瘍（ependymal tumours）
　上衣腫，上衣腫（RELA 融合遺伝子陽性）など（組織型により Grade ⅡまたはⅢ）

3) 胎児性腫瘍（embryonal tumours）
　髄芽腫（Grade Ⅳ）〔髄芽腫（WNT 活性化），髄芽腫（SHH 活性化および TP53 遺伝子変異），髄芽腫（SHH 活性化および TP53 遺伝子野生型），

髄芽腫(非 WNT/非 SHH)]など
4) 脳神経および脊髄神経腫瘍(tumours of cranial and paraspinal nerves)
神経鞘腫(Grade I), 神経線維腫(Grade I)など
5) 髄膜腫群(meningiomas)
髄膜腫(組織型により Grade I〜III)
6) 間葉系, 非髄膜性腫瘍
孤立性線維性腫瘍/血管周皮腫(組織型により Grade I〜III), 血管腫, 肉腫など
7) リンパ腫・造血器腫瘍(lymphomas and hematopoietic neoplasms)
悪性リンパ腫など
8) 胚細胞腫瘍(germ cell tumours)
胚腫, 奇形腫など
9) トルコ鞍部腫瘍(tumours of the sellar region)
頭蓋咽頭腫(Grade I)など
10) 転移性腫瘍(metastatic tumours)

◆ WHO 分類(2016)における星細胞腫と乏突起膠腫の診断フローチャート

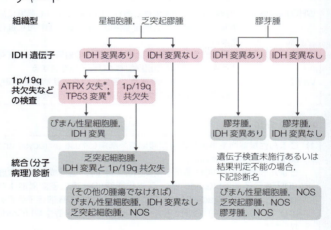

*特徴ではあるが診断に必須ではない

■ 予後因子

1 原発性脳腫瘍:神経膠腫

low grade glioma の場合, ① 組織型が星細胞腫, ② 40 歳以上, ③ 腫瘍最大径 6 cm 以上, ④ 対側への進展, ⑤ 神経症状がある,

の5項目で，該当すれば1項目につき1点を付与し，0〜2点：low risk，3〜5点：high risk として評価する。MST は low risk 群で 7.8 年，high risk 群で 3.7 年である（EORTC Low Grade Glioma score：JCO 2002：20：2076 PMID 11956268）。

膠芽腫の臨床的予後因子は年齢，術前の KPS（Karnofsky PS），手術摘出度，および神経症状である（Int J Radiat Oncol Biol Phys 2011：81：623 PMID 20888136）。

バイオマーカーとしては，染色体 1p/19q の共欠失，および IDH1/2 遺伝子変異は予後良好因子であり，MGMT 遺伝子のプロモーター領域のメチル化は TMZ の，染色体 1p/19q の共欠失は化学療法および放射線療法の良好な効果を予測する因子である。

2 転移性脳腫瘍

予後予測には KPS，年齢，原発巣の制御，脳以外の遠隔転移の有無により予後良好・中間・不良の3群に分ける RTOG-RPA（recursive partitioning analysis）分類が用いられていたが，さらに脳転移病変の個数をリスク因子に加え，かつ各原発腫瘍によりスコア付けを行い評価する GPA（Graded Prognostic Assessment）分類に発展した。

◆ **診断別 GPA 分類**（JCO 2012：30：419 PMID 22203767）

診断	スコア因子
小細胞肺がん/非小細胞肺がん	年齢，KPS，頭蓋外への転移，脳転移の個数
悪性黒色腫	KPS，脳転移の個数
乳がん	KPS，サブタイプ，年齢
腎細胞がん	KPS，脳転移の個数
消化器がん	KPS

原発巣ごとに因子が異なり，スコアの重み付けも異なる。スコアの合計から予後を推定する。

■ 治療

1 対症療法

1）頭蓋内圧亢進症状

脳浮腫による頭蓋内圧亢進の軽減を目的に鉱質コルチコイドの作用の少ない糖質コルチコイド〔デキサメタゾン（DEX）あるいはベタメタゾン〕，濃グリセリンを投与する。脳ヘルニアや水頭症をきたした場合には，腫瘍摘出や脳室ドレナージなどの外科的治療が必要

である。

DEX の投与量については明確なコンセンサスはないが，一般的には 4～8 mg/日で開始されることが多い。重症度に応じて初期には 16 mg/日あるいはそれ以上を考慮する。ステロイドの使用に際しては，糖尿病などの有害事象に注意し，長期使用を避け，数日おきに漸減・中止する方法が一般的である。浸透圧利尿薬として D-マンニトールは濃グリセリンよりも即効性はあるが，持続時間が短く，頻回投与によりリバウンド効果がみられるため，緊急時や術中に使用することが一般的であり，長期継続投与には不向きである。

> **濃グリセリン（グリセオール®）　200 mL　1 時間かけて点滴静注　1 日2～4 回**
> **DEX（デカドロン®）　2～8 mg＋生理食塩水　50 mL　30 分で点滴静注　1 日 2 回　症状改善後 3～4 日ごとに半減し 2 週間以上かけて中止**

DEX は濃グリセリンに混注して投与も可能。

2) 痙攣

痙攣発作を発症した場合は，速やかに抗痙攣薬の経静脈投与と気道確保・酸素投与を行う。そのあとも抗痙攣薬投与を継続する。痙攣発作時は低血糖，脳炎，感染性髄膜炎，電解質異常（低 Na 血症）などの原因疾患の除外が必要である。

痙攣発作時はジアゼパムの原液を静脈内投与する。呼吸抑制に注意が必要である。痙攣が重積する場合は鎮静下，人工呼吸管理が必要なことがある。

投与準備ができ次第，ホスフェニトインナトリウムやレベチラセタムの経静脈的投与を開始し，経過を見て可能な限り内服へ移行する。

痙攣発作の既往がない脳腫瘍患者の予防的抗痙攣薬の有効性は確立されていない（Cochrane Database Syst Rev 2008：CD004424 PMID 18425902）。メラノーマの脳転移は他のがん種と比較して高頻度に痙攣発作を発症するため，予防的抗痙攣薬の投与も許容されうる（J Neurooncol 2012：108：109 PMID 22311106）。

> **ジアゼパム（ホリゾン®）　5 mg　緩徐に静注　呼吸抑制に注意しながら痙攣が止まるまで追加**

痙攣が持続する場合，以下を開始する。

（初回投与）
ホスフェニトインナトリウム（ホストイン®）　22.5 mg/kg（1,125 mg：50 kg換算）＋生理食塩水　100 mL　30分で点滴静注
（維持投与：初回投与から12〜24時間後に投与開始）
ホスフェニトインナトリウム（ホストイン®）　5〜7.5 mg/kg/日（250〜375 mg：50 kg換算）＋生理食塩水　100 mL　30分で点滴静注　1日1回あるいは分割投与

投与時には血圧低下に注意。
ホスフェニトインナトリウムの代わりに下記を用いてもよい。

レベチラセタム（イーケプラ®）　500 mg＋生理食塩水　50 mL　15分で点滴静注　12時間ごと。点滴終了後は同量で内服に切り替え，症状に合わせて2週間以上の間隔で1日量あたり1,000 mg以下ずつの増量を考慮。ただし，本邦ではてんかん重積には保険適用外

ジアゼパム，ホスフェニトインナトリウム（またはレベチラセタム）使用後も痙攣が停止困難な場合，全身麻酔療法に移行する。

ミダゾラム（ドルミカム®）　0.1〜0.4 mg/kg/時　持続静注
または
プロポフォール　1〜2 mg/kg　静注し，有効であれば2〜5 mg/kg/時　持続静注

2 治療各論

1）原発性脳腫瘍

原則的に神経所見を悪化させずに可能な限り腫瘍を摘出する（maximal safe resection）ことを原則とし，病理組織診断結果に応じて放射線療法および化学療法の追加を検討する。

❶ 毛様細胞性星細胞腫などの WHO Grade Ⅰ の神経膠腫

外科切除　★★

外科的全摘出が行われた症例においては治癒が見込める疾患群である。長期生存が見込めるため，残存腫瘍があった場合でも増大傾向がなければ放射線治療や化学療法の追加は推奨されない。外科的治療が困難な場合や残存腫瘍の増大傾向があれば放射線治療（54 Gy）を検討する。

❷ びまん性星細胞腫などの WHO Grade Ⅱ の神経膠腫　低リスク症例では以下を行う。

外科切除＋術後放射線療法（50.4〜54 Gy）　★★

高リスクの Grade Ⅱ 神経膠腫に対する術後放射線療法＋PCV〔プロカルバジン（PCZ），lomustine，VCR〕は放射線療法単独と比較して，OS，PFS が良好であることが示されているが（NEJM 2016：374：1344 PMID 27050206），lomustine が本邦では未承認のため，ACNU を用いた PAV（PCZ，ACNU，VCR）療法や TMZ 単剤療法が使用されることもある。

再発例は可能であれば外科切除，続いて TMZ など化学療法を検討する。

❸ WHO Grade Ⅲ・Ⅳの神経膠腫

外科切除＋術後 TMZ 併用放射線療法＋TMZ 維持療法 ★★★

造影 MRI で撮像される範囲を越えて浸潤性に進展するため，通常は完全摘出困難である。

- 術後放射線治療：退形成性星細胞腫，膠芽腫では術後放射線照射の生存期間延長効果が認められている
- PCV：退形成性乏突起膠腫では術後放射線療法に PCV 療法の追加により，PFS および OS が有意に改善した（JCO 2013：31：337 PMID 23071247）。本邦では lomustine が未承認のため PAV 療法や TMZ 単剤療法が用いられることが多い
- TMZ：膠芽腫に対する RCT で術後放射線療法に TMZ を同時併用し，TMZ 維持療法を追加した群が術後放射線療法単独群と比較して生存期間が有意に延長した（14.6 カ月 vs. 12.1 カ月，$p < 0.001$）。この研究を主導した医師の名前をとった Stupp レジメン（術後放射線療法＋TMZ，TMZ 維持療法）が現在の膠芽腫に対する世界的標準治療である（NEJM 2005：352：987 PMID 15758009）
- BV：初発膠芽腫に対する第Ⅲ相試験で，手術＋放射線＋TMZ への BV 上乗せによる OS の延長は認めなかったものの PFS の有意な延長を認めた。また QOL の改善も示唆されており，BV を初期から臨床現場で用いることがある（NEJM 2014：370：709 PMID 24552318）
- TTF：Stupp レジメンの維持療法期に交流電場腫瘍治療システム（tumor treatment field：TTF）を併用することにより TMZ 維持療法単独と比較して OS が延長することが報告され（JAMA 2015：314：2535 PMID 26670971），2018 年に本邦で保険承認されたが，単一の非盲検試験であることや装着のアドヒアランスの問題，また高額治療であることから，標準治療とすべきかどうかは議論の余地がある

- 高齢者：高齢者の膠芽腫症例においては，短期照射単独に比べて短期照射＋TMZ が有意に生存期間を延長する第Ⅲ相試験が報告された(NEJM 2017；376：1027 PMID 28296618)

◆ 放射線併用 TMZ 療法 ★★★ (NEJM 2014；370：709 PMID 24552318)

術後放射線療法：
　脳局所照射　60 Gy/30 回　6 週
放射線療法中*：
　TMZ　75 mg/m²/日　食事の 3 時間前（空腹時）　連日内服（42〜49 日間）〔神経症状に応じて，ベタメタゾン（リンデロン®）　2〜4 mg/日を追加〕
　28 日間休薬
維持療法：
　TMZ　1 サイクル目：150 mg/m²　2 サイクル目以降：200 mg/m²　day 1〜5　4 週ごと　計 12〜24 サイクル

*最終投与は放射線療法の最終日

再発に対しては，可能であれば外科切除，続いて TMZ 再投与および BV(Jpn J Clin Oncol 2012；42：887 PMID 22844129)などの化学療法を検討するが，緩和治療への移行も検討する必要がある。

◆ BV 単剤療法 ★★

BV　10 mg/kg　2 週ごと or 15 mg/kg　静注　3 週ごと

2) 転移性脳腫瘍

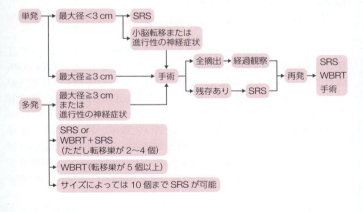

病態に応じて手術，定位放射線療法（SRS），全脳照射（WBRT）を組み合わせた治療が適応となる。頭蓋外の病変の推定予後が短い場合は侵襲的な治療を避けて対症療法に専念することも検討する。

治療手段は「脳腫瘍の個数」「重篤な神経症状の有無」「脳腫瘍の最大径」で判断する。上記のフローチャートを参考に治療内容を決定する。肺がんや乳がんなど，がん種ごとの診療ガイドラインがある場合には参考にする。

❶ **直径 3 cm 以上の単発脳転移**　手術＋全脳照射（30 Gy/10 回 or 37.5 Gy/15 回）が標準治療であったが，JCOG0504 試験（JCO 2018；36：3282 PMID 29924704）の結果が公表され，「手術＋全脳照射」を対照群とし，「手術で完全切除の場合には経過観察，部分切除の場合には術後定位照射」の非劣性が示され，標準治療の 1 つとなった（★★★）。

❷ **直径 3 cm 以上の病変を含む多発脳転移**　切迫する頭蓋内圧亢進と神経症状の有無とリスクを勘案して治療選択を行う。3 cm 以上の病変の外科的切除を第 1 に検討し，術後治療としては JCOG0504 試験の結果より全脳照射とともに，残存病変に対する定位照射も標準治療の選択肢の 1 つとなった（★★★）。

❸ **直径 3 cm 未満，単発から 4 個までの脳転移**

定位放射線療法±全脳照射 ★★★

❹ **直径 3 cm 未満，多発脳転移**

全脳照射　30 Gy/10 回 or 37.5 Gy/15 回 ★★

JLGK0901 試験（Lancet Oncol 2014；15：387 PMID 24621620）において直径 3 cm 未満病変のみの場合に定位照射を行うことで，脳転移の病変数が 5〜10 個の患者は 2〜4 個の患者と比較して OS の非劣性が示されたため，3 cm 以下，10 個以下の脳転移に対しては定位放射線療法を選択してもよい。

放射線照射による合併症として認知機能障害が挙げられる。転移性脳腫瘍に対して定位放射線治療と全脳照射を併用すると定位放射線治療単独と比較して早期に認知機能障害を発症することが報告されている（4 カ月後発症率：52％ vs. 24％）（Lancet Oncol 2009；10：1037 PMID 19801201）。

治療後は 2〜3 カ月ごとに造影 MRI でフォローし，再発をチェックすることが望ましい。

■ 予後

1) 原発性悪性脳腫瘍

年齢, 全身状態(KPS), 組織型により多岐にわたる。最も予後の悪い一群である膠芽腫は手術, 放射線療法, 化学療法による集学的治療が行われた場合であっても, MST は約 20 カ月程度である。

2) 転移性脳腫瘍

がん種, 進行速度および転移部位などにより大きく異なる。GPA 分類によるスコアの合計点をもとに, 各原疾患ごとに生存期間を予測できる(JCO 2012 : 30 : 419 PMID 22203767)。

■ 文献

1) Louis DN, et al(eds) : WHO Classification of Tumors of the Central Nervous System, 4th ed, Revised ed. IARC Press, 2016
2) UpToDate®[http://www.uptodate.com]

【大関(田村) 有希恵】

20 がん性胸膜炎・がん性腹膜炎・がん性髄膜炎・がん性心膜炎

がん性胸膜炎

　がん性胸膜炎は，がん細胞を含む胸水の存在(悪性胸水)もしくは胸膜播種病変を伴う病態と定義される。悪性腫瘍の 10～50% に出現し，肺がん(37.5%)，乳がん(16.8%)，悪性リンパ腫(11.5%)の順に多い。卵巣がん，胃がん，原発不明がんなどでもみられる。胸水貯留には胸膜浸潤に伴う微小血管の透過性亢進(産生増加)や，胸水の排出経路であるリンパ管の閉塞(吸収減少)がかかわっていると考えられている。

■ 症状

- 咳嗽，呼吸困難，胸部圧迫感，胸背部痛，発熱
- 少量の胸水貯留や慢性的な胸水貯留では，症状を伴わないことがある

■ 予後

　胸水貯留時の原病の予後予測として，次頁の表の LENT score が用いられる。LDH，ECOG PS，NLR，がん種により低・中・高リスクに分けられる。MST は低リスクで 10 カ月，中リスクで 4.3 カ月，高リスクで 1.4 カ月とされる。

■ 診断

1 身体所見

　呼吸音減弱・消失，胸膜摩擦音，声音振盪減弱。

2 画像診断

❶ **胸部単純 X 線**　正面像で 200 mL 以上，側面像で 50 mL 以上の胸水があれば肋骨横隔膜角の鈍化が認められる。側臥位像では胸水が移動するため無気肺と鑑別できる。

❷ **胸部 CT**　胸部単純 X 線で指摘できない少量の胸水も確認できる。胸壁と肺の間に低吸収域を認める。

❸ **超音波**　限局した胸水の確認に有効である。胸壁と肺の間に低

がん性胸膜炎 | 433

◆LENT score

	変数	スコア
L〔胸水中の LDH（IU/L）〕	<1,500	0
	>1,500	1
E（ECOG PS）	0	0
	1	1
	2	2
	3～4	3
N（NLR：末梢血好中球リンパ球比）	<9	0
	>9	1
T（Tumor type：がん種）	中皮腫，血液腫瘍	0
	乳がん，婦人科がん，腎細胞がん	1
	肺がん，その他のがん種	2

0～1点：低リスク，2～4点：中リスク，5～7点：高リスク
（Thorax 2014；69：1098 PMID 25100651 より改変）

エコー領域を認める。

3 胸腔穿刺

確定診断のためには胸水中の悪性細胞の証明が必要となる。エコーで安全に穿刺できる場所を確認し，胸水貯留部位から穿刺する。胸水の細胞診やタンパク・LDH の測定を行うとともに，感染などの鑑別のために細胞数や細菌培養（結核も含む）も必要である。胸水中腫瘍マーカーは，基準値も明らかではなく，確定診断に用いることは不適切である。1 回目の穿刺による細胞診の陽性率は60% 程度であり，さらに 1 回追加することにより 27% の陽性率上乗せがあると報告されているが，それ以上の穿刺での陽性率向上はわずかであり，胸膜生検を考慮する。

◆滲出性胸水の診断（Light の基準）

ⅰ）胸水 LDH＞血清 LDH 正常上限値の 2/3
ⅱ）LDH の胸水/血清比＞0.6
ⅲ）タンパク質の胸水/血清比＞0.5
　のいずれかを満たすもの。

4 胸膜生検

胸腔鏡ガイド下での胸膜生検はほぼ 100% で診断が可能である。胸腔穿刺に比べて侵襲が大きいが，未診断で組織検体が必要な場合

は，局所麻酔下胸腔鏡で胸膜生検と胸腔ドレーン留置を同時に行うこともできる。

■ 治療

呼吸困難などの症状がある場合には症状緩和を目的として，下記の局所療法を実施する。悪性リンパ腫や小細胞肺がん，乳がん，胚細胞腫瘍などのがんの種類によっては化学療法の効果が期待できるため，呼吸困難が重度でなければ化学療法を優先することがある。

1 胸腔穿刺

一時的な症状緩和に有効である。低侵襲で比較的安全に繰り返し実施することができる。胸水が胸腔の 50% を占めているときには再膨張性肺水腫に注意する必要がある。1 回の排液量は 1,500 mL までを目安とする。一時的に排液を行っただけでは 90% 以上が 30 日以内に再貯留をきたす。

再膨張性肺水腫が出現した場合には，呼吸不全の程度に応じて酸素吸入や人工呼吸による対症療法を行う。ステロイドや利尿薬投与を行うこともある。

2 持続胸腔ドレナージ

胸腔穿刺が頻回となるような制御困難な胸水貯留の場合に行う。ある程度の生命予後（1 カ月以上）が期待できる場合に施行される。

① 胸腔穿刺に従って胸腔ドレーンを挿入する。本邦では 20〜28 Fr の太いドレーンを使うことが一般的である。12 Fr ドレーンと 24 Fr ドレーンの疼痛と胸膜癒着失敗率を比較検討した RCT（TIME1 試験：JAMA 2015；314：2641 PMID 26720026）では，細径ドレーン（12 Fr）は疼痛の軽減をもたらすが，胸膜癒着術の成功率は 24 Fr ドレーンに対する非劣性を示せなかった。後に癒着を検討するのであれば 20〜28 Fr のダブルルーメンのチューブを選択する。

② 水封あるいは −10〜−15 cmH$_2$O の持続吸引にて，1,500 mL/日以下の排液を行う。排液量が多くなる場合には，適宜ドレーンの開放・クランプを繰り返す。

③ 胸腔ドレナージのみでは 90% 以上で 30 日以内に胸水再貯留を認めるため，肺が虚脱していない場合や予後不良の場合を除いて，引き続き胸膜癒着術の実施を検討する。

3 胸腔留置カテーテル（indwelling pulmonary catheter：IPC）

半永久的に留置する胸腔内ドレーンである。自宅での管理が可能

となり，毎日または数日に1回排液し，胸水をコントロールする。タルクによる胸膜癒着術と比較したRCT（TIME2試験：JAMA 2012：307：2383 PMID 22610520）では癒着率は劣るが呼吸困難のコントロールは優れていたという結果であった。Seldinger法を用いて8〜12Fr程度のカテーテルを挿入し，バックにつないで自然排液する。カテーテルの途中に三方活栓をつないでおき一時的に外してシャワーなどを浴びることも可能である。使用する場合は，カテーテルの閉塞や感染に注意が必要である。

4 胸膜癒着術

胸水再貯留と肺の虚脱予防を目的に実施される。適応は，胸腔穿刺で症状緩和が得られ全身状態が比較的良好，1カ月以上の生命予後が期待される場合である。

① 1%リドカイン，癒着剤の順に薬剤を胸腔ドレーンの側管から注入する。
② 2時間程度クランプして薬剤を胸腔内に行きわたらせる（クランプしている間の体位変換の有効性は示されていない）。
③ クランプを開放し，$-10\sim-15\,cmH_2O$で再度持続吸引する。
④ 100 mL/日以下となったらドレーンを抜去する。150 mL/日以上の排液が続く場合は再癒着を検討する。3回目以降の癒着施行についてのエビデンスはない。

1) 癒着剤の選択

◆ タルク ★★★

タルク（ユニタルク®）	4 g
1%リドカイン	10 mL
生理食塩水	50 mL

・両側悪性胸水に対して，両側肺の胸膜腔内に本剤を同時投与した場合の有効性および安全性は確立していない
・同側肺の胸膜腔内に本剤を追加投与（ドレナージチューブ抜管前）または再投与した場合の有効性および安全性は確立していない

◆ OK-432 ★★

OK-432（ピシバニール®）	5〜10 KE
1%リドカイン	10 mL
生理食塩水	20〜100 mL

OK-432はStreptococcus pyogenesisにベンジルペニシリン処理を施した生物学的製剤であり，ペニシリンアレルギー患者には禁忌である。

◆ ミノサイクリン塩酸塩 ★★

ミノサイクリン塩酸塩（ミノマイシン®）	300〜400 mg
1% リドカイン	10 mL
生理食塩水	50〜100 mL

◆ BLM ★★

BLM	50〜60 mg
1% リドカイン	10 mL
生理食塩水	50〜100 mL

- 各薬剤を比較したメタアナリシスでは，タルク噴霧法による胸水制御が良好で，BLM，ドキシサイクリン（DOXY），テトラサイクリンなどより優れていた。タルク噴霧法とタルク懸濁法を比較した第Ⅲ相試験では，78% と 71% で胸水制御が得られ，有意差は認めなかった（Chest 2005：127：909 PMID 15764775）。主な有害事象は発熱，疼痛などがあるが，急性呼吸促迫症候群も報告されている。2013 年に本邦でもタルク懸濁法が承認されてから，タルクが汎用されるようになった

◆ タルクとその他薬剤，IPC の比較：OR（95%CI）

	癒着失敗率	発熱	疼痛	呼吸困難	死亡率	追加処置
タルク懸濁法	1	1	1	1	1	1
タルク噴霧法	0.50 (0.21〜1.02)	0.89 (0.11〜6.67)	1.26 (0.45〜6.04)	4.00 (−6.26〜14.26)	0.87 (0.53〜1.43)	0.96 (0.59〜1.56)
BLM	2.24 (1.1〜4.68)	2.33 (0.45〜12.50)	2.85 (0.78〜11.53)	——	1.03 (0.45〜2.41)	4.33 (0.16〜114.58)
DOXY	2.51 (0.81〜8.4)	0.85 (0.05〜14.29)	3.35 (0.64〜19.72)		0.70 (0.16〜3.00)	——
IPC	7.6 (2.96〜20.47)	0.41 (0.00〜50.00)	1.3 (0.29〜5.87)	−6.12 (−16.32〜4.08)	0.80 (0.47〜1.40)	0.25 (0.13〜0.48)
プラセボ	15.9 (3.76〜79.9)	0.09 (0.00〜5.00)	——	——	——	——

（Cochrane Database Syst Rev 2020：CD010529 PMID 32315458 より改変）

- タルク市販前には，本邦では OK-432 が第 1 選択薬として汎用されていた。非小細胞肺がんの悪性胸水に対して BLM，OK-432，CDDP＋ETP を胸腔内投与する比較試験（JCOG9515 試験：Lung Cancer 2007：58：362 PMID 17716779）では，4 週間後の胸水無増悪生存率に有意差はなかったが，OK-432 が最も良好な成績であった

がん性腹膜炎　437

5 胸腔鏡下タルク撒布

胸腔鏡下での直接胸腔内に噴霧するタルク撒布は確実に万遍なく胸膜へ行き届き，良好な治療成績が散見されるが，懸濁法と比較し胸水制御率に有意差は認められていないため，コストや侵襲度からも噴霧法が汎用されている。

■ 文献

1) Feller-Kopman DJ, et al：Management of malignant pleural effusions. An official ATS/STS/STR clinical practice guideline. Am J Respir Crit Care Med 2018；7：839-849 PMID 30272503
2) Dipper A, et al：Interventions for the management of malignant pleural effusions：a network meta-analysis. Cochrane Database Syst Rev 2020；4：CD010529 PMID 32315458

がん性腹膜炎

がんが播種性に腹膜へ転移し，腹水貯留，腸閉塞，尿管閉塞などの症状を引き起こす。

原発巣は腹腔内・後腹膜臓器としては卵巣がんが多く（30〜50％），次いで膵がん，胃がん，子宮がん，大腸がん，肝がん，膀胱がん，腹膜中皮腫などで起こる。腹部臓器以外では乳がん，肺がん，悪性リンパ腫などでもがん性腹膜炎がみられる。

腹水は健常な場合でも 50 mL 程度存在している。がん性腹膜炎では，腹水吸収機構の閉塞，VEGF（血管内皮細胞増殖因子）産生などによる透過性亢進などが考えられている。腹膜毛細血管の透過性亢進，腹膜癒着による吸収能低下や腹膜中皮細胞の障害による腹水産生亢進が並行して起こり，腹水貯留をきたす。

■ 症状

- 腹部膨満感，腹痛，食欲不振，悪心・嘔吐，便通異常，体重減少，呼吸困難，浮腫など
- 初期には無症状なことが多い

■ 診断

1 身体所見

- るいそう，腹部膨隆，腫瘤触知
- 打診：体位変換による腹部濁音界の変化や波動触知（腹水の確認）
- 直腸診：Douglas窩（直腸膀胱窩）に結節，腫瘤触知（Schnitzler転移）

2 画像診断

❶ 腹部単純X線　透過性低下，腸管ガス像が腹部中央に集中，横隔膜挙上。

❷ CT，MRI，超音波

- 腹水の存在，超音波では少量腹水も検出可能。Douglas窩（直腸膀胱窩）やMorison窩のエコーフリースペースとしてみられる
- 腸間膜の肥厚，大網の肥厚・結節（omental cake），壁側腹膜の肥厚・腫瘤
- 尿管閉塞による水腎症所見（腎盂の拡張）
- 1cm以下の腹膜結節に対するCTの感度は15〜30％とされる

3 腹腔穿刺

　超音波で腹水貯留の状態を確認して，腹腔内臓器を傷つけないように穿刺する。

　肉眼的性状が血性腹水であれば，がん性腹膜炎の可能性が高い。腹水の細胞診，pH，総タンパク，アルブミン，LDH，AMY，TG，T-Bil，糖などを測定する。がん性腹膜炎では，血清腹水アルブミン濃度勾配（SAAG）<1.1g/dLのことが多く，95％の症例で腹水中の総タンパク≧2.5g/dLとなる。腹水中腫瘍マーカーは感度，特異度とも限られ，CEAやCA125が高値を示しただけで確定診断に用いることは不適切である。

　細胞診の感度は58〜75％であり，陽性率は初回検査で83％，3回の検査で97％まで上昇する。

4 鑑別診断

　腹水貯留をきたす代表的疾患は悪性腫瘍以外に肝硬変，炎症性疾患などがある。原因疾患の頻度は，肝硬変（81％），がん性腹膜炎（10％），うっ血性心不全（3％），結核性腹膜炎（2％），人工透析（1％）の順である。そのほかに膵炎，劇症肝炎，ネフローゼ症候群などでも腹水を認めることがある。がん性腹膜炎に細菌感染が合併することもあるため注意が必要である。

がん性腹膜炎 | 439

■ 治療

原疾患に対する薬物療法が治療の中心となる。原疾患の抗悪性腫瘍薬の感受性などにより，症状や予後が大きく変わりうる。

1 全身化学療法 ★★

原疾患に対応した全身化学療法が治療の中心となる。

大量腹水貯留での薬物療法は，抗悪性腫瘍薬の毒性を遷延，重篤化させる可能性がある。CPT-11 は代謝物が腸管より排泄されるため，腸管狭窄や大量腹水により消化管通過障害をきたしている場合には禁忌。

2 腹腔内薬物療法（IP 療法）

卵巣がんでは IP 療法の有効性に関していくつか RCT（GOG104 試験，GOG114 試験，GOG172 試験，GOG252 試験，iPocc 試験）で報告されているが，ポートを造設して薬剤を注入することが多く，カテーテル閉塞，感染性腹膜炎，腸管穿孔などのポートトラブルが起こりうる。その他の固形がんによる腹膜炎では IP 療法の有用性は確立されていない。

3 症状緩和治療

1) 腹腔穿刺 ★★★

腹部膨満感や呼吸困難などの症状が強い場合に，その改善のために行う。大量の腹水排液による循環不全などの危険性は低いが，バイタルサインをみながら慎重に施行する。異常がなければ，5 L までの排液は許容される。排液後は約 90 % の患者で症状改善が得られるが，一過性であり，数日〜数週間のうちに再貯留することが多い。過度の排液は血清アルブミン喪失，電解質異常をきたし全身状態の悪化を引き起こす可能性があるため，注意を要する。

2) 利尿薬

がん性腹膜炎に伴う腹水に対する利尿薬の有用性は低い。肝硬変を合併した肝細胞がんや門脈圧亢進を伴う多発肝転移では利尿薬が有効かもしれない。

フロセミド（ラシックス®）	40 mg/日 ★★
スピロノラクトン（アルダクトン®A）	100 mg/日 ★★

3) 腹水濾過濃縮再静注法（CART） ★

あらかじめ穿刺腹水をバッグに集め，濾過器を通して除菌，除細胞したあと，濃縮器フィルターで除水しアルブミンなどのタンパク質を濃縮して，点滴静注することにより腹水中のタンパクを再利用する方法である。通常の腹水穿刺と異なり，タンパク質の再静注を

20

がん性胸膜炎・腹膜炎・髄膜炎・心膜炎

行うため多量の腹水排液が可能である。有害事象として，高頻度に発熱が出現する。

CARTは2週間に1回の施行について保険適用がある。市販後調査(Int J Clin Oncol 2021：26：1130 PMID 33761026)では，化学療法を併用した婦人科がんで体重減少，全身状態(PS)の改善，食事摂取量の増加，婦人科がんと化学療法を併用しない消化器がんで総タンパク，アルブミンの改善があったと報告されている。実施できる施設は限られている。

4) シャント造設 ★

❶ **腹腔-静脈シャント(PVS，デンバーシャント)**　逆流防止弁のあるシャント用チューブを用いて，腹腔と中心静脈間をカテーテルでシャントし，圧較差により腹水を灌流させる方法である。後方視的多施設観察研究(JIVROSG-0809：Cardiovasc Intervent Radiol 2011：34：980 PMID 21191592)では有効性や合併症が報告されている。合併症として，シャント閉塞(24%)やDIC(9%)，血栓塞栓症(5%)，心不全(3〜16%)などがある。1〜3カ月程度の生命予後が期待される場合に検討される。

❷ **経皮経肝腹腔静脈シャント(TTPVS)**　腹腔から腹水を，経肝的に肝静脈を経由して鎖骨下静脈に灌流させる方法である。

❸ **経静脈的肝内門脈静脈シャント造設術(TIPS)**　経皮経内頸静脈的にカテーテルを上大静脈を経て肝静脈まで挿入し，肝実質を貫通して門脈を穿刺し，門脈大静脈シャントを形成して，門脈系の減圧を図る治療法である。主に門脈圧の亢進を伴う肝硬変患者が対象となる治療法であり，がん性腹膜炎の場合にも，門脈圧亢進と関連のある腹水貯留に対して検討される。

4 二次的消化管閉塞

1) 胃管，イレウス管挿入 ★★

腸管拡張による嘔気，嘔吐が持続する場合には胃管やイレウス管を挿入し，減圧する処置が行われる。

2) オクトレオチド ★★

ソマトスタチンアナログであるオクトレオチドは，消化液分泌を抑制し，腸液吸収を促進することにより，消化管閉塞に伴う悪心・嘔吐を緩和する。ブチルスコポラミンと比較し嘔吐を減少させたというRCT(Support Care Cancer 2000：8：188 PMID 10789958)がある。

口渇などの副作用があるが，臨床上問題となることはほとんどない。

オクトレオチド（サンドスタチン®）　300 µg/日　持続皮下注または持続静注*

*原則，皮下注投与であるが，利便性の観点で持続静注も行われる

■ 文献

1) Runyon BA, et al：Ascetic fluid analysis in malignancy-related ascites. Hepatology 1988；8：1104-1109 PMID 3417231
2) Hodge C, et al：Palliation of malignant ascites. J Surg Oncol 2019；120：67-73 PMID 30903617
3) Bleicher J, et al：A palliative approach to management of peritoneal carcinomatosis and malignant ascites. Surg Oncol Clin N Am 2021；30：475-490 PMID 34053663

がん性髄膜炎

　がん性髄膜炎は，脳実質内への浸潤は伴わない，脳脊髄くも膜とくも膜下腔への腫瘍細胞の浸潤であり，転移性がん患者の約5%で生じる。白血病，悪性リンパ腫などの造血器悪性腫瘍に多く，固形腫瘍では，乳がん，肺がん，悪性黒色腫，胃がんの順に多く，泌尿生殖器がん，頭頸部がん，原発不明がんでもみられる。未治療のがん性髄膜炎は，MST が6〜8週間と極めて予後不良である。

■ 症状

　髄膜刺激症状・脳圧亢進症状（頭痛，嘔吐，意識障害，痙攣，項部硬直），脳神経症状（複視，聴力障害，視野障害），脊髄神経障害（運動麻痺，知覚障害，膀胱直腸障害）など，さまざまな症状を呈する。

■ 診断

1 身体所見

　項部硬直，Kernig 徴候，Lasègue 徴候などの髄膜刺激症状，神経障害所見。

2 画像診断

　ガドリニウムによる造影 MRI において，脳溝に沿った濃染像，髄膜濃染像，脳室拡大，脊髄膜の線状濃染像・結節像など特徴的な

所見がみられる。感度は 76～87% だが，特異度は 77% と髄液検査に劣る。また，血管新生阻害薬投与中では画像所見が修飾される可能性があり，解釈に注意が必要である。

3 髄液検査

初圧の上昇（>16 cmH$_2$O）が 50%，白血球（特にリンパ球）増加が約 50～60%，タンパク濃度上昇（>38 mg/dL）が約 80%，糖濃度低下（血清比<0.6）が約 30% で認められる。悪性黒色腫では髄液中への出血によりキサントクロミーを認めることがある。

細胞診陽性であれば，がん性髄膜炎と診断できる。細胞診陽性率は初回で 71%，2 回目で 86%，3 回以上行うと 98% へ上昇するとされており，可能であれば連続して 2 回以上，計 30 mL は検体を採取する。

髄液中の腫瘍マーカー（CEA，CA125，CA19-9，AFP，PSA など）の測定が有用であった例も報告されているが，感度，特異度はいずれも高くない。

■ 治療

神経学的症状の改善あるいは進行抑制が治療の目標である。標準化された治療法はなく，原疾患の進行度，PS，神経症状，それまでの治療内容や治療効果をもとに，個々の患者で総合的に判断する。

PS 不良，不可逆性の神経症状が多発しており，コントロール困難な全身転移を認める場合では緩和治療が勧められる。

1 髄注化学療法

PS 良好で，MRI で認識できる大きな病変がなく線状の造影効果のみを呈し，不可逆的な局所神経症状を示さない場合に適応となる。

腰椎穿刺による髄注と Ommaya リザーバーから側脳室へ髄注を行う方法があるが，繰り返し髄注を施行する場合には，リザーバーを留置するほうがよい。腰椎穿刺では薬剤が頭蓋内くも膜下腔に十分到達しない可能性がある一方，リザーバーからの注入の場合，薬剤が頭蓋内の髄液中に高濃度に広がるため，投与量を減量する必要がある。

効果判定は臨床症状や画像所見の改善，髄液細胞診の陰性化などで評価する。

がん性髄膜炎 | 443

◆ MTX ★★

MTX 10～15 mg
生理食塩水 5 mL
数分かけてゆっくり髄注

主に血液腫瘍に用いられる。20～61% で腫瘍細胞の消失が認められる。MTX は髄腔内では代謝されず，脈絡叢から吸収されて体循環へ移行するが，腎障害や胸腹水があると，薬剤がサードスペースに蓄積するため，骨髄抑制などの副作用出現に注意する。

◆ Ara-C ★★

Ara-C 30～45 mg
生理食塩水 5 mL
数分かけてゆっくり髄注

主に白血病，悪性リンパ腫，小児悪性腫瘍に用いられる。有効であれば，MTX と同様のスケジュールで漸減していく。

2 全身化学療法

薬剤の脳脊髄腔への移行性が問題となるが，高用量の投与により血液脳関門を通過して治療濃度に達する薬剤もある。代表的な薬剤として MTX があり，十分な補液，尿のアルカリ化，ロイコボリンレスキューを行ったうえで high-dose MTX（$3～8$ g/m^2）を投与する。

EGFR 遺伝子変異陽性，ALK 融合遺伝子陽性の非小細胞肺がんや BRAF 遺伝子変異陽性の悪性黒色腫，HER2 陽性乳がんなど特定の遺伝子異常に伴う原病によるがん性髄膜炎に対しては，それぞれの治療に使用する特異的な小分子化合物や抗体製剤での有効例が多数報告されている。

3 放射線療法

主に神経症状や疼痛緩和を目的に，画像上明らかな病変，症状を有する病変，髄液の閉塞を認める場合などに施行される。全脳全脊髄照射は重篤な骨髄抑制を起こすリスクがあるため，全脳照射が好まれる。通常，30～36 Gy/10～12 回で行われる。しかしながら，RCT でのがん性髄膜炎に対する全脳照射の生存期間延長のエビデンスはない。

4 対症療法

頭蓋内圧亢進症状を軽減するために用いられる。

444 | 20 がん性胸膜炎・腹膜炎・髄膜炎・心膜炎

◆ DEX ★★

> DEX　1回8mg　1日2回　静注

効果的な最低量に速やかに減量。ステロイドは症状の改善に即効性がある。

◆ 濃グリセリン ★

> 濃グリセリン（グリセオール®）　1回200mL　1日1〜2回（適宜）　点滴静注

◆ イソソルビド ★

> イソソルビド（イソバイド®）　1日70〜140mLを2〜3回に分服

◆ 脳室腹腔シャント（VPシャント）★

　ステロイド無効時や頭蓋内圧亢進症状が強い場合に考慮される。シャントによる腹腔内播種のリスクはあるが，PS不良の症例でも劇的に改善する場合もある。

■ 文献

1) Le Rhun E, et al：Carcinomatous meningitis：leptomeningeal metastases in solid tumors. Surg Neurol Int 2013；4(Suppl 4)：S265-S288 PMID 23717798

2) Glantz MJ, et al：Cerebrospinal fluid cytology in patients with cancer：minimizing false-negative results. Cancer 1998；82：733-739 PMID 9477107

3) Wang N, et al：Leptomeningeal metastasis from systemic cancer：review and update on management. Cancer 2018；124：21-35 PMID 29165794

4) Sandberg DI, et al：Ommaya reservoirs for the treatment of leptomeningeal metastases. Neurosurgery 2000；47：49-54 PMID 10917346

5) Le RE, et al：EANO-ESMO clinical practice guidelines for diagnosis, treatment and follow-up of patients with leptomeningeal metastasis from solid tumours. Ann Oncol 2017；28(suppl_4)：iv84-iv99 PMID 28881917

がん性心膜炎

　がんが心膜に直接浸潤あるいは血行性，リンパ行性に播種した状態で，縦隔リンパ節転移からの逆行性転移が最も重要と考えられている。転移腫瘍によりリンパ流が閉塞され，心膜へ播種した病巣からの滲出液が心嚢液貯留の原因となる。発生頻度は，全悪性腫瘍の0.1％から20％以上までさまざまな報告がある。原発部位としては肺がん(34％)，乳がん(17％)，食道がん(5.2％)，悪性リンパ腫(4.2％)などで多く認められるが，種々の悪性腫瘍において発生する。

■ 症状

- 呼吸困難，咳嗽，胸痛，浮腫，全身倦怠感など
- 心タンポナーデになると，呼吸困難，頻呼吸，起坐呼吸，低拍出量に伴う発汗や末梢冷感，意識消失などが出現しオンコロジック・エマージェンシーに分類される
- 初期には無症状なことが多い

■ 診断

1 身体所見

　頻脈，奇脈，低血圧，脈圧低下，心音微弱，心膜摩擦音，頸静脈怒張，末梢の浮腫など。

2 画像診断

❶ **胸部単純X線**　心陰影の拡大が認められる。初期には正常所見である。

❷ **心電図**　頻脈，ST異常を認める。心嚢水が増加するとQRS低電位，電気的交互脈(心臓の振り子様運動による1拍ごとのQRS変化)，拘束性パターンになると心房細動も認められる。

❸ **心臓超音波**　侵襲性のない検査ながら，少量の心嚢液貯留もエコーフリースペースとして描出できる。心嚢液の貯留の有無だけではなく，貯留量や部位，心膜肥厚，心嚢内の腫瘤の有無，血行動態などの検索に有用である。心タンポナーデでは，右心系の虚脱や心臓の振り子運動が認められる。

❹ **胸部CT**　心嚢液の性状や局在性，心外膜近傍の腫瘍の存在を把握するのに優れる。他臓器の病変の評価目的で施行したCTで，

無症候性の心嚢液貯留が発見されることもある。

3 心嚢穿刺

悪性心嚢液は通常，滲出性でしばしば血性だが，漿液性のこともあり，肉眼的所見での鑑別は困難である。確定診断のためには細胞診を行う。細胞診陽性率は54〜79%である。細胞診陽性は予後不良因子である。

4 鑑別診断

特発性心膜炎，放射線心膜炎，感染性心膜炎，心筋梗塞(特に右室梗塞)，大動脈解離，薬剤性心筋症(抗悪性腫瘍薬など)などがある。

■ 治療

軽度の心嚢液貯留で症状に乏しい場合には，原疾患の全身治療を優先する。心タンポナーデになった場合は，心嚢穿刺ドレナージ，心膜開窓術などにより血行動態の改善を図る。再貯留防止のために心膜癒着術が行われることもある。

1 心嚢穿刺と心嚢ドレナージ ★★

超音波ガイド下に，心臓などの臓器を傷つけないように穿刺する。急性の心タンポナーデでは50 mL程度の少量の排液でも血行動態の改善が得られる。

一時的な穿刺ドレナージのみでは心嚢液を制御することは困難であり，約44〜70%に再貯留がみられるため，多くの場合，持続ドレナージを行う。Seldinger法を用いて5〜12 Fr程度のピッグテールカテーテルを挿入し，低圧持続吸引あるいは自然落下させる。排液量が20〜25 mL/日以下になればカテーテルを抜去する。心嚢液の制御率は70〜88%である。

合併症は胸痛，不整脈，カテーテル閉塞，感染，気胸，冠動脈損傷，胃損傷，肝損傷，心室穿刺，心停止などである。自身での心嚢穿刺の手技が困難な場合には，循環器専門医に処置を依頼する。

2 心膜癒着術

ドレナージ後に再貯留を予防する目的で，癒着剤を注入し，心嚢内に炎症および線維化を起こして，心嚢液貯留スペースを癒着させる方法である。

DOXYとBLMの比較試験では有効率は同等であるが，合併症の点でBLMが勝っていた(JCO 1996；14：3141 PMID 8955660)。肺がんのがん性心膜炎に対するBLMによる心膜癒着術についてのRCT

がん性心膜炎 | 447

(JCOG9811 試験：Br J Cancer 2009；100：464 PMID 19156149) では，2 カ月後の心囊水制御率に有意差はないものの BLM 投与群で良好である傾向があり，安全性に差はみられなかった。

◆ BLM ★★

BLM	15 mg
生理食塩水	20 mL
心囊内に注入	

1〜2 時間のクランプののち開放し，排液量が 20 mL/日以下になったらカテーテルを抜去する。癒着術施行後も 1 日排液量が多い場合は，48 時間ごとに BLM 10 mg の注入を繰り返す。

3 化学療法

軽度の心囊液貯留で心囊液制御が不要な例，あるいはドレナージや心膜癒着術による良好な心囊液制御例に対して，全身化学療法が行われることがある。乳がんでの有効性は約 70% である。そのほかの腫瘍では報告例が少なく，有効性は不明である。

4 剣状突起下心膜開窓術 ★★

心囊ドレナージや心膜癒着術が施行困難な場合や再発時に検討される場合がある。

局所麻酔下でも実施可能である。開窓により心膜の癒着が生じる。安全かつ有効(90% 以上)な治療である。心囊穿刺ドレナージや心膜癒着術が困難な症例に対して施行を検討する。

外科的治療としてこのほかに開胸あるいは胸腔鏡下に，経胸腔心膜開窓術や経胸腔心外膜切除術などが行われるが，いずれも侵襲が大きく，合併症も多いことから適応は限られる。

■ 文献

1) Gornik HL, et al：Abnormal cytology predicts poor prognosis in cancer patients with pericardial effusion. J Clin Oncol 2005；23：5211-5216 PMID 16051963

2) Press OW, et al：Management of malignant pericardial effusion and tamponade. JAMA 1987；257：1088-1092 PMID 3806903

【立石　晶子】

21 感染症対策

　がん患者の多くは原病や治療に伴う免疫不全をきたしており，感染症対策はすべてのがん患者で重要であるが，適正な治療を行うためには，個々の患者背景（免疫不全の病態や程度，合併症，治療の種類や強度，感染症の既往，感染予防投与の有無など）を理解し，感染臓器や原因微生物の想定・同定を試みることが重要である。

■ 患者背景と免疫不全

　患者の免疫不全は，以下の構成要素に分けられる（オーバーラップすることもある）。

1 バリア障害

◆バリア障害の原因と問題となる主な病原体

皮膚バリア障害（術創，潰瘍，褥瘡，中心／末梢静脈カテーテル，重症皮疹など）
　⇒連鎖球菌，黄色ブドウ球菌，コアグラーゼ陰性ブドウ球菌，コリネバクテリウム，グラム陰性桿菌など

粘膜バリア障害（化学療法や放射線療法による口腔・消化管粘膜障害）
　⇒嫌気性菌，カンジダ，連鎖球菌，腸球菌，単純ヘルペスウイルスなど

〔大曲貴夫，他（編）：がん患者の感染症診療マニュアル　第2版．南山堂，2012より改変〕

2 生体機能障害

1）解剖学的問題

　管腔臓器の閉塞や破綻，腫瘍壊死，手術に伴い感染症を起こす（気管支閉塞 → 閉塞性肺炎，骨盤内腫瘍による尿路閉塞 → 尿路感染症，胆管閉塞 → 胆管炎，腫瘍壊死部の感染，手術部位の縫合不全や2次性腹膜炎からの膿瘍形成など）。

2）嚥下障害

　高齢，意識障害（睡眠導入薬やオピオイドなど薬剤性も含む），全身状態の悪化，高度の口腔粘膜炎，頭頸部腫瘍や縦隔腫瘍による反回神経麻痺がリスク因子で，誤嚥性肺炎や肺膿瘍を起こすことがある。

3 好中球減少症

1）原因

　化学療法や放射線療法による骨髄抑制，薬剤（解熱鎮痛薬，ヒス

タミン H_2 受容体拮抗薬，抗ウイルス薬など），血液疾患や骨髄癌腫症による正常造血の抑制など．骨髄異形成症候群などの好中球機能異常を伴う患者では，好中球数が正常であっても好中球減少症に準じた対応を検討する（機能的好中球減少）．

2) 問題となる主な病原体

5日未満の発熱
⇒緑膿菌，腸内細菌科（大腸菌，クレブシエラ，エンテロバクター，シトロバクターなど），黄色ブドウ球菌，コアグラーゼ陰性ブドウ球菌，連鎖球菌，腸球菌など

長期間の好中球減少＋5日以上の発熱
⇒上記に加え，カンジダやアスペルギルスなどの真菌感染症も考慮

〔大曲貴夫，他（編）：がん患者の感染症診療マニュアル 第2版．南山堂，2012より改変〕

4 細胞性免疫不全

1) 原因

急性リンパ性白血病，悪性リンパ腫などの疾患自体，造血幹細胞移植，ステロイド，免疫抑制薬，化学療法（シクロホスファミド，フルダラビンなど），抗胸腺グロブリンなど．

2) 問題となる主な病原体

これらの病原体は一般的な抗菌薬が無効で，治療が長期間に及ぶものや副作用が問題となるものが多いため，治療開始前の積極的な感染臓器の同定，微生物学的診断（肺結節影に対する気管支鏡検査など）が重要である．

ウイルス
⇒単純ヘルペスウイルス，水痘・帯状疱疹ウイルス，EBウイルス，サイトメガロウイルス，アデノウイルス，RSウイルスやパラインフルエンザウイルスなどの呼吸器ウイルス，インフルエンザウイルス，HHV-6など

細菌・抗酸菌
⇒ノカルジア，リステリア，結核菌，非結核性抗酸菌など

真菌・原虫
⇒ニューモシスチス・イロベチ，カンジダ，アスペルギルス，クリプトコッカス，ムーコル，トキソプラズマなど

〔大曲貴夫，他（編）：がん患者の感染症診療マニュアル 第2版．南山堂，2012より改変〕

5 液性免疫不全

慢性リンパ性白血病や多発性骨髄腫による免疫グロブリンの質的・量的異常，造血幹細胞移植後，胃がんや外傷手術などに伴う脾

臓摘出，脾機能低下が原因となる。主に肺炎球菌，インフルエンザ菌，髄膜炎菌といった莢膜を有する細菌による感染が問題となる。侵襲性の感染症が数時間の経過で急速に進行する場合があり，緊急性が高い病態である。

■ 発熱性好中球減少症（febrile neutropenia：FN）

FN とは「好中球減少患者が発熱している」という状況をさす用語であり，その原因は多岐にわたる。FN の原因として感染症が関与するのは約 50％ とされるが，血流感染症が 10～25％ を占めるなど急速に進行する重症感染症が多い。特に好中球減少患者における緑膿菌菌血症は，適切な抗菌薬治療が 24 時間以内に開始されないと過半数の患者が死亡する。このため，FN と判明した場合は精査を開始するとともに，抗緑膿菌活性を有する広域抗菌薬を用いた経験的治療を迅速に開始することが重要である（★★★）。

1 定義

1）発熱

腋窩温で 37.5℃ 以上〔「発熱性好中球減少症（FN）診療ガイドライン 改訂第 2 版」より。IDSA ガイドラインでは口腔温が 38.3℃ 以上，もしくは 38.0℃ 以上が 1 時間以上持続することとされている〕。

2）好中球数減少

好中球数<500/μL，もしくは好中球数<1,000/μL で今後 48 時間以内に好中球数<500/μL への減少が予想される場合（機能的好中球減少の場合も好中球減少に準じた対応を検討する）。

2 初期評価

1）症状，身体所見

好中球減少時には典型的な症状，身体所見が欠如していることがあるため，丁寧な病歴聴取と診察が重要である。特に，副鼻腔，口腔内（粘膜，歯肉，歯），腹部（特に右下腹部や右季肋部），肛門周囲，皮膚，カテーテル刺入部は注意して診察する。

2）検査

同時に 2 セット以上の血液培養を採取する。必要に応じて，血液検査，血液ガス・乳酸値（静脈血でよい），尿検査・培養，喀痰培養，胸部 X 線などを考慮する。好中球減少時は炎症所見が軽微なため，感染症であっても検査で正常を示す場合があることに注意する（膿尿のない腎盂腎炎や胸部 X 線検査正常の肺炎など）。CRP は悪性腫瘍自体，化学療法後の免疫再構築，手術侵襲などでも上昇す

るため，CRP のみで感染症の発症や重症度を判断しない。

3 初期治療

　FN は基本的に入院での緊急対応が必要であるが，外来での治療を考慮する場合には，致死的合併症リスクを適切に判定したうえで治療を行う。高リスク因子は，MASCC（Multinational Association of Supportive Care in Cancer）スコアで 20 点以下，FN の既往，好中球数≦100/μL が 7 日間以上持続することが予測される場合，臓器障害を伴う場合，血行動態不安定な場合などである。2018 年の ASCO/IDSA ガイドラインでは，全身状態のよい固形腫瘍患者で FN の外来治療を考慮するような場合に，CISNE（Clinical Index of Stable Febrile Neutropenia）スコアによる評価も推奨されている。

◆ MASCC スコア

項目		点数
臨床症状（いずれか選択）	無症状・軽症	5
	中等症	3
低血圧（収縮期血圧 90 mmHg 以下，または昇圧薬を要する）がない		5
慢性閉塞性肺疾患（COPD）がない		4
固形がんである，または真菌感染症の既往がない血液悪性腫瘍		4
経静脈補液を要する脱水がない		3
発熱時に外来管理下		3
60 歳未満（16 歳未満には適応しない）		2

該当する項目のスコアを加算し，スコアが高いほどリスクは低い。最高 26 点。21 点以上で低リスクとなる（JCO 2000；18：3038 PMID 10944139）。

◆ CISNE スコア

項目	点数
ECOG PS 2 以上	2
COPD がある	1
慢性心血管疾患がある	1
NCI-CTC grade 2 以上の粘膜障害がある	1
単球数＜200/μL	1
ストレス性高血糖がある	2

該当する項目のスコアを加算する。低リスク群（0 点），中間リスク群（1〜2 点），高リスク群（3 点以上）。高リスク群では入院治療を考慮する（JCO 2015；33：465 PMID 25559804）。

1)低リスク患者

　静注抗菌薬に加えて，外来での経口抗菌薬も選択可能で，シプロフロキサシンとアモキシシリン・クラブラン酸の併用が最も推奨される（★★）。レボフロキサシンやモキシフロキサシンのキノロン単剤療法も用いられるが，エビデンスは十分でない。なお，予防投与としてキノロンが用いられている患者の外来治療は困難である。

　外来での治療を選択する場合は，患者の状態を把握し連絡が可能なケアギバーがいること，患者からみて病院へのアクセスがよいこと，緊急対応（患者やケアギバーからの電話連絡や，状態悪化時の受診）が可能な施設があることが必要である。

シプロフロキサシン　1回200mg　1日3回 アモキシシリン・クラブラン酸（オーグメンチン® 配合錠）　1日1,500〜2,000mg を 3〜4回に分服
レボフロキサシン　　　1回500mg　1日1回
モキシフロキサシン　　1回400mg　1日1回

2)高リスク患者

　入院で静注抗菌薬を投与する。IDSA ガイドラインで有効とされる経験的抗菌薬は，セフェピム，タゾバクタム・ピペラシリン，カルバペネム単剤である（★★★）。セフタジジムは，グラム陰性桿菌への信頼性低下や連鎖球菌への抗菌力が期待できないことなどから，経験的治療の第1選択薬としては推奨されない。耐性菌が多い施設でのグラム陰性桿菌血流感染症や肺炎の初期治療などでは，アミノグリコシドの併用も検討されるが，腎毒性などの問題もあり，ルーチンの併用は行わない（★★★）(BMJ 2003 ; 326 : 1111 PMID 12763980, Cochrane Database Syst Rev 2003 ; CD003038 PMID 12917941)。

　初期治療では，各施設のアンチバイオグラムにおいて，緑膿菌など耐性傾向のグラム陰性桿菌に対する薬剤感受性の優れたものを選択する。好中球減少性腸炎や肛門周囲膿瘍など，嫌気性菌の関与が疑われる場合は，タゾバクタム・ピペラシリンやカルバペネムを選択する。また，FN 時には分布容積の拡大，クリアランスの増加が知られており，抗菌薬は可能な範囲で最大量を投与する（腎機能による投与量の調節は必要）。グリコペプチドやアミノグリコシドは therapeutic drug monitoring（TDM）を実施する。

セフェピム 1g 8時間ごと，もしくは2g 12時間ごと 点滴静注
タゾバクタム・ピペラシリン 4.5g 6時間ごと 点滴静注
イミペネム 0.5g 6時間ごと 点滴静注
メロペネム 1g 8時間ごと 点滴静注
ドリペネム 1g 8時間ごと 点滴静注

3) バンコマイシンの経験的投与について

バンコマイシンなどの抗MRSA薬をFN初期よりルーチンに投与するべきではない。遷延するFN(48〜60時間以上経過しても解熱しない)へのルーチンでのバンコマイシン追加も推奨されない(★★) (Clin Infect Dis 2003；37：382 PMID 12884163)。循環動態が不安定な患者，グラム陽性球菌が血液培養で検出された場合(感受性判明前)，重症のカテーテル関連血流感染症(★★)，皮膚・軟部組織感染症，キノロン予防投与下の重症粘膜炎などでは，抗MRSA薬による経験的治療を考慮する。リネゾリドやダプトマイシンの使用は第1選択として推奨されず，バンコマイシンが使用できない患者に限られる。

バンコマイシン 15mg/kg 12時間ごと 点滴静注(25mg/kg 12時間ごとのローディングも考慮)
テイコプラニン 400mg 24時間ごと 点滴静注(600mg 12時間ごとのローディングも考慮)
リネゾリド 600mg 12時間ごと 点滴静注
ダプトマイシン 6〜10mg/kg 24時間ごと 点滴静注

4 治療開始後のフォローアップ

好中球回復期には，適切に治療していても臨床所見の増悪がみられることがあり，治療効果の判定には十分に注意する。

1) 治療開始後3〜5日間で解熱したとき

感染臓器がはっきりしている場合は，その感染症に準じて抗菌薬を投与する。感染臓器がはっきりしていない場合，好中球数が500/μLを超え，48時間以上解熱し，全身状態が安定していれば，抗菌薬投与を終了する。また，好中球減少下でも，72時間以上解熱し状態が安定していれば抗菌薬終了が可能であることを示唆する報告もある(Lancet Haematol 2017；4：e573 PMID 29153975)。

2) 治療開始後3〜5日間で解熱しないとき

FNの場合，適切な治療が行われていても，解熱するまでに5〜

7日間かかることがしばしばある（JCO 2000：18：3699 PMID 11054443）ため，全身状態が安定していれば，必ずしも抗菌薬の変更・追加は必要ない。抗菌薬や抗真菌薬の変更・追加を行う場合には，臨床症状や経過，各種培養結果に基づいて行う（★★）。

　広域抗菌薬投与下に5日間程度 FN が続く高リスク患者では，深在性真菌症を想定し，キャンディン系抗真菌薬（ミカファンギン，カスポファンギン）などによる経験的治療も考慮する。胸部や副鼻腔のスクリーニング CT 検査や血清マーカー検査などで深在性真菌症を疑う所見がみられた場合に抗真菌薬を開始する preemptive therapy を選択してもよい。好中球減少が7日間未満のような低リスク患者では，抗真菌薬による経験的治療は推奨されない（★★★）。

3) 発熱が続く場合や全身状態が悪化する場合の対応

　丁寧な身体診察に加えて，CT などの画像検査，各種培養検査（血液培養や感染を疑う部位），血清マーカー（β-D-グルカン，アスペルギルス抗原など）を必要に応じて再検する。以下の内容についても検討する。

- 想定した感染症が異なっていたり新たな感染症の合併があるか：現在使用中の抗微生物薬のスペクトラムを確認し，ブレイクスルー感染症の有無を確認する。また，臓器特異的な症状が乏しい感染症にも注意する（カテーテル関連血流感染症や胆管炎，クロストリディオイデス・ディフィシル関連腸炎など）
- 適切な治療下であっても改善に時間のかかる感染症や播種性病巣があるか：膿瘍や血管内感染，骨髄炎などは適切な治療下でも解熱までに時間がかかることが多い。高度な免疫不全が存在するときも改善に時間を要する。ニューモシスチス肺炎では適切な治療を行っていても，治療初期に一過性に症状が増悪することがある。また，血流感染から新たな播種性病巣が出現していることがある
- 外科的介入が必要な感染症があるか：ドレナージが必要な膿瘍形成や除去が必要な異物の存在を確認する
- 抗微生物薬の用法・用量が適切か：腎機能に応じた至適投与量か再確認する。薬物血中濃度のチェックも検討する
- 非感染性の原因があるか：薬剤熱（輸血も含む），腫瘍熱，血栓症，繰り返す誤嚥，心不全，免疫チェックポイント阻害薬による免疫関連有害事象（irAE）などは発熱の原因となる

　全身状態が不安定な場合や感染症に起因する症状・徴候が進行性

の場合は，微生物学的検査結果を踏まえ，ターゲットとすべき臓器や微生物を想起し，抗微生物薬の変更・追加（カバーするスペクトラムの拡大）を検討する。その際には施設要因（アンチバイオグラムや周囲環境など）も考慮する。上記の検討後も原因不明であり，発熱のみで病態が安定している場合は，原則的に治療の変更・追加は不要である。

■ 真菌感染症

具体的な菌名を念頭に置いて診療方針を立てる。

1 リスク因子と病原性

1）カンジダ

広域抗菌薬の使用，中心静脈カテーテルの使用（特に中心静脈栄養の実施），長期病院滞在，ICU 滞在など。口腔，消化管，陰部粘膜からの内因性感染に加えて，カテーテル関連血流感染症や播種性病変として皮膚軟部組織感染などを起こす。

2）アスペルギルス

高度の好中球減少（100/μL 以下が 10 日間以上持続），造血幹細胞移植，アスペルギルス症の既往，アスペルギルス症の発症率が高い環境（例：自施設内や近隣の工事）など。経気道感染による侵襲性肺アスペルギルス症が多く，副鼻腔への感染や，中枢神経に浸潤することもある。

2 診断

丁寧な問診・診察から感染臓器や微生物を推定するが，以下の検査も参考に診断をつめる。

1）血清学的検査

❶ **β-D-グルカン**　多くの深在性真菌症で上昇し，カンジダやアスペルギルス，ニューモシスチス肺炎で有用なことがある。ムーコル症やクリプトコッカス症では上昇しない。β-D-グルカン単独では真菌感染症の診断や除外はできないため，検査特性や検査前確率をもとに結果を判断する。

❷ **アスペルギルス（ガラクトマンナン）抗原**　感度，特異度ともに 70〜80% 程度と不十分であり，非好中球減少患者や抗糸状菌薬投与下では感度がさらに劣る。特に非好中球減少時には，血液より気管支肺胞洗浄液（BALF）での検査のほうが感度に優れるという報告もある。β-D-グルカン同様，検査特性や検査前確率をもとに結果を判断する。

2)画像検査

広域抗菌薬を使用中に FN が遷延する場合は，CT による肺野や副鼻腔のスクリーニングを検討する（★★）。

3)真菌学的検査，病理組織学的検査

血液培養のほかに，必要に応じて髄液，胸水，腹水，喀痰，BALF 検体の培養，細胞診（Grocott 染色など）を行う。菌種と感染臓器の同定は治療方針の決定に重要なため，積極的に実施する。培養陽性となれば，薬剤感受性試験も考慮する。

3 治療

主な抗真菌薬と菌種別の感受性を以下の**表**に示す。

◆ 主な抗真菌薬とそのスペクトラム

		トリアゾール系				エキノキャンディン系		ポリエン系
		FLCZ	ITCZ	VRCZ	PSCZ	MCFG	CPFG	L-AMB
抗真菌活性	*Candida* Spp.							
	C. albicans	◎	○	○	○	◎	◎	○
	C. krusei	×	×	○	○	◎	◎	◎
	C. glabrata	△	△	△	△	◎	◎	◎
	C. parapsilosis	◎	○	○	○	△	△	◎
	C. tropicalis	◎	○	○	○	◎	◎	◎
	Aspergillus Spp.	×	△	◎	○	△	△	◎[*1]
	Mucor Spp.	×	×	△	○	△	×	◎
	Fusarium Spp.	×	△	△	△	×	×	△
	Trichosporon Spp.	△	○	○	○	×	×	△

◎推奨される，○活性あり，△不定，×推奨されない

[*1] *Aspergillus terreus* には L-AMB は推奨されない

FLCZ：フルコナゾール，ITCZ：イトラコナゾール，VRCZ：ボリコナゾール，PSCZ：ポサコナゾール，MCFG：ミカファンギン，CPFG：カスポファンギン，L-AMB：リポソーマルアムホテリシン B

〔日本造血・免疫細胞療法学会（編）：造血細胞移植ガイドライン，真菌感染症の予防と治療 第2版. p8, 2021 より改変〕

重症例への初期治療は，可能な限り点滴治療を用い，ステロイド
などの免疫抑制薬の減量を検討する。各薬剤の注意点として，ア
ゾール系抗真菌薬はタクロリムスやシクロスポリンなどとの薬物相
互作用があること，ボリコナゾールやイトラコナゾールの点滴投与
は腎機能低下例では避けること，ボリコナゾールやイトラコナゾー
ルは TDM を考慮すること，キャンディン系抗真菌薬は眼内や中枢
神経への移行性が低いことなどが挙げられる。

1) カンジダ症

血液培養検査が 1 セットでも陽性となれば，直ちに治療を開始
する（★★★）。血流感染症では，キャンディン系抗真菌薬が第 1 選
択である（★★★）。薬剤感受性が判明すれば，フルコナゾールへの
ステップダウンも考慮する。中心静脈カテーテルは原則抜去するこ
とが勧められるが，長期好中球減少下での消化管由来と考えられる
カンジダ血症の場合は抜去せずに様子をみることもある。カンジダ
血症を認めた場合は，必ず眼底検査で眼内炎の有無をスクリーニン
グする（★★）。治療開始後も，少なくとも血液培養陰性を確認でき
るまでは定期的な血液培養検査を行う（★★★）。カテーテルなどの
異物除去，症状改善，血液培養陰性化，好中球回復が確認されてか
ら最低 2 週間の治療期間が必要である。

2) 侵襲性アスペルギルス症

アスペルギルスなどの糸状菌感染症を疑う所見がある場合，特に
好中球減少期は早期の治療開始を検討する。第 1 選択はボリコナ
ゾールで，初期治療では可能な限り点滴を用いる（★★★）。治療開
始 1～2 週間程度は（治療が奏効していても）肺陰影が増大すること
があるので注意する。治療は，症状および画像所見の消失もしくは
安定を認めるまで行うため，月～年単位となる。副鼻腔や心臓，大
血管，胸腔および骨に浸潤するアスペルギルス症には，手術も検討
する（★★）。

3) 各薬剤の投与例

フルコナゾール　1 回 400 mg　1 日 1 回　点滴静注	
イトラコナゾール　開始 2 日間：1 回 200 mg　1 日 2 回，維持量：1 回 200 mg　1 日 1 回　点滴静注	
ボリコナゾール　初日：1 回 6 mg/kg　1 日 2 回，維持量：1 回 3 mg/kg　1 日 2 回　点滴静注→内服も同量	

21

感染症対策

ポサコナゾール 初日：1回300 mg 1日2回，維持量：1回300 mg，1日1回 点滴静注→内服も同量
ミカファンギン 1回100〜150 mg 1日1回 点滴静注
カスポファンギン 初日：1回70 mg 1日1回，維持量：1回50 mg 1日1回 点滴静注
リポソーマルアムホテリシンB 1回2.5〜5 mg/kg 1日1回 点滴静注

■ ニューモシスチス肺炎

1 リスク因子

急性リンパ性白血病，成人T細胞性白血病，造血幹細胞移植，リツキシマブ/アレムツズマブ/オファツムマブ/ブレンツキシマブベドチン/ダラツムマブ投与，プリンアナログ（フルダラビンなど）投与，ベンダムスチン投与，放射線治療とテモゾロミドの併用療法，ステロイド（プレドニゾロン換算で20 mg/日を4週間以上），BTK阻害薬，PI3K阻害薬など。

2 予防

上記の高リスク患者に対し，ST合剤（バクタ®配合錠 1錠/日 連日，もしくは2錠/日 週3日）を投与する。ST合剤は血球減少，腎機能障害，アレルギーなどのリスクがあり，代替としてアトバコン内服（1,500 mg/日）やペンタミジン吸入（300 mg/回，3〜4週間ごと）が用いられることもある。

3 臨床所見

発熱，盗汗，労作時呼吸困難，乾性咳嗽が主な症状である。胸部X線で両側性の間質影を呈し，動脈血ガスでPaO_2低下，$A-aDO_2$開大を示す。培養が不可能なため，吸引喀痰，BALF，肺生検組織などからの同定が必要である。血清β-D-グルカンが上昇することが多いが，陰性例もある（測定感度95%，特異度86%）(Clin Microbiol Infect 2013：19：39 PMID 22329494)。BALFによるPCR検査は，感度・特異度ともに90%以上とされるが，定着菌による偽陽性に注意が必要である。

4 治療

ST合剤が第1選択で，代替薬としてペンタミジン吸入やアトバコンがある。$PaO_2<70$ mmHgや$A-aDO_2\geqq35$ mmHgのような急性呼吸不全患者に対しては，ステロイドの併用を検討してもよい。

ST合剤（バクタ® 配合錠　1回3〜4錠　1日3回，またはバクトラミン® 　トリメトプリム換算で1回5 mg/kg　1日3回　点滴静注）14〜21日間
±PSL　1日80 mgを2回に分服　5日間，以後1日40 mg　5日間，1日20 mg　11日間

ペンタミジン　1回4 mg/kg　1日1回　点滴静注

アトバコン　　1回750 mg　1日2回　21日間

■　予防投与

1　細菌感染予防

　キノロン系抗菌薬の予防投与は，長期間の高度の好中球減少を伴う患者において，発熱や感染症の頻度だけでなく，生存率も改善することが複数のメタアナリシスで報告されてきたが(Eur J Cancer 2005；41：1372 PMID 15913983, Ann Intern Med 2005；21：142：979 PMID 15968013, Cochrane Database Syst Rev 2012；1：CD004386 PMID 22258955)，耐性菌が問題となってきている近年（2006〜2014年）の研究のメタアナリシスでは死亡を減らせなかったという報告もある(J Infect 2018；76：20-37 PMID 29079323)。好中球＜100/μLの期間が7日以内と予想される患者において，ルーチンの予防投与は推奨されない。キノロン系抗菌薬の予防投与は，耐性菌やクロストリディオイデス・ディフィシル感染症のリスクが増加するため，高リスク群に絞るとともに，各施設で耐性菌動向を監視する必要がある。

◆予防投与の例

レボフロキサシン　　1回500 mg　1日1回

シプロフロキサシン　1回200 mg　1日3回

2　真菌感染予防

　急性白血病の寛解導入療法や造血幹細胞移植において，カンジダ症の予防を目的としたフルコナゾールの予防投与が，深在性真菌症の発症率および真菌症関連の死亡率を低下させることが示されている。アスペルギルス症の予防にはHEPAフィルターを備えた防護環境への入室を検討するが，防護環境への収容が困難であったり，防護環境下でも糸状真菌感染症がみられる施設や，その他感染リスクが高い状況では予防投与も検討する。深在性真菌症の既往のある患者には，適宜2次予防を検討する。

◆予防投与の例

フルコナゾール　　1回100〜400 mg　　1日1回
イトラコナゾール　1回200 mg　　　　　　1日1回
ボリコナゾール　　1回150〜200 mg　1日2回(12時間ごと)　経口， 　または1回3〜4 mg/kg　1日2回(12時間ごと)　点滴静注
ポサコナゾール　初日：1回300 mg　1日2回(12時間ごと)，2日目 　以降：1回300 mg　1日1回　経口
ミカファンギン　1回50〜150 mg　1日1回　点滴静注

3 ウイルス感染予防

1) 単純ヘルペスウイルス(HSV)，水痘・帯状疱疹ウイルス(VZV)

急性白血病の寛解導入療法，悪性リンパ腫，慢性リンパ性白血病，多発性骨髄腫，造血幹細胞移植，アレムツズマブ，プロテアソーム阻害薬(ボルテゾミブなど)，プリンアナログを含む治療を行う患者に予防投与を検討する。

◆予防投与の例

アシクロビル　　1回200 mg　1日1〜5回
バラシクロビル　1回500 mg　1日1〜2回

2) B型肝炎ウイルス(HBV)

HBV感染患者に対して化学療法を行った場合，HBV再活性化が起こり，劇症肝炎に至ることがあり，再活性化に伴う致死率は10％を超える。このため，化学療法を行う患者では全例でHBs抗原/HBs抗体/HBc抗体を測定し(★★★)，B型肝炎治療ガイドラインに従いスクリーニングとモニタリングを行う。核酸アナログの予防投与は，HBV再活性化と肝炎の罹患率を有意に減少させる(JCO 2004：22：927 [PMID] 14990649)(★★★)。リツキシマブなどの抗CD20モノクローナル抗体を含む化学療法や，造血幹細胞移植において再活性化リスクは特に高いが，通常の化学療法やステロイド単剤治療においてもHBs抗体陽性例からの再活性化が報告されており，これらの患者においても注意が必要である。また，まだエビデンスは十分ではないものの，ニボルマブなどの免疫チェックポイント阻害薬(ICI)においてもHBV再活性化が報告されているため，事前のHBs抗原/HBs抗体/HBc抗体測定を行っておくべきである。

◆ 予防投与の例

エンテカビル　1回 0.5 mg　1日1回	
テノホビル ジソプロキシル　1回 300 mg　1日1回	
テノホビル アラフェナミド　1回 25 mg　1日1回	

◆ 化学療法により発症するB型肝炎対策ガイドライン

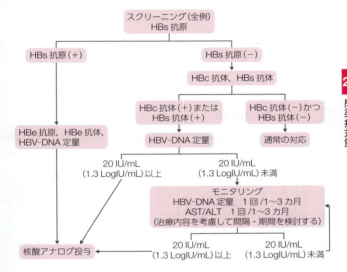

〔日本肝臓学会(編)：B型肝炎治療ガイドライン 第3.4版, 2021より改変〕

■ 文献

1) 大曲貴夫, 他(編)：がん患者の感染症診療マニュアル 第2版. 南山堂, 2012
2) 日本臨床腫瘍学会(編)：発熱性好中球減少症(FN)診療ガイドライン 改訂第2版. 南江堂, 2017
3) 日本造血・免疫細胞療法学会(編)：造血細胞移植ガイドライン, 真菌感染症の予防と治療 第2版. 2021〔https://www.jstct.or.jp/uploads/files/guideline/01_04_shinkin02.pdf〕
4) Taplitz RA, et al：Outpatient management of fever and neutropenia in adults treated for malignancy：American Society of Clinical Oncology and Infectious Disease Society of America clinical practice guideline update. J Clin Oncol 2018；36：1443-1453 PMID 29461916
5) Freifeld AG, et al：Clinical practice guideline for the use of antimicrobi-

al agents in neutropenic patients with cancer：2010 update by the infectious diseases society of America.　Clin Infect Dis 2011；52：e56-93
PMID 21258094

【西村　直】

Memo　COVID-19

　2019年12月に中国湖北省武漢市で最初に報告された新型コロナウイルス感染症（COVID-19）の世界的大流行は2022年5月現在においても持続している。

　複数の研究およびメタアナリシスにおいて，がん患者のCOVID-19重症化および死亡リスクが高いこと（死亡率：14～30%，OR 1.5～3）が報告されており，特に血液腫瘍患者でのリスクが高いことがわかっている。がん患者に発症したCOVID-19において死亡率の上昇と関連する因子として，男性および年齢（非がん患者でも死亡リスクと関連している），直近1カ月に手術や化学療法を受けていること，診断から1年以内であることなどが検出されており，これらの患者では特に注意が必要である[1]。

　現在，新型コロナウイルスワクチンの一般人口への接種が進められている。がん患者は前述の通り重症化のリスクが高く，本邦においては医療従事者，高齢者に次いで「基礎疾患を有する者」として3番目に優先して接種が行われた[2]。しかしながら特に血液悪性腫瘍患者においてワクチン接種後の免疫成立割合が低かったとの報告があり[3]，これらの患者ではワクチン接種後も引き続き感染予防に注意が必要であるといえる。

[1] https://acsjournals.onlinelibrary.wiley.com/doi/10.1002/cncr.33386,
https://academic.oup.com/jnci/article/113/4/371/5951181?login=true,　https://jamanetwork.com/journals/jamaoncology/article-abstract/2773500
[2] https://www.mhlw.go.jp/content/10900000/000756894.pdf
[3] https://ashpublications.org/blood/article/doi/10.1182/blood.2021011568/475742/Efficacy-of-the-BNT162b2-mRNA-COVID-19-Vaccine-in

【西村　直】

22 がん疼痛の治療と緩和ケア

緩和ケア

■ 緩和ケアとは

1 がん診療における緩和ケア

WHO では 2002 年に緩和ケアを以下のように定義している。

> 生命を脅かす疾患に伴う問題に直面する患者と家族に対し,疾患の早期より,疼痛や身体的,心理社会的,スピリチュアルな問題に関して,正確に評価し解決することにより,苦痛の予防と軽減を図り,生活の質(QOL)を向上させるためのアプローチである。

上記の WHO 定義では,緩和ケアを必要な患者により早期に届けるという理念も同時に言及されていた。2010 年に Temel らは,進行期非小細胞肺がん患者を対象とした RCT で,診断から 2 カ月以内に専門的な緩和ケアが治療に加わることで 3 カ月後の QOL 改善を示し,生命予後が延長することを示した(NEJM 2010 ; 363 : 733 PMID 20818875)。その後各国で同様の実証研究が行われ,2016 年の ASCO Clinical Practice Guideline Update においても,新規に診断された進行がん患者は診断から 2 カ月以内の早期に緩和ケアチームに紹介することを推奨している(JCO 2017 ; 35 : 96 PMID 28034065)。

2018 年のがん対策推進基本計画第 3 期にも,重点的に取り組むべき課題の 1 つとして,「がんと診断されたときからの緩和ケアの推進」が明記されている。

◆ 全人的な苦痛(トータルペイン)

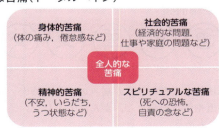

■ 痛みの包括的評価

1 がん疼痛の診断(アセスメント)の実際

❶ **観察** 表情や日常生活動作(ADL)を観察する。また，家族・多職種で情報を共有し観察の継続性を得る。観察と患者の表現に乖離がある場合，せん妄や抑うつ，心理社会的苦痛がないか注意する。

❷ **問診**

◆ **問診で確認すること**(がん疼痛の薬物療法に関するガイドライン2020年度版)

1	痛みの部位・範囲	7	痛みによる日常生活への影響
2	痛みの経過	8	痛みに影響を与えるそのほかの因子
3	痛みの強さ		
4	痛みのパターン	9	現在の治療への反応，有害作用
5	痛みの性状	10	治療目標の設定
6	痛みの増悪因子・軽快因子	11	痛みのアセスメントツール

◆ **疼痛の強さの評価法**(JPSM 2002；23：239 PMID 11888722)

Numerical Rating Scale(NRS)

0　1　2　3　4　5　6　7　8　9　10

Visual Analogue Scale(VAS) 10 cm

全く痛みがない　　　　　　　　　これ以上の強い痛みは考えられない，または最悪の痛み

Verbal Rating Scale(VRS)

痛みなし　少し痛い　痛い　かなり痛い　耐えられないくらい痛い

Faces Pain Scale(FPS)

〔Whaley L, et al：Nursing Care of Infants and Children, 3rd ed, St. Louis, Mosby, 1987より〕

❸ **診察** 系統的な全身の診察が痛みの原因の検索・同定に重要である。褥瘡や帯状疱疹など，がんに関連しない痛みの原因が見つかることもある。

緩和ケア | 465

❹ 検査　血液検査では，臓器障害を評価し鎮痛薬の選択や投与量調整の参考とする。画像検査は，痛みの原因・病態の同定に有用である。

❺ 痛みの原因やメカニズムを考え，痛みの治療目標を設定する
痛みをゼロにするのが必ずしも目標ではなく，① 夜間の睡眠時間が確保できる，② 昼間安静時は痛みなく過ごせる，③ 体動時も痛みを感じないなどの目標を設定する。

❻ 治療戦略を立てる　薬物療法のほか，外科的処置や IVR や放射線照射の適応がないか検討を行う。

◆ 痛みの病態による分類

分類	体性痛	内臓痛	神経障害性疼痛
障害部位	皮膚・骨・筋肉・関節・結合組織など	管腔臓器（食道，大腸など） 被膜をもつ固形臓器（肝臓・腎臓など）	末梢神経，脊髄神経，視床，大脳など
痛みの特徴	疼く，鋭い，拍動するような痛み 局在が明瞭な持続痛が体動で悪化	深く絞られるような押されるような痛み 局在が不明瞭	支配領域のしびれ感を伴う痛み 電気が走るような痛み
例	骨転移による骨破壊 体性組織の創傷 筋膜や筋骨格の炎症	がん浸潤による食道・大腸など通過障害 臓器被膜の急激な伸展 臓器局所・周囲の炎症	がんの神経根や神経叢など末梢神経浸潤 脊椎転移の硬膜外浸潤 脊髄圧迫 化学療法・放射線治療による神経障害
鎮痛薬の効果	非オピオイド鎮痛薬・オピオイドが有効 廃用による痛みへの効果は限定的	非オピオイド鎮痛薬・オピオイドが有効 消化管の通過障害による痛みへの効果は限定的	鎮痛薬の効果が乏しいときには，鎮痛補助薬の併用が有効な場合がある
備考	緩和的放射線照射・IVR 治療も検討 骨転移のある場合，整形外科コンサルト		

22
がん疼痛の治療と緩和ケア

■ **がん疼痛マネジメントの基本原則**（WHO ガイドライン 2018）

・鎮痛薬は，
  ▶ 経口的に（by mouth）
  ▶ 時間を決めて（by the clock）
  ▶ 患者ごとに（for the individual）

▶ 細かい配慮をもって（with attention to detail）投与する。

- 臨床的評価・痛みの重症度に応じて NSAIDs，アセトアミノフェン，オピオイドを使用する
- 中等度のがん疼痛に対し，モルヒネが弱オピオイドに比べ，有害事象は同等で，有効率が高く，痛みの強さをより軽減したと報告されている。弱オピオイド（コデイン・トラマドール）は，患者の選好・医療者の判断や現場の状況で強オピオイドが投与できないときだけ推奨
- メサドンは，強オピオイドが投与されているにもかかわらず適切な鎮痛効果が得られない，中等度～高度のがん疼痛のある患者に対して推奨

1 非オピオイド鎮痛薬の使い方

オピオイド開始後の併用の可否は疼痛の状況により判断する。

1）アセトアミノフェン ★★★

アセトアミノフェン（カロナール®，アセリオ®） 1 回 600～1,000 mg 1 日 4 回 経口または静注 体重 50 kg 未満では最大 3,000 mg/日

・鎮痛効果を期待するためには，成人では 1 回 500 mg 以上の使用が必要
・肝疾患併存症例では肝障害のリスクが高くなる
・解熱・鎮痛作用はあるが，NSAIDs と異なり抗炎症作用はなく，胃粘膜障害や腎機能・血小板機能への影響がない

2）NSAIDs（非ステロイド性消炎鎮痛薬） ★★★

- 副作用として胃粘膜障害，腎機能障害，血小板機能低下など
- 消化管出血の危険因子：75 歳以上，ステロイドの併用，アスピリンの併用，抗凝固薬の併用，血小板数 5 万/μL 以下，消化性潰瘍や消化管出血の既往など
- 多くの骨転移痛には NSAIDs が有効である

ロキソプロフェン（ロキソニン®） 1 回 60 mg 1 日 3 回

ナプロキセン（ナイキサン®） 1 回 200～300 mg 1 日 2 回

腫瘍熱にも有効とされるがエビデンスはない。

セレコキシブ（セレコックス®） 1 回 100～200 mg 1 日 2 回

COX-2 選択性阻害薬で胃粘膜障害が少ない。

ジクロフェナクナトリウム（ボルタレン®，ジクトル®テープ） 錠剤：1 回 25～50 mg 1 日 3 回 貼付剤：1 回 150 mg 1 日 1 回

ジクロフェナクナトリウムは強力な解熱・鎮痛・抗炎症作用を有する。

緩和ケア | **467**

> フルルビプロフェン(ロピオン®注)　1回50mg　1日2～3回　点滴
> 静注

2 強オピオイドの使い方

1) 強オピオイドの種類

　WHOラダーの軸となる強オピオイドとは，μ受容体に作用し鎮痛効果を発揮する薬物(μ受容体アゴニスト)をさす．現在，本邦ではモルヒネ，オキシコドン，フェンタニル，タペンタドール，ヒドロモルフォン，メサドンの6種類が使用可能である．

◆オピオイドの特徴

	主な特徴	注意点	剤型	代謝部位	代謝経路	肝障害	腎障害 eGFR30～89	腎障害 eGFR30未満
モルヒネ	投与経路多い 呼吸苦	腎障害で使えない	徐放・速放・注射 粉末・坐剤	肝臓	グルクロン酸抱合	代謝能が減少．減量・投与間隔延長を検討し薬剤蓄積を防止	減量必要	可能なら避ける
オキシコドン	第1選択になりやすい		徐放・速放・注射 粉末		CYP3A4 CYP2D6		正常者と同量 慎重に投与	慎重に投与
フェンタニル	消化器症状少ない		速放・注射 貼付		CYP3A4		正常者と同量 慎重に投与	推奨
ヒドロモルフォン	1日1回投与 呼吸苦 腎障害でも使える		徐放・速放・注射		グルクロン酸抱合		正常者と同量 慎重に投与	慎重に投与
タペンタドール	SNRI作用 消化器症状少ない 神経障害性疼痛 腎障害で調整不要	錠剤が大きい 推奨上限あり	徐放		グルクロン酸抱合		用量調整不要	推奨

(次頁につづく)

（前頁よりつづき）

	主な特徴	注意点	剤型	代謝部位	代謝経路	肝障害	腎障害 eGFR30〜89	腎障害 eGFR30未満
メサドン	NMDA受容体拮抗作用・SNRI作用難治性疼痛 神経障害性疼痛 安価	QTc延長 代謝に個人差あり 処方14日間まで 処方施設限られる	徐放	肝臓	CYP3A4 CYP2D6	代謝能が減少。減量・投与間隔延長を検討し薬剤蓄積を防止	減量必要	慎重に投与

（eGFRの単位：mL/分/1.73 m²）　フェンタニル口腔粘膜吸収製剤は，モルヒネやオキシコドンなどの速放製剤より効果発現が早い即効製剤で効果持続時間が短い。持続痛がコントロールされている場合の突出痛に限り使用を検討する。また投与法が煩雑であり，注意して用量設定を行う必要がある。

あるオピオイドから他の強オピオイドへの切り替えにより鎮痛効果の改善や副作用の軽減がみられることがある。これを「オピオイドスイッチング」とよぶ（★★）。

◆ オピオイド間の鎮痛効力比

内服薬 貼付剤 坐剤	経口モルヒネ	30	60	120	240	360
	モルヒネ坐剤	20	40	80	160	240
	オキシコドン	20	40	80	160	240
	フェンタニル貼付剤	1	2	4	8	12
	コデイン	180	強オピオイドに変更			
	トラマドール	150	300			
	タペンタドール	100	200	400	他に変更	
	ヒドロモルフォン	6	12	24	48	72
注射剤	モルヒネ注	15	30	60	120	180
	オキシコドン注	15	30	60	120	180
	フェンタニル注	0.3	0.6	1.2	2.4	3.6
	ヒドロモルフォン注	1.2	2.4	4.8	9.6	14.4

（単位：mg/日）　あくまでも目安であり，スイッチング直後は慎重な観察のうえ投与量を調節することが必要である。モルヒネ100 mg/日以上などの大量のオピオイドをスイッチングする場合は，複数回に分けて少しずつ（20〜30%程度）スイッチングする。

緩和ケア | 469

◆オピオイドスイッチングのタイミング

先行オピオイド	新規オピオイド	タイミング
1日2回のオピオイド内服	フェンタニル貼付剤	先行オピオイドの最終内服と同時に貼付
	オピオイド注	先行オピオイドの次の内服時刻に新規オピオイド開始
1日1回のオピオイド内服	フェンタニル貼付剤	先行オピオイドの最終内服12時間後に貼付
	オピオイド注	先行オピオイドの次の内服時刻に新規オピオイド開始
オピオイド注	オピオイド内服	先行オピオイドの中止と同時に新規オピオイド開始
	オピオイド注	
	フェンタニル貼付剤	フェンタニル貼付6時間後に半減,12時間後に中止
フェンタニル貼付剤	オピオイド内服	貼付剤の剥離12時間後に新規オピオイド開始
	オピオイド注	貼付剤の剥離6時間後に半量開始,12時間後に全量へ

2)強オピオイドの具体的な使い方

- オキシコンチン®錠10〜20 mg/日またはナルサス®錠2 mg/日を目安に開始し,鎮痛不十分な場合30〜50% ずつ増量
- 定時鎮痛薬の切れ目の痛み(end-of-dose failure)のある患者においては,オピオイドの定期投与量の増量または投与間隔の短縮を行う
- オピオイドの副作用について患者に十分説明し,副作用対策を併用のうえ,開始する
- レスキュー1回量(内服):ベース1日投与量の10〜20% が目安,1時間あける
- レスキュー1回量(注射):定時1時間量が目安,10〜30分あける

❶ モルヒネ ★★★ 複数の投与経路があり,使用しやすい。呼吸困難に対しエビデンスが示されている唯一のオピオイドである。疼痛症例はもちろん,疼痛とともに多発肺転移など呼吸器症状がある症例に適している。

肝臓でモルヒネ-3-グルクロン酸抱合体(M3G)とモルヒネ-6-

グルクロン酸抱合体（M6G）に代謝され，大部分が尿中に排泄される。M3G は鎮痛作用をもたないが，せん妄やミオクローヌスの原因となる。M6G は鎮痛作用と鎮静作用をもつ。モルヒネは腎機能障害時は蓄積し，傾眠，呼吸抑制などの副作用を引き起こす。腎機能障害例では，軽度ならばオキシコドン，タペンタドール，ヒドロモルフォン，腎不全症例ではフェンタニルを使用する。

◆ 内服薬（徐放製剤）

MS コンチン® 錠（10・30・60 mg）　8〜12 時間ごと　1 日 2〜3 回

モルペス® 細粒〔2%（10 mg），6%（30 mg）〕　8〜12 時間ごと　1 日 2〜3 回

経管栄養でも投与可能だが，水ではなく牛乳やエンシュア® などのカゼイン含有量の多いもので懸濁し，懸濁後 10 分以内に投与する。

パシーフ® カプセル（30・60・120 mg）　24 時間ごと　1 日 1 回

そのほかカディアン®，MS ツワイスロン® などの徐放製剤がある。

◆ 内服薬（速放製剤）

オプソ® 内服液（5・10 mg）

モルヒネ塩酸塩錠〔10 mg〕

内服後の吸収が速く速効性があるが，効果の持続性はないため，主に疼痛時のレスキューとして使用する。

◆ 坐剤

アンペック® 坐剤（10・20・30 mg）　8 時間ごと　1 日 3 回

・定時投与としてもレスキューとしても使用可能
・下痢時，下血時，人工肛門への投与は，吸収が不安定なため避ける

◆ 注射薬

モルヒネ塩酸塩注〔10 mg/1 mL/A・50 mg/5 mL/A〕　持続静注または持続皮下注

1% 濃度の製剤である。

アンペック® 注〔200 mg/5 mL/A〕　持続静注または持続皮下注

4% と高濃度の製剤であることに注意。高用量を投与するときに使用する。

❷ **オキシコドン ★★★**　生体内利用率は 60% と高く，主に小腸から吸収される。主代謝産物には薬理活性がほとんどなく，一部の活性代謝物は微量であるため，腎機能障害でも比較的安全に使用することが可能。副作用はモルヒネに類似しており，副作

用対策はモルヒネに準じて行う。

◆内服薬（徐放製剤）

オキシコンチン® TR 錠（5・10・20・40 mg）　12 時間ごと　1 日 2 回

◆内服薬（速放製剤）

オキノーム® 散（2.5・5・10・20 mg）

◆注射薬

オキファスト® 注（10 mg/1 mL/A・50 mg/5 mL/A）　持続静注または持続皮下注

❸ **フェンタニル ★★★**　μ_1 オピオイド受容体に選択性が高く，モルヒネやオキシコドンと比較して悪心・便秘などの消化器症状の副作用が少ない。活性代謝物がほとんどないため，腎機能障害があっても安全に使用できる。

◆注射薬

フェンタニル注（0.1 mg/2 mL/A・0.5 mg/10 mL/A）　持続静注または持続皮下注

◆貼付剤

デュロテップ® MT パッチ（2.1・4.2・8.4・12.6・16.8 mg）　72 時間ごとに交換

フェントス® テープ（0.5・1・2・4・6・8 mg）　24 時間ごとに交換

・貼付部位は胸部，腹部，上腕部，大腿部などである。皮膚温の上昇につれて吸収率が増加するため，入浴の際は注意が必要
・骨転移の体動時痛などの突出痛に対しフェンタニル舌下製剤（アブストラル®），口腔粘膜吸収製剤（イーフェン® バッカル錠）が使用可能である。ただし，突出痛以外のレスキューとしては，モルヒネかオキシコドンの速放製剤を用いる
・貼付剤で簡便なため，安易に考えられやすいが，半減期が 30 時間ほどと長く，剝離後も血中濃度の低下は緩徐であるため，過剰投与による呼吸抑制など重篤な有害事象に注意が必要である

❹ タペンタドール

タペンタ® 錠　1 回 25〜300 mg　1 日 2 回

・オピオイド μ 受容体作動作用とノルアドレナリン再取り込み阻害作用がある
・トラマドールに比べより強いオピオイド μ 受容体刺激作用，ノルアドレナリン再取り込み阻害作用を有するためより高い鎮痛効果が期待できる
・悪心・便秘・眠気などの副作用が少なく，神経障害性疼痛に効果が期待できるが，経口徐放製剤しかなく錠剤が大きい

❺ ヒドロモルフォン　μオピオイド受容体に作用し鎮痛効果を発揮する半合成オピオイド鎮痛薬で，モルヒネと構造的に似ている。内服薬は1日1回であり，内服の負担を減らしたい場合に有効である。徐放製剤，速放製剤ともに錠剤であり飲み間違いに注意が必要。

◆ 内服薬（徐放製剤）

ナルサス®錠（2・6・12・24 mg）　24時間ごと　1日1回

◆ 内服薬（速放製剤）

ナルラピド®錠（1・2・4 mg）

◆ 注射薬

ナルベイン®注（2 mg/1 mL/A・20 mg/2 mL/A）　持続静注または持続皮下注

2つの濃度の規格があるので，注意して用いる。

❻ メサドン

メサペイン®錠　1回5〜15 mg　1日3回

・μ_1オピオイド受容体を介して鎮痛作用を示すが，μ_1オピオイド受容体作動薬との交差耐性が不完全であるため，他の強オピオイド鎮痛薬で治療困難な中等度〜高度の疼痛に対して効果が期待される。NMDA受容体拮抗作用ががん神経障害性疼痛への有効性をもつ

・がん疼痛の治療に精通した医師によってのみ処方・使用されるとともに，本剤のリスク（QT延長症候群による不整脈・薬物相互作用）などについても十分に管理・説明できる医師・医療機関・管理薬剤師のいる薬局のもとでのみ用いられる。処方はe-learning受講後の試験合格者のみ可能である（2022年5月）

3 弱オピオイドの使い方（強オピオイドが患者の好み・現場の状況で使えないとき）

1) コデイン ★★★

コデインリン酸塩　1回20〜40 mg　1日4回

・有効限界があり（600 mg/日），1回40 mg以上必要の際は，強オピオイドへ変更を考慮

・5〜15%が肝臓でCYP2D6によりモルヒネに代謝されて鎮痛効果を発揮する。日本人の約0.7%はCYP2D6活性が低く（poor metabolizers），モルヒネがほとんど生成されないため，コデインの鎮痛効果は発揮されにくい

・モルヒネとの換算比…コデイン：経口モルヒネ＝6：1

2) トラマドール ★★★

トラマール®　1回25〜75 mg　1日4回

緩和ケア | 473

ワントラム® 1回100〜300 mg 1日1回

- 1日の内服量が300 mg以上となる場合は強オピオイドへ変更する
- いずれの製剤もレスキュー設定量(頓服投与量)は,1日量の10〜20%のトラマール®(2時間あけて追加可)

トラムセット® 1回1錠 1日4回

- トラマドール37.5 mg＋アセトアミノフェン325 mgの合剤
- 1回2錠,1日8錠を超えて服用しない

下記3),4)は,天井効果があり,オピオイド拮抗性鎮痛薬(部分作動薬)であるため,強オピオイドを念頭に鎮痛を図るがん患者に用いることは多くない。

3) ブプレノルフィン ★★

レペタン® 坐剤 1回0.2 mg〜 1日2〜3回

レペタン® 注(0.2 mg/1 mL/A) 持続静注または持続皮下注

- 有効限界がある(2 mg/日)
- μ受容体への結合力が非常に強く,強オピオイドと競合的に拮抗するため,強オピオイドとは併用しない。ナロキソンでも容易には拮抗されない
- モルヒネとの換算比…レペタン® 坐剤 0.6 mg＝経口モルヒネ 30 mg

4) ペンタゾシン

ペンタゾシンは,疼痛下での依存形成のリスクがあり,がん疼痛治療には推奨できない。

4 強オピオイドの主な副作用とその対策

投与開始時に頻度の高い三大副作用(便秘,悪心・嘔吐,眠気)について必ず患者に説明しておく。悪心・嘔吐,眠気に関しては,数日〜1週間で耐性を生じ軽快する。

◆ オピオイドの副作用

副作用	頻度	投与量との相関	耐性の有無
便秘	ほぼ必発	あり	なし
悪心・嘔吐	30%	あり	あり
眠気	20%	あり	あり

1) 便秘

- オピオイドは,各種臓器からの消化酵素の分泌を抑制し,消化管の蠕動運動も抑制するため,腸管での食物通過時間が延長し,便

は固くなり，便秘が起こる

- 排便回数のみでなく，量や硬さや色，怒責の有無や残便感なども評価する
- 便秘は悪心の原因にもなり，耐性も形成されないため，緩下剤はオピオイドと同時に開始し，継続投与する必要がある

◆ 浸透圧性緩下剤 ★★：便に水分を含ませて軟化させる

マグミット®錠（330 mg）　1回1〜2錠　1日1〜3回　1日最大6錠

ラクツロース（モニラック®シロップ，ラグノス®ゼリー）　1回10〜20 mL　1日2〜3回

◆ 刺激性緩下剤 ★★：蠕動運動を亢進させる

センノシド（プルゼニド®）　1回12〜48 mg　1日1回（眠前）

長期間使用するとその効果は減弱してくる。

ピコスルファートナトリウム（ラキソベロン®内用液）　1回5〜30滴　1日1回（眠前）

一度に内服すると腹痛を訴える患者では，1日1回ではなく分服を考慮する。

◆ クロライドチャネルアクチベーター

ルビプロストン（アミティーザ®）　1回12〜24 μg　1日2回

- ・小腸のクロールイオンを活性化して腸液分泌を促し，便を軟らかくする
- ・悪心の副作用に注意

◆ グアニル酸シクラーゼC受容体アゴニスト

リナクロチド（リンゼス®）　1回0.5 mg　1日1回（食前）

- ・腸管上皮のグアニル酸シクラーゼC受容体に作用し，腸管内への腸液分泌・腸管輸送能を促進する
- ・腹部症状が強い便秘患者に有用

◆ 経口末梢性μオピオイド受容体拮抗薬

ナルデメジントシル酸塩（スインプロイク®）　1回0.2 mg　1日1回

- ・末梢のμ受容体に拮抗し胃腸障害を起こしにくくするが，モルヒナン骨格と側鎖を有することにより，血液脳関門の透過性を悪くすることで中枢におけるオピオイド鎮痛薬の鎮痛作用には拮抗しにくい
- ・消化管閉塞症例では消化管穿孔リスクがあり禁忌

◆ 胆汁酸トランスポーター阻害薬

エロビキシバット水和物（グーフィス®）　1回10 mg　1日1回（食前）

回腸末端部の上皮細胞に発現している胆汁酸トランスポーター（IBAT）を阻害し，胆汁酸の再吸収を抑制する。

2) 悪心・嘔吐

- 消化管閉塞の有無を常に再確認する。電解質異常(特に高 Ca 血症),脳転移,胃粘膜障害などオピオイド以外の要因も同時に再評価する。24 章「消化器症状に対するアプローチ」も参照されたい(⇒497 頁)
- オピオイドが脳内の化学受容体引金帯(chemoreceptor trigger zone:CTZ)の μ 受容体を刺激することにより起こる。活性化された μ 受容体がドパミン遊離を引き起こし,ドパミン D_2 受容体が活性化され,嘔吐中枢が刺激される
- 悪心には耐性が形成されるため,制吐薬の併用は 1〜2 週間で終了可能になることがある

◆ 中枢性ドパミン D_2 受容体拮抗薬 ★★

プロクロルペラジン(ノバミン®)　1 回 5 mg　1 日 3 回

ハロペリドール(セレネース®)　1 回 0.75 mg　1 日 1 回(眠前)

◆ 末梢性ドパミン D_2 受容体拮抗薬 ★★

メトクロプラミド(プリンペラン®)　1 回 5 mg　1 日 3 回(食前)

- 食事中や食後の悪心・嘔吐に有効
- 錐体外路症状に注意し,1 日投与量は最大 15 mg までにする

◆ 抗ヒスタミン薬 ★

ジフェンヒドラミンサリチル酸塩(トラベルミン®)　1 回 1 錠(ジプロフィリン 26 mg 含有)　1 日 3〜4 回

体動時の悪心に対して有効な場合がある。

◆ 非定型抗精神病薬 ★★

オランザピン(ジプレキサ®)　1 回 2.5〜5 mg　1 日 1 回(夕食後〜眠前)

糖尿病には禁忌である。

3) 眠気

- オピオイド開始後の初期の眠気は,程度も軽く,徐々に改善することが多い
- 眠気が強いときは,オピオイド以外の併用薬剤の影響も考慮する
- 鎮痛が得られていて眠気がオピオイドを原因とするときは,オピオイドスイッチングを考慮する

4) 呼吸抑制

- オピオイドの呼吸抑制は,用量依存的な延髄の呼吸中枢への直接作用によるもので,二酸化炭素に対する呼吸中枢の反応が低下し,呼吸回数の減少が認められる

- 呼吸抑制が生じる前には眠気を生じるため，眠気を観察し，眠気が生じた段階で鎮痛手段の見直しと評価を行う
- まず患者を刺激し呼吸を促し，オピオイドを減量もしくは一時的に中止する。呼吸数減少が著しい場合には，μ受容体拮抗薬のナロキソン投与を考慮する ★★

ナロキソン塩酸塩　1回0.04 mg〜　静注　5分ごとに反復

・呼吸抑制→鎮静→鎮痛の順に拮抗するため，疼痛の悪化や退薬症候に注意しながら，少量ずつ投与する。1A（0.2 mg/mL）を10倍希釈し，1回2 mL（0.04 mg）ずつ5分ごとに呼吸回数10回/分になるまで静注する
・作用時間が約30分と短いため，呼吸抑制の再出現に注意する。症状の再燃に合わせて30〜60分ごとに複数回投与する必要がある
・呼吸が安定したら，持続注射としてオピオイド量はこれまでの半量を目安に計算して開始する

■ 難治性のがん疼痛

1 代表的な難治性疼痛

1）神経障害性疼痛

「しびれたような，焼けるような」という持続的な痛みや「電気が走るような，刺すような」という間欠的な痛みとして表現され，痛みの部位に一致して知覚低下や過敏，アロディニアなどがみられることが多い。

2）骨転移部の体動時痛

安静時と体動時で痛みの強さが大きく変化することが特徴。病的骨折によりADLが著しく低下してしまうため，放射線療法やビスホスホネート製剤の投与，コルセットの使用，経皮的椎体形成術，整形外科的治療などの多角的アプローチが必要である。

2 難治性疼痛に対して使用される鎮痛補助薬（Pain 2010 : 150 : 573 PMID 20705215）

1）抗痙攣薬

プレガバリン（リリカ®）　1回25〜300 mg　1日1〜2回　（開始時は1回25〜75 mg　1日1回　眠前とする）

ガバペンチン（ガバペン®）　1回300〜400 mg　1日2〜4回　（開始時は1回200 mg　1日1回　眠前とする）

・神経障害性疼痛の第1選択薬の1つ
・リリカ®は，ガバペン®を血液脳関門を通過しやすいように改良した誘導体である

緩和ケア　477

- 眠気・ふらつき，浮腫などがみられ，腎障害では減量が必要
- ガバペンチンはオピオイドと併用した場合，プラセボと比較して有意に鎮痛効果が上回ることが RCT で証明されている (Int J Clin Oncol 2010：15：46 PMID 20072794, Palliat Med 2011；25：553 PMID 20671006)

ミロガバリンベシル酸塩（タリージェ®）　1 回 2.5～15 mg　1 日 1～2 回　（開始時は 1 回 2.5～5 mg　1 日 1 回　眠前とする）

2019 年 4 月販売開始。リリカ® などと同じく $\alpha_2\delta$ に作用する。傾眠やめまいがリリカ® に比べ少ない可能性がある。

カルバマゼピン（テグレトール®）　1 回 100～400 mg　1 日 1 回(眠前)

- 鎮静作用が強く，不整脈や血液毒性など重篤な副作用がある
- 薬物相互作用が多いため，抗悪性腫瘍薬を含め併用時には確認すること
- 汎血球減少や Stevens-Johnson 症候群などの重大な副作用に注意

2) 抗うつ薬

デュロキセチン塩酸塩（サインバルタ®）　1 回 20 mg　1 日 1 回(朝食後)　1 日 60 mg まで増量可

- セロトニン・ノルアドレナリン再取り込み阻害薬（SNRI）
- 肝機能障害，腎機能障害，前立腺肥大，緑内障の有無を必ず確認

アミトリプチリン塩酸塩（トリプタノール®）　1 回 10～25 mg　1 日 1～3 回

アモキサピン（アモキサン®）　1 回 10～25 mg　1 日 1～3 回

- 持続性のしびれ・締めつけ感などに有効な場合がある
- 鎮静作用が強く，抗コリン作用である口渇や排尿困難，便秘などの副作用がみられる。緑内障や前立腺肥大の有無を必ず確認する
- 高齢者などではせん妄に注意

3) 抗不整脈薬

リドカイン塩酸塩（キシロカイン®）　1 回 100～200 mg　1 日 1～4 回　点滴静注

低用量（200 mg/日）でもリドカイン中毒に注意。重度の肝機能・腎機能障害時，1 分間に 4 mg 以上の速度では，中毒（傾眠，せん妄や痙攣）のリスクが高くなるため，注意が必要。

メキシレチン塩酸塩（メキシチール®）　1 回 50～100 mg　1 日 3 回

悪心・食欲低下などの消化器症状に注意。

22

がん疼痛の治療と緩和ケア

4) NMDA 受容体拮抗薬

> **ケタミン塩酸塩**（ケタラール®）　50 mg〜/日　持続静注または持続皮下注

- ・オピオイドではないが、「麻薬及び向精神薬取締法」に基づく麻薬に指定された
- ・麻酔に使用する投与量よりはるかに少ない量で鎮痛効果を発揮する
- ・骨転移に伴う体動時痛に有効な場合がある
- ・副作用としての悪心、ふらつき、悪夢の出現に注意が必要

5) 抗不安薬

> **ジアゼパム**（ホリゾン®，セルシン®）　1 日 1〜2 mg を 1〜3 回に分けて投与

- ・筋の攣縮痛に用いる
- ・半減期が約 30 時間と長く、鎮静作用も強い

6) コルチコステロイド

骨転移痛、神経障害性疼痛、頭蓋内圧亢進による痛みに用いる。

> **デキサメタゾン、またはベタメタゾン**　1〜16 mg/日

- ・半減期が長く、力価は PSL の約 7 倍である
- ・抗炎症作用や抗浮腫作用により、骨転移痛や神経圧迫による痛みに有効な場合がある
- ・副作用の観点から、長期投与にならないように生命予後を予測しながら適応を判断する
- ・NSAIDs との併用で消化性潰瘍のリスクが高くなる

■ その他の身体症状に対するマネジメント

1 呼吸困難

胸水や心嚢液貯留例におけるドレナージなど原因への対処とともに、対症療法としては酸素投与、モルヒネ、抗不安薬、ステロイドがある。体位の工夫など日常動作への配慮も有効である。

> **モルヒネ塩酸塩** ★★★　10〜20 mg/日　経口投与、もしくは 5〜10 mg/日　持続静注で開始

> **ロラゼパム**（ワイパックス®）　1 回 0.5 mg〜

> **デキサメタゾン** ★　1〜16 mg/日

2 腸閉塞や腹水貯留による腹満感

手術適応がない場合は、胃瘻造設術（PEG）や経皮経食道胃管挿入術（PTEG）、消化管ステント治療、薬物療法による症状緩和を目指す。

薬物療法としては、オクトレオチド、ステロイド、オピオイド、

緩和ケア | 479

抗コリン薬，制吐薬などが用いられる。病状に応じて，輸液量の減量も考慮する（1,000 mL/日＋異常喪失量を目安とする。体液貯留による苦痛がある場合は 500〜1,000 mL/日とする）。

> **デキサメタゾン，またはベタメタゾン ★** 4〜20 mg/日

> **オクトレオチド酢酸塩**（サンドスタチン®）**★★** 300〜600 μg/日 持続皮下注または持続静注

3 食欲不振

病状に付随する場合は，がんや進行がん患者に多くみられ，低栄養状態や悪液質を伴うことが多い。がん悪液質は「通常の栄養療法では改善が難しい進行性の骨格筋組織の減少（脂肪組織の減少の有無は問わない）を特徴とする多因子の症候群」と定義され，その病態生理は，食物摂取量の減少とさまざまな代謝異常によって引き起こされる（Lancet Oncol 2011：12：489 PMID 21296615）。がん悪液質は，がん患者の 50〜80％ にみられ，がんの死亡原因の 20％ を占めると推定されている（Nat Rev Cancer 2014：14：754 PMID 25291291）。

グレリン受容体作動薬であるアナモレリンは，食欲中枢の刺激による食欲亢進・成長ホルモン分泌促進による骨格筋合成促進作用をもつ（Oncologist 2007：12：594 PMID 17522248）。がん患者の除脂肪体重の増加・食欲不振の改善を認めることが示されているが，筋力増強効果は認めなかった（Lancet Oncol 2016：17：519 PMID 26906526, Ann Oncol 2017：28：1949 PMID 28472437）。

> **アナモレリン**（エドルミズ®） 1 回 100 mg 1 日 1 回空腹時に経口投与

・切除不能な進行・再発の非小細胞肺がん，胃がん，膵がん，大腸がんのがん悪液質患者
・6 カ月以内に 5％ 以上の体重減少と食欲不振があり，かつ以下の（1）〜（3）のうち 2 つ以上を認める患者。（1）疲労または倦怠感，（2）全身の筋力低下，（3）CRP 0.5 mg/dL 超，ヘモグロビン値 12 g/dL 未満またはアルブミン値 3.2 g/dL 未満のいずれか 1 つ以上
・食事の経口摂取が困難または食事の消化吸収不良の患者には使用しない
・化学療法に伴う悪心・嘔吐は，24 章「消化器症状に対するアプローチ」参照

> **デキサメタゾン，またはベタメタゾン ★★★** 2〜4 mg/日

4 死前喘鳴

死前喘鳴とは，死が切迫した時期に気道内分泌物の増加により下咽頭から喉頭にかけてゴロゴロと音がする状態をいう。輸液の減量（500 mL/日以下）・中止や薬物療法で対処する。

ブチルスコポラミン臭化物（ブスコパン®）★★　20〜40 mg/日　持続皮下注または持続静注

スコポラミン臭化水素酸塩（ハイスコ®）★★　1回 0.125〜0.25 mg　1日 1〜4回　舌下投与，または 0.5〜1 mg/日　持続皮下注もしくは持続静注

5　鎮静

　鎮静以外に苦痛緩和の手段がない耐えがたい苦痛があり，予後が3週以内と推定される患者に対し，実施する。浅め・深め，持続的・間欠的の種類がある。相応性，意図，患者・家族の意思などを多職種でカンファレンスしたあとに実行することが推奨される（がん患者の治療抵抗性の苦痛と鎮静に関する基本的な考え方の手引き 2018 年版）。

ミダゾラム（ドルミカム®）★★　0.2〜0.4 mg/時　持続静注もしくは持続皮下注　ルート内をミダゾラムで満たすよう早送り後に開始し，効果不十分な場合は1時間分フラッシュ後に 20〜50％ を目安に増量

■ 文献

1) World Health Organization. Health topics. Palliative care［https://www.who.int/health-topics/palliative-care］
2) 日本緩和医療学会ガイドライン統括委員会．がん疼痛の薬物療法に関するガイドライン．2020 年度版．
3) WHO Guidelines for the pharmacological and radiotherapeutic management of cancer pain in adults and adolescents［https://www.who.int/publications/i/item/9789241550390］
4) 日本緩和医療学会．専門家をめざす人のための緩和医療学 改訂第2版．2019.

精神的ケア

■ 気持ちのつらさの概要

　がんとの診断・治療・緩和ケア・終末期に至るプロセスは患者・家族にとって深刻なストレス因子である。このストレスへの反応の程度はさまざまであるが distress（気持ちのつらさ）という用語で包括して表現される。

　気持ちのつらさは治療アドヒアランス，QOL 低下を招き，生存に負の影響を及ぼす。具体的には治療意欲や意思決定能力を失うこ

と，家族の精神的負担を増加させることや入院期間の長期化につながる恐れがある。気持ちのつらさには「自然な心理的反応」とよばれるレベル，適応障害レベル，うつ病レベルの3段階があり，それぞれに適切な対処が必要である。精神的・身体的な症状は，がんの症状や治療の副作用として見逃されやすい点に注意する。

■ 精神疾患

1 適応障害（adjustment disorders）

1）診断
- 有病率は10〜40%

がんに伴うストレスに反応して出現する不安・抑うつといった情緒面・行動面の症状が，予想よりも反応の程度が強い，あるいは日常生活や社会的機能に支障をきたした際に用いられる診断である。ストレス因子から3カ月以内に発症する。

うつ病に移行する危険性もあり，適切なアプローチが求められる。

2）治療
自傷他害の可能性があれば専門的な対応が必要である。

不安・抑うつへの対応の原則は身体的症状の緩和，精神的介入，社会・環境面の調整など多次元的なアプローチである。患者が何を苦痛に感じているのか，心配しているのかということをまず聴くことが重要である。

◆がん患者に合併するうつ病・適応障害の特徴 (J Natl Cancer Inst 2003；95：1110 PMID 12902440)

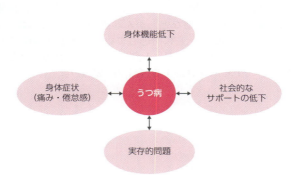

軽度の症状には薬物療法を積極的には考慮せず，精神療法を試みる。効果が得られない場合や中等度以上の症状に薬物療法を用いる。

❶ **精神療法**　患者の感じている気持ちの苦痛を理解し，患者自身の過去における困難への対処法を批判・解釈することなく，治療者が支持する（肯定的に接する）支持的精神療法が基本。

❷ **薬物療法（抗不安薬）**　依存性があるために漫然と使用しない。

ベンゾジアゼピン系抗不安薬が用いられるが，高齢者においては，せん妄・転倒・誤嚥などのリスクがあるため常に必要最小量を心がける。

アルプラゾラム（ソラナックス®）はがん患者の不安と抑うつに関する有効性が臨床試験で検証されており，軽症のうつ病にも用いられる（★★）（JCO 1991；9：1004 PMID 2033413）。せん妄を惹起しうる点，長期使用例では耐性・依存性が生じうる点に注意する。

2 うつ病（major depressive disorder）

1) 診断

• 有病率は5％

抑うつ症状として，① 抑うつ気分，② 興味や喜びの喪失，③ 食欲不振・体重減少（あるいは食欲増加・体重増加），④ 睡眠障害，⑤ 焦燥，⑥ 易疲労・気力減退，⑦ 無価値感・罪責感，⑧ 集中力低下，⑨ 希死念慮が挙げられる。① もしくは ② を含む5つ以上の症状が2週間以上持続している場合，大うつ病と診断される。

ASCOガイドラインではPHQ-9（patients health questionnaire-9）を利用したスクリーニングを推奨している（⇒次頁の図を参照）。スクリーニングは全患者を対象とし，初診時だけでなく，がん再発時や増悪時・緩和ケア移行期など，がん診療の節目ごとに繰り返す。PHQ-9は上記症状 ①～⑨ に対応している。最近2週間での頻度を点数化し（なし：0点，数日：1点，半分以上：2点，ほとんど毎日：3点），それぞれを合計する（合計0～27点）。

精神的ケア 483

◆ スクリーニング

対象：あらゆる病期のすべてのがん患者

自傷他害の可能性があるか？
可能性がある場合⇒精神科専門医に紹介，安全な環境の確保，
1対1観察下，初期介入開始

PHQ-2
この2週間で，① 興味や喜びの喪失，② 抑うつ気分のうち
少なくともいずれかが，
⇒なし：0点，数日：1点，半分以上：2点，ほとんど毎日：3点

| 0または1点 | 2または3点 |

追加スクリーニングなし　　PHQ-9の残りの7項目を実施

- 症候なし/軽度（1～7点）
- 中等度の症候（8～14点）
- 中等度～重度の症候（15～19点） 重度の症候（20～27点）

うつ病の既往/リスク因子の同定

- うつ病の既往，治療歴の有無
- 薬物乱用を含む他の精神疾患の既往の有無
- がん以外の慢性合併症
- 無職/社会的地位が低い
- 家族のうつ病の既往，治療歴の有無
- がんの再発/進行期/増悪
- パートナーの有無（独身，死別，離婚）
- 女性

症候なし/軽度
- 抑うつはないかごく軽度
- 対処行動や社会的サポートを活用する

中等度の症候
- 閾値にある抑うつ
- 生活に軽度～中等度に支障がある
- 診断のためにコンサルテーションを求める

中等度～重度/重度の症候
- 最も重症な抑うつ症状
- 生活に中等度～重篤な支障がある
- 診断と治療のために専門家に紹介する

22 がん疼痛の治療と緩和ケア

2)治療

治療上の基本的留意点と精神療法については適応障害と同様である。うつ症状だけでなくうつ病発症にかかわる背景因子の改善を図る。

❶ **非薬物療法**　うつ病を合併したがん患者に対する RCT において，研修を受けた看護師を中心とした精神科医，プライマリ・ケア医からなる多職種のチーム介入により，抑うつ症状，がん関連症状，QOL の改善が示された（★★★）(Lancet 2014；384：1099 PMID 25175478)。多職種チームの介入効果は予後不良な患者でも示されている（★★★）(Lancet Oncol 2014；15：1168 PMID 25175097)。

❷ **薬物療法（抗うつ薬）**　がん患者を対象に抗うつ薬の効果を検討した RCT のメタアナリシスが複数報告されている。解析対象となる試験の選択により結果が異なり，プラセボに対する抗うつ薬の有効性に関するエビデンスは確立していない。個々の症例に応じて，総合的に判断する。

薬剤選択の基準として，副作用プロファイルに留意して使用することが多い。すなわち，SSRI（選択的セロトニン再取り込み阻害薬）や SNRI（セロトニン・ノルアドレナリン再取り込み阻害薬）は悪心の出現リスクが高いため，化学療法中ですでに悪心による苦痛があるような患者には使いにくい。NaSSA（ノルアドレナリン作動性・特異的セロトニン作動性抗うつ薬）は悪心が生じにくい一方で，倦怠感が生じやすいことに留意する。そのほかの特徴として，SSRI は全般性不安障害やパニック障害など不安障害への有効性が示されており，NaSSA は食欲増進効果が期待できる。また抗うつ薬は初めに副作用が出やすく，効果判定に 1〜2 カ月要することにも注意が必要である。

精神的ケア | 485

◆抗うつ薬（JCO 2012；30：1187 PMID 22412144 より改変）

薬剤名	主な毒性	相互作用	その他特徴・注意
選択的セロトニン取り込み阻害薬（SSRI）			
エスシタロプラム（レクサプロ®）	性機能障害 悪心・嘔吐 消化管障害 発汗 不安症 頭痛 睡眠障害 振戦	CYP450 に関連した重篤な相互作用を有さない	忍容性に優れ相互作用が少ないため第1選択になりやすい
フルボキサミン（デプロメール®）		CYP2D6・1A2・3A4 を中等度に阻害する	シクロスポリンやワルファリンの効果を増強する。鎮静作用あり入眠困難例に有効
パロキセチン（パキシル®）		CYP2D6 を強力に阻害する	TAM の効果減弱。鎮静作用あり入眠困難例に有効。退薬症状をきたしやすい
セルトラリン（ジェイゾロフト®）		CYP2D6 を中等度に阻害する	非がん患者で高い効果と忍容性が示されている
セロトニン・ノルアドレナリン再取り込み阻害薬（SNRI）			
ミルナシプラン（トレドミン®）	口渇，悪心・嘔吐，排尿障害	CYP450 に関連した相互作用を有さない	グルクロン酸抱合により代謝される
デュロキセチン（サインバルタ®）	性機能障害，悪心・嘔吐，口渇，不安症，頭痛，便秘	CYP2D6 を中等度に阻害する	退薬症状はきたしにくい。神経障害性疼痛に有効。肝不全に注意
ノルアドレナリン作動性・特異的セロトニン作動性抗うつ薬（NaSSA）			
ミルタザピン（リフレックス®）	倦怠感，傾眠，食欲増進，体重増加，頭痛，めまい	CYP450 にほとんど影響しない	相互作用が比較的少ない。性機能障害が少ない。不眠・食欲不振・悪心のある症例によい適応

3 せん妄（delirium）

1）症状と診断

　有病率は入院患者の 10〜30％，終末期では 85％ との報告がある。

　せん妄は，注意・意識障害を中心とする認知障害を伴う。多動や幻覚など明らかなものから睡眠リズム障害のような軽度のものがある。また，無気力・傾眠状態でうつ病と誤診されやすい低活動型のせん妄もあり，見逃されている場合が多いので注意が必要である。

特に高齢者や全身状態悪化の患者群では「せん妄なのでは」と常に頭の片隅に意識しておくことが必須である。

せん妄の診断は DSM-5 診断基準に基づく。すなわち，以下の A～E を満たす。

A. 注意の障害（すなわち，注意の方向づけ，集中，維持，転換する能力の低下）および意識の障害（環境に対する見当識の低下）。

B. その障害は短期間のうちに出現し（通常数時間～数日），もととなる注意および意識水準からの変化を示し，さらに1日の経過中で重症度が変動する傾向がある。

C. さらに認知の障害を伴う（例：記憶欠損，失見当識，言語，視空間認知，知覚）。

D. 基準 A および C に示す障害は，他の既存の，確定した，または進行中の神経認知障害ではうまく説明されないし，昏睡のような覚醒水準の著しい低下という状況下で起こるものではない。

E. 病歴，身体診察，臨床検査所見から，その障害が他の医学的疾患，物質中毒または離脱（すなわち，乱用薬物や医療品によるもの），または毒物への曝露，または複数の病因による直接的な生理学的結果により引き起こされたという証拠がある。

〔日本精神神経学会（日本語版用語監修），高橋三郎・大野 裕（監訳）：DSM-5 精神疾患の診断・統計マニュアル．p276，医学書院，2014 より〕

2) 治療

❶ 原因の同定と治療

- 中枢神経系の直接的な原因（脳転移，髄膜播種，凝固異常に伴う脳梗塞など）と間接的な原因〔肝・腎機能障害，低酸素，脱水，貧血，電解質異常（高 Ca 血症など），感染症，身体的苦痛（疼痛，尿閉，便秘，口渇），手術などの侵襲，薬剤（オピオイド，睡眠薬，抗不安薬，抗うつ薬，抗コリン薬，ステロイドなど）など〕，アルコールがある。終末期には多要因であることが多い

- 終末期せん妄の回復率は 10～40％ 程度と推測される。原因はオピオイドを主とする薬物が 37％，高 Ca 血症が 38％ だが，感染症は 12％，その他は 10％ 以下であった（JPSM 2001：22：997 PMID 11738162）。介入可能な原因が隠れていないか検討することが大切であり，回復可能性が低いと判断した場合，「せん妄の回復」から「せん妄症状の緩和」を目指すようシフトしていく

- 高齢の進行がん患者においては，軽度な変化であってもせん妄に結びつくことがあるため注意深い評価が重要

- せん妄の治療は，まず上記の原因のうち改善・中止可能なものに

精神的ケア **487**

対応することである。並行してせん妄症状に対する薬物・非薬物療法を行う

❷ 環境的介入・家族への対応

- 身近な家族や慣れ親しんだ医療スタッフとの接触を図る
- 静かで明るい部屋（夜間の照明も暗すぎないようにする）
- 患者の視野に親しみのあるものを置く
- 時間の感覚を保つ（カレンダーや時計が見えるように置くなど）
- 家族にせん妄について説明し，家族の精神的負担にも十分配慮する

❸ 薬物療法

- 薬物療法はせん妄自体を改善する効果は認めず，不快な症状や問題行動（幻覚，妄想，興奮，不眠など）に対する対症療法である。副作用もあるため，メリット・デメリットを勘案して慎重に使用する必要がある
- 第1選択薬はメジャートランキライザー（抗精神病薬）。定型抗精神病薬では錐体外路症状をきたす頻度が高く，非定型抗精神病薬では体重増加と代謝異常をきたしやすい
- マイナートランキライザー（ベンゾジアゼピン系薬剤など）はせん妄の原因・増悪因子となるため，単独投与は避け安易に使用しない。ただし，睡眠障害の合併がある場合や終末期の鎮静を要する場合には使用が検討される

◆ 抗精神病薬

薬剤名	投与経路	使用量 （mg/回）	半減期 （時間）	有害事象	その他特徴
定型抗精神病薬					
ハロペリドール （セレネース®）	経口，静脈，筋肉，皮下	0.75〜10	10〜24	錐体外路症状が出やすい。QT延長あり	ゴールドスタンダード。ベンゾジアゼピンの併用を要することがある。制吐作用あり
クロルプロマジン （コントミン®）	経口，静脈，筋肉，皮下	10〜25	10〜59	錐体外路症状がある。鎮静作用が強く抗コリン作用が出やすい。降圧作用に注意	鎮静作用が強く活動性せん妄に好まれる。制吐作用あり。吃逆に有効

（次頁につづく）

22 がん疼痛の治療と緩和ケア

（前頁よりつづき）

薬剤名	投与経路	使用量 （mg/回）	半減期 （時間）	有害事象	その他特徴
非定型抗精神病薬					
リスペリドン （リスパダール®）	経口 （液剤あり）	0.5～4	4～15	高用量で錐体外路症状をきたす。起立性低血圧に注意。糖尿病には慎重投与	鎮静作用は弱い。腎障害例では活性代謝産物の排泄遅延が起こる
オランザピン （ジプレキサ®）	経口 （OD錠あり）	2.5～10	21～54	過鎮静に注意。糖尿病禁忌	制吐作用あり。高齢者・認知症・低活動型せん妄には効果低い
クエチアピン （セロクエル®）	経口	12.5～200	3～6	糖尿病禁忌。鎮静と起立性低血圧が問題になることがある	鎮静作用を利用して不眠症例に使用。半減期が短く持ち越し効果は少ない
アリピプラゾール （エビリファイ®）	経口	6～24	40～80	アカシジアに注意	低活動型せん妄症例に考慮する

4 不眠（insomnia）

1）診断

　① 入眠困難，② 中途覚醒，③ 早朝覚醒のうち 1 つ以上があり，生活機能に障害を伴うことが，週 3 回以上あり 3 カ月以上続くものを不眠症と定義する（DSM-5）。

　要因は，5 つの P（身体的・生理的・心理的・精神医学的・薬理学的）の順に評価する。

2）治療

❶ **非薬物療法**　上記要因に合わせた症状緩和を図る。例えば，日中に日光を採り入れる，不安やストレス軽減を図るなどがある。

❷ **薬物療法**　最も汎用されるのは，ベンゾジアゼピン系睡眠薬である。ただしせん妄の悪化が懸念される場合には，抗うつ薬のトラゾドンやミアンセリン，抗精神病薬のリスペリドンやクエチアピンなどを用いる。ほかにもラメルテオンやスボレキサントなどがある。

精神的ケア | **489**

■**文献**

1) NCCN Guidelines®[http://www.nccn.org/professionals/physician_gls/f_guidelines.asp]

2) Andersen BL, et al：Screening, assessment, and care of anxiety and depressive symptoms in adults with cancer：an American Society of Clinical Oncology guideline adaptation. J Clin Oncol 2014；32：1605-1619 PMID 24733793

3) Li M, et al：Evidenced-based treatment of depression in patients with cancer. J Clin Oncol 2012；30：1187-1196 PMID 22412144

4) Breitbart W, et al：Evidenced-based treatment of delirium in patients with cancer. J Clin Oncol 2012；30：1206-1214 PMID 22412123

5) Morita T, et al：Underlying pathologies and their associations with clinical features in terminal delirium of cancer patients. J Pain Symptom Manage 2001；22：997-1006 PMID 11738162

【久保　絵美】

22
がん疼痛の治療と緩和ケア

23 骨髄抑制

骨髄抑制(血液毒性)は化学療法施行時においてほぼ必発の有害事象である。好中球減少時の感染症や血小板減少時の出血などは，時として致命的となりうる。骨髄抑制の程度は患者の全身状態・年齢・病期・前治療歴などに影響されることが多く，化学療法以外の要因についても適切に把握する必要がある。

■ 白血球減少へのアプローチ

白血球減少とそれに伴う発熱性好中球減少症(febrile neutropenia：FN)は化学療法の副作用として依然高い確率で合併する。白血球数(好中球数)は，抗悪性腫瘍薬投与開始から7～14日目に最低値(nadir)に至ることが多いが，減少の程度・持続期間は治療内容および患者の状態により大きく変動する。

1 好中球減少・FN の発症リスク

FN は時として生命にかかわるため，抗悪性腫瘍薬の毒性プロファイルや患者側の FN 発症リスクの把握は重要である。

◆ FN 発症リスク因子 ★★★〔白血球成長因子製剤の使用に関してのガイドライン(ASCO)より改変〕

・年齢 65 歳以上	・PS 不良または栄養状態の不良
・進行期の疾患	・腎機能低下
・過去の化学療法または放射線化学療法の既往	・肝機能異常(特にビリルビン値の高値)
・既存の好中球減少または腫瘍の骨髄浸潤	・心血管疾患の合併
	・多数の合併症の存在
・感染の合併	・HIV 感染症
・開放創または術後早期	

2 顆粒球コロニー刺激因子(granulocyte-colony stimulating factor：G-CSF)製剤

G-CSF 製剤は前顆粒球系の細胞に作用し，末梢血中の顆粒球を増加させる。G-CSF 製剤の使用により重篤な好中球減少の期間を減らすことや FN のリスクを減らすことが知られ，化学療法による好中球減少に対する支持療法として主要な位置を占めている。

◆ G-CSF 製剤の適応 ★★★〔白血球成長因子製剤の使用に関してのガイドライン（ASCO）より改変〕

1）1 次予防的投与
初回化学療法施行時から，FN 予防のため G-CSF 製剤を投与する方法。
① FN 発症率が 20% 以上と予想される化学療法を行う場合，G-CSF 製剤の 1 次予防的投与が推奨される
② FN 発症率が 10〜20% と予想される化学療法を行う場合，患者の危険因子に基づいて G-CSF 製剤の 1 次予防的投与が考慮される

2）2 次予防的投与
前コースの化学療法で発熱性好中球減少や遷延性の好中球減少があり，次のコースの好中球減少を予防するために G-CSF 製剤を投与する方法。
① 減量や休薬期間の延長などによる治療強度の低下が治療成績にかかわる場合に推奨される
② 前コースの化学療法で好中球減少が著しい場合，G-CSF 製剤の 2 次予防的投与の前に抗悪性腫瘍薬の減量や休薬期間の延長が妥当かどうかを検討することが望ましい

3）治療的投与
化学療法後，好中球減少（500/μL 未満）を認め，治療のために G-CSF 製剤を投与する方法。
① 発熱のない好中球減少に対してはルーチンに G-CSF 製剤を投与することは推奨されない
② FN 患者においてもルーチンに G-CSF 製剤の投与を行うことは推奨されないが，高リスク患者（好中球減少（100/μL 未満）が 11 日以上持続することが見込まれる患者，65 歳以上の患者，原疾患がコントロールされていない患者，肺炎の患者，低血圧や多臓器不全などの敗血症が示唆される患者，侵襲性真菌感染の患者，入院中に発症した FN の患者のいずれか）においては G-CSF 製剤投与を考慮する

4）化学療法の dose density を増量するための投与
高用量の化学療法および化学療法の間隔を短縮するために G-CSF 製剤を投与する方法。
① 高リスク乳がんの術後化学療法や尿路上皮癌の化学療法といった dose-dense レジメンが臨床試験で適切に設計されている場合や納得できる有効性のデータがある場合投与が推奨される
② その他のレジメンでは，臨床試験を除いて，化学療法の dose density を高めるための G-CSF 製剤の使用は推奨されない

5）放射線療法を受ける患者への使用
① 化学療法と放射線療法の同時併用時には G-CSF 製剤投与を行うべきではない。特に縦隔が照射野に含まれる場合，血小板減少や肺毒性の危険性が高く投与を行うべきでない
② 化学療法を併用せず，放射線療法単独の場合，好中球減少による治療の遅れが予想される際には G-CSF 投与を考慮してもよい

6) 小児への投与

① 治療プロトコールに G-CSF 製剤の使用が規定されていることが多いのでそれに従う。それ以外では，一般的に成人と同じように投与を行うことが推奨される

② Ewing 肉腫など，G-CSF 製剤使用を前提として治療強度を上げた dose-dense レジメンの有効性が証明されている疾患に関しては，G-CSF の使用が推奨される

③ 初発 AML（急性骨髄性白血病）および ALL（急性リンパ性白血病）においては G-CSF 製剤による FN リスクの低下や生存率の上昇といった効果がなかったことから，感染合併のない小児初発 AML および ALL では G-CSF 製剤の投与は推奨されない

④ ペグフィルグラスチムの小児患者への投与の安全性は証明されておらず，推奨されない

◆ G-CSF 製剤の開始時期および投与期間 ★★★（がん診療ガイドライン G-CSF 支持療法より改変）

本邦における G-CSF 製剤の投与時期を以下に示す。本邦で保険承認されている G-CSF 製剤の投与量および適応は海外での推奨と異なるため，注意が必要である。

製剤[*1]	投与開始時期[*2]	投与量[*4]	投与期間[*6]
フィルグラスチム，レノグラスチム	AML/ALL，悪性リンパ腫，小細胞肺がん，胚細胞腫瘍，小児悪性腫瘍：抗悪性腫瘍薬投与翌日から	**AML/ALL**[*5] ・フィルグラスチム：200 μg/m^2/日　静脈投与 or 100 μg/m^2/日　皮下注射 ・レノグラスチム：5 μg/kg/日　静脈投与 or 2 μg/kg/日　皮下注射	ANC≧5,000/μL となるまで投与を継続する
	その他の悪性腫瘍： ① ANC＜1,000/μL かつ発熱を認めるとき（原則として 38℃ 以上） ② ANC＜500/μL のとき ③ 前回の化学療法で ANC＜500/μL を認め，ANC＜1,000/μL を確認したとき	**その他** ・フィルグラスチム：50 μg/m^2/日　皮下注射 or 100 μg/m^2/日　静脈投与 ・レノグラスチム：2 μg/kg/日　皮下注射 or 5 μg/kg/日　静脈投与	

| ペグフィルグラスチム | 抗悪性腫瘍薬投与翌日より次コースの抗悪性腫瘍薬投与14日前以内[*3] | 1サイクルあたり3.6 mg/回　皮下注射 | |

ANC：好中球絶対数

[*1] ペグフィルグラスチムやバイオシミラー製剤は有効性，安全性において他のG-CSF製剤と同等であることが示唆されるため，現段階ではどのG-CSF製剤を使用するかは簡便性・コスト・病態を考慮したうえで選択すべきである

[*2] G-CSF製剤を抗悪性腫瘍薬投与当日もしくは同時に投与した例では，G-CSF製剤を投与しない，あるいは同時に投与しなかった場合に比べて好中球減少が強く生じていることが報告されており，フィルグラスチム・ペグフィルグラスチムともに抗悪性腫瘍薬投与後，24〜72時間以内の投与が推奨されている

[*3] ASCOガイドラインでは，化学療法同日のペグフィルグラスチム投与は，効果は劣るものの有効性は示されており，化学療法同日の投与は原則認められていないが通院時間などの患者要因次第では許容されている

[*4] ASCOガイドラインの推奨量はフィルグラスチム：5 µg/kg/日，ペグフィルグラスチム：6 mg/回と本邦の保険適用の用量と大きく異なるため，注意が必要である

[*5] 骨髄中の芽球が十分減少し，末梢血液中に芽球が認められない時点から開始する

[*6] ASCOガイドラインではANC 2,000〜3,000/µLとなるまで投与するように推奨されている

■ 血小板減少に対するアプローチ

　血小板は，化学療法の投与開始後1週目ごろから減少し始め，2〜3週で最低値となることが多いが，治療レジメンと患者の病態（骨髄浸潤やDICなど）により減少の時期・程度が変動する。血小板減少による出血は時に致命的となるため，適切な管理・予防が必要である。現時点では血小板輸血が唯一の方法である。

◆ 血小板輸血に関してのガイドライン ★★★ （血小板輸血に関するASCOガイドライン，2017より改変）

　骨髄機能低下による血小板減少に対し，出血時に治療目的で輸血を行うのではなく，出血予防目的に血小板輸血を行うべきである。

1）血小板製剤について

　血小板濃厚液（platelet concentrate：PC）の有効期間は4日間と短く，常時必要量を確保することは容易ではない。本邦ではPCの供給は原則予約制であり，地域によっては入手に長時間を要することがあるため，血小板減少をあらかじめ見込んでの対応も検討する必要がある。なお，頻回の輸血は抗血小板同種抗体の産生を促し，血小板輸血不応状態を引き起こす恐れもあることから，PC輸血は必要最小限とする。

2) ABO 式血液型が不一致の輸血

ABO 式血液型が一致する PC が入手困難な場合は ABO 不一致の PC の使用も可能であるが、なるべく適合する PC を使用する。

3) 血小板輸血の閾値[*1]

4) 血小板輸血不応状態への対応

観血的処置を伴わないとき ・造血器腫瘍[*2] ・造血幹細胞移植 ・固形腫瘍[*3]	血小板 1 万/μL 以下での輸血が推奨される
軽度の観血的処置[*4] ・中心静脈カテーテルの留置 ・病勢が安定した小児患者	血小板 2 万/μL 以下での輸血が推奨される 骨髄穿刺・生検、中心静脈カテーテルの抜去は血小板 2 万/μL 以下でも安全に施行しうる
高度の観血的処置 ・手術[*5]	血小板 5 万/μL 以下での輸血が推奨される
慢性的な安定した高度の血小板減少症[*6]	活動性出血を認めない場合や治療を行っていない場合には血小板の予防的輸血は必ずしも必要とならない

[*1] ASCO ガイドラインでは推奨はないが、本邦の血液製剤の使用指針では活動性出血を認める患者では血小板 5 万/μL 以下、特に外傷性頭蓋内出血の場合には血小板 10 万/μL 以下での輸血が推奨されている

[*2] 造血器腫瘍における出血徴候、発熱、白血球数の著明な増加、急激な血小板数減少、凝固異常、侵襲的な手技の施行、新生児、緊急時に血小板輸血ができないなどの場合や固形腫瘍における局所的な出血を伴う場合には閾値を上げる対応が検討される

[*3] 局所壊死などに伴う活動性の局所出血を認める場合は閾値を上げる対応が検討される

[*4] 観血的処置の前に血小板輸血を行う場合は、血小板輸血後に目標値を達成したか確認することが推奨されている

[*5] 本邦の血液製剤の使用指針では腰椎穿刺を行う場合には血小板 5 万/μL 以下での輸血が推奨されている。また、頭蓋内の手術のように局所での止血が困難な領域の手術では血小板 10 万/μL 以下での輸血が推奨されている

[*6] 本邦の血液製剤の使用指針では血小板 5,000/μL 以下での輸血が推奨されている

PC 輸血にもかかわらず血小板数が増加しない場合、輸血 10〜60 分後の血小板を確認することで血小板輸血不応の評価を行うことが推奨される。抗 HLA 抗体による血小板不応状態の場合は、HLA 適合 PC により血小板数の増加が得られるため、血小板不応状態がみられる場合は抗 HLA 抗体の検索が望ましい。

本邦の血液製剤の使用指針に PC 輸血に対する効果の評価として血小板増加数 (corrected count increment：CCI) が提案されており，CCI $(/\mu L)$ ＝輸血血小板増加数 $(/\mu L)$ ×体表面積 (m^2)/輸血血小板数 $(\times 10^{11})$ で計算される。

輸血 10〜60 分後の CCI は少なくとも 7,500/μL 以上であり，輸血 10〜60 分後の CCI が低値の場合は抗 HLA 抗体の検索が望ましい。

なお，HLA 適合 PC の供給には特定のドナーに多大な負担を課すため，適切かつ慎重な判断が必要である。

■ 貧血に対するアプローチ

貧血は化学療法による赤血球産生低下だけでなく，出血・放射線治療・骨髄浸潤などによってももたらされる。化学療法に伴う貧血は治療レジメンと患者の病態により出現時期・程度が異なるが，赤血球の寿命は約 120 日と長いため，貧血は数週〜数カ月で緩徐に発現することが多い。現時点では赤血球液 (red blood cells：RBC) 輸血が唯一の治療法である。

1 赤血球輸血に関してのガイドライン ★★★ (厚生労働省「血液製剤の使用指針」より改変)

1) 赤血球輸血について

慢性貧血に対する輸血の目的は，主に貧血による症状が出ない程度の Hb 値を維持することである。赤血球輸血の閾値は貧血の進行度・罹患期間・ADL・合併症 (特に循環器系や呼吸器系の合併症) の有無などにより異なり，下記に示す Hb 値以上でも輸血が必要なこともあれば，逆にそれ未満でも不必要な場合もあり，個々に目安を設定する必要がある。

2) 赤血球輸血の閾値

輸血を行う目安は Hb<7〜8 g/dL とされているが，上述のように個々に閾値を検討する必要がある。

3) 末期患者に対する輸血

末期患者に対しては，患者の自由意思を尊重し，単なる延命処置は控えるという考え方が容認されつつある。輸血療法もその例外ではなく，患者の意思を尊重しない単なる延命のための投与は控えるべきである。

4) 輸血関連循環過負荷 (transfusion-associated circulatory overload：TACO)

過度の輸血による量負荷や急速投与による速度負荷が原因で，輸血中または輸血終了後 6 時間以内に心不全・チアノーゼ・呼吸不全・肺水腫などの合併症が現れることがある。輸血前に患者の心機能や腎機能を考慮したうえで，輸血量や輸血速度を決定する必要がある。

5) 高カリウム血症

RBC では保存に伴い上清中のカリウム濃度が上昇する場合がある。急速輸血時・大量輸血時・腎不全患者などへの輸血時には高カリウム血症に注

意する。

6) 鉄の過剰負荷

1単位（200 mL 全血由来）の RBC 中には約 100 mg の鉄が含まれている。RBC の頻回投与は体内に鉄の沈着をきたし，鉄過剰症を生じることがあり，必要時には血清フェリチン値を確認するなどの注意が必要である。

7) エリスロポエチン製剤

欧米では化学療法に伴う貧血に対しエリスロポエチン製剤が承認されているが，2022年5月現在，本邦では適応外である。海外での使用方法については，ASCO/ASH ガイドライン 2010（★★★）を参照のこと。

■ 文献

1) Smith TJ, et al：Recommendations for the use of WBC growth factors：American Society of Clinical Oncology clinical practice guideline update. J Clin Oncol 2015；33：3199-3212 PMID 26169616
2) 日本癌治療学会編：がん診療ガイドライン　G-CSF 支持療法，2013年版 Ver. 5. 金原出版，2018
3) Schiffer CA, et al：Platelet transfusion for patients with cancer：American Society of Clinical Oncology clinical practice guideline update. J Clin Oncol 2018；36：283-299 PMID 29182495
4) 厚生労働省：「血液製剤の使用指針」（改定版）[http://www.mhlw.go.jp/file/06-Seisakujouhou-11120000-Iyakushokuhinkyoku/0000203007.pdf]

【堀　善和】

24 消化器症状に対するアプローチ

　がん薬物療法および放射線療法に起因する消化器毒性はがん治療において代表的な副作用であり，患者の QOL を大きく損なうのみならず，治療継続の可否を左右する。本章では悪心・嘔吐，下痢・便秘，口内炎・消化管粘膜炎に対するマネジメントについて紹介する。

■ 悪心・嘔吐

　がん治療（特に化学療法）に伴う悪心・嘔吐は，薬剤の進歩によりコントロールが可能になってきており，著明な悪心・嘔吐に悩まされる患者は減少してきている。治療誘発性の悪心・嘔吐の管理の基本は予防であることから，適切な管理を身につけることが必要である。

1 悪心・嘔吐のメカニズム

　悪心・嘔吐は延髄外側網様体背側にある嘔吐中枢（VC）により引き起こされる。VC を活性化させる経路は以下の 3 つが考えられる。

① 抗悪性腫瘍薬の作用により腸クロム親和性細胞がセロトニンを分泌し，これが上部消化管粘膜の 5-HT_3 受容体を介して VC に至る経路。

② 第四脳室周囲にある chemoreceptor trigger zone（CTZ）受容体が NK1 受容体を介し直接もしくは間接的に末梢神経から刺激を受け，VC に至る経路。

③ 感覚などの情動刺激で大脳皮質から VC に至る経路。

　悪心・嘔吐プロセスにおいて重要な役割を果たす神経伝達物質が明らかになっている。

- 催吐作用：ドパミン，セロトニン，サブスタンス P など
- 制吐作用：内因性カンナビノイド，γ-アミノ酪酸（GABA）など

2 種類

1) 急性悪心・嘔吐：治療後 24 時間以内に発症する

- chemotherapy-induced nausea and vomiting（CINV）：5-HT_3 受容体拮抗薬，ドパミン受容体拮抗薬が有効
- radiation-induced nausea and vomiting（RINV）：5-HT_3 受容体拮抗薬が有効

2)遅発性悪心・嘔吐：治療後 24 時間以上経過してから発症する

ステロイドや NK1 受容体拮抗薬が有効。

3)予期性悪心・嘔吐：過去のエピソードに対する条件つき反応

ベンゾジアゼピン系薬剤が用いられることが多い。

4)突出性悪心・嘔吐：適切な予防的制吐療法を用いても出現・継続

3 経静脈抗悪性腫瘍薬の悪心・嘔吐の頻度

high risk（＞90%）	AC 療法，BCNU，CDDP，CPA（≧1,500 mg/m^2），DTIC，STZ
moderate risk（30～90%）	ADR，ATO，Ara-C（＞1,000 mg/m^2），AZA，BUS，CBDCA，CPA（＜1,500 mg/m^2），DNR，EPI，IDR，IFM，IRI，L-OHP，TMZ，Tmab/デルクステカン複合体，アレムツズマブ，クロファラビン，チオテパ，ベンダムスチン，トラベクテジン
low risk（10～30%）	5-FU，AFL，Ara-C（≦1,000 mg/m^2），BOR，CBZ，Cmab，DTX，ERI，ETP，GEM，GO，MIX，MMC，MTX，nab-PTX，PEM，PTX，Pmab，T-DM1，アキシカブタゲンシロルユーセル，イノツズマブ オゾガマイシン，カルフィルゾミブ，チサゲンレクルユーセル，テムシロリムス，トポテカン，ネシツムマブ，ネララビン，ブリナツモマブ，ブレンツキシマブ ベドチン，ペルツズマブ，リポソーム封入 ADR
minimal risk（＜10%）	2-CdA，AVE，BV，BLM，Flu，IPI，NIV，RAM，RTX，Tmab，VBL，VCR，VNR，アテゾリズマブ，オビヌツズマブ，オファツムマブ，ダラツムマブ，デュルバルマブ，プララトレキサート，ペムブロリズマブ，ポラツズマブ ベドチン

〔ASCO ガイドライン 2020（JCO 2020：38：2782 PMID 32658626）より改変〕

4 経口抗悪性腫瘍薬の悪心・嘔吐の頻度

moderate or high risk（≧30%）	CPA, FTD/TPI, PCZ, TMZ, VNR, アベマシクリブ, イマチニブ, カボザンチニブ, クリゾチニブ, セリチニブ, ニラパリブ, ボスチニブ, レンバチニブ
minimal or low risk（<30%）	Cap, EP, ETP, Flu, HU, L-PAM, MTX, REG, THAL, UFT, アキシチニブ, アファチニブ, アレクチニブ, イキサゾミブ, イブルチニブ, エベロリムス, エルロチニブ, エンコラフェニブ, エヌトレクチニブ, オシメルチニブ, オラパリブ, ギルテリチニブ, ゲフィチニブ, スニチニブ, ソラフェニブ, ダコミチニブ, ダサチニブ, タゼメトスタット, ダブラフェニブ, thioguanine, トポテカン, トラメチニブ, ニロチニブ, パゾパニブ, パノビノスタット, パルボシクリブ, バンデタニブ, ブリグチニブ, ベキサロテン, ベネトクラクス, ベムラフェニブ, ポナチニブ, ポマリドミド, ボリノスタット, ラロトレクチニブ, ラパチニブ, ルキソリチニブ, レナリドミド, ロルラチニブ

〔ASCO ガイドライン 2020（JCO 2020：38：2782 **PMID** 32658626）より改変〕

5 使用する薬剤

1）5-HT$_3$ 受容体拮抗薬

CINV に対する制吐療法の中心的な役割を果たす。第 1 世代のグラニセトロン，オンダンセトロンなどと第 2 世代のパロノセトロンがある。世代間で効果に有意差はないが，第 1 世代には QT 延長作用があり，不整脈誘発のリスクがある患者には使用しない。一方，第 2 世代のパロノセトロンはグラニセトロンと比較して半減期が 40 時間と非常に長く，第 1 世代に比べると遅発性 CINV への効果も期待される。また QT 延長作用はない。

2）NK1 受容体拮抗薬

経口薬のアプレピタントと，プロドラッグで注射薬のホスアプレピタントが本邦で使用可能であり効果は同等である。内服困難な患者に対してホスアプレピタントは有用であるが，血管痛の副作用がある。CYP3A4 で代謝されるため併用時にはステロイドの血中濃度が倍増するが，CHOP 療法などの抗腫瘍療法として用いる場合にはステロイドは減量しない。薬理学的には CPA，DTX，ETP，CPT-11 などのクリアランスは低下するが，有害事象増加のエビデ

ンスはない。

3)ステロイド

制吐療法に古くから使用されている薬剤で，一般的に DEX が選択され，臨床試験などでよく検討されているが作用機序は不明である。

4)多元受容体作用抗精神病薬(multi-acting receptor-targeted antipsychotics：MARTA)

ドパミン，セロトニンなど複数の受容体に拮抗し，制吐作用を示す。

❶ **オランザピン ★★★**　急性および遅発性の CINV 予防に有効であることが示されている。血糖値上昇による糖尿病性ケトアシドーシスの有害事象があり，国内では糖尿病患者には禁忌である。

❷ **アセナピン ★**　オランザピンに似た受容体プロファイルをもつ薬剤であり，糖尿病患者における禁忌がないため，CINV における予防効果に期待がもたれる。

6 成人 CINV のマネジメント

予防的に制吐薬を投与する。併用化学療法の場合，最もリスクの高い抗悪性腫瘍薬に合わせるが，乳がん AC 療法など中等度リスク薬剤併用で高リスクに分類される場合もある。また，連日抗悪性腫瘍薬を投与する場合は，リスク分類に応じて制吐薬を連日投与する。

1)high risk group に対する制吐薬の予防的投与 ★★★

下記 4 種の薬剤を併用して投与する。

❶ **5-HT$_3$ 受容体拮抗薬**

> グラニセトロン(カイトリル®)　2 mg　経口 or 1 mg もしくは 10 µg/kg 静注　day 1

> オンダンセトロン　24 mg　経口(本邦保険適用量 4 mg　1 日 1 回，効果不十分な場合は同量静注)or 8 mg もしくは 150 µg/kg　静注(本邦保険適用量 4 mg　静注)　day 1

> パロノセトロン(アロキシ®)　0.25 mg　静注(本邦保険適用量 0.75 mg) day 1

> ラモセトロン(ナゼア®)　0.3 mg　静注　day 1

❷ NK1 受容体拮抗薬

アプレピタント（イメンド®）　day 1：125 mg　day 2～3：80 mg　経口

ホスアプレピタント（プロイメンド®）　150 mg　静注　day 1

❸ ステロイド
- アプレピタントと併用

DEX　day 1：12 mg　day 2～4：8 mg　経口または静注

- ホスアプレピタントと併用

DEX　day 1：12 mg　day 2：8 mg　day 3～4：8 mg　（1日2回）
経口または静注

- AC 療法

DEX　12 mg　経口または静注　day 1のみ

❹ 多元受容体作用抗精神病薬：MARTA

オランザピン（ジプレキサ®）　10 mg or 5 mg　経口　day 1～4

2) moderate risk group に対する制吐薬の予防的投与 ★★★

　CBDCA（AUC≧4）投与する場合，幹細胞または骨髄移植を伴う高用量化学療法を行う場合は以下の ❶❷ に NK1 受容体拮抗薬を加えた3剤を併用投与する．それ以外の薬剤では ❶❷ を併用して投与する．

❶ 5-HT$_3$ 受容体拮抗薬

グラニセトロン（カイトリル®）　2 mg　経口 or 1 mg もしくは 10 μg/kg
静注　day 1

オンダンセトロン　8 mg　1日2回　経口（本邦保険適用量4 mg　1日1回，効果不十分な場合は同量静注）or 8 mg もしくは 150 μg/kg
静注（本邦保険適用量4 mg　静注）　day 1

パロノセトロン（アロキシ®）　0.25 mg　静注（本邦保険適用量0.75 mg）
day 1

ラモセトロン（ナゼア®）　0.3 mg　静注　day 1

502 | 24 消化器症状に対するアプローチ

❷ ステロイド

> DEX　8mg　経口または静注　day 1～3

3) low risk group に対する制吐薬の予防的投与 ★★
下記のいずれかを選択して投与する。

❶ 5-HT$_3$ 受容体拮抗薬

> グラニセトロン（カイトリル®）　2mg　経口 or 1mg もしくは 10 μg/kg
> 静注　day 1

> オンダンセトロン　8mg　経口または静注（本邦保険適用量 4mg）　day 1

> パロノセトロン（アロキシ®）　0.25mg　静注（本邦保険適用量 0.75mg）
> day 1

> ラモセトロン（ナゼア®）　0.3mg　静注　day 1

❷ ステロイド

> DEX　8mg　経口または静注　day 1

4) minimal risk group に対する制吐薬の予防的投与
予防的投与は行わない。

5) 追加投与薬剤 ★★
1)～4)の上記薬剤を予防投与しても効果がなかった場合，以下
の点に注意する。
① 悪心のリスク再評価，全身状態，合併症（中枢病変，腸管閉塞，
電解質異常），他の薬剤（オピオイド，エリスロマイシンなどの
抗菌薬）などをチェックする。
② リスクに応じた適切な制吐薬投与の確認。
③ 標準療法に MARTA を加えて対応。

> オランザピン（ジプレキサ®）　1回 2.5～10mg　1日1～3回（1日計
> 10mg まで）

> アセナピン（シクレスト®）　1回 5～10mg　舌下　1日1～2回（1日計
> 10mg まで）

④ 5-HT$_3$ 受容体拮抗薬の切り替えが有効な場合もある。
⑤ 他薬剤追加：ロラゼパム/アルプラゾラム，ドパミン受容体拮抗
薬など

- ベンゾジアゼピン系薬剤

  ロラゼパム（ワイパックス®）　1回0.25～2mg　1日1～3回　経口

  アルプラゾラム（ソラナックス®）　1回0.2～0.8mg　1日1～3回　経口

- ドパミン受容体拮抗薬（併用で錐体外路症状リスク上昇）

  メトクロプラミド（プリンペラン®）　1回5～20mg　1日3～4回　経口または静注

  プロクロルペラジン（ノバミン®）　1回5～10mg　1日3～4回　経口または静注

  ドンペリドン（ナウゼリン®）　1回10mg　経口，または1回30mg　挿肛　1日2～3回

  クロルプロマジン（コントミン®）　1回5～10mg　筋注，または6.25～12.5mg　経口

6）予期性悪心・嘔吐 ★★

　初回化学療法時の急性・遅発性嘔吐を確実にコントロールすることが最も重要である。治療前夜から経口投与を開始する。

  ロラゼパム（ワイパックス®）　1回0.25～2mg　1日1～3回　経口

  アルプラゾラム（ソラナックス®）　1回0.2～0.8mg　1日1～3回　経口

7）錐体外路症状に伴う悪心・嘔吐

  ジフェンヒドラミン（レスタミン®）　25～50mg　経口または静注　4～6時間ごと，症状改善まで

  ヒドロキシジン（アタラックス®-P）　25～50mg　経口または静注　4～6時間ごと，症状改善まで

- 錐体外路症状の治療
  ドパミン遮断効果のある薬剤の中止。

  ビペリデン（アキネトン®）　1mg　経口，または5～10mg　筋注

7 放射線照射の悪心・嘔吐（radiation-induced nausea and vomiting：RINV）の頻度

放射線治療全体では 28〜39％ に悪心の有害事象が生じる。最大のリスク因子は照射野である。

high（＞90％）	全身
moderate（30〜90％）	上腹部，頭蓋脊髄
low（10〜30％）	脳，頭頸部，胸部，骨盤
minimal（＜10％）	四肢，乳房

〔ASCO ガイドライン 2020（JCO 2020：38：2782 PMID 32658626）より〕

8 RINV の予防

照射前の投与が推奨される。2 回投与の場合は照射前後で投与。

1）high risk group に対する制吐薬の予防的投与 ★★★

以下の 2 剤の併用が推奨される。

◆5-HT₃ 受容体拮抗薬　照射当日から最終日の翌日まで

グラニセトロン（カイトリル®）　2 mg　経口 or 1 mg もしくは 10 μg/kg　静注　1 日 1 回

オンダンセトロン　8 mg　経口（本邦保険適用量 4 mg　1 日 1 回，効果不十分な場合は同量静注）or 8 mg もしくは 150 μg/kg　静注（本邦保険適用量 4 mg　静注）1 日 1〜2 回

◆ステロイド

DEX　4 mg　経口または静注　照射当日から最終日の翌日まで

2）moderate risk group に対する制吐薬の予防的投与 ★★★

5-HT₃ 受容体拮抗薬 ± DEX の投与が推奨される。

◆5-HT₃ 受容体拮抗薬

1 日 1〜2 回　各照射ごと　投与量は high risk group に準じる

◆ステロイド

DEX　4 mg　経口または静注　day 1〜5

3）low risk group に対する制吐薬の予防的投与

必要に応じて以下の薬剤でレスキューか予防投与をする。脳の場合 DEX が望ましい。

◆ 5-HT₃ 受容体拮抗薬

投与量は high risk group に準じる

◆ ステロイド

DEX　4 mg　経口または静注　症状に応じて 16 mg まで増量

◆ ドパミン受容体拮抗薬

メトクロプラミド（プリンペラン®）　1 回 5〜20 mg　1 日 3〜4 回　経口または静注

プロクロルペラジン（ノバミン®）　1 回 5〜10 mg　1 日 3〜4 回　経口または静注

4) minimal risk group に対する制吐薬の予防的投与
予防的投与は行わない。

9 小児における悪心・嘔吐

1) high risk group に対する制吐薬の予防的投与 ★★
- 5-HT₃ 受容体拮抗薬，DEX，NK1 受容体拮抗薬の 3 剤併用療法を行うべき
- NK1 受容体拮抗薬を投与できない場合，5-HT₃ 受容体拮抗薬とDEX の 2 剤併用療法
- DEX を投与できない場合，パロノセトロンと NK1 受容体拮抗薬の 2 剤併用療法

2) moderate risk group に対する制吐薬の予防的投与 ★★
- 5-HT₃ 受容体拮抗薬と DEX の 2 剤併用療法を行うべき
- DEX を投与できない場合は，5-HT₃ 受容体拮抗薬と NK1 受容体拮抗薬の 2 剤併用療法

3) low risk group に対する制吐薬の予防的投与 ★★
- オンダンセトロンまたはグラニセトロンを投与すべき

4) minimal risk group に対する制吐薬の予防的投与
予防的投与は行わない〔ASCO ガイドライン 2020（JCO 2020；38：2782 [PMID] 32658626）より〕。

■ 下痢・便秘

1 下痢

　緊急性のある緩い便が頻繁に出ることと定義され，客観的には24 時間以内に 3 回以上の未形成の便が出ることである。しばしば，患者の下痢の定義が異なるため，医療者が明確にする必要がある。

506 | 24 消化器症状に対するアプローチ

重度の下痢は，脱水，電解質異常，栄養失調，免疫機能の低下，褥瘡形成の原因となり，場合によっては生命を脅かすこともある。

1) がん治療誘発性下痢のマネジメント(cancer-treatment induced diarrhea：CTID)

2004年のASCOガイドラインではCTIDを複雑性と非複雑性に分類してアルゴリズムを作成している。複雑性CTIDはCTCAEでGrade 3または4の下痢，あるいはGrade 2以下で次に挙げる症状をどれか1つでも伴うもの(痙攣，Grade 2以上の悪心・嘔吐，PS低下，発熱，敗血症，白血球減少，明らかな出血，脱水)としている。放射線性腸炎の場合は一般的に経口抗菌薬の投与は推奨されず，症状改善後もロペラミドの内服を継続する。

❶ 非複雑性 CTID

Step 1

- 乳糖を含む食事，アルコール，高浸透圧の食事を中止
- 大量の飲水を促し，食事を少量ずつ頻回に摂取する
- 患者に便回数と症状(発熱，起立性めまいなど)を記録するように指導する
- Grade 2の場合は症状が改善するまで抗悪性腫瘍薬治療の延期，投与量の減量
- ロペラミドの投与

> ロペラミド(ロペミン®)　開始量4 mg，その後2 mgを4時間ごと，または下痢が出るたび2 mgずつ投与(1日16 mgを超えてはならない)

- ロペラミドで下痢が治まった場合は，食生活の改善を継続し，固形物の食事を徐々に追加するよう患者に指示する
- 化学療法による下痢の場合，患者は少なくとも12時間下痢がない状態が続いた時点で，ロペラミドの使用を中止する

Step 2

軽度〜中等度の下痢が24時間以上続く場合は，ロペラミドの用量を2時間ごとに2 mgに増量し，感染症の予防として経口抗菌薬の投与を開始する。

Step 3

高用量のロペラミドを24時間(ロペラミドによる総治療時間は48時間)投与しても解消されない場合は，複雑性下痢に準じて対応する。

❷ 複雑性 CTID
中等度〜重度の痙攣，悪心・嘔吐，PS低下，発熱，敗血症，好中球減少，出血，脱水などを合併した軽度〜中

等度の下痢患者，および重度の下痢患者。

入院を基本とする。輸液，オクトレオチドの投与。

> **オクトレオチド（サンドスタチン®）** 開始量 100〜150 μg 1日3回皮下注，または重度の脱水症状がある場合は静脈内投与（1時間あたり 25〜50 μg）

下痢が治まるまで 500 μg 1日3回皮下注まで増量し，抗菌薬（キノロン系）の投与を行う。

血球数，電解質，*Clostridioides difficile* などの感染性大腸炎を評価する便検査を行う。

2) 下痢を起こしやすい抗悪性腫瘍薬

❶ **5-FU** 水様性または血性である。病理学的変化は，重症度に幅がある。LV 併用時に最もよくみられる。点滴ではなくボーラス投与した場合，特に高用量の LV（500 mg/m²）を投与した場合にやや多くみられる。ジヒドロピリミジンデヒドロゲナーゼ欠損症は治療開始後に Grade 3 または 4 の毒性を発現する 5-FU 治療患者の約 1/3 を占めている。

❷ **CPT-11，Nal-IRI**

- **早発性下痢**：急性のコリン作動性によって引き起こされ，腹部の痙攣，鼻炎，流涙，唾液分泌など，コリン作動性過剰の他症状を伴うことが多い。アトロピン事前投与で防げる
- **遅発性下痢**：薬剤投与後 24 時間以上経過してから発生。予測不可能で，蓄積性はなく，すべての用量レベルで発生する。発現までの期間の中央値は 6〜14 日である
- **UGT1A1 遺伝子多型**：CPT-11 は活性代謝物である SN-38 が抗腫瘍効果をもつプロドラッグ。SN-38 は腸管粘膜を直接障害し，遅発性下痢を起こす。UGT1A1 遺伝子多型により副作用の発現率に影響する。UGT1A1 のホモ接合型やヘテロ接合型における CPT-11 の至適投与量は十分明らかにされていない

❸ **カペシタビン（Cap）** 5-FU の前駆体である。通常の投与量（2,000 mg/m²/日，21 日ごとに 14 回）では，30〜40% の患者に下痢がみられ，10〜20% に重度の下痢がみられる。

❹ **その他の細胞毒性物質** CBZ，DTX，PTX，nab-PTX などのタキサン系薬剤の副作用として，時に重篤な下痢が生じることがある。リポソーム封入 ADR は，特に高齢者において重度の下痢を引き起こすことがある。

3)分子標的治療薬に伴う下痢

分子標的治療薬のほとんどは，副作用として下痢を引き起こす。アファチニブ，アベマシクリブ，イマチニブ，エルロチニブ，ゲフィチニブ，スニチニブ，ソラフェニブ，ペミガチニブ，ボルテゾミブや，mTOR阻害薬であるテムシロリムス，エベロリムスを投与された患者の30～50%で，重症化する可能性のある下痢が報告されている。EGFRを標的としたモノクローナル治療薬であるセツキシマブとパニツムマブは，いずれも10～20%の患者に下痢を引き起こし，ごく一部の患者では重症化することもある。

4)免疫チェックポイント阻害剤に伴う下痢

27章「免疫療法の有害事象」を参照(⇒543頁)。

5)放射線治療による下痢

下部消化管の放射線損傷は，通常，肛門，直腸，子宮頸部，子宮，前立腺，膀胱，精巣のがんの治療後や，全身照射の一部として発生する。腸管粘膜が損傷し，プロスタグランジン放出や胆汁酸吸収不良が起こり，蠕動運動が亢進し，下痢を引き起こす。

- 急性：治療後6週以内に発生。下痢，痙攣，直腸の切迫感やテネスムスなどがあり，まれに出血する。通常，無治療でも2～6カ月以内に消失する
- 遅発性：一般的に治療後8～12カ月後に発症するが，数年遅れて発症することもある。細菌の増殖は吸収不良を引き起こし，悪心，腹痛，下痢の原因となる。大腸は放射線感受性が低いが，一部患者では炎症性腸疾患(IBD)に類似した膣炎を発症することがある

6)治療関連の下痢の他の原因

❶ **好中球減少性腸炎**　発熱，腹痛，悪心，嘔吐，下痢を呈し，稀に敗血症を起こす。腹痛はびまん性もしくは右下腹部に限局する。特にステロイド治療中は，痛みを伴わないこともある。診断基準には，好中球減少(ANC$<500/\mu L$)，4 mm以上の腸壁肥厚，クロストリディオイデス・ディフィシル関連大腸炎，移植片対宿主病(GVHD)，または他の腹部症候群などの診断の除外が含まれる。

❷ **虚血性大腸炎**　患者は通常，投与から4～10日後に，患部の腸に痛みと圧痛が急速に現れ，その後，痛みの発生から24時間以内に直腸出血や血性下痢が発生する。

❸ **クロストリディオイデス・ディフィシル感染症による下痢**

❹ 経腸栄養法　患者の 10〜60% に発生する。

❺ 腹腔神経叢ブロック　アトロピンによる治療が有効な場合がある。

2 便秘

ローマ Ⅳ 基準(https://theromefoundation.org/rome-iv/rome-iv-criteria/) によると，便秘の診断基準は，以下の 6 項目のうち 2 項目以上を満たす。

排便 4 回に 1 回以上の頻度で，① 強くいきむ必要がある，② 兎糞状便または硬便である，③ 残便感を感じる，④ 直腸肛門の閉塞感や排便困難感がある，⑤ 用手的な排便介助が必要(摘便・会陰部圧迫など)，⑥ 自然な排便が週に 3 回未満である。

進行がん患者における便秘の有病率は約 40〜60% であり，薬剤，特にオピオイド，セロトニン拮抗性制吐薬，ビンカアルカロイド系化学療法薬が，がん患者の便秘の最も一般的な原因となっている。そのほか，抗コリン作用を有する薬剤(鎮痙薬，抗うつ薬，フェノチアジン，ハロペリドール，制酸薬)，一部の抗痙攣薬または降圧薬，鉄剤，および利尿薬などでも便秘が起こることがある。

以下に慢性便秘症における下剤の選択に関して記載する〔Am J Gastroenterol 2014 ; 109(Suppl 1) : S2 PMID 25091148, Gastroenterology 2016 ; 150 : 1393 PMID 27144627, Gut 2017 ; 66 : 1611 PMID 27287486, Lancet Gastroenterol Hepatol 2019 ; 4 : 831 PMID 31474542〕。

1)浸透圧性下剤

費用面から第 1 選択で推奨されるが，効果が出るまで数日かかる。

❶ ポリエチレングリコール製剤 ★★★
- ポリエチレングリコール(モビコール®)

❷ 塩類下剤 ★★　高齢者や腎機能患者における血中マグネシウム濃度上昇の報告がある。定期的な血清マグネシウム値の測定が望ましい。
- 酸化マグネシウム(マグミット®)など

❸ 糖類下剤 ★★　悪心や腹部膨満感の原因となることがある。便秘症の適応のある薬剤は少ない。
- ラクツロース(ラグノス®NF 経口ゼリー)など

2)刺激性下剤

頓用での使用が基本であり，長期連用により難治性便秘になることがあり注意が必要

❶ ジフェニール系 ★★★
- ピコスルファートナトリウム（ラキソベロン®）
- ビサコジル（テレミンソフト®）

❷ アントラキノン系 ★★
- センノシド（プルゼニド®）
- センナ（アローゼン®）
- ダイオウ（大黄甘草湯，麻子仁丸など）

3）その他

費用面から第1選択として使用することは推奨されていない。

❶ グアニル酸シクラーゼC受容体アゴニスト ★★★

> リナクロチド（リンゼス®）　0.5 mg　1日1回朝食前

重度の下痢の副作用あり。海外では0.145 mgもしくは0.29 mgで適応。

❷ 胆汁酸再吸収トランスポーター阻害薬 ★★
- エロビキシバット（グーフィス®）：胆汁酸の再吸収阻害の作用機序のため，経口摂取が安定していることが前提

❸ クロライドチャネルアクチベーター ★★★
- ルビプロストン（アミティーザ®）：妊婦や妊娠が疑われる患者で禁忌。悪心が問題となることが多い

❹ 末梢性μオピオイド受容体拮抗薬 ★★★
- ナルデメジン（スインプロイク®）：オピオイド誘発性便秘に対して保険適用となっている。腸管における麻薬離脱による激しい下痢や腹痛を誘発することがある

■ 口内炎・消化管粘膜炎

治療関連の危険因子には，持続注入化学療法（5-FU/LV），アンスラサイクリン系薬剤，アルキル化薬，タキサン系薬剤，ビンカアルカロイド系薬剤，代謝拮抗薬，および抗腫瘍性抗生物質，造血幹細胞移植前処置〔例：高用量メルファランまたはカルムスチン，エトポシド，シタラビン，メルファラン（BEAM）など〕，および頭頸部への放射線照射。また，患者固有の薬物代謝も口腔粘膜炎の発生率や重症度に影響する。

1 口腔合併症の予防と治療のための戦略

治療前の歯科的評価と介入は，重篤な後遺症を避けるために非常に重要であり，適切な口腔衛生と口腔感染の除去を行う必要がある。適切な介入のために，治療開始の少なくとも2週間前に行うべきである。治療前，治療中，治療後の臨床症状を評価するためには，定期的に口腔内を評価する必要がある。

2 治療戦略

口腔合併症および関連する後遺症に対する最適な治療戦略は不明である。

唯一の標準的な治療法は，治療前の口腔または歯の安定化，生理食塩水による含嗽，および口腔咽頭の疼痛管理である。

3 がん治療に伴う口腔合併症に対する一般的な治療法

1) 口内炎予防

- クライオセラピー：化学療法ボーラス投与5分前から30分間，氷片を口の中に入れる
- 低レベルレーザー治療
- 生理食塩水：1日2〜4回，含嗽
- ポビドンヨード0.5%口腔洗浄液：1日2〜4回，含嗽
- 亜鉛の経口補給：酢酸亜鉛(ノベルジン®)，ポラプレジンク(プロマック®)

2) 口内粘膜炎関連疼痛治療

- ジフェンヒドラミン12.5 mg/5 mL：30 mL，リドカイン2%：30 mL，マーロックス®：30 mLを混ぜ，1日4〜6回，15 mLで含嗽
- リドカイン2%溶液：2〜3時間ごとに10〜15 mLで含嗽
- ハチアズレ®5包もしくはアズノール®4%液5プッシュ，グリセリン60 g，4%リドカイン5〜15 mLに水に混ぜ，合計500 mLとする。1日2〜4回，含嗽
- その他
- 経皮フェンタニル貼付剤：化学療法(全身放射線照射の有無を問わず)を受ける患者
- 2%モルヒネ含嗽：頭頸部がんの化学放射線療法を受ける患者
- トリアムシノロン(アフタッチ®)
- デキサメタゾン軟膏
- ハイドロゲル(エピシル®)：歯科医師のみ処方可

3)口腔乾燥症

- ピロカルピン：5mg を 1 日 3 回経口投与
- サリベートスプレー：1 日 4〜6 回，口にスプレーする
- シュガーレスガムやキャンディ

4)口腔内感染

❶ *Candida albicans*　口内炎を有する患者の口腔内感染は *C. albicans* によるものが最も多く，固形腫瘍患者においては 70% という報告もある。予防投与は推奨されず，発症時にはクロトリマゾールなどの経口投与を行う。フルコナゾールの全身投与は内服ができない場合に考慮され，再発症例にはアムホテリシン B を用いる。

❷ 単純ヘルペスウイルス（HSV）　*C. albicans* 以外の口腔内感染では，HSV 感染が残りの大半を占め，特に 1 型 HSV の再活性化は，大量化学療法中のセロポジティブ患者の 65〜90% で起こる。HSV による口内炎はそれ以外のものより重症で長期化する傾向にある。口腔内の小水疱や，疼痛の著明な潰瘍性病変を有する患者では HSV 感染を疑う。1 型 HSV セロポジティブで中等度〜重度の口内炎を有する場合は，培養の結果を待たずに抗ウイルス薬（アシクロビル，バラシクロビル）を開始してよい。ALL の寛解導入療法や地固め療法開始時には，予防投与（アシクロビル　1 回 200〜400 mg　1 日 2〜5 回 or 5 mg/kg　8 時間ごと）を開始するべきで，有症性の HSV 発症率を 70% から 5〜20% に減らすことができる。

■ 文献

1) Hesketh PJ, et al：Antiemetics：ASCO Guideline Update. JCO 2020；38：2782-2797 PMID 32658626

2) Benson 3rd AB, et al：Recommended guidelines for the treatment of cancer treatment-induced diarrhea. JCO 2004；22：2918-2926 PMID 15254061

3) Elad S, et al：MASCC/ISOO clinical practice guidelines for the management of mucositis secondary to cancer therapy. Cancer 2020；126：4423-4431 PMID 32786044

【寺田　立人】

25 腫瘍随伴症候群，抗悪性腫瘍薬の調製・投与方法と漏出性皮膚障害

腫瘍随伴症候群　Paraneoplastic Syndrome：PNS

■ 腫瘍随伴症候群

1 定義

原発腫瘍や転移腫瘍から離れた部位に生じる臓器機能障害。

2 特徴

① 担がん患者の5～10% に発生。

② 小細胞肺がん，乳がん，婦人科がん，血液腫瘍で認められることが多いとされる。

③ 腫瘍産生物質が腫瘍マーカーの代替となる場合がある。

3 機序による分類

① 腫瘍による生理活性物質の産生。

② 正常物質の減少。

③ 腫瘍に対する宿主反応。

4 臨床上の注意点

① 原因不明の下記の症状を認めた場合に腫瘍随伴症候群も疑う。
　　発熱，意識障害，歩行障害，筋力低下，皮疹，浮腫，タンパク尿。

② オンコロジック・エマージェンシーに進展する場合がある。

5 治療

① 原疾患に対する治療（手術，抗悪性腫瘍薬）が原則。

② 症状や病態に合わせた対症療法。

■ 内分泌系

主として腫瘍による生理活性物質（サイトカイン，ペプチドホルモンやホルモン前駆体）の産生で生じる。

原疾患の治療で改善することが多いが，オンコロジック・エマージェンシー（低 Na 血症，高 Ca 血症，低血糖など）に進展する場合がある。

1 異所性 ACTH 症候群（ectopic adrenocorticotropic hormone syndrome：EAS）

腫瘍からの ACTH の異所性産生に起因する。小細胞肺がんの約

15％に認める。そのほかに気管支や胸腺カルチノイド，甲状腺髄様がんなどで認められる。

- 症状：カルチノイドなど発育が緩徐な腫瘍では，下垂体性 Cushing 病と同様の症状（高血圧，高血糖，骨粗鬆症，多毛，低 K 血症，ミオパチーなど）を呈する。小細胞肺がんのように急速に進行する腫瘍では体重減少や低 K 血症などを呈する
- 検査：Cushing 症候群で血漿 ACTH が高値の場合，高用量デキサメタゾン抑制試験で抑制不可の場合に診断される
- 治療：原疾患の治療では不十分な場合が多く，副腎皮質ホルモン合成阻害薬（メチラポン，ミトタン，トリロスタンなど）を使用する

2 抗利尿ホルモン不適合分泌症候群（syndrome of inappropriate secretion of antidiuretic hormone：SIADH）

小細胞肺がんによるものが多い。

- 症状：ADH の過剰分泌により低 Na 血症を呈する
- 治療：原疾患の治療が効果的である。浸透圧性脱髄症候群（osmotic demyelination syndrome：ODS）に注意しながら，塩分負荷＋水分制限，状況に応じてフロセミド，トルバプタン（2020 年に保険承認）などで低 Na 血症の是正を行う

3 高 Ca 血症（主に異所性 PTHrP 産生腫瘍）

扁平上皮癌（肺，頭頸部），腎がん，血液腫瘍に認められる。

- 症状：PTHrP 産生により腫瘍随伴体液性高 Ca 血症（humoral hypercalcemia of malignancy：HHM）を引き起こす
- 治療：水分補給，利尿薬，カルシトニン，ビスホスホネート

4 その他

女性化乳房（異所性 HCG 産生腫瘍），先端巨大症（成長ホルモンの異常産生），低血糖（インスリノーマ）などがある。

■ 血液系

腫瘍による細胞増殖因子，インターロイキン（IL），サイトカインなどの異所性産生が原因。通常，無症候性である。腫瘍進行に伴い悪化するため，原疾患の治療により改善する。

1 白血球系

❶ 好中球増多症　G-CSF，GM-CSF，IL-1，IL-3 などの産生が原因。悪性リンパ腫のほか，多くの固形がんに合併する。特別な治療は不要。

腫瘍随伴症候群　515

❷ **好酸球増多症**　GM-CSF，IL-3 や IL-5 が関与する。リンパ腫や白血病に多く合併する。寄生虫疾患，膠原病，アレルギー疾患との鑑別が必要となる。通常は無症状。呼吸困難，喘鳴などの症状にはステロイド（吸入，内服）が効果がある。

2　血小板系

❶ **血小板増多症**　トロンボポエチンや IL-6 が関与。悪性リンパ腫，固形腫瘍，白血病に合併する。特定の治療法は報告されていない。

❷ **血小板減少症**　自己免疫性機序の特発性血小板減少性紫斑病（ITP）が稀であるが認められる。原病の骨髄浸潤，薬剤性，脾機能亢進，播種性血管内凝固症候群（DIC）との鑑別が必要。

3　赤血球系

❶ **貧血**　慢性炎症性貧血。腫瘍産生物質によるエリスロポエチンへの反応性低下も原因。

❷ **赤血球増多症**　原因は腫瘍によるエリスロポエチン産生。エリスロポエチンの産生臓器である腎細胞がん，肝細胞がんが多い。原疾患に対する治療と必要に応じて瀉血を行う。

4　凝固系（血栓症）

- がん患者は内的要因（組織因子と cancer procoagulant の産生）と外的要因（外科手術，化学療法，カテーテル留置）による血液凝固亢進状態にある
- がん患者に関連する複合的な要因で生じる血栓塞栓症を CAT（cancer associated thrombosis）と呼称する
- 血栓塞栓症の頻度の上昇には，新規治療法による予後改善と抗悪性腫瘍薬自体による治療関連血栓症（特に血管新生阻害薬）の関与が注目されている

❶ **DIC**　急性前骨髄球性白血病をはじめとする血液悪性腫瘍，固形腫瘍（肝細胞がん，肺がん，胃がん，結腸がん）で合併する。原疾患の治療が重要である。DIC の基本病態は凝固の活性化であるが，敗血症に伴う DIC と異なり，がん患者の DIC に対する抗凝固療法についてはエビデンスが乏しく，患者ごとに検討する。また，線溶亢進型 DIC には血小板，新鮮凍結血漿の投与などを行う。

❷ **Trousseau 症候群**　本邦では「がんに合併した脳梗塞」と認識されているが，現在はより広義に「悪性腫瘍に伴う凝固能亢進状態（DIC）を基盤とした血栓症および NBTE（非細菌性血栓性心内膜

炎)などによる全身性動脈塞栓症」を包括する一連のスペクトラムと考えられている。腺癌(肺がん，膵臓がん)に多く認められる。治療は出血に十分注意し，ヘパリン，直接経口抗凝固薬(direct oral anticoagulants：DOAC)が使用される。

❸ 静脈血栓塞栓症(VTE)　深部静脈血栓症(DVT)とそれにより生じる肺塞栓症(PE)。

- 欧米のガイドラインでは活動性がん患者が入院した場合は，VTE 予防目的に抗凝固療法(低分子量ヘパリン)を行い，外来患者の場合は予防目的の抗凝固療法は血栓症リスクに応じた患者ごとの検討が推奨されている。本邦では予防に対する統一した治療基準はない
- 本邦では，低分子量ヘパリンが使用できないことや BMI の相違もあり，欧米のガイドラインを参考にする際は注意を要する。
- がん治療に伴う血栓塞栓症の発症リスク評価 Khorana スコアが用いられることが多い
- 検査：D ダイマー，下肢静脈エコー，造影 CT
- 治療：症候性の VTE，無症候性の VTE で PE と DVT の合併例，近位 DVT(膝窩静脈より中枢)が治療対象となる。未分画ヘパリン，ワルファリン，DOAC が使用される
- DOAC は腎機能障害，出血リスク(特に消化管)への配慮が重要
- がん患者では血栓再発リスクが高いが，投与期間(2020 年ガイドラインでは少なくとも 3 カ月)については明確な基準はない

　◆ **未分画ヘパリン投与例(用量調節の詳細は肺血栓ガイドラインを参照)**

> **未分画ヘパリン**　5,000 単位　静注，以後時間当たり 18 単位/kg の持続静注あるいは 250 単位/kg の皮下注射 1 日 2 回を開始

*APTT(活性化部分トロンボプラスチン時間)がコントロール値の 1.5～2.5 倍となるように調節する

　◆ **DOAC 投与例**

> **エドキサバントシル酸塩水和物錠**　体重 60 kg 以下：1 回 30 mg，体重 60 kg 超：1 回 60 mg　1 日 1 回　経口
> 腎機能，併用薬に応じて 1 日 1 回 30 mg に減量

腫瘍随伴症候群　517

■ 腎疾患

悪性腫瘍にネフローゼ症候群が稀に合併する。固形がんに伴う膜性腎症，リンパ増殖疾患に伴う微小変化群の2つに大別される。

❶ 膜性腎症　膜性腎症は腫瘍随伴症候群で最も多い腎病変で肺がん，大腸がん，胃がんに多い。しばしばネフローゼ症候群をきたす。原疾患の治療が奏効すれば改善することが多い。

❷ 微小変化型ネフローゼ症候群　Hodgkinリンパ腫などリンパ増殖性疾患に合併する。

❸ アミロイドーシス　アミロイドーシスは多発性骨髄腫，腎がん，Hodgkinリンパ腫などに合併する。

❹ 骨髄腫円柱腎症(myeloma cast nephropathy)　多発性骨髄腫に合併し，積極的な腎生検による早期診断，ボルテゾミブ，血漿交換などの早期治療が望まれる。

■ 皮膚疾患

皮膚病変は多彩であり，腫瘍診断に先行して発症することも多い。

❶ Sweet症候群(febrile neutrophilic dermatosis)　悪性腫瘍の合併は10〜20%で，急性骨髄性白血病や骨髄異形成症候群に多い。
- 症状：発熱，好中球増多，頭頸部から上肢にかけての有痛性の結節性紅斑様皮疹
- 治療：ステロイド，コルヒチン

❷ 腫瘍随伴性天疱瘡(paraneoplastic pemphigus)　合併腫瘍：血液腫瘍やB細胞リンパ増殖性疾患(Castleman病，胸腺腫)に高率に合併する。
- 症状：重篤な口腔粘膜疹，全身性の多彩な皮膚病変(水疱とびらん)を認める
- 検査：細胞間接着因子デスモグレインに対するIgG自己抗体(抗デスモグレイン1,3抗体)が診断に有用
- 治療：ステロイド，血漿交換，免疫グロブリン大量療法，リツキシマブ

❸ 黒色表皮腫　急速な拡大，激しい瘙痒を伴う摩擦部位のビロード様皮疹。腹腔内腺癌(特に胃がん)に多く合併する。

❹ Leser-Trelat徴候　瘙痒を伴う脂漏性角化症が急速に多発する状態。胃がんに多く合併する。

25
腫瘍随伴症候群、抗悪性腫瘍薬の調製・投与方法

■ 筋, 骨格系

　がん患者に発症するリウマチ様症状は多彩で, 悪性腫瘍の初期症状として発症することがある。既存の膠原病と比べ症状, 経過, 治療反応性が非典型的な場合は悪性腫瘍の存在を疑う必要がある。

❶ **再発性多発軟骨炎**　鼻・耳介・肋軟骨などに炎症をきたす疾患。骨髄異形成症候群や悪性リンパ腫などの血液系悪性腫瘍に合併することが多い。

❷ **肥大性骨関節症**　長管骨の骨膜炎, ばち指, 関節炎を特徴とする。肺がんに合併することが多い。原疾患の治療で改善し, 疼痛には NSAIDs が有効。

❸ **RS3PE 症候群(remitting seronegative symmetrical synovitis with pitting edema)**　突然発症の手足の滑膜炎により, 両手足の関節痛と特徴的な圧痕を残す浮腫を認める。少量のステロイドで改善することが多く, 改善しない場合は悪性腫瘍の存在を積極的に疑う。

❹ **多発性筋炎 DM・皮膚筋炎 PM**　10～25% に悪性腫瘍が合併(DM＞PM)。肺がん, 乳がん, 婦人科がんに多い。

・症状：ヘリオトロープ疹, Gottron 丘疹, 近位筋優位の筋痛・筋力低下
・検査：抗 ARS 抗体(抗 Jo-1 抗体を含む, 腫瘍との合併は少ない), 特に抗 TIF-1γ 抗体と抗 NXP-2 抗体が腫瘍随伴性 DM と相関する
・治療：ステロイド, CPA, シクロスポリン, 免疫グロブリン

❺ **リウマチ性多発筋痛症**　近位筋の痛みやこわばり, 関節痛を認める。少量ステロイドへの反応不良や長期間の症状持続などを認めた場合は, 悪性腫瘍の合併が高度に疑われるため悪性腫瘍検索は必須。

■ 神経系(傍腫瘍性神経症候群)

　がん患者の 0.5～1.0% 程度に生じ, 腫瘍に対する抗体や T 細胞が神経組織の抗原と交差反応して発症する。治療にはステロイド・免疫抑制薬が主に用いられる。約 2/3 の症例で神経症状が原疾患に先行する。免疫チェックポイント阻害薬による治療が発症トリガーとなることも指摘されている。

1 中枢神経系

❶ **進行性小脳変性症**　失調性歩行が主要かつ初発症状。約 50% が

腫瘍を合併する。MRI 上の小脳萎縮は後期に検出されるため，早期診断には FDG-PET が有用。
- 関連する自己抗体：抗 Yo 抗体（卵巣がん，乳がん），抗 Hu 抗体（小細胞肺がん），抗 Tr 抗体（Hodgkin リンパ腫）

❷ 抗 NMDA 受容体脳炎　急性発症する精神行動異常，認知機能障害を認める。女性の卵巣奇形腫が大半である。腫瘍切除と免疫抑制薬投与，血漿交換などを行う。
- 関連する自己抗体：抗 NMDAR 抗体（卵巣奇形腫）

❸ 辺縁系脳炎　亜急性に発症・進行する辺縁系症状（意識障害，記憶障害）を認める。小細胞肺がん（40%）に多い。原疾患の治療，ステロイド，免疫グロブリンの投与。
- 関連する自己抗体：抗 Hu 抗体（小細胞肺がん），抗 Ma2 抗体（精巣がん）

2　末梢神経系

❶ 亜急性感覚性ニューロパチー　四肢の疼痛を伴うしびれが非対称性に進行し，深部感覚障害に伴う失調性歩行障害を認める。小細胞肺がん（70%）に多い。
- 関連する自己抗体：抗 Hu 抗体（小細胞肺がん），抗 CV2/CRMP-5 抗体，抗 amphiphysin 抗体

3　神経筋接合部

❶ Lambert-Eaton 筋無力症症候群
- 機序：神経終末部でのアセチルコリン放出障害。小細胞肺がんの 3% に合併する
- 症状：近位筋優位の筋力低下，自律神経症状（口渇，勃起不全），深部腱反射の消失を認める
- 検査：筋電図で waxing 現象
- 治療：原疾患の治療のほか，血漿交換や 3,4-ジアミノピリジン（アセチルコリン遊離促進作用），免疫グロブリン，ステロイド，免疫抑制薬
- 関連する自己抗体：抗 VGCC 抗体（小細胞肺がん）

❷ 重症筋無力症（MG）
- 機序：抗アセチルコリン受容体抗体（抗 AChR 抗体）による神経筋伝達の阻害。約 15% が胸腺腫を合併する
- 症状：近位筋優位の筋力低下，複視，眼瞼下垂，易疲労性を認める。クリーゼを起こすことがある
- 検査：エドロホニウム（抗コリンエステラーゼ阻害薬）試験陽性，

筋電図で waning 現象
- 治療：胸腺摘出，ステロイド，免疫抑制薬，免疫グロブリン，血漿交換，抗コリンエステラーゼ薬
- 関連する自己抗体：抗 AChR 抗体，抗体 MuSK 抗体

■ 文献
1) Pelosof LC, et al：Paraneoplastic syndromes：an approach to diagnosis and treatment. Mayo Clin Proc 2010；85：838-854 PMID 20810794
2) Key NS, et al：Venous thromboembolism prophylaxis and treatment in patients with cancer：American Society of Clinical Oncology clinical practice guideline update. J Clin Oncol 2020；38：496-520 PMID 31381464）
3) 肺血栓塞栓症および深部静脈血栓症の診断，治療，予防に関するガイドライン 2017 年改訂版.
4) Berzero G, et al：Neurological paraneoplastic syndromes：an update. Curr Opin Oncol 2018；30：359-367 PMID 30124520
5) Grativvol RS, et al：Updates in the diagnosis and treatment of paraneoplastic neurologic syndromes. Curr Oncol Rep 2018；20：92 PMID 30415318

抗悪性腫瘍薬の調製・投与方法と漏出性皮膚障害

■ 抗悪性腫瘍薬の調製方法
　抗悪性腫瘍薬には，細胞毒性，変異原性，発がん性を有するものが多く，取り扱う医療者への曝露による健康上の危険性もあるため下記の 3 点の配慮を要する。
① 無菌的操作（患者への配慮）
② 汚染対策（環境への配慮）
③ 抗悪性腫瘍薬曝露対策（調製者への配慮）

抗悪性腫瘍薬の調製・投与方法と漏出性皮膚障害　　521

◆ 抗悪性腫瘍薬の危険度分類

危険度	判定基準
I	① 毒薬指定となっているもの ② ヒトで催奇形性または発がん性が報告されているもの ③ ヒトで催奇形性または発がん性が疑われるもの 上記のいずれかに該当するもの
II	① 動物実験において催奇形性，胎児毒性または発がん性が報告されているもの ② 動物において変異原性(*in vivo* または *in vitro*)が報告されているもの 上記のいずれかに該当し，Iに該当しないもの
III	変異原性，催奇形性，胎児毒性または発がん性が極めて低いか，認められていないもの
IV	不明(変異原性試験，催奇形性試験または発がん性試験が実施されていないか，結果が示されていないもの)

◆ 抗悪性腫瘍薬の危険度

危険度	抗悪性腫瘍薬
I	5′-DFUR, 5-FU, 6-MP, ACT-D, Ara-C, BUS, CBDCA, CDDP, CPA, DNR, DTIC, DTX, DXR, EMP, EPI, ERI, FAMP, GO, HU, IDR, IFM, L-OHP, L-PAM, LET, MEP, MMC, MPA, MTX, MXT, nab-PTX, NDP, PTX, S-1, TAM, TGF, TOR, UFT, VCR, VDS, VLB, VNR, イマチニブ, ソラフェニブ, トラスツズマブ　など
II	AMR, ATRA, BLM, Cap, CPT-11, ETOP, GEM, L-ASP, NGT, PEM, ZOL, アファチニブ, エベロリムス, クリゾチニブ, スニチニブ, ダサチニブ, テムシロリムス, ニロチニブ, パゾパニブ, フルベストラント, ベバシズマブ, ラパチニブ, レゴラフェニブ　など
III	ANA, エルロチニブ, ゲフィチニブ, セツキシマブ, パニツムマブ, ペルツズマブ, モガムリズマブ　など
IV	O,P′-DDD, リツキシマブ　など

■ 抗悪性腫瘍薬の投与方法

　昨今，長期に至る化学療法症例，栄養管理を要する在宅医療症例，また末梢血管確保困難症例に対する植込み型中心静脈ポート

（以下，ポート）は，広く普及しその整容性も含めて患者の QOL 向上に貢献している。その一方で，ポート長期留置による合併症も報告されている。

- 管理異物を体内に留置するため，感染，皮膚障害，血栓形成などの合併症が生じる。感染症はポート抜去に至る最大の原因の１つで，長期留置により感染のリスクは高まる
- 海外のシステマティックレビューによると，血栓は 6.7％，カテーテル関連血流感染（catheter-related bloodstream infection：CRBSI）は 10.9％ の症例で認められている
- 本邦では CRBSI の起因菌として表皮常在菌が多く，発症時に静脈栄養の施行例が多いことから，患者背景に非依存的で不適切なポート管理が感染症合併の要因になることが報告されている

■ 抗悪性腫瘍薬の漏出性皮膚障害

❶ **血管外漏出** 投与中の抗悪性腫瘍薬が血管外へ浸潤あるいは漏出し，周囲の軟部組織へ拡散すること。

❷ **漏出性皮膚障害** 血管外漏出により周囲の軟部組織を障害することで生じる刺入部の疼痛，腫脹などの一連の症状。

注意点 起壊死性抗悪性腫瘍薬の場合は漏出量が少量であっても難治性の皮膚障害を起こすことがあり，予防策と発生時の適切な処置について熟知しておく必要がある。また患者のセルフケアが不可欠であり，情報提供や患者教育も必要である。

1 注意すべき抗悪性腫瘍薬

血管外漏出時の組織障害の程度によって起壊死性薬剤（vesicant drug），炎症性薬剤（irritant drug），非壊死性薬剤（non-vesicant drug）に分類される。炎症性薬剤であっても壊死や潰瘍などの難治性の皮膚障害を起こすことがあり注意が必要である。

◆ 組織障害の程度に基づく分類

起壊死性薬剤 （vesicant drug）	ACT-D, AMR, DNR, DXR, EPI, IDR, MMC, PTX, VCR, VDS, VLB, VNB など
炎症性薬剤 （irritant drug）	5-FU, Ara-C, BCNU, BLM, BSF, CBDCA, CDDP, CPA, CPT-11, DTIC, DTX, ETOP, GEM, IFM, L-OHP, L-PAM, nab-PTX, T-DM1, TPT など
非壊死性薬剤 （non-vesicant drug）	IFN-α・β, IL-2, L-ASP, MTX など

❶ 起壊死性薬剤(vesicant drug) DNA 結合型(漏出した薬剤が長期に細胞内にとどまる)と非 DNA 結合型に分類される。少量の漏出でも重篤で永続的な組織壊死を起こす。漏出の疑いがある場合は速やかな対応が必要。漏出後に形成される潰瘍は深部の組織が障害されるため,皮膚移植や形成手術でも治癒が困難。

❷ 炎症性薬剤(irritant drug) 瘙痒感,熱感,疼痛などが刺入部や静脈に沿って起こるが,壊死や潰瘍形成には至らない。ただし大量に漏出すると強い炎症や疼痛を起こす。

❸ 非壊死性薬剤(non-vesicant drug) 多少漏出しても炎症を生じにくい。皮下投与や筋肉内投与が可能。

2 症状

多くは漏出薬剤の濃度と量に相関するが,起壊死性抗悪性腫瘍薬では少量でも重篤な症状が起こりうる。漏出時に症状が軽微であっても,その後重篤な皮膚障害に進展することもあり注意が必要。

• 症状
① 穿刺部位付近の不快感や瘙痒感,灼熱感,圧迫感,疼痛。
② 自覚症状がなく,滴下速度の低下・滴下不能が唯一の所見の場合もある。

• 皮膚所見
① 穿刺部位付近の発赤,腫脹に始まり,水疱,びらんを経て硬結,壊死,潰瘍に進展する。
② 潰瘍の多くは難治性で,漏出部位によっては長い経過ののちに瘢痕拘縮して関節硬直による運動制限や神経圧迫による神経症状をきたすこともある。
③ リコール現象:以前に PTX,DXR,EPI,DTX 投与時に血管外漏出があり,その後同一薬剤を投与した際に以前漏出した部位で炎症が起こる現象。

3 危険因子

抗悪性腫瘍薬の血管外漏出の危険因子を示す。起壊死性抗悪性腫瘍薬を投与する際には,投与前後の慎重な観察が必要。

◆ 血管外漏出の危険因子

1)高齢者(血管の弾力性や血流量の低下)
2)栄養不良
3)糖尿病や皮膚結合織疾患などに罹患している場合
4)肥満
5)血管が細くて脆い場合

6) 化学療法を繰り返している場合
7) 多剤併用化学療法中
8) 循環障害のある四肢の血管（上大静脈症候群や腋窩リンパ節郭清後など，病変や手術の影響で浮腫，静脈内圧の上昇を伴う患側肢の血管）
9) 輸液などですでに使用中の血管ルートの再利用
10) 抗悪性腫瘍薬の反復投与に使われている血管
11) 腫瘍浸潤部位の血管
12) 放射線療法を受けた部位の血管
13) ごく最近施した皮内反応部位の下流の血管（皮内反応部位で漏出が起こる）
14) 同一血管に対する穿刺のやり直し例
15) 24時間以内に注射した部位より遠位側
16) 創傷瘢痕がある部位の血管
17) 関節運動の影響を受けやすい部位や血流量の少ない血管への穿刺例

4 予防

漏出性皮膚障害に対しては確立された治療法が乏しいため予防策を行うことが最も重要である。

① 薬剤投与のための末梢ラインは，なるべく太い静脈を選択し，静脈路確保時は静脈血の逆血を確認する。

② 手背や関節付近，血栓のある部位や皮膚に瘢痕がある部位は可能な限り避ける。

③ 静脈留置針は刺入部周囲の観察ができるように固定する。ラインを確保したら，薬剤を投与する前に生理食塩水または5％ブドウ糖液5〜10 mLでフラッシュして漏出のないことを確認する。

④ 抗悪性腫瘍薬は適切な濃度に希釈し，十分な量の生理食塩水または5％ブドウ糖液を流すメインルートの側管から投与する。

⑤ 抗悪性腫瘍薬投与中に異常がなくても，投与数日〜数週間後に遅発性皮膚障害をきたすことがあるため，投与部位の違和感，疼痛，腫脹などを観察するよう患者に指導する。

5 漏出時の処置

血管外漏出を確認した際には薬剤の曝露量，曝露時間を最小限にとどめ，迅速な対応が必要である。以下は実臨床で行われているが，明らかなエビデンスのあるものは少ない。

❶ 初期治療（各薬剤で共通）

- 血管外漏出を認めた際には直ちに注入を止め，抜針せずに可能な限り同じ針で漏出した薬剤を吸引除去する

抗悪性腫瘍薬の調製・投与方法と漏出性皮膚障害 | 525

- チューブや注射針に残存する薬剤を除去する目的で 3〜5 mL の血液を吸引する
- 漏出部周囲の膨隆部位に 27 G 針を刺入して，薬剤を直接吸引する
- 漏出部位に圧力がかからないようにし，漏出した患肢を挙上する

❷ 冷却および加温（薬剤によって対処が異なるため）
- 漏出部の冷却は，VCR，VLB，VNR などのビンカアルカロイドと ETOP を除くすべての起壊死性，炎症性薬剤で推奨される。間欠的な冷却は血管収縮を起こすことにより薬剤の広がりや局所の損傷の程度が軽減される
- ビンカアルカロイド系薬剤と ETOP の血管外漏出は冷却することで潰瘍形成が悪化するとの報告があり，冷却は禁忌とされている。これらの薬剤は局所を温めることで血管拡張や血流量の増加によって薬剤が拡散，希釈されるとして，加温が推奨されている

❸ デクスラゾキサン（サビーン®）　本邦ではリポソーム製剤を除くアンスラサイクリンの血管外漏出に対して承認されている。アンスラサイクリン（DXR，EPI）によって生じた漏出性皮膚障害に対して，血管外漏出後 6 時間以内に可能な限り速やかに投与し，24 時間後（いずれも 1,000 mg/m²）および 48 時間後（500 mg/m²）に静脈投与を行う。腎障害時の減量，重大な副作用，高額な薬価には注意が必要。ジメチルスルホキシドとの併用は禁忌とされている。

❹ 副腎皮質ホルモン
- 局所皮下投与はその抗炎症作用を期待して使用されることが多いが，有効性に関しては明らかなエビデンスは存在しない
- ビンカアルカロイドと ETOP の漏出時には皮膚障害を悪化させることがあるため禁忌とする報告もある。L-OHP の漏出時には経口ステロイド（DEX　1 回 8 mg　1 日 2 回　14 日間）が有効という報告もある
- 漏出から時間が経過した場合でも，上記処置によってある程度障害の進行を予防しうるが，10 日以上経過したものについては投与意義がないとされている

❺ チオ硫酸ナトリウム（デトキソール®）　皮下組織をアルカリ化することで DNA 結合型薬剤の DNA 結合を低下させると考えられ，CDDP や DTIC などの漏出時に推奨されている（本邦では保険適用外）。デトキソール®注（2 g/20 mL）4 mL に注射用水 6 mL を

加えたもの(4% デトキソール®)を局所皮下注射する。

❻ **ヒアルロニダーゼ** ヒアルロン酸を加水分解することで皮下の溶液の拡散を促し皮膚毒性を軽減すると考えられている。ビンカアルカロイドや ETOP，PTX，IFM などの漏出時に推奨されている。本邦では該当薬がない。

❼ **ジメチルスルホキシド(DMSO)** 漏出薬剤の吸収促進作用やフリーラジカルの中和作用によって奏効すると考えられている。アンスラサイクリンや MMC などの漏出時に使用されるが本邦では医薬品として承認されておらず，試薬としてのみ入手可能である。

❽ **外科的治療** 早期のデブリドマン(漏出薬剤の排除が目的)には推奨根拠はないが，初期保存的治療後の壊死や潰瘍形成に至った場合には後期デブリドマン(壊死組織除去)は望ましい。しかし，その適応や介入の時期については議論の余地がある。

■ 文献

1) Preventing occupational exposures to antineoplastic and other hazardous drugs in healthcare settings. DHHS (NIOSH) Publication No. 2004-165, 2004

2) Michael CP, et al：The Chemotherapy Source Book, 4th ed. Lippincott Williams & Wilkins, Philadelphia, 2008

3) Jacobson JO, et al：American Society of Clinical Oncology/Oncology Nursing Society chemotherapy administration safety standards. Oncol Nurs Forum 2009；36：651-658 PMID 19887353

4) Pérez Fidalgo JA, et al：Management of chemotherapy extravasation：ESMO-EONS Clinical Practice Guidelines. Ann Oncol 2012；23(Suppl 7)：vii167-vii173 PMID 22997449

5) J Boulanger, et al：Management of the extravasation of anti-neoplastic agents. Support Care Cancer 2015；23：1459-1471 PMID 25711653

【佐藤　大希】

26 がん治療における救急処置
オンコロジック・エマージェンシー

　がんの病状は基本的には緩徐に進行するが，時間・日の単位で急速に進行し，早急な対応を講じなければ不可逆的な臓器障害や生命の危険に直結する場合もある。このような病状を oncologic emergency（オンコロジック・エマージェンシー）とよぶ。

■ 上大静脈症候群（SVC syndrome）

1 病態

　外部からの圧迫，直接浸潤，血栓形成などにより，上大静脈（SVC）の血流が減少・途絶し，上半身の静脈還流が障害された状態。SVC に近接する臓器（リンパ節，気管・気管支など）も同時に侵されることが多く，それに伴う症状も併発しやすい。原因の95% 以上が腫瘍であり，原因として多い疾患順に，肺がん（72%），悪性リンパ腫（12%），乳がん（6%），胚細胞腫瘍（3%）などとなっている。

2 症状・身体所見

　呼吸困難，頸静脈・胸壁の表在静脈の怒張，顔面・両上肢の浮腫，咳嗽，嗄声，失神など。

3 検査

　画像診断：胸部 X 線，胸部造影 CT など。

4 治療

　上大静脈の閉塞により生じたうっ血症状の改善と原疾患の治療を行う（NEJM 2007：356：1862 **PMID** 17476012）。症状などから重症度分類があり，原疾患の特徴も考えたアルゴリズムが存在する（J Thorac Oncol 2008：3：811 **PMID** 18670297）。

1) 全身治療 ★★

　悪性リンパ腫，小細胞肺がん，胚細胞腫瘍など全身治療に高感受性の場合。非 Hodgkin リンパ腫，小細胞肺がんの 80%，非小細胞肺がんの 40% で症状改善。

2) 放射線療法 ★★

　全身治療に低感受性の場合に行われる。最適な照射量と回数は確立していない（30〜40 Gy/10〜20 回が一般的だが，12〜24 Gy/2〜6 回でも有効との報告がある）。小細胞肺がんの 78%，非小細胞肺

528 26 がん治療における救急処置

がんの 63％ で症状改善。

3) ステント留置 ★★

1)，2) の適応外の場合や症状が重篤で緊急で治療が必要な場合，治療後に再発・再燃した場合。技術的成功割合は，84.5～100％。75～100％ が 48～72 時間以内に症状改善。再発率は 9～20％，合併症（出血・穿孔など）のリスクが 3～7％。

- ステロイドや利尿薬の有用性は確立していない
- 小児の場合は容易に気道狭窄をきたすため，病理診断未確定でも治療開始が許容される。原疾患の化学療法への感受性が高い場合には，原疾患に対する化学療法が優先される
- 化学療法と放射線療法が同時併用されることもある

5 予後

SVC 症候群が致死的となることは稀であり，生命予後は SVC 症候群の有無ではなく原疾患の経過に依存する。側副血行路の発達により自然軽快することも多い。

■ 脊髄圧迫（spinal cord compression）

1 病態

主として椎体や硬膜外腔への転移による脊髄圧迫により脊髄麻痺をきたす。脊椎転移の 2～20％ で脊髄圧迫に移行するとされる。部位は胸椎 60％，腰椎 30％，頸椎 10％。原因疾患として，肺がん，乳がん，前立腺がんが代表的で各 20％ 程度，非 Hodgkin リンパ腫や多発性骨髄腫，腎がんもそれらに次いで多い。

2 症状・身体所見

初発症状としては背部痛（90％）が多い。椎体からの硬膜外前方圧迫が大半を占めるため，神経障害は運動系の障害（35～75％）から出現することが多い。筋力低下を診断時から認め，歩行能力の低下をきたし，麻痺に至ることが多い。感覚障害は上行性のしびれと知覚異常が典型的である。膀胱・直腸障害は病変がかなり進行してから認めることが多い。

3 検査

1/3 の症例で脊髄圧排病変が多発しているため，全椎体を評価する。

❶ 単純 X 線　圧迫骨折や椎弓根の消失の有無。後者は椎体（前方）から椎弓根（後方）へ病変が進行していることを示す。

❷ CT　骨破壊の評価。

❸ MRI　最も有用であり，感度 93％，特異度 97％ となっている。脊髄圧迫の有無・程度を評価。単純 MRI だと偽陰性が 10～17％ に生じる。

4　脊椎の安定性の評価

治療方針を決定するうえで，脊椎の安定性は重要な因子である。
脊椎の安定性の評価方法はまだ確立していないが，Spine Oncology Study Group より発表された，Spine Instability Neoplastic Score（SINS）を用いることが多い〔Spine（Phila Pa 1976）2010；35：E1221 PMID 20562730〕。脊椎の安定性の予測は感度 95.7％，特異度 79.5％ であり，7 点以上であれば外科的適応の考慮。

5　治療

治療目標は，疼痛コントロール，合併症の回避，神経学的機能の維持と改善である。患者の病状や予後，価値観に合わせて治療を選択する。放射線療法が中心になるが必ず手術適応について整形外科と検討する。

1）ステロイド ★★★（NEJM 2017；376：1358 PMID 28379788）

脊髄麻痺の神経症状出現後，数時間以内に開始する。

> DEX　10 mg　静注，以後 1 日 16 mg を 2～4 分割して静注
> 　　経口に変更し，症状が軽減すれば漸減
>
> （Neurology 1989；39：1255 PMID 2771077）

対麻痺など重症例には，以下を投与する（Eur J Cancer 1994；30A：22 PMID 8142159）。ただし高用量であり副作用に注意。

> DEX　96 mg　静注，以後 24 mg を 6 時間ごとに 1 日 4 回投与　3 日間　その後 10 日で漸減

2）NSAIDs，オピオイドの早期使用 ★★（JCO 2019；37：61 PMID 30395488）

膀胱直腸障害に加え，オピオイドを使用することで便秘となるため，排便コントロールは，大切である。

3）放射線療法 ★★（NEJM 2017；376：1358 PMID 28379788, JCO 2005；23：3366 PMID 15908648）

外照射を行う。線量やスケジュールは決まっていないが，一般的に 20～40 Gy/5～20 回（30 Gy/10 回が通常）。8 Gy/1 回照射と 20 Gy/5 回照射における QOL 評価で差を認めないことが示され，予後の短い（数カ月以内）患者では 8 Gy/1 回などを検討してもよい。歩行不能から歩行可能となる回復例は 26％ 程度で，照射法による

差は認められない。

4) 外科切除 ★★ (NEJM 2017；376：1358 PMID 28379788)

放射線療法に対する外科切除の優位性を示したランダム化比較試験(RCT)はほとんどなく，脊椎外科医や放射線科医のエキスパート・オピニオンとして以下を勧めている。

❶ **適応** 脊椎の不安定性，1カ所のみの脊髄圧迫，放射線療法中または療法後における神経症状の進行，原発不明の脊椎転移(診断目的も合わせて)，放射線低感受性など。

❷ **術式** 予後予測(3カ月以上)，罹患椎体数(単発 vs. 多発)，骨外病変進展状況を合わせて選択する。一般的には椎弓切除＋後方固定術を選択することが多い。

❸ **手術＋放射線療法** 疼痛を含む脊髄圧迫症状の発症48時間以内，3カ月以上の予後，麻痺が起こる前のPSがよい，責任病変が1カ所のみ，のすべてを満たす症例にのみ，放射線療法単独に対する手術＋放射線療法の優位性が証明されている(Lancet 2005；366：643 PMID 16112300)。

5) 全身治療 ★★

悪性リンパ腫など高感受性が予想される場合は選択肢の1つとなる。

6 再発時の治療

定位照射や2回目の外照射，手術，抗悪性腫瘍薬治療などを行う。
照射野内の再発病変に対して，放射線の再照射は一般的には勧められないが，患者とリスク・ベネフィットを相談し個別に決定するべきである。

■ 肺塞栓(pulmonary embolism：PE)

1 病態

静脈系に生じた血栓が肺動脈に塞栓を起こした状態。深部静脈血栓症(DVT)の近位部(膝窩～総腸骨静脈)からの塞栓が多い。血栓の大きさ，患者の心肺予備能などにより，症状や予後は多彩である。

2 症状・身体所見

呼吸困難，頻呼吸，胸痛，咳嗽，血痰，頻脈，ショック，血圧低下など。意識障害を伴う場合は重症である可能性が高い。ショックまたは血圧低下を合併するPEは，急変のリスクが高いため，直ちに検査・治療方針について循環器内科医に相談する。

3 検査

❶ **D-ダイマー**　感度 90％ であるが，特異度が 25％ と低くスクリーニングに用いる。急性期では陰性の場合もある。

❷ **造影 CT**　確定診断に用いる。

❸ **心エコー**　右心不全の評価。

❹ **心筋トロポニン**　心筋障害のマーカー。

❺ **BNP，NT-proBNP**　右心不全のマーカー。

❻ **心電図**　洞性頻脈，V_1〜V_4 誘導の陰性 T 波，ⅠQⅢTⅢパターン，右脚ブロック。

❼ **動脈血液ガス**　呼吸性アルカローシス，低酸素血症，低二酸化炭素血症。

4 治療

1)抗凝固療法 ★★★ (NCCN ガイドライン：JCO 2020：38：496 PMID 31381464)

　PE と診断した症例もしくは PE が臨床上強く疑われる症例では，禁忌でない限り，（確定診断を待たずに）速やかに全例に未分画ヘパリン，低分子ヘパリン，直接作用型経口抗凝固薬（DOAC）による抗凝固療法を行う。また，腫瘍の精査などで行われた画像検査で偶然発見された PE（incidental PE）も治療対象となる。NCCN ガイドラインでは，アピキサバン，エドキサバン，ダルテパリンが category 1 とされている。

❶ 初期治療(5〜10 日間)

• **未分画ヘパリン ★★**

> 80 IU/kg・ワンショット静注 → 18 IU/kg/時・持続静注　APTT の基準値×2〜2.5 を目標
> 未分画ヘパリンは Ccr＜30 mL/分の症例に対しても使用可能。

• **合成 Xa 阻害薬 ★★★**

> **フォンダパリヌクスナトリウム（アリクストラ®）**　体重 50 kg 未満：5 mg，体重 50〜100 kg：7.5 mg，体重 100 kg 超：10 mg　1 日 1 回皮下注

フォンダパリヌクスナトリウムは Ccr＜30 mL/分の症例には投与しない。

　経口の直接第 Xa 因子阻害薬（DOAC）については，腫瘍関連静脈血栓塞栓症に関する大規模臨床試験の結果が近年報告された。

　SELECT-D 試験において，リバーロキサバンはダルテパリンナトリウムに対して無作為化 6 カ月後の静脈血栓塞栓症の再発率は低率（4％ vs. 11％）であったが，大出血または臨床的に意味の

ある非大出血の再発リスクは高率であった（JCO 2018：36：2017 PMID 29746227）。Hokusai-VTE Cancer 試験において，エドキサバンのダルテパリンナトリウムに対する静脈血栓塞栓症の再発および重大な出血の複合転帰の非劣性（12.8% vs. 13.5%）が示された（NEJM 2018：378：615 PMID 29231094）。CARAVAGGIO 試験において，アピキサバンのダルテパリンナトリウムに対する静脈血栓塞栓症の再発率の非劣性（5.6% vs. 7.9%）が，大出血（3.8% vs. 4.0%）のリスクなく示された（NEJM 2020：382：1599 PMID 32223112）。

> リバーロキサバン（イグザレルト®）　1回15mg　1日2回　3週間，以後1回20mg　1日1回

> エドキサバン（リクシアナ®）　体重60kg以上：1回60mg　1日1回（低分子ヘパリンを5日間以上投与後），体重60kg未満：1回30mg　1日1回

> アピキサバン（エリキュース®）　1回10mg　1日2回　1週間，以後1回5mg　1日2回

• 低分子ヘパリン ★★★

> ダルテパリンナトリウム（フラグミン®）　100 IU/kg　12時間ごと　皮下注 or 200 IU/kg　1日1回　皮下注

> エノキサパリンナトリウム（クレキサン®）　100 IU/kg　12時間ごと　皮下注 or 150 IU/kg　1日1回　皮下注

本邦では PE に対してダルテパリンナトリウム，エノキサパリンナトリウムは保険適用外。また，ダルテパリンナトリウム，エノキサパリンナトリウムは Ccr＜30 mL/分の患者には用量調節が必要。

❷ 長期投与

• 合成 Xa 阻害薬 ★★★
初期治療に引き続いて継続する。用量変更に注意。

> リバーロキサバン（イグザレルト®）　1回15mg　1日2回　3週間，以後1回20mg　1日1回

> エドキサバン（リクシアナ®）　体重60kg以上：1回60mg　1日1回（低分子ヘパリンを5日間以上投与後），体重60kg未満：1回30mg　1日1回

> アピキサバン（エリキュース®）　1回5mg　1日2回

- 低分子ヘパリン ★★★

> ダルテパリンナトリウム（フラグミン®）　200 IU/kg/日　皮下注（30 日以降は 150 IU/kg/日　皮下注に減量）

> エノキサパリンナトリウム（クレキサン®）　100 IU/kg　12 時間ごと皮下注 or 150 IU/kg　1 日 1 回　皮下注

- ワルファリン ★★

> ワルファリンカリウム　2.5〜5 mg/日で開始し PT-INR 2〜3 を目標に調整

経静脈的抗凝固薬とのオーバーラップは少なくとも 5 日間以上，PT-INR が 2.0 以上に到達してから 24 時間以上継続する。

❸ **治療期間**　最低でも 3 カ月間は治療を行う。悪性腫瘍が活動性の場合や血栓症のリスクが持続している場合は治療の継続を検討する。

2)血栓溶解療法 ★★
ショックを伴う PE に対して検討する。

3)IVC フィルター ★★
適応は以下の場合。
- 抗凝固療法にもかかわらず再発
- 抗凝固療法が適応外の場合

■ 高 Ca 血症

1 病態
　がん患者の全経過中に 10〜30% で発症し，悪性腫瘍で起こる電解質異常では最多。乳がん，肺がん，多発性骨髄腫によくみられる。以下の機序が挙げられる。

❶ **異所性 PTHrP 産生腫瘍（80%）**　扁平上皮癌（肺，頭頸部），腎がん，尿路上皮癌，成人 T 細胞性リンパ腫をはじめとする非 Hodgkin リンパ腫。

❷ **local osteolytic hypercalcemia（20%）**　多発性骨髄腫，乳がん。広範な骨転移に伴う。

❸ **カルシトリオール〔1,25(OH)$_2$-D$_3$〕産生（1% 未満）**　Hodgkin リンパ腫。ただし，高齢者や閉経後女性の骨粗鬆症に対するビタミン D 製剤（±Ca 製剤）による高 Ca 血症も多いので，内服歴も把握しておく。原発性副甲状腺機能亢進症（ほとんどの場合，良性腺腫）も稀ながら存在する。

26 がん治療における救急処置

2 症状・身体所見

意識障害，倦怠感，口渇・多飲，多尿，悪心，便秘，近位筋優位の筋力低下など。悪心などにより飲水量が低下しているにもかかわらず，多尿が持続し高度な脱水になっていることが多い。

3 検査

❶ 血中 Ca 値　血清 Alb 値＜4.0 g/dL 以下のときは，以下の補正式を用いる。

補正 Ca 値（mg/dL）＝実測 Ca 値（mg/dL）＋（4.0−血清 Alb 値）

❷ PTHrP

❸ 生化学　そのほかの電解質異常，急性腎不全（腎前性±腎性）・急性膵炎の有無，尿 Ca 排泄。

4 治療

原疾患の予後を考慮して治療適応を判断する。

1）軽症（Ca 値 11〜12 mg/dL）

❶ 無症状　経過観察。

❷ 有症状　治療適応。

経口補液　1〜3 L/日 ★★

PSL　20〜40 mg/日（カルシトリオール増加の場合）★★

効果発現は 2〜5 日後，効果の持続は数日〜数週間。

2）中等症以上（Ca 値＞12 mg/dL）

生理食塩水（NS）を大量・急速輸液±利尿薬 ★★

・効果発現は数時間後，効果の持続は投与中のみ
・200〜300 mL/時で開始し，尿量 100〜150 mL/時を維持するように調節する
・利尿薬は高 Ca による血管内脱水を増悪させる可能性があるためルーチンには使用せず，大量輸液により心不全の危険性があれば使用する

◆ ビスホスホネート製剤 ★★★（JCO 2001；19：558 PMID 11208851）

ゾレドロン酸水和物（ゾメタ®）　4 mg＋生理食塩水 100 mL　15 分で点滴静注

効果発現は 24〜72 時間後，効果の持続は 2〜4 週間。

ゾレドロン酸水和物を投与しても高 Ca 血症が持続する場合，デノスマブの投与を検討する。

◆ デノスマブ ★★

デノスマブ（ランマーク®）　120 mg　皮下注

効果発現は 4〜10 日後，効果の持続は 4〜15 週間。

そのほか，持続時間は短くタキフィラキシーはあるが，緊急時には速効性のカルシトニン（2〜8単位/kg×2〜4回/日）（★★）を用いることもある（効果発現は4〜6時間後，効果の持続は48時間）。

3) 緊急時（Ca値＞18 mg/dL や中枢神経症状あり）

血液透析を考慮する。透析が必要なければ基本的には2)に準じて治療を行うが，さらなる大量輸液を必要とすることが多い。

■ 腫瘍崩壊症候群（tumor lysis syndrome：TLS）

1 定義

日本臨床腫瘍学会から発表された「腫瘍崩壊症候群（TLS）診療ガイダンス」（第2版，2021）では，2010年に発表されたTLS panel consensus（Br J Haematol 2010；149：578 PMID 20331465）の使用を推奨しており，以下に示す。

◆ Laboratory TLS

下記の臨床検査値異常のうち2個以上が化学療法開始3日前から開始7日後までに認められる。

高尿酸血症：基準値上限を超える
高K血症 ：基準値上限を超える
高P血症 ：基準値上限を超える

◆ Clinical TLS

Laboratory TLS に加えて下記のいずれか1つ以上の臨床症状を伴う。TLS治療が必要となる。

腎機能低下：血清クレアチニン≧1.5×基準値上限
不整脈
痙攣

2 病態

腫瘍細胞の急激な崩壊に伴い，細胞内の代謝産物である核酸，タンパク質，P，Kなどが血中へ大量に放出されることによって引き起こされる代謝異常。

高尿酸血症やリン酸Caの沈着により急性腎不全に，高K血症から不整脈に，低Ca血症からテタニー・不整脈に，高サイトカイン血症により全身性炎症反応症候群（SIRS），多臓器不全に至る。

3 TLSリスク評価（詳細はTLS診療ガイダンス参照）

❶ Laboratory TLS の有無　Laboratory TLS が認められたら，

Clinical TLS の有無を判定する。

Clinical TLS の場合：臓器障害の治療とともに TLS 治療を開始

Laboratory TLS の場合：TLS 治療を開始

Laboratory TLS でなければ，❷ に進む。

❷ 疾患による TLS リスク分類

◆ リスクの高い疾患（腫瘍量が多くかつ治療に高感受性）

| 血液腫瘍：急性白血病（特にリンパ性），Burkitt リンパ腫　など |
| 固形腫瘍：胚細胞腫瘍（1〜5%），小細胞肺がん（1〜5%）　など |

❸ 腎機能による TLS リスク調整
白血病，リンパ腫では腎機能による TLS リスク調整を行う。固形がん，多発性骨髄腫では基本的に腎機能による TLS リスク調整は行わない。

4 リスク別 TLS 予防

リスクに応じた予防を行う。

1)低リスク

- 治療開始後〜最終の化学療法薬投与 24 時間後まで 1 日 1 回のモニタリング（血液検査：尿酸，P，Ca，K，LDH，クレアチニン。水分 in/out 量）
- 通常量の輸液 ± 次頁 [___] 内❷

2)中間リスク

- 治療開始後〜最終の化学療法薬投与 24 時間後まで 8〜12 時間ごとにモニタリング
- 次頁 [___] 内❶ + ❷（ただし，❷による予防にもかかわらず尿酸値が持続的に上昇する症例，診断時すでに高尿酸血症が認められる症例は❸の投与を考慮，アルカリ化は不要）

3)高リスク

- ICU もしくはそれに準じた環境での治療が望ましい
- 治療開始後〜最終の化学療法薬投与 24 時間後まで頻回に（4〜6 時間ごと）にモニタリング（心電図モニタリングも実施する）
- 次頁 [___] 内❶ + ❸（アルカリ化は不要）
- 高 K・高 P 血症に対する管理
- 腫瘍量軽減のための治療
- hyperleukocytosis を認める場合は leukocytapheresis/exchange transfusion を考慮

❶ **大量補液 ★★★** 十分な輸液（±利尿薬）を行い，尿量は
$100 \, mL/m^2/$時以上を維持する。輸液は K，Ca，P free の輸
液で開始する。

生理食塩水　2,500〜3,000 mL/m²/日以上

❷ **アロプリノール ★★★ またはフェブキソスタット ★★★**
効果が現れるまで数日要するため，化学療法開始数日前か
ら開始する。

アロプリノール（ザイロリック®）　1回100 mg/m²　1日3回
または
フェブキソスタット（フェブリク®）　1回10 mg　1日1回より開
始し増量，60 mg まで

アロプリノールとの比較で有効性が示された FLORENCE 試験（Ann On-
col 2015；26：2155 PMID 26216382）におけるフェブキソスタットの投与量
は 120 mg/日である。

❸ **ラスブリカーゼ ★★★** アロプリノールより効果発現が早
く，より強力な効果が期待できるが，薬剤が高価である
（Blood 2001；97：2998 PMID 11342423）。抗体産生の報告があり，
再投与は認められていない。

ラスブリカーゼ（ラスリテック®）　0.1〜0.2 mg/kg　1日1回　30
分で点滴静注，抗悪性腫瘍薬投与開始 4〜24 時間前に開始　最
大 7 日間投与可

ラスブリカーゼ投与中はアロプリノールまたはフェブキソスタットは併
用しない。

5 治療

　基本的な方針は高リスクの予防の内容と同様だが，急速に悪化す
る可能性があるため，頻回にモニタリングを行い，血液透析導入に
ついて検討する。

■ 低 Na 血症

1 病態

　低 Na 血症には，① 高浸透圧性低 Na 血症，② 正常浸透圧性低
Na 血症，③ 低浸透圧性低 Na 血症の3つの病態がある。
　低浸透圧性低 Na 血症は，細胞外液量によって以下の3つに分類

される。

❶ **細胞外液が多い**　心不全，腎不全，ネフローゼ症候群，肝硬変。

❷ **細胞外液正常**

- syndrome of inappropriate antidiuresis（SIAD）：がん患者に起こる低 Na 血症の原因として最も頻度が高く，全体の 1〜2% に認められる
- 二次性副腎不全
- 甲状腺機能低下症
- 心因性多飲症

❸ **細胞外液が少ない**

- 腎以外からの Na 喪失：下痢，熱傷
- 腎からの Na 喪失：利尿薬，一次性副腎不全，cerebral salt wasting（CSW），塩類喪失性腎症
- サードスペースへの喪失

2 症状・身体所見と重症度

血漿浸透圧が低下すると，脳の細胞容積が増大し脳浮腫をきたす。

血清 Na が 125 mmol/L 以下になると症状が現れやすい。自覚症状がないこともあるが，集中力低下や転倒の増加をきたしていることが多い。

❶ **血清 Na 値による分類**

- 軽症　：130〜135 mmol/L
- 中等症：125〜129 mmol/L
- 重症　：125 mmol/L 未満

❷ **症状による分類**

- 中等症：嘔吐のない悪心，混乱，頭痛
- 重症　：嘔吐，傾眠，痙攣，昏睡

3 検査

尿浸透圧〔低張性低 Na 血症（≦280 mOsm/L）〕，尿中 Na 濃度が特に重要。そのほかは病態に合わせて追加する。高張性および等張性低 Na 血症では SIAD が否定的となる。

- 細胞外液量の評価：体重の変化，浮腫の有無，起立性低血圧の有無，腋窩の乾燥，舌の乾燥，超音波（IVC の径と呼吸性変動）などさまざまな所見から総合的に判断する

- SIAD は以下の基準に基づき診断する

Essential criteria
血清浸透圧<275 mOsm/kg
血清浸透圧が低下した状態で尿浸透圧>100 mOsm/kg
細胞外液量正常
尿中 Na>30 mmol/L（塩分と水分の経口摂取量が正常な状態で）
副腎，甲状腺，下垂体，腎機能の異常なし
最近の利尿薬の使用なし
Supplemental criteria
血清尿酸値<4 mg/dL
血清尿素窒素<21.6 mg/dL
0.9％の生理食塩水を投与しても低 Na 血症が補正できない
FENa>0.5％
FEUN>55％
FEUA>12％

4 治療（Eur J Endocrinol 2014；170：G1 PMID 24569125）

Na を急速に補正しすぎて浸透圧性脱髄症候群（osmotic demyelination syndrome：ODS）を起こさないよう細心の注意が必要である。治療の目標は症状の改善である。

1）重度・中等度の症状を有する場合

3％ NaCl を用いて症状の改善を図る。補正は最初の 24 時間は 10 mmol/L，以降 24 時間ごとに 8 mmol/L を超えない速度で行う。

2）重度・中等度の症状がない場合

緊急性は低く，病態に合った治療を行う。

❶ **細胞外液量増加** 水，Na の制限，利尿薬（★★）。
❷ **細胞外液量低下** 水，Na の補給，生理食塩水の投与（★★）。
❸ **細胞外液量正常（SIAD）**
- 水制限（<1,000 mL/日）（★★）
- 水制限で改善しない場合：0.25〜0.5 g/kg/日の窒素（高タンパク食）による溶質負荷を行うか，経口の食塩と少量のループ利尿薬の併用を行う（★★）
- バソプレシン V₂ 受容体拮抗薬（★★）：異所性 ADH 産生腫瘍に伴う場合

トルバプタン（サムスカ®） 1 回 7.5 mg　1 日 1 回

■ 投与時反応（infusion-related toxicity）

1 病態

薬剤投与中または投与後に生じる下記の症状。主に炎症性サイトカイン放出に伴うとされる infusion reaction と，アレルギー反応に分類される。両者は一部症状が重なり，区別が難しいことがある。

2 症状・身体所見

一般的に infusion reaction よりもアレルギー反応のほうが症状は重篤である。

infusion reaction の原因はサイトカイン放出を引き起こす薬剤（モノクローナル抗体などの生物学的製剤やリポソーム化製剤）がよく知られている。アレルギー反応はすべての薬剤で生じうるが，白金製剤，タキサン系薬剤でよく報告されている。

1）infusion reaction

皮膚紅潮，悪寒，発熱，皮疹，呼吸困難，血圧低下。症状は投与速度の減速や投与中断で速やかに改善することが多い。モノクローナル抗体で頻度が高く，細胞障害性抗がん薬ではタキサン系薬剤に認められる。

2）アレルギー反応

蕁麻疹，浮腫，嘔吐，呼吸困難，血圧低下，失神，アナフィラキシー*。症状は投与中止後や介入治療後も持続する。細胞障害性抗がん薬に認められることが多い。

*アナフィラキシーとはアレルゲンの侵入により，複数臓器に全身性にアレルギー症状が惹起され，生命に危機を与えうる過敏反応である。致死的反応において呼吸停止または心停止までの中央値は，薬物5分，食物30分との報告があり迅速な対応が必要である

3 頻度

1）細胞障害性抗がん薬（アレルギー反応としての頻度）

アンスラサイクリン 7～11％，CDDP 5～20％，CBDCA 12％，L-OHP 0.5～25％，PTX* 30％，DTX* 30％。

*PTX，DTX は infusion reaction として発生することもある

2）モノクローナル抗体（infusion reaction としての頻度）

リツキシマブ 77％，トラスツズマブ 20～40％，セツキシマブ 15％，パニツムマブ 4％，ベバシズマブ 3％以下。ニボルマブ，ペムブロリズマブなどの免疫チェックポイント阻害薬は 1～5％。

4 予測

モノクローナル抗体やタキサン系薬剤による infusion reaction は初回または 2 回目に多い。白金製剤のアレルギー反応は 6〜8 コース目に起こりやすい。

5 治療

1) 軽症の場合

❶ 原因薬剤の中止

❷ 抗ヒスタミン薬や解熱薬，ステロイドの投与 ★★ 症状に応じて，下記のいずれかを投与する。

> アセトアミノフェン（カロナール®）　400 mg　内服
> ジフェンヒドラミン塩酸塩　50 mg　静注
> ラニチジン塩酸塩（ザンタック®）　50 mg　静注
> ヒドロコルチゾンコハク酸エステルナトリウム（ソル・コーテフ®）
> 　100 mg　静注

infusion reaction の場合は，症状が消失したあと，緩徐に再開するかどうかは症状の程度や患者の状態で判断する。アレルギー反応の場合は，基本的には再投与は避ける。

2) 重症の場合（初期対応）

アナフィラキシーの治療に準じた治療を行う。

❶ 原因薬剤の投与中止

❷ 患者を仰臥位にする

❸ 酸素投与

❹ アドレナリン ★★★

> アドレナリン（ボスミン®）　0.01 mg/kg（最大量：成人 0.5 mg，小児 0.3 mg）　大腿部の中央の前外側に筋注　必要に応じて 5〜15 分ごとに再投与

❺ 大量輸液 ★★ 必要に応じて生理食塩水を 5〜10 分で 5〜10 mL/kg（50 kg の場合，500 mL 程度）投与する。

❻ 昇圧薬 ★★ バソプレシンやノルアドレナリンの使用を検討する。

❼ 抗ヒスタミン薬 ★★

> ジフェンヒドラミン塩酸塩　50 mg　静注

> ラニチジン塩酸塩（ザンタック®）　50 mg　静注

血圧を上げる効果はないことに注意する。

542 | **26 がん治療における救急処置**

❽ 糖質コルチコイド ★★

> **メチルプレドニゾロンコハク酸エステルナトリウム（ソル・メドロー
> ル®）　125 mg　静注**

速効性はないが遅発性のアナフィラキシーの予防には効果がある。

❾ グルカゴン ★★　βブロッカーを内服中の患者の血圧低下には
有効である。

> **グルカゴン　1〜5 mg　5分以上かけて静注→5〜15 μg/分で持続投与**

6　以降の対応

アナフィラキシーを発症した薬剤の再投与は通常行わない。

モノクローナル抗体による infusion reaction の場合は再投与を
検討する場合もある。ただし，重篤例への再投与の判断基準は確立
していない。

タキサン系薬剤や白金製剤は脱感作療法により再投与可能なこと
もある。脱感作療法を行う場合はアレルギーの専門家の指導のもと
で行い，アナフィラキシーの緊急対応にも習熟しておく必要があ
る。

■ 文献

1）Lyman GH, et al：Venous thromboembolism prophylaxis and treatment
 in patients with cancer：American Society of Clinical Oncology clinical
 practice guideline update. J Clin Oncol 2013；31：2189-2204 PMID
 23669224

2）Ropper AE, et al：Acute spinal cord compression. N Engl J Med
 2017；376：1358-1369 PMID 28379788

3）Cairo MS, et al：Recommendations for the evaluation of risk and pro-
 phylaxis of tumour lysis syndrome（TLS）in adults and children with ma-
 lignant diseases：an expert TLS panel consensus. Br J Haematol 2010；
 149：578-586 PMID 20331465

4）Spasovski G, et al：Clinical practice guideline on diagnosis and treat-
 ment of hyponatraemia. Eur J Endocrinol 2014；170：G1-G47 PMID
 24569125

5）Sternlicht H, et al：Hypercalcemia of malignancy and new treatment
 options. Ther Clin Risk Manag 2015；11：1779-1788 PMID 26675713

【佐竹　智行】

27 免疫療法の有害事象

　抗CTLA-4抗体，抗PD-1抗体/抗PD-L1抗体などの免疫チェックポイント阻害薬（immune checkpoint inhibitor：ICI）の登場はがん診療に大きな功績をもたらし，近年適応が拡大しつつある。これらの薬剤は，細胞障害性抗がん薬，分子標的薬とは異なる作用機序を有しており，今までみられなかった免疫関連有害事象（immune-related adverse event：irAE）が報告されている。irAEの発生は奏効率の高さや生存期間の延長と関連していたと報告があり，特に皮膚障害や腸管障害は効果予測因子である可能性が示唆されている。一方で肝腎障害や肺障害，Grade3以上のirAEは予後不良因子との関連が報告されている。irAEは治療終了後も長期間にわたり出現する可能性があり，注意が必要である。自己免疫性疾患や移植歴のある症例にはリスク，ベネフィットを十分検討のうえ開始する。

◆ 主な免疫関連有害事象（NEJM 2018；378：158 PMID 29320654）

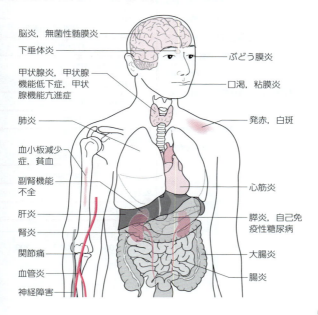

発症頻度が高い臓器として，皮膚，腸管，内分泌，肝臓が挙げられる。肺や，頻度は低いものの腎，神経筋疾患等は重大な副作用として注意が必要である。近年では，ニボルマブ，イピリムマブ併用療法が各種臓器の標準治療の1つとなっているが，それぞれの単剤よりも有害事象の頻度が増加するほか，下垂体機能低下症を含む内分泌障害にも注意が必要である。

発現時期については以下の通り治療開始後2カ月以内の発現が多いとされるが，長期間経過した後に発症する場合もある。診断に

◆ 主な免疫関連有害事象出現時期
（キイトルーダ® 適正使用ガイドラインより抜粋）

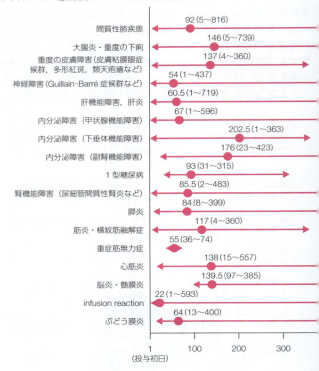

際しては他疾患の除外のほか，細胞傷害性T細胞が病態に関わっていることが示唆されており，CD4/CD8比を調べることは診断の一助となりうる．

■ 治療

ステロイドがirAEの治療の主体であり，早期介入が基本である．なお，有害事象発生後のステロイドの併用や治療休止が治療効果に及ぼす影響はないことが報告されている．

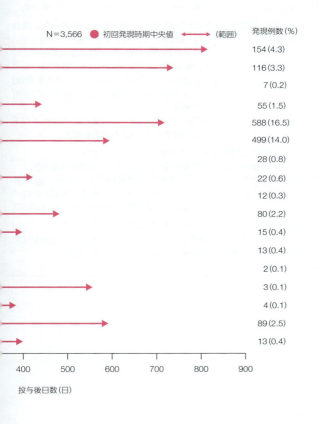

27 免疫療法の有害事象

1 皮膚毒性

皮膚障害は頻繁かつ早期に観察される irAE の１つである。皮膚障害は Grade 1〜2 の軽症である場合が多い。多形紅斑，尋常性白斑，尋常性乾癬，水疱性皮膚炎などのほか，頻度は低いが，重篤な皮膚障害である皮膚粘膜眼症候群（Stevens-Johnson 症候群：SJS），中毒性表皮壊死融解症（toxic epidermal necrolysis：TEN）の出現も報告されている。

Grade	症状	対処法
1	QOL に影響を及ぼさない	・ICI を継続しつつ，保湿剤±外用ステロイド薬（mild）を処方。皮膚刺激，日光を避ける
2	QOL に影響を及ぼす	・ICI を継続しつつ毎週観察。改善しない場合は Grade 1 に改善するまで ICI を休薬 ・皮膚科専門医と協議し，皮膚生検を検討 ・PSL（または同等薬）1 mg/kg/日を投与し 4 週以上かけて漸減，外用ステロイド薬（mild〜strong），抗ヒスタミン薬，保湿剤の併用を考慮 ・PSL 10 mg/日以下に減量され Grade 1 以下に改善すれば，ICI の再開を検討
3	Grade 2 と同等だが Grade 2 の対処法で 2 週以上改善がない	・ICI を休薬し，再開はしない ・皮膚科専門医と協議し，皮膚生検を実施 ・PSL（または同等薬）経口 1〜2 mg/kg/日を投与し 4 週以上かけて漸減，外用ステロイド薬（strong），抗ヒスタミン薬，保湿剤併用
4	重症発疹 Grade 3 以下の対処法で 2 週以上改善がない	・ICI については Grade 3 と同対応 ・PSL（または同等薬）静注 1〜2 mg/kg/日を投与し，他は Grade 3 と同対処

2 消化器毒性

1）大腸炎

腹痛，悪心，便回数の増加や便の性状変化（血便・粘液便）を認め，重症化の観点から早期に介入する必要がある。Grade 3 以上では入院にて絶食補液，腸管安静を検討する。

Grade	症状	対処法
1	便回数 4 回/日以下	・ICI は慎重に継続可能
2	便回数 4〜6 回/日以上	・抗 CTLA-4 抗体薬は中止を検討。抗 PD-1 抗体薬・抗 PD-L1 抗体薬は休薬 ・PSL（または同等薬）経口 1 mg/kg/日を投与し，Grade 1 以下に改善した場合 4 週以上かけて漸減。大腸内視鏡検査所見に基づきインフリキシマブ*の投与を検討。PSL 10 mg/日以下に減量され Grade 1 以下になった場合再開を検討
3	便回数 7 回/日以上 便失禁を伴う，重度の腹痛・腹膜刺激症状	・ICI については Grade 2 と同対応 ・PSL（または同等薬）静注 1〜2 mg/kg/日を投与し，他は Grade 2 と同対処 ・症状が 3〜5 日持続する場合や改善後に再発する場合は，インフリキシマブ*投与など考慮
4	生命を脅かす，穿孔	・ICI を休薬し，再開はしない ・Grade 3 と同対処

*インフリキシマブに対して不応または抗 TNF-α 抗体が禁忌である患者ではベドリズマブを投与。ともに保険適用外

2) 肝機能障害/硬化性胆管炎

黄疸，皮膚の掻痒，悪心・嘔吐，季肋部痛，眠気，濃縮尿，易出血，食欲不振などを認める。適切な処置が行われないと肝硬変，肝不全に進展するが，ステロイドが奏効する例がほとんどである。

Grade	症状	対処法
1	AST/ALT≦3 倍，T-Bil：≦1.5 倍，またはその両方	・ICI は慎重に継続可能 ・肝機能を継続してフォロー
2	AST/ALT：3〜5 倍，T-Bil：1.5〜3 倍，またはその両方	・ICI 休薬。肝機能フォローで改善あれば再開 ・有症状や検査値の上昇が5〜7日間続く場合，PSL (または同等薬) 経口 0.5〜1 mg/kg/日を投与し，4週以上かけて漸減 ・PSL 10 mg/日以下に減量され Grade 1 以下になった場合，ICI の再開を検討
3	AST/ALT：5〜20 倍，T-Bil：3〜10 倍，またはその両方	・ICI を休薬し，再開はしない ・PSL (または同等薬) 静注 1〜2 mg/kg/日を投与し，4週以上かけて漸減。3日後の改善がない場合ミコフェノール酸モフェチル*(1回1g1日2回)またはアザチオプリン*を検討。改善がない場合，肝臓生検を検討
4	非代償性肝障害 (腹水，凝固障害，脳症，昏睡) AST/ALT：20 倍以上，T-Bil：10 倍以上，またはその両方	・ICI については Grade 3 と同対応。 ・PSL (または同等薬) 静注 2 mg/kg/日を投与し，他は Grade 3 と同対処 ・3 次医療機関への転送を検討

*ミコフェノール酸モフェチル，アザチオプリン：保険適用外

3 肺毒性

呼吸困難，乾性咳嗽，発熱などを認める。間質性肺炎合併患者への ICI は慎重投与であり，投与開始前に胸部 X 線検査，胸部高分解能 CT（HRCT）の施行が勧められる。症状出現時，可能な限り気管支鏡検査（BF）を実施し，原病の増悪や感染症を否定する。

Grade	症状	対処法
1	無症状 画像上肺の 1 葉または肺実質の 25％ にとどまる	・ICI を休薬し，胸部 X 線検査で経過観察 ・CT 検査，可能なら呼吸機能検査（DL$_{CO}$）を 3～4 週ごとに再検することが望ましい ・胸部 X 線検査で改善があれば ICI を再開
2	画像上肺の 2 つ以上の葉を含む，または肺実質の 25～50％ に変化がある	・ICI を休薬 ・PSL（または同等薬）経口 1～2 mg/kg/日を投与し，4 週以上かけて漸減。BF を施行し，経験的抗菌薬投与を考慮。ステロイド開始 48～72 時間後に改善なければ Grade 3 として治療。PSL 10 mg/日以下に減量され，Grade 1 以下になった場合 ICI の再開を検討
3	肺実質の 50％，または全肺葉を占める 酸素投与を要する	・ICI を休薬し，再開はしない ・PSL，BF は Grade 2 と同対処だが，改善ない場合 mPSL 1 日 500 mg～1 g 3 日間のパルス療法後の後療法 PSL 0.5～1 mg/kg を行い反応みながら漸減。48 時間以内に改善ない場合，インフリキシマブ*，ミコフェノール酸モフェチル*，IVIg*，シクロホスファミド*などの免疫抑制薬の追加を考慮
4	人工呼吸器管理を要する	・Grade 3 と同対応，同対処

*インフリキシマブ，ミコフェノール酸モフェチル，IVIg，シクロホスファミド：保険適用外

4 内分泌毒性

ホルモン補充を検討する。ホルモン補充を要する患者では不可逆性のことが多く，ICI 治療後も継続してホルモン補充の必要がある。

1）甲状腺機能障害

一過性の甲状腺機能亢進症（数週間）を呈した後に甲状腺機能低下症に至るパターンと，徐々に甲状腺機能低下症が進行するパターンがある。甲状腺機能亢進症は基本的には破壊性甲状腺炎と考えられるが一部，Basedow 病眼症様の症状が出現した患者も報告されている。ICI 投与前，治療開始からおおむね 4～6 週間ごとに TSH，

FT$_4$ 測定を行う。

❶ 甲状腺機能低下症 倦怠感，浮腫，耐寒能低下，便秘，抑うつなどを認める。

Grade	症状	対処法
1	無症状 TSH≦10 mIU/L	・ICI 継続 ・TSH・FT$_4$ を継続して観察
2	中等度の症状（身の回り以外のADL制限）持続的にTSH>10 mIU/L	・症状改善（Grade 1）までICI休薬を検討 ・甲状腺ホルモンを補充*し，TSHをICI再開後も少なくとも6週ごとに測定
3〜4	重度の症状（身の回りのADL制限）生命を脅かす	・症状改善（Grade 1）までICI休薬 ・内分泌専門医と協議。粘液水腫（徐脈，低体温）の徴候がある場合は，甲状腺ホルモンを静脈投与してもよい。Grade 2 同様に再評価を継続

*危険因子のない患者では甲状腺ホルモンは理想体重に対し約 1.6 mg/kg/日，併存疾患がある患者や高齢者では低用量の 25〜50 mg/日から開始する。副腎機能障害を合併している場合は先に副腎機能障害に対して治療介入する

❷ 甲状腺機能亢進症 動悸，息切れ，発汗，甲状腺腫大，手指振戦などを認める。症状および重症疾患の疑いがある場合，TSH受容体抗体検査を考慮する。

Grade	症状	対処法
1	無症状 軽度の症状	・ICI 継続 ・持続性甲状腺機能亢進症か，または甲状腺機能低下症へ移行するか明らかになるまでTSH・FT$_4$ を2〜3週ごとに測定
2	中等度の症状（身の回り以外のADL制限）	・症状改善（Grade 1）までICI休薬を検討 ・内分泌専門医と協議し，βブロッカーや補液を検討。6週以上継続する持続性甲状腺機能亢進症の場合，Basedow病との鑑別にTSIやTSH受容体抗体を検査し，抗甲状腺薬の投与を検討
3〜4	重度の症状（身の回りのADL制限）生命を脅かす	・症状改善（Grade 1）までICI休薬 ・内分泌専門医と協議。症状緩和のためβブロッカーを検討。甲状腺クリーゼとなる可能性のある場合，入院管理とし静注PSL 1〜2 mg/kg/日（または同等薬）を投与し，1〜2週間継続後，漸減。ヨウ化カリウムまたは抗甲状腺薬の使用も検討

2) 原発性副腎機能不全

倦怠感，悪心などを認め，電解質異常（低 Na 血症，高 K 血症）や早朝の低コルチゾール，高 ACTH を伴う。感染の併発を考慮する。転移・副腎出血を否定するために CT 検査を検討する。

Grade	症状	対処法
1	無症状 軽度の症状	・症状改善まで ICI 休薬 ・内分泌専門医と協議 ・PSL（5〜10 mg/日）またはヒドロコルチゾン（朝 10〜20 mg，午後 5〜10 mg）投与
2	中等度の症状（身の回り以外の ADL 制限）	・ICI については Grade 1 と同対応 ・内分泌専門医と協議し，ストレス時投与量として PSL（20 mg/日）またはヒドロコルチゾン（朝 20〜30 mg，午後 10〜20 mg）を投与し 5〜10 日間かけて Grade 1 の維持投与量へ漸減
3〜4	重度の症状（身の回りの ADL 制限） 生命を脅かす	・ICI については Grade 1 と同対応 ・内分泌専門医と協議。生理食塩水を少なくとも 2 L 投与，およびストレス時投与量としてヒドロコルチゾン 100 mg またはデキサメタゾン 4 mg を静脈投与し，7〜14 日かけて Grade 1 の維持投与量へ漸減

3) 下垂体機能障害，下垂体炎

疲労，気分の変化，感情の喪失などを認める。低 ACTH，低コルチゾール，低 TSH，低 FT_4，電解質異常（低 Na 血症など）のほかに，低 LH，低 FSH，低テストステロンなどを伴う。また複数の内分泌異常を有する患者で重度の頭痛，視力変化の訴えがあれば，造影頭部 MRI で脳下垂体の評価（下垂体腫大や T1 強調画像で強い造影所見）を行う。ホルモン補充を要する場合は最初にステロイドを補充することに注意する。

4) 糖尿病

口渇，多飲・多尿，体重減少，易疲労感などを認める。自己免疫性 1 型糖尿病は膵島 β 細胞の破壊によるインスリンの枯渇であり，劇症の場合は直ちに治療を開始しなければ致死的な転帰をたどりうる。治療開始前に血糖値，HbA1c の値を測定し，各治療サイクルで血糖値を測定する。糖尿病の既往がない場合，自覚症状がなくとも空腹時血糖 126 mg/dL 以上または随時血糖 200 mg/dL 以上であ

れば疑い，当日から治療を開始する。

Grade	症状	対処法
1	無症状 軽度の症状 空腹時血糖＜160 mg/dL	・ICI は継続可能であるが，短期間での血糖の再評価が必要 ・発症前段階である可能性を疑い血糖，内因性インスリン，C-ペプチドの評価を繰り返す
2	中等度の症状(身の回り以外のADL制限) 空腹時血糖 160～250 mg/dL	・症状改善まで ICI 休薬 ・内分泌専門医と協議 ・アシドーシスの徴候がないか評価 ・インスリン投与の開始を検討
3	重度の症状(身の回りのADL制限) 空腹時血糖 250～500 mg/dL	・ICI については Grade 2 と同対応 ・入院で管理し，インスリン投与を開始 ・緊急で内分泌専門医と協議 ・意識障害を生じる場合は糖尿病ケトアシドーシスの治療を行う。生理食塩水補液を 500～1,000 mL から開始(脱水の補正)。速効型インスリン 0.14 単位/kg/時で持続静注を開始。または速効型インスリンを 0.1 単位/kg 静注後，0.1 単位/kg/時を持続静注(インスリンの補充)。K 値を補正。治療開始後血糖値を1 時間ごとに測定
4	生命を脅かす 空腹時血糖＞500 mg /dL	・Grade 3 と同対応，同対処

5 筋骨格系毒性

1) 筋炎，多発筋痛症様症候群，炎症性関節炎

　筋炎は T 細胞やマクロファージが正常な筋組織へ浸潤することによって起こる横紋筋の炎症である。呼吸筋や心筋に発症すると生命を脅かす可能性がある。

6 神経系毒性

1) 重症筋無力症

　疲労，食欲不振，息切れ，まぶたが上がらない，しゃべりにくい，飲み込みにくいなどがある。早期から嚥下障害，息切れ，呼吸困難，筋力低下などといった全身型の症状の発現が報告されており，短時間に気管挿管を要する状態にまで進行する例がある。抗Ach 受容体抗体や抗 MuSK 抗体の関与が示されている。ピリドス

チグミンは1回30 mgを経口で1日3回投与し，忍容性および症状に基づいて1日4回最大120 mgに徐々に増量する。症状がGrade 2以上であればコルチコステロイド（プレドニゾロン1〜2 mg/kg/日）を投与する。人工呼吸器管理が必要となればIVIg 0.4 g/kg/日の5日間投与または血漿交換を検討する。

2) Guillain-Barré 症候群

進行性の対称性の筋力低下と，深部腱反射の減弱を認める。神経伝導速度検査，髄液検査（タンパク細胞乖離）や脊髄 MRI にて除外診断を行う。

3) 末梢神経障害，自律神経障害

感覚，運動障害として発症する。糖尿病，ビタミン B_{12}，葉酸，TSH，HIV，血清タンパク電気泳動，血管炎，および自己免疫疾患スクリーニングを行う。

4) 無菌性髄膜炎，脳炎，脊髄炎

7 その他

症例数は限られているが腎毒性（腎炎），血液毒性（自己免疫性溶血性貧血，血栓性血小板減少性紫斑病，溶血性尿毒症症候群，再生不良性貧血，リンパ球減少症，免疫性血小板減少症，血友病），心血管毒性（心筋炎，心膜炎，不整脈，心不全，静脈血栓塞栓症），眼毒性（ぶどう膜炎/虹彩炎，眼瞼炎）なども報告がある。

■ 免疫療法再開の基準

① Grade 2以上の irAE は Grade 1以下まで改善してから ICI の再開を検討する（一部の神経毒性・血液毒性・心毒性・肺毒性を除く）。Grade 4の irAE は，内分泌障害（ホルモン補充でコントロール可）を除いて，ICI の投与は中止する。

② ICI 再開後，再度同様の毒性が生じた場合はその ICI を治療選択肢から除外する。

③ 再開時には各臓器専門医との協議を行う。

■ 文献

1) Postow MA, et al：Immune-related adverse events associated with immune checkpoint blockade. N Engl J Med 2018；378：158-168 PMID 29320654

2) Johnson DB, et al：Immune checkpoint inhibitors in challenging populations. Cancer 2017；123：1904-1911 PMID 28241095

3) Brahmer JR, et al：Management of immune-related adverse events in

patients treated with immune checkpoint inhibitor therapy：American Society of Clinical Oncology clinical practice guideline． J Clin Oncol 2018；36：1714-1768 PMID 29442540

4）NCCN Guidelines®[http://www.nccn.org/professionals/physician_gls/f_guidelines.asp]

【下田　由季子】

28 がんゲノム医療

■ がん遺伝子パネル検査の基礎知識

1 がんゲノム医療について

　がんは DNA の塩基配列に異常が生じ遺伝子が正常に機能しなくなった結果，起こる病気である。ヒトの細胞には体細胞と生殖細胞の 2 種類があり，体細胞の遺伝子に加齢や喫煙，紫外線，ウイルス感染などにより傷がつくと，体細胞変異を起こし，肺がんや大腸がん，乳がんなどの多くのがんが発生する。一方，世代から世代へと受け継がれる生殖細胞の遺伝子に変異があると，遺伝性乳がん・卵巣がん症候群や Lynch 症候群，家族性大腸腺腫症，網膜芽細胞腫などの遺伝性のがんを発症しやすくなる。

　がんゲノム医療とは，がん患者の腫瘍部および正常部のゲノム情報を用いて，体細胞や生殖細胞における遺伝子異常を明らかにして，治療の最適化・予後予測・発症予防を行う医療である。

2 コンパニオン診断とがん遺伝子パネル検査

　がんゲノム医療では，がんの診断，予後予測，治療効果予測のために，コンパニオン診断やがん遺伝子パネル検査が行われる。

　特定の医薬品の有効性や安全性を予測するために投与前に行う臨床検査はコンパニオン診断と呼ばれ，遺伝子異常に対応する治療薬の選択を目的として，1 つの遺伝子を対象とする。代表例としては肺がんにおける EGFR 遺伝子変異に対するチロシンキナーゼ阻害薬の選択が知られる。

　がん遺伝子パネル検査は次世代シークエンサー(next-generation sequencing：NGS)でゲノム情報(遺伝子配列)を読み取り，塩基置換，挿入，欠失などの遺伝子異常を検出する。高速で多数(数種類から数百種類)の遺伝子異常を同時に解析することが可能であり，一度の検査で複数の遺伝子について調べることができる。本邦では 2019 年 6 月から保険診療として実施可能となった。

3 次世代シークエンサー(NGS)

　次世代シークエンサーは，数百万から数十億もの膨大な塩基配列の解読を同時に実行できる。目的とする DNA や RNA を断片化，増幅し，1 塩基ごとに伸長反応を行い，この反応で生じる蛍光強度を検出することで塩基配列を決定する。全ゲノムを読む whole-genome-sequence と特定の遺伝子に絞って読む target sequence の 2 種類に分けられる。

次世代シークエンサーの登場によって解析の高速化と低コスト化が進み、がん遺伝子パネル検査の臨床現場での実用化につながった。

4 解析結果の解釈の均てん化による治療への応用

パネル検査の解析結果については、複数の専門家（主治医、病理医、遺伝カウンセラー、薬剤師、看護師など）で構成される委員会（エキスパートパネル）によって検討される。検査で見つかった遺伝子変異の生物学的意義、遺伝子変異に対応する適切な薬剤選択（研究的治療の有無）や遺伝性腫瘍の可能性などが検討される。担当医はこの結果をもとに患者と治療方針を決定する。

全国どこにいても適切ながんゲノム医療が受けられるよう、解析結果の解釈の均てん化が求められており、エキスパートパネルの標準化は、がんゲノム医療の重要な課題である。

◆ **検査から治療までの流れ**

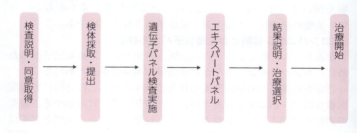

5 がん遺伝子パネル検査の現状

パネル検査を実施した約半数の患者において、治療選択に役立つ可能性がある遺伝子変異が見つかる。実際に遺伝子変異に対応した薬剤の使用（臨床試験を含む）に結びつく人は、全体の 10％程度とされる。本邦からの報告では、187 例のうち遺伝子異常に合った治療薬を投与された割合は 25 例（13.4％）であった（Cancer Sci 2019；110：1480 PMID 30742731）。さらに、実際に治療を受けた人のなかで、がんに対して効果を示すのは 30〜50％程度とされる。パネル検査が必ずしも有効な治療選択につながらないのが現状である。

がん遺伝子パネル検査では多くの遺伝子を調べるため、本来目的とする治療とは別に、生殖細胞変異のように、がんになりやすい遺伝子をもっていることが判明する場合もあり、将来の自身の健康に

対して不安が生じる可能性がある。また患者と血縁関係のある家族へも影響が生じる場合がある。パネル検査を受けることが目の前の患者のメリットにつながるかについて、検査実施前に吟味することが必要である。

6 がん遺伝子パネル検査の適応

検査の対象は、① 標準治療がない固形がん、② 局所進行もしくは転移があり標準治療が終了した（終了見込みを含む）固形がん患者で、次の新たな薬物療法を希望する場合である。また、薬物治療を受けることができる程度に全身状態が保たれている必要がある。標準治療を始めたばかりの時期や全身状態不良な患者は、遺伝子検査によって治療の方針が変わることがないために検査対象とはなっていない。

検査の提出から治療薬投与までは2カ月間程度の時間がかかるため、対象患者が2カ月後も治療可能な程度に全身状態が保たれているかを予測し、検査の適応を判断することが求められる。

7 実施体制

厚生労働省は「がんゲノム医療中核拠点病院」を全国に12カ所、「がんゲノム医療拠点病院」を33カ所、「がんゲノム医療連携病院」を189カ所指定し（2022年4月現在）、がんゲノム医療診療体制の整備を進めている〔がんゲノム医療提供体制におけるがんゲノム医療中核拠点病院等一覧表〔https://www.mhlw.go.jp/content/000858639.pdf〕〕。

1）がんゲノム医療中核拠点病院

エキスパートパネルを開催できるなどの基準を満たした病院である。がんゲノム情報に基づく診療や臨床研究・治験の実施、新薬などの研究開発、がんゲノム関連の人材育成などの分野において貢献するなどの基準も満たしており、本邦のがんゲノム医療を牽引する高度な機能を有する。

2）がんゲノム医療拠点病院

エキスパートパネルを開催できるなどの基準を満たした病院である。がんゲノム情報に基づく診療や臨床研究・治験の実施、新薬などの研究開発、がんゲノム関連の人材育成などの分野において、がんゲノム医療中核拠点病院と協力してゲノム医療を行う。

3）がんゲノム医療連携病院

がんゲノム医療中核拠点病院またはがんゲノム医療拠点病院と連携して、がんゲノム医療を行う病院である。

8 C-CAT について

　パネル検査の結果および診療情報を集約・保管し，利活用するための機関として，がんゲノム情報管理センター（Center for Cancer Genomics and Advanced Therapeutic：C-CAT）が設置されている。C-CAT では，検査データや診療情報を管理しデータベースを運営する。また，解析結果に臨床的意義づけを行い「C-CAT 調査結果」を作成し，検査を実施した各病院に送付する。さらに，登録されたデータは国内外の研究機関や企業に提供され，新しい治療薬の開発など，がんゲノム医療の向上に役立てられる。

9 遺伝子パネル検査の種類

　現在，本邦で実施可能ながん遺伝子パネル検査としては，組織検体を用いた OncoGuide™ NCC オンコパネルシステムと FoundationOne® CDx がんゲノムプロファイルが挙げられる。また，血液検体を用いたがん遺伝子パネル検査である FoundationOne® Liquid CDx がんゲノムプロファイルが新たに承認され，臨床現場に登場した。それぞれの特徴を表にまとめた。

◆ 遺伝子パネル検査の種類

	遺伝子数	対象検体	コンパニオン診断対象遺伝子	費用
NCC オンコパネル	124	DNA	なし	パネル検査実施料：44,000 点 パネル検査判断・説明料：12,000 点
Foundation-One	324	DNA	肺がん：EGFR, ALK, ROS1, MET 悪性黒色腫：BRAF 乳がん：ERBB2 大腸がん：KRAS, NRAS, MSI-high 固形がん：MSI-high, NTRK 卵巣がん：BRCA 前立腺がん：BRCA 胆道がん：FGFR2	パネル検査実施料：44,000 点 パネル検査判断・説明料：12,000 点
Foundation-One Liquid	324	DNA	肺がん：EGFR, ALK, ROS1 固形がん：NTRK 前立腺がん：BRCA	パネル検査実施料：44,000 点 パネル検査判断・説明料：12,000 点

10 遺伝子異常と臨床的意義

　パネル検査で認められた遺伝子変異に対しては ClinVar［https://www.ncbi.nlm.nih.gov/clinvar/］や COSMIC［https://cancer.sanger.ac.uk/cosmic］などのデータベースを参照して，病的意義の有無を判断する。検出された遺伝子変異が病的かどうか判断する情報が十分にない場合に

は，意義不明なバリアント（variant of unknown significance：VUS）とする。病的意義が認められれば，その遺伝子変異の臨床的な意義を評価する。該当する治療薬があるのか，有用性を示す治療の報告があるのかについて，知識データベースをもとにしてエビデンスレベルが記載される。

◆ 治療効果に関するエビデンスレベル分類

基準	分類
当該がん種，国内承認薬がある/FDA 承認薬がある/ガイドライン記載されている	A
当該がん種，統計的信憑性の高い臨床試験・メタ解析と専門家間のコンセンサスがある	B
他がん種，国内または FDA 承認薬がある/他がん種，統計的信憑性の高い臨床試験・メタ解析と専門家間のコンセンサスがある/がん種にかかわらず，規模の小さい臨床試験で有用性が示されている	C
がん種にかかわらず，症例報告で有用性が示されている	D
前臨床試験（in vitro や in vivo）で有用性が報告されている	E
がん化に関与することが知られている	F
薬剤耐性への関与に関して，臨床試験で統計学的検定により確度高く耐性バリアントであると判明している	R1
薬剤耐性への関与に関して，耐性二次変異などとして報告があり細胞実験や構造解析などで検証されている	R2
薬剤耐性への関与に関して，前臨床試験で耐性バリアントと評価されている	R3

R1，R2，R3 は国内/FDA の承認薬についての耐性エビデンスです。他がん種におけるエビデンスの場合はアスタリスク（*）が表示されます。
【薬剤への到達性の指標】
国内承認薬	：	当該がん種，国内承認薬がある。
国内適応外薬	：	他がん種，国内承認薬がある（適応外）。
FDA 承認薬	：	当該がん種，FDA 承認薬がある。
FDA 適応外薬	：	他がん種，FDA 承認薬がある（適応外）。
国内臨床試験中	：	当該がん種，国内臨床試験がある。
海外臨床試験中	：	当該がん種，海外臨床試験がある。
空白	：	上記以外。

〔C–CAT 調査結果説明書，第 2.12 版より〕

C–CAT 以外にも CIViC［https://civicdb.org/home］や OnCoKB［https://www.oncokb.org］などが，それぞれ独自に知識データベースを構築し，エビデンスレベルを定義している。CIViC は Washington University School of Medicine が運営し，すべてのバリアントを対象とす

る。OnCoKB は Memorial Sloan Kettering Cancer Center が運営し、体細胞変異を対象としたデータベースである。参照するデータベースによってエビデンスレベルの定義が異なるため、同じ遺伝子異常でも結果が異なる場合があり注意が必要である。

■ がん遺伝子パネル検査の結果の見方

がん遺伝子パネル検査で作成される「C-CAT 調査結果」は、次の❶～❼ の項目で構成される。

❶ **基本項目**　患者や検査依頼元の医療機関、検査に関する情報が記載される。

❷ **調査結果**　塩基置換、挿入、欠失、遺伝子再構成、構造異型、コピー数変化などの遺伝子変異が検出された数や、その変異のエビデンスレベルなどに関する情報が記載される。次頁に例を示す。

❸ **候補となる臨床試験一覧**　検出された遺伝子変異を対象として行われている臨床試験の情報が記載される。

◆ 候補となる臨床試験一覧

3 候補となる臨床試験一覧

※ 下記の治療・臨床試験については、詳細な適格基準・除外基準に合致しているか否か、患者登録受付中であるか否か、「実施機関（連絡先）」への確認が必要となります。

国内臨床試験一覧

●1

マーカー番号	1-1	試験名称(試験ID、データ更新日、製薬企業からの追加情報提供日)
フェーズ	フェーズ2	Study of Pembrolizumab (MK-3475) in Participants With Advanced Solid Tumors (MK-3475-158/KEYNOTE-158) (NCT02628067, 2021/12/20, 2022/02/01)
薬剤名	Biological: pembrolizumab	
がん種	Advanced Cancer|Anal Carcinoma|Anal Cancer|Biliary Cancer|Cholangiocarcinoma|Bile Duct Cancer|Neuroendocrine Tumor|Carcinoid Tumor|Endometrial Carcinoma|Endometrial Cancer|Cervical Carcinoma|Cervical Cancer|Vulvar Carcinoma|Vulvar Cancer|Small Cell Lung Carcinoma|Small Cell Lung Cancer (SCLC)|Mesothelioma|Thyroid Carcinoma|Thyroid Cancer|Salivary Gland Carcinoma|Salivary Gland Cancer|Salivary Cancer|Parotid Gland Cancer|Advanced Solid Tumors|Colorectal Carcinoma	
実施機関	Merck Sharp & Dohme Corp.	
連絡先	1-888-577-8839,	

海外臨床試験一覧

臨床試験情報の掲載をしていません。

次頁の公共データベース＊：CIViC（Resistance, Sensitivity/Response）や BRCA Exchange（Benign, Likely benign, Pathogenic, Uncertain significance, not provided, Pathogenic）および C-CAT 独自のデータベース

◆ C-CAT 調査結果の例

DNAマーカー検出数

塩基置換、挿入、欠失	コピー数変化	遺伝子再構成、構造異型	塩基置換、挿入、欠失 （生殖細胞系列変異）
4	2	2	2

その他のバイオマーカー検出数

2

承認薬・臨床試験

⚠ 薬剤への到達性の指標をご参照ください。

国内承認薬	国内臨床試験中	国内適応外薬	海外臨床試験中	FDA承認薬	FDA適応外薬
5	33	9	掲載していません	6	12

遺伝子変異以外のバイオマーカー

「■番号」は参考文献へのリンク、「●番号」は国内臨床試験、
「▲番号」は海外臨床試験の詳細情報へのリンクです。

No.	マーカー	枝番	エビデンスタイプ	臨床的意義	エビデンスレベル	薬剤	薬剤への到達性
1	MSI high 57.89 %	1	Predictive	Sensitivity/Response	A	pembrolizumab ■ 1	国内承認薬 FDA承認薬 国内臨床試験中 (8件) ● 1-8
		2	Predictive	Sensitivity/Response	C	ipilimumab + nivolumab ■ 1	国内適応外薬 FDA適応外薬
		3	Predictive	Sensitivity/Response	C	nivolumab ■ 1	国内適応外薬 FDA適応外薬 国内臨床試験中 (12件) ● 9-20
		4	Oncogenic	Oncogenic	F ■ 3, 4		
2	TMB 34.56 Muts/Mb	1	Predictive	Sensitivity/Response	A	pembrolizumab ■ 1	FDA承認薬 国内臨床試験中 (7件) ● 2-8

塩基置換、挿入、欠失 (DNA)

「■番号」は参考文献へのリンク、「●番号」は国内臨床試験、
「▲番号」は海外臨床試験の詳細情報へのリンクです。

No.	マーカー **A**	枝番	エビデンスタイプ **B**	臨床的意義 **C**	エビデンスレベル **D**	薬剤	薬剤への到達性	米国エビデンスレベル
3	ABL1 p.F336L 0.26 (548/2141) 全がん種バリアント頻度: 0.00% (0/77,823) がん種別バリアント頻度: 0.00% (0/127) がん種別遺伝子変異頻度: 0.00% (0/127)	1	Oncogenic	Likely Oncogenic	F ■ 5			
		2				nilotinib(Drug Target Match) ■ 27	国内適応外薬 FDA適応外薬 国内臨床試験中 (1件) ● 21	
		3				ponatinib hydrochloride(Drug Target Match) ■ 27	国内適応外薬 FDA適応外薬 国内臨床試験中 (1件) ● 21	
		4	Predictive	Resistance	R2*	dasatinib ■ 6	国内適応外薬	
		5	Predictive	Resistance	R2*	imatinib mesylate ■ 7	国内適応外薬	

A マーカー
検出されたバイオマーカー名を記載。
1行目：バイオマーカー名とバイオマーカーのステータス
2行目以降：バイオマーカーの検査数値と単位

B エビデンスタイプ
Predictive (薬剤効果に対するエビデンス) と Oncogenic (癌化因子に対するエビデンス) に分けて記載

C 臨床的意義
公共データベース*に登録されている情報を参照し、バイオマーカーのステータスに対する臨床的意義を記載。臨床的意義が登録されていない項目は空白となる。

D エビデンスレベル
治療効果に関するエビデンスのレベルをA〜F, R1〜R3の9段階に, 薬剤への到達性を7段階に分類 (559頁の表を参照)

28

がんゲノム医療

❹ **参考文献** 検出された遺伝子変異に関する論文など，参考となる文献情報が記載される。

❺ **使用ソフトウェアバージョン** 「C-CAT 調査結果」を作成する際に使用した，ソフトウェアのバージョンおよびデータベースのバージョンが記載される。

❻ **エビデンスレベル定義** C-CAT にて定義された治療効果に関するエビデンスレベルの分類について記載される(⇒559 頁の**表**を参照)。

❼ **注意事項・免責事項** 「C-CAT 調査結果」の取り扱いに関する注意事項，および免責事項が記載される。

■ **文献**
 1) 日本臨床腫瘍学会(編)：よくわかるがんゲノム医療 Q & A. 医科学出版社，2020
 2) 山内照夫(編)：レジデントノート増刊 vol. 22 No11. 羊土社，2020
 3) C-CAT[https://www.ncc.go.jp/jp/c_cat/index_kan_jya.html]
 4) C-CAT 調査結果説明書，第 2.12 版[https://www.ncc.go.jp/jp/c_cat/jitsumushya/020/20220329_Ver2.12.pdf]
 5) 日本臨床腫瘍学会・日本癌治療学会・日本癌学会(編)：次世代シークエンサー等を用いた遺伝子パネル検査に基づくがん診療ガイダンス[https://www.jsmo.or.jp/about/doc/20200310.pdf]

【高見澤　重賢】

付録 1 抗悪性腫瘍薬の種類

　抗悪性腫瘍薬投与にあたっては，各薬剤の最新の添付文書や文献を参照のこと。

★★★：第Ⅲ相試験または同等な研究データにより標準的薬剤として確立しているもの

★★：第Ⅱ相試験，もしくはそれに同等な研究データにより有効性が示されているもの

★：有効性を示すデータに乏しく，臨床的にあまり使用されないもの

■ アルキル化薬

1. bendamustine ★★★

商品名：トレアキシン®

剤形，用量：注：25・100 mg

適応：低悪性度 B 細胞性非 Hodgkin リンパ腫，マントル細胞リンパ腫，慢性リンパ性白血病，腫瘍特異的 T 細胞輸注療法の前処置，再発または難治性のびまん性大細胞型 B 細胞リンパ腫

作用機序：アルキル化薬のナイトロジェンマスタード構造と代謝拮抗薬であるプリンアナログ様構造を併せもつ

主な代謝・排泄経路：肝代謝，胆汁排泄

主な副作用：

　　＞10％…骨髄抑制，悪心，食欲不振，便秘，疲労，肝機能障害，免疫グロブリンの低下

　　1～10％…感染

投与量調整：

　　・腎機能障害時…Ccr＜40 mL/分では投与すべきでない

　　・肝機能障害時…軽度の肝機能障害では慎重投与。中等度以上の肝機能障害では投与すべきでない

使用上の注意：真菌，ウイルス感染，ニューモシスチス肺炎の予防を行う

2. busulfan（BU，BUS，BSF）★★★

商品名：ブスルフェクス® など

剤形，用量：（ブスルフェクス®）注：60 mg，（マブリン®）散：1％

適応：① 同種造血幹細胞移植の前治療，② Ewing 肉腫ファミリー腫瘍，神経芽細胞腫，悪性リンパ腫における自家造血幹細胞移植の前治療，③（散）慢性骨髄性白血病

作用機序：DNA 鎖間または DNA 鎖内架橋形成

主な代謝・排泄経路：肝代謝，腎排泄

主な副作用：

　　＞10％…骨髄抑制，悪心・嘔吐，食欲不振，下痢，倦怠感，肝機能障害，色素沈着

　　1～10％…静脈閉塞性肝疾患，間質性肺炎

564 付録 1 抗悪性腫瘍薬の種類

3. carmustine（BCNU）★★★
商品名：ギリアデル®
剤形，用量：脳内留置用剤：7.7 mg
適応：悪性神経膠腫
作用機序：BCNU を含有したポリマーが加水分解されて BCNU を放出
主な代謝・排泄経路：肝代謝，腎・呼気排泄
主な副作用：脳浮腫，発熱，リンパ球数減少，片麻痺

4. cyclophosphamide（CPA, CPM, CY）★★★
商品名：エンドキサン®
剤形，用量：注：100・500 mg，錠：50 mg，原末：100 mg
適応：多発性骨髄腫，悪性リンパ腫，肺癌，乳癌，急性白血病，真性多血症，子宮頸癌，子宮体癌，卵巣癌，神経腫瘍，骨腫瘍，慢性リンパ性白血病，慢性骨髄性白血病，咽頭癌，胃癌，膵癌，肝癌，結腸癌，精巣腫瘍，絨毛性疾患，横紋筋肉腫，悪性黒色腫，褐色細胞腫，腫瘍特異的 T 細胞輸注療法の前処置，造血幹細胞移植の前治療：急性白血病，慢性骨髄性白血病，骨髄異形成症候群，悪性リンパ腫
作用機序：DNA 鎖間の架橋形成による細胞周期非特異的な DNA 複製阻害
主な代謝・排泄経路：肝代謝，腎排泄
主な副作用：
　　＞10%…骨髄抑制，悪心，脱毛，出血性膀胱炎，不妊
　　1〜10%…皮疹，頭痛
　　　　＜1%…二次性悪性腫瘍，（造血幹細胞移植前処置の大量投与時）うっ血性心不全，心タンポナーデ，静脈閉塞性肝疾患
投与量調整：
　　・腎機能障害時…Ccr＜25 mL/分で慎重投与
使用上の注意：出血性膀胱炎を予防するため，十分な補液により尿量を確保する。大量投与時にはメスナ（ウロミテキサン®）を投与する（添付文書上は造血幹細胞移植の前治療のみ適応）

5. dacarbazine（DTIC）★★★
商品名：ダカルバジン
剤形，用量：注：100 mg
適応：悪性黒色腫，Hodgkin リンパ腫，褐色細胞腫
作用機序：グアニン塩基を中心とする DNA アルキル化
主な代謝・排泄経路：肝代謝，腎排泄
主な副作用：
　　＞10%…悪心・嘔吐
　　1〜10%…血管痛，肝機能障害，骨髄抑制，脱毛
投与量調整：
　　・腎機能障害時…減量を考慮
使用上の注意：光によって分解され発痛物質が生成されるため，調製後は遮光

6. ifosfamide（IFM, IFO, IFX）★★★
商品名：イホマイド®
剤形，用量：注：1 g
適応：小細胞肺癌，前立腺癌，子宮頸癌，骨肉腫，再発または難治性の胚細胞腫瘍，悪性リンパ腫，悪性骨・軟部腫瘍，小児悪性固形腫瘍

アルキル化薬 565

作用機序：CPA の類縁化合物（アナログ）
主な代謝・排泄経路：肝代謝，腎排泄
主な副作用：
  ＞10%…悪心，食欲不振，骨髄抑制
  1～10%…出血性膀胱炎，腎機能障害
投与量調整：
  ・腎機能障害時…Ccr＜60 mL/分で減量を検討
使用上の注意：出血性膀胱炎は CPA より高頻度にみられる。出血性膀胱炎の予防として，十分な補液とともに，メスナ（ウロミテキサン®）を IFM 1 日投与量の 20% 相当量を 1 日 3 回（IFM 投与時，4 時間後，8 時間後）静注する

7. melphalan（L-PAM）★★★

商品名：アルケラン®
剤形，用量：注：50 mg，錠：2 mg
適応：造血幹細胞移植時の前処置：白血病，悪性リンパ腫，多発性骨髄腫，小児固形腫瘍
作用機序：CPA とほぼ同様
主な代謝・排泄経路：胆汁排泄，腎排泄
主な副作用：
  ＞10%…悪心，下痢，骨髄抑制，肝機能障害，脱毛
  1～10%…腎機能障害
投与量調整：
  ・腎機能障害時…BUN≧30 mg/dL で 50% 減量

8. nimustine（ACNU）★★

商品名：ニドラン®
剤形，用量：注：25・50 mg
適応：脳腫瘍，胃癌，肝臓癌，結腸・直腸癌，肺癌，悪性リンパ腫，慢性白血病
作用機序：DNA アルキル化による DNA 単鎖の切断，DNA 合成阻害
主な代謝・排泄経路：腎排泄
主な副作用：
  ＞10%…骨髄抑制（遅延性），悪心・嘔吐，食欲不振，脱毛

9. procarbazine（PCZ）★★

商品名：塩酸プロカルバジン
剤形，用量：カプセル：50 mg
適応：悪性リンパ腫，悪性星細胞腫，乏突起膠腫成分を有する神経膠腫
作用機序：機序は明らかではない。核酸のメチル化，DNA・RNA・タンパク合成阻害など
主な代謝・排泄経路：肝・腎代謝，腎・呼気排泄
主な副作用：
  ＞10%…骨髄抑制，悪心，食欲不振，脱毛
使用上の注意：ビール，ワイン，ヨーグルトなどのチラミンを多く含む食物は投与中の摂取を避ける。バルビツール酸誘導体，三環系抗うつ薬との併用に注意する。ジスルフィラム様作用をもつため，治療中は禁酒させる

10. ranimustine（MCNU）★★

商品名：サイメリン®

付録1 抗悪性腫瘍薬の種類

剤形，用量：注：50・100 mg
適応：膠芽腫，骨髄腫，悪性リンパ腫，慢性骨髄性白血病
作用機序：DNA アルキル化による DNA 単鎖の切断，DNA 合成阻害
主な代謝・排泄経路：腎排泄
主な副作用：
　　　＞10%…骨髄抑制，悪心・嘔吐，食欲不振，脱毛

11. streptozocin(STZ) ★★★

商品名：ザノサー®
剤形，用量：注：1 g
適応：膵・消化管神経内分泌腫瘍
作用機序：グルコーストランスポーターを介して細胞に取り込まれ，DNA を
アルキル化
主な副作用：
　　　＞10%…耐糖能異常，肝機能障害
　　　1〜10%…骨髄抑制
併用注意：アミノグリコシド系抗菌薬(腎毒性)，ステロイド(耐糖能異常)
投与量調整：
　　・腎機能障害時…慎重投与
使用上の注意：腎機能障害予防のため，ハイドレーションを推奨

12. temozolomide(TMZ) ★★★

商品名：テモダール® など
剤形，用量：注：100 mg，カプセル：20・100 mg，錠：20・100 mg
適応：悪性神経膠腫，再発または難治性の Ewing 肉腫
作用機序：グアニン塩基を中心とする DNA アルキル化
主な代謝・排泄経路：腎排泄
主な副作用：
　　　＞10%…骨髄抑制(特に 65 歳以上)，悪心，疲労，脱毛，肝機能障害
使用上の注意：ニューモシスチス肺炎予防を行う。空腹時に服用させることが
望ましい。治療後数日は日光曝露を避ける

13. thiotepa ★★★

商品名：リサイオ®
剤形，用量：注：100 mg
適応：悪性リンパ腫，小児悪性固形腫瘍における自家造血幹細胞移植の前治療
作用機序：エチレンイミン系のアルキル化剤であり DNA 合成を阻害する
主な副作用：
　　　＞10%…骨髄抑制，胃腸障害，肺水腫・浮腫・体液貯留，感染症，出血，
　　　　　　　腎機能障害，肝機能障害，皮膚障害
併用注意：CYP2B6 で代謝される薬剤(シクロホスファミドなど)

■ 抗腫瘍性抗生物質

1. actinomycin D(ACT-D) ★★★

商品名：コスメゲン®
剤形，用量：注：0.5 mg
適応：Wilms 腫瘍，絨毛上皮腫，破壊性胞状奇胎，小児悪性固形腫瘍
作用機序：水素結合で DNA に架橋形成し，DNA 依存性の RNA 合成を阻害

主な代謝・排泄経路：腎・胆汁排泄
主な副作用：
　　＞10％…悪心・嘔吐，食欲不振，口内炎，骨髄抑制，色素沈着
投与量調整：
　　・腎機能障害時…慎重投与
　　・肝機能障害時…慎重投与

2. bleomycin（BLM）★★★
商品名：ブレオ®
剤形，用量：注：5・15 mg，S軟膏：5 mg
適応：皮膚癌，頭頸部癌，肺癌，食道癌，悪性リンパ腫，子宮頸癌，神経膠腫，甲状腺癌，胚細胞腫瘍，（軟膏）皮膚悪性腫瘍
作用機序：G2期特異的なDNA合成阻害およびDNA鎖切断
主な代謝・排泄経路：腎排泄
主な副作用：
　　＞10％…間質性肺炎・肺線維症，色素沈着，発熱，脱毛，食欲不振，倦怠感
投与量調整：
　　・腎機能障害時…Ccr＜60 mL/分で減量
使用上の注意：肺線維症の既往のある患者および胸部放射線照射との併用は禁忌。定期的に血液ガス，胸部X線，呼吸機能をチェックする。総投与量は300 mg（胚細胞腫瘍では360 mg）を上限とする

3. mitomycin C（MMC）★★
商品名：マイトマイシン
剤形，用量：注：2・10 mg
適応：慢性リンパ性白血病，慢性骨髄性白血病，胃癌，結腸・直腸癌，肺癌，膵癌，肝癌，子宮頸癌，子宮体癌，乳癌，頭頸部腫瘍，膀胱腫瘍
作用機序：DNAアルキル化による細胞周期非特異的なDNA合成阻害
主な代謝・排泄経路：肝代謝，腎排泄
主な副作用：
　　＞10％…骨髄抑制（特に血小板減少，蓄積性），悪心・嘔吐，食欲不振
　　頻度不明…溶血性尿毒症症候群（MMC総投与量＞50 mg/m^2）
投与量調整：
　　・腎機能障害時…Ccr＜60 mL/分で減量
　　・肝機能障害時…慎重投与

4. peplomycin（PEP）★
商品名：ペプレオ®
剤形，用量：注：5・10 mg
適応：皮膚癌，頭頸部癌，肺扁平上皮癌，前立腺癌，悪性リンパ腫
作用機序：DNA合成阻害
主な代謝・排泄経路：腎排泄
主な副作用：
　　＞10％…発熱，口内炎，悪心，脱毛
　　1～10％…間質性肺炎，肺線維症，倦怠感
使用上の注意：総投与量は150 mgを上限とする

568 | 付録 1 抗悪性腫瘍薬の種類

■ 白金製剤

1. carboplatin（CBDCA）★★★
商品名：パラプラチン® など
剤形，用量：注：50・150・450 mg
適応：頭頸部癌，小細胞肺癌，非小細胞肺癌，精巣腫瘍，卵巣癌，子宮頸癌，悪性リンパ腫，乳癌，小児悪性固形腫瘍
作用機序：DNA 鎖内および鎖間に白金-DNA 架橋を形成。細胞周期非特異的
主な代謝・排泄経路：腎排泄
主な副作用：
>10%…骨髄抑制（特に血小板減少），悪心・嘔吐，食欲不振，倦怠感，電解質異常，アレルギー反応
投与量調整：腎機能障害時…Calvert の式を用いて投与量を計算する

2. cisplatin（CDDP）★★★
商品名：ランダ® など
剤形，用量：注：10・25・50・（動注用アイエーコール®）100 mg
適応：精巣腫瘍，膀胱癌，腎盂・尿管腫瘍，前立腺癌，卵巣癌，頭頸部癌，非小細胞肺癌，小細胞肺癌，悪性胸膜中皮腫，食道癌，子宮頸癌，神経芽細胞腫，胃癌，骨肉腫，胚細胞腫瘍，胆道癌，悪性骨腫瘍，子宮体癌，再発・難治性悪性リンパ腫，小児悪性固形腫瘍，尿路上皮癌，動注用：肝細胞癌に対する肝動脈内投与
作用機序：DNA 鎖内および鎖間に白金-DNA 架橋を形成。細胞周期非特異的。殺細胞効果は濃度依存性
主な代謝・排泄経路：腎排泄
主な副作用：
>10%…骨髄抑制，悪心・嘔吐，食欲不振，倦怠感，急性腎障害
1～10%…聴力障害，末梢神経障害，電解質異常（特に低 Mg 血症）
投与量調整：
・腎機能障害時…Ccr＜60 mL/分で減量
使用上の注意：腎障害予防のために十分な補液と強制利尿を行う。ショートハイドレーション法も可能とされている。腎毒性のある薬剤の併用を避ける

3. miriplatin ★★
商品名：ミリプラ® 動注用
剤形，用量：注：70 mg
適応：肝細胞癌におけるリピオドリゼーション
作用機序：脂溶性白金錯体で，油性造影剤を担体として用いることで，腫瘍部位に選択的に滞留し，長時間徐放性に活性体を放出させる
主な副作用：
>10%…発熱，腹痛，肝機能障害
使用上の注意：肝動注に用いる

4. nedaplatin（NDP）★★
商品名：アクプラ®
剤形，用量：注：10・50・100 mg
適応：頭頸部癌，小細胞肺癌，非小細胞肺癌，食道癌，膀胱癌，精巣腫瘍，卵巣癌，子宮頸癌
作用機序：DNA 鎖内および鎖間に白金-DNA 架橋を形成

代謝拮抗薬 | 569

主な代謝・排泄経路：腎排泄
主な副作用：
>10％…骨髄抑制（特に血小板減少）
1～10％…悪心・嘔吐，腎機能障害
使用上の注意：腎毒性は CDDP より軽いが，補液は必要とされている

5. oxaliplatin(L-OHP) ★★★
商品名：エルプラット® など
剤形，用量：注：50・100・200 mg
適応：結腸・直腸癌，胃癌，膵癌，小腸癌
作用機序：DNA 鎖内および鎖間に白金-DNA 架橋を形成。細胞周期非特異的
主な代謝・排泄経路：腎排泄
主な副作用：
>10％…悪心，末梢神経障害，感覚異常，疲労
1～10％…アレルギー反応
投与量調整：
・腎機能障害時…Ccr<20 mL/分で慎重投与
使用上の注意：急性期の感覚異常（手・足や口唇周囲の感覚異常または知覚不全，冷気曝露で誘発悪化する咽頭・喉頭の絞扼感など）は，初回投与時からほぼ全例に出現する

■ 代謝拮抗薬

[代謝拮抗薬：ピリミジン拮抗薬：フッ化ピリミジン系]

1. capecitabine(Cap，CAP) ★★★
商品名：ゼローダ® など
剤形，用量：錠：300 mg
適応：手術不能または再発乳癌，結腸・直腸癌，胃癌
作用機序：doxifluridine(5′-DFUR) の誘導体で，肝臓で carboxylesterase (CE)および cytidine deaminase(CD)によって 5′-DFUR に変換される。肝臓または腫瘍内で 5′-DFUR に変換されるため，消化器毒性の軽減と抗腫瘍効果の増強につながるとされる
主な代謝・排泄経路：肝代謝，腎排泄
主な副作用：
>10％…悪心，食欲不振，下痢，口内炎，手足症候群，骨髄抑制
投与量調整：
・腎機能障害時…Ccr<50 mL/分で減量

2. doxifluridine(5′-DFUR) ★
商品名：フルツロン®
剤形，用量：カプセル：100・200 mg
適応：胃癌，結腸・直腸癌，乳癌，子宮頸癌，膀胱癌
作用機序：5-FU のプロドラッグ。thymidine phosphorylase によって 5-FU に変換される
主な副作用：>10％…食欲不振，下痢，口内炎，骨髄抑制

3. fluorouracil(5-FU) ★★★
商品名：5-FU など
剤形，用量：注：250・1,000 mg，錠：50・100 mg，軟膏：5％

付録
1

抗悪性腫瘍薬の種類

適応：胃癌，肝癌，結腸・直腸癌，乳癌，膵癌，子宮頸癌，子宮体癌，卵巣癌，食道癌，肺癌，頭頸部腫瘍，*l*-LV/FU 持続静注併用療法：結腸・直腸癌，小腸癌，治癒切除不能な膵癌，（軟膏）皮膚悪性腫瘍

作用機序：活性体 fluorodeoxyuridine-5′-monophosphate（FdUMP）が thymidylate synthase（TS）を阻害し，S 期特異的に DNA 合成を阻害。持続点滴静注時には時間依存性に DNA 合成阻害をきたす

主な代謝・排泄経路：肝代謝，呼気中・腎排泄

主な副作用：5′-DFUR と同様

投与量調整：

　・肝機能障害例…T-Bil＞5 mg/dL では投与すべきでない

4. tegafur（FT, TGF）★

商品名：フトラフール®

剤形，用量：注：400 mg，カプセル：200 mg，顆粒：50％，坐剤：750 mg

適応：頭頸部癌，消化器癌（胃癌，結腸・直腸癌），乳癌，膀胱癌

作用機序：5-FU のプロドラッグ。肝臓で主に CYP2A6 で代謝されて 5-FU に変換される

主な副作用：5′-DFUR と同様

5. tegafur gimeracil oteracil（S-1）★★★

商品名：ティーエスワン® など

剤形，用量：カプセル，顆粒，錠・OD 錠：20・25 mg

適応：胃癌，結腸・直腸癌，頭頸部癌，非小細胞肺癌，乳癌，膵癌，胆道癌

作用機序：FT に gimeracil（CDHP）と oteracil（Oxo）の 2 つの modulator を配合した合剤。CDHP は dihydropyrimidine dehydrogenase（DPD）の阻害薬であり，5-FU による抗腫瘍効果を増強する

主な代謝・排泄経路：肝代謝，胆汁排泄，CDHP は腎排泄

主な副作用：

　＞10％…悪心・嘔吐，食欲不振，下痢，口内炎，骨髄抑制，倦怠感，色素沈着

投与量調整：

　・腎機能障害例…Ccr＜80 mL/分では必要に応じて 1 段階減量，Ccr＜60 mL/分では原則として 1 段階以上減量，Ccr＜40 mL/分は 2 段階減量，Ccr＜30 mL/分は投与不可

　・肝機能障害例…重篤な肝障害では使用禁忌

6. tegafur uracil（UFT）★★★

商品名：ユーエフティ®

剤形，用量：カプセル：100 mg，顆粒：100・150・200 mg

適応：① 頭頸部癌，胃癌，結腸・直腸癌，肝臓癌，胆囊・胆管癌，膵臓癌，肺癌，乳癌，膀胱癌，前立腺癌，子宮頸癌，② *l*-LV/UFT：結腸・直腸癌

作用機序：uracil と tegafur を配合した合剤。uracil は DPD を阻害するため，5-FU の血中濃度が高濃度で保たれる

主な副作用：5′-DFUR と同様

7. trifluridine and tipiracil hydrochloride（FTD/TPI）★★★

商品名：ロンサーフ®

剤形，用量：錠：15・20 mg

適応：治癒切除困難な進行・再発の結腸・直腸癌（3 次治療以降），がん化学療

法後に増悪した治癒切除不能な進行・再発の胃癌

作用機序：trifluridine はヌクレオチド系の代謝拮抗薬，tipiracil は trifluridine の分解を阻害

主な代謝・排泄経路：肝代謝，腎排泄

主な副作用：

>10%…骨髄抑制，下痢，食欲不振

1〜10%…口内炎，脱毛

使用上の注意：食後に投与する

投与量調整：

・腎機能障害時…慎重投与

・肝機能障害時…中等度以上は慎重投与

[代謝拮抗薬：ピリミジン拮抗薬：シチジン系]

8. azacitidine（AZA，5-AZA）★★★

商品名：ビダーザ®

剤形，用量：注：100 mg

適応：骨髄異形成症候群，急性骨髄性白血病

作用機序：タンパク合成阻害，DNA メチル化阻害による細胞増殖抑制

主な代謝・排泄経路：肝代謝，腎排泄

主な副作用：

>10%…骨髄抑制，便秘，倦怠感，肝機能障害，注射部位反応

1〜10%…感染

投与量調整：

・腎機能障害時…慎重投与

9. cytarabine（Ara-C）★★★

商品名：キロサイド® など

剤形，用量：注：20・40・60・100・200・400 mg・1 g

適応：① 急性白血病，② 大量療法：急性白血病，悪性リンパ腫，③ 他の抗悪性腫瘍薬と併用：消化器癌，肺癌，乳癌，女性器癌，膀胱腫瘍，④ 腫瘍特異的 T 細胞輸注療法の前処置

作用機序：細胞内で Ara-cytidine-5′-triphosphate（Ara-CTP）に代謝され，DNA ポリメラーゼ α を阻害して S 期特異的に DNA 合成を抑制

主な代謝・排泄経路：肝代謝，腎排泄

主な副作用：

>10%…悪心・嘔吐，食欲不振，下痢，骨髄抑制，肝機能障害

<1%…大量投与によりシタラビン症候群（発熱，筋肉痛，骨痛），中枢神経障害

投与量調整：

・腎機能障害時…慎重投与

・肝機能障害時…慎重投与

10. cytarabine ocfosfate（SPAC）★★

商品名：スタラシド®

剤形，用量：カプセル：50・100 mg

適応：成人急性非リンパ性白血病，骨髄異形成症候群

作用機序：肝で Ara-C へ変換されるプロドラッグ

主な代謝・排泄経路：肝代謝，腎排泄

572 付録 1 抗悪性腫瘍薬の種類

主な副作用：Ara-C 参照

11. enocitabine(BH-AC) ★★
商品名：サンラビン®
剤形, 用量：注：150・200・250 mg
適応：急性白血病(慢性白血病の急性転化を含む)
作用機序：組織内で Ara-C へ変換されるプロドラッグ
主な副作用：
>10%…悪心・嘔吐, 食欲不振, 骨髄抑制, 肝機能障害
備考：調整には沸騰水浴, 振盪, 急冷の操作を行う

12. gemcitabine(GEM) ★★★
商品名：ジェムザール® など
剤形, 用量：注：200 mg・1 g
適応：非小細胞肺癌, 膵癌, 胆道癌, 尿路上皮癌, 乳癌, 卵巣癌, 悪性リンパ腫
作用機序：Ara-C と類似した構造をもち, 細胞内リン酸化で活性代謝物になり, S 期特異的に DNA 合成を阻害
主な代謝・排泄経路：腎排泄
主な副作用：
>10%…骨髄抑制, 悪心, 肝機能障害, 皮疹
1〜10%…間質性肺炎, 血管炎
使用上の注意：間質性肺炎患者への投与, 胸部放射線療法との併用は禁忌

13. nelarabine(Ara-G) ★★
商品名：アラノンジー®
剤形, 用量：注：250 mg
適応：再発または難治性の T 細胞急性リンパ性白血病, T 細胞リンパ芽球性リンパ腫
作用機序：adenosine deaminase(ADA)により脱メチル化されて Ara-G となり, 細胞内リン酸化で活性型の Ara-GTP となり, DNA 合成を阻害
主な代謝・排泄経路：腎排泄
主な副作用：
>10%…骨髄抑制, 疲労, 末梢神経障害, 傾眠
1〜10%…錯乱状態

[代謝拮抗薬：プリン拮抗薬]

14. 6-mercaptopurine(6-MP) ★★
商品名：ロイケリン®
剤形, 用量：散：10%
適応：急性白血病, 慢性骨髄性白血病
作用機序：アデノシンの代謝反応中間体の hypoxanthine の誘導体で, 細胞内で thioinosine monophosphate(TIMP)に変換され, S 期特異的にアデニン, グアニンリボヌクレオチド生合成を阻害
主な代謝・排泄経路：肝・消化管粘膜で代謝, 腎排泄
主な副作用：
頻度不明…骨髄抑制, 胆汁うっ滞, 皮膚紅斑
併用注意：アロプリノール

代謝拮抗薬 | 573

投与量調整：
- 腎機能障害時…慎重投与
- 肝機能障害時…慎重投与

15. cladribine（2-CdA）★★★

商品名：ロイスタチン®

剤形，用量：注：8 mg

適応：ヘアリーセル白血病，再発・再燃または治療抵抗性の低悪性度または濾胞性 B 細胞性非 Hodgkin リンパ腫，マントル細胞リンパ腫

作用機序：デオキシアデニン誘導体。細胞内リン酸化で活性体の 2-CdAMP となり白血病細胞やリンパ球，単球に高濃度に蓄積，DNA 鎖を切断

主な代謝・排泄経路：腎排泄

主な副作用：
　　＞10%…骨髄抑制，悪心，感染症

投与量調整：
- 腎機能障害時…慎重投与

16. fludarabine（Flu，F-ara-A）★★

商品名：フルダラ®

剤形，用量：注：50 mg，錠：10 mg

適応：① 慢性リンパ性白血病，② 再発または難治性の低悪性度 B 細胞性非 Hodgkin リンパ腫，マントル細胞リンパ腫，③ 同種造血幹細胞移植の前治療：急性骨髄性白血病，骨髄異形成症候群，慢性骨髄性白血病，慢性リンパ性白血病，悪性リンパ腫，多発性骨髄腫，④ 腫瘍特異的 T 細胞輸注療法の前処置

作用機序：肝で F-ara-A に代謝され，細胞内リン酸化で活性体の F-ara-ATP に変換され，DNA ポリメラーゼ，RNA ポリメラーゼなどを阻害

主な代謝・排泄経路：肝代謝，腎排泄

主な副作用：
　　＞10%…骨髄抑制，悪心，疲労

投与量調整：
- 腎機能障害時…減量を考慮

使用上の注意：遷延性のリンパ球減少（特に CD4 陽性リンパ球）をきたすため，真菌，ウイルス感染，ニューモシスチス肺炎の予防を行う

17. pentostatin（DCF）★

商品名：コホリン®

剤形，用量：注：7.5 mg

適応：成人 T 細胞白血病リンパ腫，ヘアリーセル白血病

作用機序：ADA 阻害による DNA 障害

主な代謝・排泄経路：腎排泄

主な副作用：
　　＞10%…骨髄抑制，悪心，食欲不振
　　1～10%…肝機能障害

投与量調整：
- 腎機能障害時…Ccr＜60 mL/分で減量

併用禁忌：抗ウイルス薬のビダラビン（Ara-A）

付録 1
抗悪性腫瘍薬の種類

574 付録1 抗悪性腫瘍薬の種類

[代謝拮抗薬：葉酸拮抗薬]

18. methotrexate(MTX) ★★★

商品名：メソトレキセート®

剤形, 用量：注：5・50・200・1,000 mg, 錠：2.5 mg

適応：① MTX・LV 救援療法：肉腫, 急性白血病, 悪性リンパ腫, ② MTX 通常療法：急性白血病, 慢性リンパ性白血病, 慢性骨髄性白血病, 絨毛性疾患, ③ CMF 療法：乳癌, ④ M-VAC 療法：尿路上皮癌, ⑤ MTX・FU 交替療法：胃癌

作用機序：葉酸を核酸合成に必要な活性型葉酸に還元させる dihydrofolate reductase(DHFR)を阻害し, 間接的に TS を阻害し, DNA 合成を阻害

主な代謝・排泄経路：肝代謝, 腎排泄。一部は腸内細菌によって不活化される

主な副作用：
> 10%…骨髄抑制, 悪心・嘔吐, 口内炎, 脱毛, 肝機能障害

併用注意：NSAIDs, ST 合剤などは MTX の排泄を遅延させることがある

投与量調整：
・腎機能障害例…Ccr<60 mL/分で減量

使用上の注意：尿のアルカリ化と十分な水分の補給を行う。1 回投与量が 100 mg/m² を超えるときは LV を投与する。体液貯留時は投与前に適切なドレナージを行う

19. pemetrexed(PEM, MTA) ★★★

商品名：アリムタ®

剤形, 用量：注：100・500 mg

適応：悪性胸膜中皮腫, 切除不能な進行・再発の非小細胞肺癌

作用機序：DNA 合成と葉酸代謝にかかわる TS, DHFR などの酵素を阻害し, DNA および RNA 合成を阻害

主な代謝・排泄経路：腎排泄

主な副作用：
> 10%…悪心, 皮疹, 疲労, 骨髄抑制

併用注意：NSAIDs の併用は PEM のクリアランスを低下させるため, 投与前後 2 日間は NSAIDs を休薬する

投与量調整：
・腎機能障害例…Ccr<45 mL/分では慎重投与

使用上の注意：投与開始 1 週間前から葉酸 350 μg/日の内服とビタミン B_{12} 1,000 μg/9 週の筋注を行う。投与終了後も最終投与日から 22 日目までは投与を継続する

20. pralatrexate ★

商品名：ジフォルタ®

剤形, 用量：注：20 mg

適応：再発または難治性の末梢性 T 細胞リンパ腫

作用機序：葉酸アナログとして DHFR を競合的に阻害することにより, 腫瘍細胞の DNA 合成を阻害

主な代謝・排泄経路：腎排泄

主な副作用：
> 10%…骨髄抑制, 口内炎, 肝機能障害, 疲労
1～10%…頭痛, 皮疹

トポイソメラーゼ阻害薬 575

投与量調整：
・腎機能障害時…減量を考慮
使用上の注意：重篤な副作用の発現を軽減するため，投与開始 10 日以上前から葉酸 1.0〜1.25 mg/日の内服とビタミン B_{12} 1 mg/8〜10 週の筋注を行う。投与終了後も，葉酸は最終投与日から 30 日目までは投与を継続する

[代謝拮抗薬：その他]

21. hydroxycarbamide（HU）★★

商品名：ハイドレア®

剤形，用量：カプセル：500 mg

適応：慢性骨髄性白血病，本態性血小板血症，真性多血症

作用機序：リボヌクレオチド還元酵素を阻害し，S 期特異的に DNA 合成阻害

主な代謝・排泄経路：肝代謝，腎排泄

主な副作用：
　＞10%…骨髄抑制
　1〜10%…悪心・嘔吐，皮疹

投与量調整：
・腎機能障害時…減量を考慮

■ 血小板凝集阻害薬

1. anagrelide ★★★

商品名：アグリリン®

剤形，用量：カプセル：0.5 mg

適応：本態性血小板血症

作用機序：明確な標的分子は不明であるが，血小板を産生する巨核球の形成および成熟を抑制することにより，血小板数を低下させると考えられる

主な副作用：
　＞10%…動悸，出血，貧血
　1〜10%…心嚢液貯留，心拡大，QT 間隔延長，間質性肺疾患，血球減少

併用注意：抗血小板薬，抗凝固薬，血栓溶解薬，cAMP PDE Ⅲ 阻害作用を有する薬剤，QT 間隔延長のリスクとなる薬剤，抗不整脈薬

投与量調整：
・肝機能障害時…減量を考慮

使用上の注意：心機能障害・QT 間隔延長が現れることがあるので，本剤の投与開始前および投与中は定期的に心機能検査を行う。アスピリンとの併用により，重篤な出血などの発現率の増加が報告されているので，血小板凝集抑制作用を有する薬剤と併用する場合は十分に注意する

■ トポイソメラーゼ阻害薬

[トポイソメラーゼ Ⅰ 阻害薬：カンプトテシン]

1. irinotecan（IRI，CPT-11）★★★

商品名：トポテシン®，カンプト® など

剤形，用量：注：40・100 mg

適応：小細胞肺癌，非小細胞肺癌，子宮頸癌，卵巣癌，胃癌，結腸・直腸癌，膵癌，乳癌，有棘細胞癌，悪性リンパ腫（非 Hodgkin リンパ腫），小児悪性固形腫瘍

付録1 抗悪性腫瘍薬の種類

作用機序：CPT-11 および活性代謝産物 SN-38 によるトポイソメラーゼ I 阻害による DNA 合成阻害

主な代謝・排泄経路：肝代謝，胆汁排泄

主な副作用：

> ＞10％…骨髄抑制，下痢（投与 24 時間以内の早期性とそれ以後の遅延性で治療法が異なる），悪心・嘔吐，食欲不振
>
> ＜1％…間質性肺炎

使用上の注意：UGT1A1*6，UGT1A1*28 をヘテロ接合体，ホモ接合体としてもつ場合，SN-38 の代謝が遅延して重篤な副作用（特に好中球減少）の頻度が増加する

使用上の注意：間質性肺炎，腸管麻痺，多量の胸腹水患者には投与禁忌

2. liposomal irinotecan（リポソーム製剤）★★★

商品名：オニバイド®

剤形，用量：注：43 mg

適応：がん化学療法後に増悪した治癒切除不能な膵癌

作用機序：本剤はイリノテカンを封入したリポソーム製剤であり，貪食作用などによりマクロファージに取り込まれるとイリノテカンが細胞外に放出される。放出されたイリノテカンは腫瘍組織において活性化代謝物である SN-38 に変換され，トポイソメラーゼ I を阻害することによって，DNA 合成を阻害する

主な副作用：

> ＞10％…骨髄抑制，下痢，悪心，感染症，肝機能障害
>
> 1～10％…infusion reaction，血栓塞栓症，腸炎，急性腎障害

併用禁忌：アタザナビル（UGT1A1 阻害作用を有する）

併用注意：CYP3A 阻害薬・誘導薬，末梢性筋弛緩薬，ソラフェニブ，レゴラフェニブ，ラパチニブ

使用上の注意：Gilbert 症候群のようなグルクロン酸抱合異常のある患者や，UGT1A1 の特定の遺伝子多型を有する患者においては，本剤の代謝が遅延することにより重篤な副作用が発現する可能性が高い。UGT1A1*6 もしくは UGT1A1*28 のホモ接合体を有する患者，または UGT1A1*6 および UGT1A1*28 のヘテロ接合体を有する患者では，1 回 50 mg/m^2 を開始用量とする。なお，忍容性が認められる場合には，イリノテカンとして 1 回 70 mg/m^2 に増量することができる

3. nogitecan（NGT）/topotecan（TPT）★★

商品名：ハイカムチン®

剤形，用量：注：1.1 mg

適応：小細胞肺癌，卵巣癌，小児悪性固形腫瘍，子宮頸癌

作用機序：トポイソメラーゼ I 阻害による DNA 合成阻害

主な代謝・排泄経路：腎・胆汁排泄

主な副作用：

> ＞10％…骨髄抑制，悪心・嘔吐，食欲不振，脱毛，疲労

投与量調整：

・腎機能障害時…減量を考慮

トポイソメラーゼ阻害薬 | 577

[トポイソメラーゼⅡ阻害薬：アンスラサイクリン系]

4. aclarubicin（ACR）★
商品名：アクラシノン®
剤形，用量：注：20 mg
適応：胃癌，肺癌，乳癌，卵巣癌，悪性リンパ腫，急性白血病
作用機序：トポイソメラーゼⅡ阻害，DNA インターカレーション
主な副作用：
　　＞10%…骨髄抑制，悪心・嘔吐
　　1〜10%…疲労，脱毛

5. doxorubicin（DXR，ADR，ADM）★★★
商品名：アドリアシン® など
剤形，用量：注：10・50 mg
適応：① 悪性リンパ腫，肺癌，消化器癌，乳癌，膀胱腫瘍，骨肉腫，② 他の抗悪性腫瘍薬との併用療法：乳癌，子宮体癌，悪性骨・軟部腫瘍，多発性骨髄腫，小児悪性固形腫瘍
作用機序：トポイソメラーゼⅡ阻害，DNA インターカレーション
主な代謝・排泄経路：肝代謝，胆汁・腎排泄
主な副作用：
　　＞10%…骨髄抑制，悪心・嘔吐，食欲不振，口内炎，脱毛
　　1〜10%…心毒性
投与量調整：
　・肝機能障害時…減量を考慮
使用上の注意：心毒性のため，総投与量の上限は 500 mg/m^2。総投与量が 450 mg/m^2 で心毒性（不可逆的蓄積毒性）のリスクが上昇するが，低用量でも起こりうる。他のアンスラサイクリン系薬剤の前治療歴にも注意

6. epirubicin（EPI）★★★
商品名：ファルモルビシン® など
剤形，用量：注：10・50 mg
適応：① 急性白血病，悪性リンパ腫，乳癌，卵巣癌，胃癌，肝癌，尿路上皮癌（膀胱癌，腎盂・尿管腫瘍），② 他の抗悪性腫瘍薬との併用療法：乳癌
作用機序：DXR のアナログ
主な代謝・排泄経路：肝代謝，胆汁・腎排泄
主な副作用：DXR と同様。DXR と比較すると心毒性は軽度であるが，総投与量が 900 mg/m^2 を超えるとうっ血性心不全の頻度が増加する
投与量調整：
　・腎機能障害時…減量を考慮
　・肝機能障害時…減量を考慮
使用上の注意：心毒性のため，総投与量の上限は 900 mg/m^2

7. idarubicin（IDR）★★★
商品名：イダマイシン®
剤形，用量：注：5 mg
適応：急性骨髄性白血病（慢性骨髄性白血病の急性転化を含む）
作用機序：daunorubicin（DNR）のプロドラッグ。DNR よりも脂溶性が高く，細胞内への取り込みが高い
主な代謝・排泄経路：肝代謝，胆汁・腎排泄

付録
1

抗悪性腫瘍薬の種類

578 付録 1 抗悪性腫瘍薬の種類

主な副作用：
　　＞10%…骨髄抑制，悪心・嘔吐，口内炎，脱毛
　　1〜10%…心毒性
投与量調整：
　　・腎機能障害時…Ccr＜50 mL/分で減量
　　・肝機能障害時…T-Bil＞2.5 mg/dL で 50% 減量，T-Bil＞5 mg/dL では投与禁忌
使用上の注意： 心毒性のため，総投与量の上限は 120 mg/m^2

8. liposomal doxorubicin ★★★
商品名： ドキシル®
剤形，用量： 注：20 mg
適応： がん化学療法後に増悪した卵巣癌，AIDS 関連 Kaposi 肉腫
作用機序： ドキソルビシンをリポソーム化した drug delivery system（DDS）製剤
主な代謝・排泄経路： 腎排泄
主な副作用：
　　＞10%…骨髄抑制，手足症候群，口内炎，悪心，食欲不振，皮疹，疲労，infusion reaction
　　1〜10%…脱毛
　　頻度不明…心毒性

9. mitoxantrone（MIT, MXT, DHAD）★★
商品名： ノバントロン®
剤形，用量： 注：10・20 mg
適応： 急性白血病（慢性骨髄性白血病の急性転化を含む），悪性リンパ腫，乳癌，肝細胞癌
作用機序： トポイソメラーゼⅡ阻害，DNA インターカレーション
主な代謝・排泄経路： 肝代謝，胆汁・腎排泄
主な副作用：
　　＞10%…骨髄抑制，悪心・嘔吐，食欲不振

10. pirarubicin（THP-ADM）★
商品名： テラルビシン®，ピノルビン®
剤形，用量： 注：10・20・30 mg
適応： 頭頸部癌，乳癌，胃癌，尿路上皮癌，卵巣癌，子宮癌，急性白血病，悪性リンパ腫
作用機序： ADR のアナログ。G2 期特異的
主な副作用：
　　＞10%…骨髄抑制，悪心，嘔吐，食欲不振，脱毛，倦怠感
　　1〜10%…心毒性
使用上の注意： 心毒性のため，総投与量の限界は 950 mg/m^2

［トポイソメラーゼⅡ阻害薬：エピポドフィロトキシン］

11. etoposide（ETP, ETOP, VP-16）★★★
商品名： ベプシド® など
剤形，用量： 注：100 mg，カプセル：25・50 mg
適応： 小細胞肺癌，悪性リンパ腫，急性白血病，精巣腫瘍，膀胱癌，絨毛癌，胚細胞腫瘍，小児悪性固形腫瘍，腫瘍特異的 T 細胞輸注療法の前処置，（カプセル）小細胞肺癌，悪性リンパ腫，子宮頸癌，卵巣癌

微小管阻害薬 | 579

作用機序：トポイソメラーゼⅡ阻害，非 DNA インターカレーション
主な代謝・排泄経路：肝代謝，腎排泄
主な副作用：
>10%…骨髄抑制，悪心・嘔吐，口内炎，脱毛，倦怠感
投与量調整：
・腎機能障害時…Ccr<50 mL/分で減量
・肝機能障害時…T-Bil>1.5 mg/dL，AST>60 IU/L で 50% 減量，T-Bil>3 mg/dL，AST>180 IU/L で中止

[トポイソメラーゼⅡ阻害薬：その他]

12. sobuzoxane(MST-16) ★
商品名：ペラゾリン®
剤形，用量：細粒：400・800 mg
適応：悪性リンパ腫，成人 T 細胞白血病リンパ腫
作用機序：トポイソメラーゼⅡ阻害
主な副作用：
>10%…骨髄抑制，悪心・嘔吐，食欲不振

■ 微小管阻害薬

[微小管阻害薬：ビンカアルカロイド系]

1. vinblastine(VBL, VLB) ★★★
商品名：エクザール®
剤形，用量：注：10 mg
適応：ビンブラスチン硫酸塩通常療法：悪性リンパ腫，絨毛性疾患，再発または難治性の胚細胞腫瘍，Langerhans 細胞組織球症，M-VAC 療法：尿路上皮癌
作用機序：微小管重合を阻害し，細胞周期を G2/M 期で停止する
主な代謝・排泄経路：肝代謝，胆汁・腎排泄
主な副作用：
>10%…骨髄抑制
1~10%…悪心，便秘，末梢神経障害
投与量調整：
・肝機能障害時…T-Bil>3 mg/dL で 50% 減量

2. vincristine(VCR) ★★★
商品名：オンコビン®
剤形，用量：注：1 mg
適応：白血病，悪性リンパ腫，小児腫瘍，多発性骨髄腫，悪性星細胞腫，乏突起膠腫成分を有する神経膠腫，褐色細胞腫
作用機序：微小管重合を阻害し，細胞周期を G2/M 期で停止する
主な代謝・排泄経路：肝代謝，胆汁排泄
主な副作用：
>10%…末梢神経障害，脱毛，便秘
1~10%…骨髄抑制
投与量調整：
・肝機能障害時…T-Bil>3 mg/dL で 50% 減量
使用上の注意：髄腔内には投与しない。神経障害などの副作用を避けるため，1 回投与量上限は 2 mg とする

付録1 抗悪性腫瘍薬の種類

580 | 付録1 抗悪性腫瘍薬の種類

3. vindesine(VDS) ★★
商品名：フィルデシン®
剤形，用量：注：1・3 mg
適応：急性白血病（慢性骨髄性白血病の急性転化を含む），悪性リンパ腫，肺癌，食道癌
作用機序：微小管あるいはその構成タンパクであるチュブリンに関連しているとされる
主な代謝・排泄経路：肝代謝，胆汁・腎排泄
主な副作用：
　　＞10%…骨髄抑制，脱毛，食欲不振，悪心
　　1～10%…神経障害，便秘

4. vinorelbine(VNR, VNB, VRL) ★★★
商品名：ナベルビン® など
剤形，用量：注：10・40 mg
適応：非小細胞肺癌，手術不能または再発乳癌
作用機序：微小管重合を阻害し，細胞周期を G2/M 期で停止する
主な代謝・排泄経路：肝代謝，胆汁・腎排泄
主な副作用：
　　＞10%…骨髄抑制，静脈炎，倦怠感
投与量調整：
　　・肝機能障害時…T-Bil＞2 mg/dL で 50% 減量，＞3 mg/dL で 25% に減量

[微小管阻害薬：タキサン系]

5. cabazitaxel(CBZ, CTX) ★★★
商品名：ジェブタナ®
剤形，用量：注：60 mg
適応：前立腺癌
作用機序：微小管脱重合を阻害して安定化させ，細胞周期を G2/M 期で停止することにより細胞分裂を阻害する
主な副作用：
　　＞10%…好中球減少，感染症，末梢神経障害
　　1～10%…下痢，嘔吐，心不全，不整脈
　　頻度不明…DIC，肝機能障害，急性膵炎，間質性肺炎
併用注意：強い CYP3A 阻害薬・誘導薬
投与量調節：
　　・肝機能障害時…肝機能障害〔T-Bil＞基準値上限(ULN)，AST，ALT＞ULN の 1.5 倍〕では禁忌
使用上の注意：infusion reaction 軽減のため，投与 30 分前までに抗ヒスタミン薬，ステロイドなどの前投与を行う。発熱性好中球減少症ハイリスク患者には G-CSF 製剤の 1 次予防的投与も検討する

6. docetaxel(DTX, TXT) ★★★
商品名：タキソテール®，ワンタキソテール® など
剤形，用量：注：20・80・120 mg
主な適応：乳癌，非小細胞肺癌，胃癌，頭頸部癌，卵巣癌，食道癌，子宮体癌，ホルモン不応性転移性前立腺癌
作用機序：微小管脱重合を阻害して安定化させ，細胞周期を G2/M 期で停止さ

微小管阻害薬 581

せて有糸分裂を停止する
主な代謝・排泄経路：肝代謝，胆汁排泄
主な副作用：
>10%…骨髄抑制，悪心・嘔吐，脱毛，倦怠感，末梢神経障害，皮疹，爪の変化，感染
<1%…浮腫・体液貯留（胸水など）
投与量調整：
・肝機能障害時…重度の肝機能障害では禁忌
使用上の注意：ワンタキソテール®はエタノールを含有しているため，アルコール不耐に注意する。タキソテール®は生理食塩水または5%ブドウ糖液でも調製可能

7. nab-paclitaxel（nab-PTX）★★
商品名：アブラキサン®
剤形，用量：注：100 mg
適応：乳癌，胃癌，非小細胞肺癌，治癒切除不能な膵癌
作用機序：パクリタキセルをアルブミンに結合させ，ナノ粒子化したDDS製剤。溶解性が向上しており，溶媒なしに生理食塩水での懸濁が可能
主な代謝・排泄経路：肝代謝，胆汁排泄
主な副作用：
>10%…骨髄抑制，末梢神経障害，脱毛，筋肉痛，関節痛，皮疹，悪心
投与量調整：
・肝機能障害時…中等度以上の肝機能障害例では減量
使用上の注意：アレルギー予防を目的とした前投薬が不要であり，30分で投与可能

8. paclitaxel（PTX，TAX，TXL）★★★
商品名：タキソール®など
剤形，用量：注：30・100・150 mg
適応：卵巣癌，乳癌，非小細胞肺癌，胃癌，子宮体癌，頭頸部癌，食道癌，血管肉腫，子宮頸癌，胚細胞腫瘍
作用機序：微小管脱重合を阻害して安定化させ，細胞周期をG2/M期で停止する
主な代謝・排泄経路：肝代謝，胆汁排泄
主な副作用：
>10%…骨髄抑制，末梢神経障害，関節痛，筋肉痛，悪心，嘔吐，脱毛，皮疹，爪の変化
<1%…アナフィラキシー，間質性肺炎
投与量調整：
・肝機能障害時…T-Bil，AST，ALT値に応じて減量
使用上の注意：アレルギー反応を予防するため，ステロイド，H_1・H_2ブロッカーの前投薬が必要である。インラインフィルターを用いた専用ルートで投与する。溶媒にエタノールを含有しているため，アルコール不耐に注意する

[微小管阻害薬：ハリコンドリンB誘導体]

9. eribulin（ERI）★★★
商品名：ハラヴェン®
剤形，用量：注：1 mg

付録1 抗悪性腫瘍薬の種類

582 | 付録 1　抗悪性腫瘍薬の種類

　適応：手術不能または再発乳癌，悪性軟部腫瘍
　作用機序：微小管重合を阻害し，細胞周期を G2/M 期で停止する
　主な代謝・排泄経路：胆汁排泄
　主な副作用：
　　　　＞10％…骨髄抑制，脱毛，悪心，口内炎，疲労，末梢神経障害，肝機能障害
　投与量調整：
　　　・腎機能障害時…Ccr＜50 mL/分で減量
　　　・肝機能障害時…Child-Pugh A・B で減量，C ではデータなし

[抗がん剤：その他]

10. trabectedin ★★★
　商品名：ヨンデリス®
　剤形，用量：注：0.25・1 mg
　適応：悪性軟部腫瘍
　作用機序：ヌクレオチド除去修復を阻害することにより腫瘍の増殖を抑制すると考えられている
　主な代謝・排泄経路：肝代謝
　主な副作用：
　　　　＞10％…骨髄抑制，悪心，食欲不振，肝機能障害，便秘

■ ホルモン療法薬

[ホルモン療法薬：ステロイド]

1. dexamethasone(DEX) ★★★
　商品名：デカドロン® など
　剤形，用量：注：dexamethasone sodium phosphate として 2・4・8・25 mg，錠：0.5・4 mg
　適応：白血病，悪性リンパ腫，乳癌，前立腺癌，（レナデックス®）多発性骨髄腫
　作用機序：免疫抑制効果，抗炎症作用など
　主な代謝・排泄経路：肝代謝，腎・胆汁排泄
　主な副作用：高血糖，食欲亢進，不眠，ざ瘡，消化管潰瘍，感染症，白内障，精神障害，満月様顔貌，Cushing 症候群

2. prednisolone(PSL) ★★★
　商品名：プレドニゾロン，プレドニン® など
　剤形，用量：注：10・20・50 mg，錠：1・2.5・5 mg
　適応：白血病，悪性リンパ腫，乳癌，前立腺癌
　作用機序：免疫抑制効果，抗炎症作用など
　主な代謝・排泄経路：肝代謝，腎排泄
　主な副作用：DEX と同様

[ホルモン療法薬：抗エストロゲン薬]

3. fulvestrant(FUL) ★★★
　商品名：フェソロデックス®
　剤形，用量：注：250 mg
　適応：乳癌
　作用機序：完全なアンタゴニスト作用を示す，選択的エストロゲン受容体ダウ

ホルモン療法薬 | 583

ンレギュレーター（SERD）

主な代謝・排泄経路：肝代謝，胆汁排泄

主な副作用：

> 10%…注射部位反応，ホットフラッシュ（ほてり，のぼせ），筋骨格痛

使用上の注意：左右の中殿筋に1筒ずつ筋肉内投与する

4. tamoxifen（TAM）★★★

商品名：ノルバデックス®，タモキシフェンなど

剤形，用量：錠：10・20 mg

適応：乳癌

作用機序：選択的エストロゲン受容体モジュレーター（SERM）。腫瘍細胞のエストロゲン受容体と結合し，エストロゲン応答遺伝子の転写を阻害

主な代謝・排泄経路：肝代謝，胆汁排泄

主な副作用：

> 10%…ホットフラッシュ，倦怠感，不正出血，月経異常，悪心，浮腫

1～10%…肝機能障害，血栓塞栓症，抑うつ

< 1%…子宮内膜癌

併用注意：CYP2D6阻害薬（SSRIなど），ワルファリン，リファンピシンなど

投与量調整：

・肝機能障害時…慎重投与

5. toremifene（TOR）★★

商品名：フェアストン®など

剤形，用量：錠：40・60 mg

適応：閉経後乳癌

作用機序：TAMのアナログ

主な代謝・排泄経路：肝代謝，胆汁排泄

主な副作用：TAMと同様

併用禁忌：QT間隔延長のリスクとなる薬剤

[ホルモン療法薬：アロマターゼ阻害薬]

6. anastrozole（ANA，ANZ）★★★

商品名：アリミデックス®など

剤形，用量：錠：1 mg

適応：閉経後乳癌

作用機序：非ステロイド系アロマターゼ阻害薬。可逆的にアロマターゼと結合し，アンドロゲンからのエストロゲンの生成を阻害する

主な代謝・排泄経路：肝代謝，腎排泄

主な副作用：

> 10%…ホットフラッシュ，手のこわばり，関節痛

1～10%…骨粗鬆症，脂質代謝異常

< 1%…虚血性心疾患

7. exemestane（EXE）★★★

商品名：アロマシン®など

剤形，用量：錠：25 mg

適応：閉経後乳癌

作用機序：ステロイド系アロマターゼ阻害薬。非可逆的にアロマターゼと結合し，アンドロゲンからのエストロゲンの生成を阻害する

付録1

抗悪性腫瘍薬の種類

584 　付録1　抗悪性腫瘍薬の種類

　主な代謝・排泄経路：肝代謝，腎・胆汁排泄
　主な副作用：ANA と同様
8. letrozole(LET，LTZ) ★★★
　商品名：フェマーラ® など
　剤形，用量：錠：2.5 mg
　適応：閉経後乳癌
　作用機序：非ステロイド系アロマターゼ阻害薬。可逆的にアロマターゼと結合し，アンドロゲンからのエストロゲンの生成を阻害する
　主な代謝・排泄経路：肝代謝，腎排泄
　主な副作用：ANA と同様
　投与量調整：
　　・肝機能障害時…Child-Pugh C では減量
[ホルモン療法薬：プロゲステロン製剤]
9. medroxyprogesterone(MPA) ★★
　商品名：ヒスロン®H
　剤形，用量：錠：200 mg
　適応：乳癌，子宮体癌(内膜癌)
　作用機序：DNA 合成抑制作用，下垂体・副腎・性腺系への抑制作用および抗エストロゲン作用などと考えられている
　主な代謝・排泄経路：肝代謝，腎排泄
　主な副作用：
　　＞10％…体重増加
　　1～10％…満月様顔貌，不正出血，月経異常，血栓症
[ホルモン療法薬：LH-RH アナログ]
10. goserelin(ZOL) ★★★
　商品名：ゾラデックス®
　剤形，用量：デポ注：3.6・10.8 mg(3 カ月製剤)
　適応：閉経前乳癌，前立腺癌
　作用機序：LH-RH アゴニストであり，下垂体からの Gn-RH の抑制により，エストロゲン，アンドロゲン濃度を低下させる
　主な代謝・排泄経路：腎排泄
　主な副作用：
　　＞10％…ホットフラッシュ，性欲減退，性機能低下，フレア現象
11. leuprolide(LEU) ★★★
　商品名：リュープリン®
　剤形，用量：注：3.75・11.25(3 カ月製剤)・22.5 mg(6 カ月製剤)
　適応：閉経前乳癌，前立腺癌
　作用機序：LH-RH アゴニスト
　主な代謝・排泄経路：腎排泄
　主な副作用：ZOL と同様
[ホルモン療法薬：Gn-RH アンタゴニスト]
12. degarelix ★★★
　商品名：ゴナックス®
　剤形，用量：注：80・120・240 mg
　適応：前立腺癌

ホルモン療法薬　585

作用機序：下垂体前葉の Gn-RH 受容体に可逆的に結合し，LH および FSH の放出を抑制，精巣からのテストステロン分泌を抑制

主な代謝・排泄経路：肝代謝，胆汁排泄

主な副作用：
　　＞10％…注射部位反応，ホットフラッシュ

使用上の注意：腹部に皮下注射で投与する。フレア現象はみられない

[ホルモン療法薬：抗アンドロゲン薬]

13. abiraterone（Ab）★★★

商品名：ザイティガ®

剤形，用量：錠：250 mg

適応：去勢抵抗性前立腺癌，内分泌療法未治療のハイリスクの予後因子を有する前立腺癌

作用機序：CYP17 を選択的に阻害し，性腺内外のアンドロゲン産生を阻害する

主な副作用：
　　＞10％…肝機能障害
　　1～10％…低 K 血症，脂質異常症，高血圧

併用注意：CYP3A4 阻害薬，CYP2D6 により代謝される薬剤

投与量調整：
　・肝機能障害時…Child-Pugh C では投与禁忌

使用上の注意：CYP17 の阻害に対するフィードバックとして鉱質コルチコイド過剰となるため，プレドニゾロン（1 回 5 mg を 1 日 2 回）の併用投与が必要。食事により血中濃度が上昇するため，食事 1 時間前か食後 2 時間に投与する

14. bicalutamide（BCT）★★★

商品名：カソデックス® など

剤形，用量：錠：80 mg

適応：前立腺癌

作用機序：非ステロイド性抗アンドロゲン薬

主な代謝・排泄経路：肝代謝，胆汁・腎排泄

主な副作用：
　　1～10％…ホットフラッシュ，女性化乳房，肝機能障害，悪心，性機能低下

15. chlormadinone acetate（CMA）★★

商品名：プロスタール® など

剤形，用量：錠：25・50 mg

適応：前立腺癌

作用機序：ステロイド性抗アンドロゲン薬。プロゲステロン製剤でもあるため，下垂体を介してネガティブフィードバックにより，精巣からのテストステロン分泌も抑制する

主な代謝・排泄経路：胆汁排泄

主な副作用：
　　1～10％…性機能低下，女性化乳房，肝機能障害

16. enzalutamide（EZ）★★★

商品名：イクスタンジ®

剤形，用量：カプセル：40 mg，錠：40・80 mg

適応：去勢抵抗性前立腺癌，遠隔転移を有する前立腺癌

作用機序：アンドロゲン受容体に高い親和性をもち，シグナル伝達を複数の段

付録 1　抗悪性腫瘍薬の種類

586 付録1 抗悪性腫瘍薬の種類

階で阻害する

主な代謝・排泄経路：肝代謝，胆汁排泄

主な副作用：
    1〜10%…疲労，ホットフラッシュ，悪心
    <1%…痙攣発作

併用注意：ニューキノロン系抗菌薬，三環系・四環系抗うつ薬，フェノチアジン系抗精神病薬，CYP2C8，CYP3A4，CYP2C9，CYP2C19 阻害薬・誘導薬

投与量調整：
    ・肝機能障害時…重度肝機能障害では慎重投与

17. flutamide(FLU) ★★★

商品名：オダイン® など

剤形，用量：錠：125 mg

適応：前立腺癌

作用機序：非ステロイド性抗アンドロゲン薬。アンドロゲンが受容体と結合するのを阻害する

主な代謝・排泄経路：肝代謝，腎排泄

主な副作用：
    >10%…肝機能障害
    1〜10%…女性化乳房，悪心・嘔吐，食欲不振，性機能低下

[ホルモン療法薬：エストロゲン製剤]

18. apalutamide(APA) ★★★

商品名：アーリーダ®

剤形，用量：錠：60 mg

適応：遠隔転移を有しない去勢抵抗性前立腺癌，遠隔転移を有する前立腺癌

作用機序：アンドロゲンのアンドロゲン受容体(AR)との結合を競合的に阻害し，AR の核内移行・AR の転写因子結合領域への結合および標的遺伝子の転写を阻害する

主な代謝・排泄経路：肝代謝，腎排泄

主な副作用：
    >10%…皮疹，疲労，ほてり
    1〜10%…甲状腺機能低下，搔痒症，体重減少
    <1%…心機能障害

19. darolutamide ★★★

商品名：ニュベクオ®

剤形，用量：錠：300 mg

適応：遠隔転移を有しない去勢抵抗性前立腺癌

作用機序：アンドロゲンの AR との結合を競合的に阻害し，AR の核内移行・標的遺伝子の転写を阻害する

主な副作用：
    1〜10%…心機能障害，疲労，ほてり，悪心，下痢，女性化乳房

併用注意：強い CYP3A 誘導薬，BCRP・OATP1B1・OATP1B3 基質薬剤

20. estramustine(EP, EMP) ★★

商品名：エストラサイト®

剤形，用量：カプセル：156.7 mg(エストラムスチンリン酸エステルとして 140 mg)

ホルモン療法薬 | 587

適応：前立腺癌
作用機序：エストラジオールとナイトロジェンマスタードを結合させた化合物。微小管阻害，血中テストステロン低下
主な代謝・排泄経路：腸管・肝代謝，胆汁排泄
主な副作用：
>10%…女性化乳房，食欲不振，浮腫，貧血，肝機能障害

21. ethinylestradiol(EE) ★
商品名：プロセキソール®
剤形，用量：錠：0.5 mg
適応：前立腺癌，閉経後の末期乳癌(男性ホルモン療法に抵抗を示す場合)
作用機序：エストロゲン濃度上昇による下垂体を介したネガティブフィードバックにより，精巣由来のアンドロゲン産生を抑制する
主な副作用：血栓症，浮腫，女性化乳房，肝機能障害

[ホルモン療法薬：ソマトスタチンアナログ]

22. lanreotide ★★
商品名：ソマチュリン®
剤形，用量：皮下注：60・90・120 mg
適応：膵・消化管神経内分泌腫瘍
作用機序：神経内分泌腫瘍に発現しているソマトスタチン受容体に結合し，ホルモン分泌を抑制する
主な代謝・排泄経路：肝代謝，腎排泄
主な副作用：
>10%…注射部位硬結，鼓腸，白色便，糖尿病
1〜10%…下痢，倦怠感

23. octreotide(OCT) ★★★
商品名：サンドスタチン®LAR
剤形，用量：注：10・20・30 mg
適応：消化管ホルモン産生腫瘍，消化管神経内分泌腫瘍
作用機序：神経内分泌腫瘍に発現しているソマトスタチン受容体に結合し，ホルモン分泌を抑制する
主な代謝・排泄経路：肝代謝，腎排泄
主な副作用：
>10%…胆石症，便秘，鼓腸放屁，下痢，腹痛
1〜10%…徐脈

[ホルモン療法薬：その他]

24. mitotane(O, P'−DDD) ★★★
商品名：オペプリム®
剤形，用量：カプセル：500 mg
適応：副腎癌
作用機序：副腎皮質を萎縮させ，ステロイドホルモンの分泌を抑制する
主な代謝・排泄経路：肝代謝，腎・胆汁排泄
主な副作用：
>10%…食欲不振，悪心，肝機能障害
1〜10%…副腎不全
併用禁忌：スピロノラクトン，ペントバルビタール

付録1 抗悪性腫瘍薬の種類

588 | 付録 1 抗悪性腫瘍薬の種類

■ 免疫調節薬

[免疫調節薬(immunomodulatory drug：IMiDs)]

1. **BCG** ★★★
   商品名：イムノブラダー® 膀注用
   剤形，用量：注：40・80 mg
   適応：表在性膀胱癌，膀胱上皮内癌
   作用機序：免疫反応の誘導
   主な代謝・排泄経路：尿中排泄
   主な副作用：
   >10%…頻尿，排尿痛，血尿，排尿困難，発熱，倦怠感
   使用上の注意：膀胱内注入にのみ使用する

2. **calcium folinate/leucovorin(LV)** ★★★
   商品名：ロイコボリン®，ユーゼル®
   剤形，用量：注：3 mg，錠：5・25 mg
   適応：① 葉酸代謝拮抗薬の毒性軽減，② 結腸・直腸癌に対する UFT の抗腫瘍効果の増強
   作用機序：① MTX が作用する酵素に関与せず，細胞の葉酸プールに取り込まれ，活性型葉酸となって細胞の核酸合成を再開させる。② folinate の光学活性体(l 体)である levofolinate が細胞内で還元され，TS と複合体を形成することで，5-FU の抗腫瘍効果を増強させる

3. **interferon(IFN)** ★
   商品名：スミフェロン®(IFN-α)，フエロン®(IFN-β)，イムノマックス®-γ(IFN-γ1a)など
   適応：腎癌，慢性骨髄性白血病，多発性骨髄腫，ヘアリーセル白血病，皮膚悪性黒色腫，膠芽腫，髄芽腫，星細胞腫，菌状息肉腫，Sézary 症候群
   作用機序：免疫学的機序
   主な副作用：
   >10%…感冒様症状(発熱，悪寒，筋肉痛，関節痛，疲労など)
   <1%…間質性肺炎，抑うつ，自殺企図，自己免疫現象(甲状腺機能異常，肝炎など)

4. **interleukin-2(IL-2)** ★
   商品名：イムネース®など
   剤形，用量：(イムネース®)35 万単位
   適応：血管肉腫，腎癌
   作用機序：免疫反応の誘導，賦活
   主な代謝・排泄経路：腎代謝
   主な副作用：
   >10%…発熱，倦怠感，食欲不振，悪心・嘔吐
   1~10%…capillary leak syndrome(毛細血管漏出症候群：体液貯留，体重増加，肺水腫，血圧低下など)

5. **lenalidomide(Len，LEN)** ★★★
   商品名：レブラミド®
   剤形，用量：カプセル：2.5・5 mg
   適応：多発性骨髄腫，5 番染色体長腕部欠失を伴う骨髄異形成症候群，再発または難治性の成人 T 細胞白血病リンパ腫，再発または難治性の濾胞性リンパ

免疫調節薬 | 589

腫および辺縁帯リンパ腫

作用機序：血管新生阻害，サイトカイン産生調節，腫瘍細胞増殖抑制作用など

主な代謝・排泄経路：腎排泄

主な副作用：

>10%…骨髄抑制，便秘，末梢神経障害，疲労，皮疹，浮腫

投与量調整：

・腎機能障害時…Ccr<60 mL/分で減量

使用上の注意：催奇形性があるため，適正管理手順（RevMate：レブメイト）を遵守する

6. levofolinate calcium/*l*-leucovorin（*l*-LV）★★★

商品名：アイソボリン®

剤形，用量：注：25・100 mg

適応：胃癌および結腸・直腸癌，小腸癌，治癒切除不能な膵癌に対する5-FUの抗腫瘍効果の増強

7. OK-432 ★

商品名：ピシバニール®

剤形，用量：注：0.2・0.5・1・5 KE

適応：胃癌，肺癌，消化器癌，頭頸部癌（上顎癌，喉頭癌，咽頭癌，舌癌），甲状腺癌

作用機序：免疫反応の誘導，賦活

主な副作用：

>10%…発熱，注射部位反応

備考：主にがん性胸膜炎の治療（胸膜癒着療法）（★★）に用いられる。ベンジルペニシリンによるショックの既往のある患者では禁忌である

8. pomalidomide ★★★

商品名：ポマリスト®

剤形，用量：カプセル：1・2・3・4 mg

適応：再発または難治性の多発性骨髄腫

作用機序：サイトカイン産生制御などの免疫調整作用，腫瘍細胞に対する増殖抑制作用，血管新生阻害作用など

主な代謝・排泄経路：肝代謝，腎排泄

主な副作用：

>10%…好中球減少，血小板減少，貧血

1～10%…感染症，深部静脈血栓症，肺塞栓症，末梢神経障害

頻度不明…腫瘍崩壊症候群，間質性肺疾患，不整脈

使用上の注意：催奇形性があるため，適正管理手順（RevMate：レブメイト）を遵守する

併用注意：CYP3A4，CYP1A2 阻害薬・誘導薬

9. thalidomide（Thal，THAL）★★★

商品名：サレド®

剤形，用量：カプセル：25・50・100 mg

適応：再発または難治性の多発性骨髄腫

作用機序：血管新生阻害，免疫調節作用：NK細胞の増加，IL-2およびIFN-γ産生亢進など

主な代謝・排泄経路：腎排泄

付録1 抗悪性腫瘍薬の種類

590 付録1 抗悪性腫瘍薬の種類

主な副作用:
>10%…便秘, 眠気, 末梢神経障害, 口内乾燥, 疲労, 皮疹, 浮腫

使用上の注意: デキサメタゾンとの併用による静脈血栓症のリスクがある。催奇形性があるため, 投与前に妊娠の有無, 投与中は避妊の遵守(男女とも)を十分に確認する

10. talc ★
商品名: ユニタルク®
剤形, 用量: 胸腔内注:4g
適応: 悪性胸水の再貯留抑制
主な副作用:
>10%…発熱, 倦怠感, CRP増加, 肝機能障害
備考: がん性胸膜炎の治療(胸膜癒着療法)(★★)に用いられる

[分化誘導薬]

11. arsenic trioxide(ATO) ★★
商品名: トリセノックス®
剤形, 用量: 注:10mg
適応: 再発または難治性の急性前骨髄球性白血病
作用機序: 急性前骨髄球性白血病(APL)細胞の形態学的変化やDNA鎖切断などによるアポトーシス誘導, PML-RARαに対する阻害
主な代謝・排泄経路: 肝代謝, 腎排泄
主な副作用:
>10%…QT間隔延長, 肝機能障害, 白血球減少, 白血球増多, APL分化症候群, 悪心, 低K血症, 感覚減退
使用上の注意: 急性ヒ素中毒の症状(痙攣, 筋脱力感, 錯乱状態など)出現時には, dimercaprolによるキレート療法を検討する

12. tamibarotene(Am80) ★
商品名: アムノレイク®
剤形, 用量: 錠:2mg
適応: 再発または難治性の急性前骨髄球性白血病
作用機序: APL細胞の分化誘導
主な代謝・排泄経路: 肝代謝
主な副作用:
>10%…皮疹, 脂質代謝異常, 肝機能障害, 骨痛, 白血球増多
1~10%…レチノイン酸症候群
併用禁忌: ビタミンA製剤
併用注意: CYP3A4阻害薬・誘導薬, H_2ブロッカー, PPI, フェニトイン, 抗線溶剤, アプロチニン製剤
使用上の注意: 末梢血中の「芽球および前骨髄球」の和が1,000/μLを超える場合には, 化学療法によって1,000/μL以下にしてから投与する。催奇形性があるので妊婦には禁忌

13. tretinoin(ATRA) ★★★
商品名: ベサノイド®
剤形, 用量: カプセル:10mg
適応: APL
作用機序: レチノイン酸受容体RAR αの転写活性化能を回復し, 白血病細胞

分子標的薬 | 591

を分化誘導する

主な代謝・排泄経路：肝代謝，腎・胆汁排泄

主な副作用：

>10%…レチノイン酸症候群（発熱，呼吸困難，胸水貯留など），トリグリセリド上昇

1〜10%…肝機能障害，白血球増多症

使用上の注意：Am80 と同様

[酵素製剤]

14. L-asparaginase(L-ASP) ★★★

商品名：ロイナーゼ®

剤形，用量：注：5,000・10,000 KU

適応：急性白血病（慢性白血病の急性転化例を含む），悪性リンパ腫

作用機序：血中の L-アスパラギンを分解し，腫瘍細胞（特にリンパ芽球）をアスパラギン欠乏状態にすることで，タンパク，G1 期特異的に DNA，RNA 合成を阻害する

主な副作用：

>10%…悪心，発熱，アレルギー症状，凝固能障害（フィブリノーゲン減少，AT-Ⅲ減少など），尿素窒素上昇，高血糖，高アンモニア血症

<1%…急性膵炎

使用上の注意：初回投与する際にはプリックテスト実施が望ましい。フィブリノーゲン，AT-Ⅲ などの減少が認められる場合は新鮮凍結血漿，AT-Ⅲ製剤などを補充してフィブリノーゲン 100 mg/dL を保つようにする。50 mg/dL 以下になった場合は投与を中止する

■ 分子標的薬 [低分子薬]

1. abemaciclib ★★★

商品名：ベージニオ®

剤形，用量：錠：50・100・150 mg

適応：ホルモン受容体陽性かつ HER2 陰性の手術不能または再発乳癌

作用機序：CDK4 および 6 を阻害し，Rb タンパクのリン酸化を阻害することにより腫瘍の増殖を抑制する

主な副作用：

>10%…骨髄抑制，悪心，疲労，脱毛，下痢，肝酵素上昇

併用注意：CYP3A 阻害薬・誘導薬・基質薬剤

2. acalabrutinib ★★★

商品名：カルケンス®

剤形，用量：カプセル：100 mg

適応：再発または難治性の慢性リンパ性白血病（小リンパ球性リンパ腫を含む）

作用機序：B 細胞に発現する B 細胞受容体の下流シグナル伝達分子であるブルトン型チロシンキナーゼ(BTK)と結合し，BTK のキナーゼを阻害する

主な副作用：

>10%…骨髄抑制

1〜10%…出血，感染症，不整脈

<1%…虚血性心疾患，腫瘍崩壊症候群

付録1 抗悪性腫瘍薬の種類

併用注意：CYP3A 阻害薬・誘導薬，H$_2$ ブロッカー，PPI，制酸薬，オレンジ含有食品，抗凝固・抗血小板薬

3. afatinib ★★★

商品名：ジオトリフ®
剤形，用量：錠：20・30・40・50 mg
適応：EGFR 遺伝子変異陽性の手術不能または再発非小細胞肺癌
作用機序：EGFR，HER2，ErbB3，ErbB4 のチロシンキナーゼ活性を不可逆的に阻害する
主な代謝・排泄経路：肝代謝，胆汁排泄
主な副作用：
  　＞10％…下痢，皮疹，爪囲炎，皮膚乾燥，口内炎
  　1〜10％…間質性肺疾患，肝機能障害
  　　＜1％…心不全
使用上の注意：食事 1 時間前から食後 3 時間までの間の服用は避ける
投与量調整：
  　・腎機能障害時…Ccr＜60 mL/分では慎重投与
  　・肝機能障害時…Child-Pugh C では慎重投与

4. alectinib ★★★

商品名：アレセンサ®
剤形，用量：カプセル：150 mg
適応：ALK 融合遺伝子陽性の切除不能な進行・再発の非小細胞肺癌，再発または難治性の ALK 融合遺伝子陽性の未分化大細胞リンパ腫
作用機序：ALK チロシンキナーゼを阻害する
主な代謝・排泄経路：肝代謝，胆汁排泄
主な副作用：
  　1〜10％…間質性肺疾患，骨髄抑制
併用注意：CYP3A 阻害薬・誘導薬
使用上の注意：食事 1 時間前から食後 2 時間までの間の服用は避ける

5. axitinib ★★★

商品名：インライタ®
剤形，用量：錠：1・5 mg
適応：根治切除不能または転移性の腎細胞癌
作用機序：血管内皮細胞増殖因子受容体(VEGFR)-1・2・3 のリン酸化を阻害
主な代謝・排泄経路：肝代謝，胆汁排泄
主な副作用：
  　＞10％…下痢，高血圧，疲労，悪心，口内炎，味覚障害，皮疹，手足症候群，肝機能障害，甲状腺機能低下症
  　1〜10％…出血，骨髄抑制
  　　＜1％…血栓症，消化管穿孔
併用注意：CYP3A4/5 阻害薬・誘導薬
投与量調整：
  　・肝機能障害時…Child-Pugh B では減量。Child-Pugh C では検証されていない

6. bexarotene ★★

商品名：タルグレチン®

分子標的薬 | **593**

剤形，用量：カプセル：75 mg

適応：皮膚 T 細胞リンパ腫

作用機序：レチノイド X 受容体に結合し転写を活性化することで腫瘍の増殖を抑制する

主な代謝・排泄経路：肝代謝

主な副作用：
　　＞10%…甲状腺機能低下症，高トリグリセリド血症，骨髄抑制，肝機能障害
　　1～10%…高尿酸血症

禁忌：妊娠または可能性のある女性，重度の肝障害およびビタミン A 製剤投与中の患者

併用注意：CYP2C8 阻害薬，CYP3A 基質薬剤，糖尿病薬，紫外線・PUVA・UVB 療法

7. binimetinib ★★★

商品名：メクトビ®

剤形，用量：錠：15 mg

適応：BRAF 遺伝子変異を有する根治切除不能な悪性黒色腫，がん化学療法後に増悪した BRAF 遺伝子変異を有する治癒切除不能な進行・再発の結腸・直腸癌

作用機序：MEK1/2 の活性化およびキナーゼを阻害し，MAPK 経路のシグナル伝達分子(ERK)のリン酸化を阻害する

主な代謝・排泄経路：UGT1A1 によるグルクロン酸抱合

主な副作用：
　　＞10%…眼障害(網膜障害，ぶどう膜炎)，皮疹，下痢，悪心
　　1～10%…心機能障害，肝機能障害，消化管出血
　　　＜1%…横紋筋融解症，高血圧クリーゼ

投与量調整：
　　・肝機能障害時…減量を考慮

8. bortezomib(BOR) ★★★

商品名：ベルケイド®

剤形，用量：注：3 mg

適応：多発性骨髄腫，マントル細胞リンパ腫，原発性マクログロブリン血症およびリンパ形質細胞リンパ腫

作用機序：プロテアソーム阻害，NF-κB 阻害，サイトカイン(IL-6 など)の分泌抑制

主な代謝・排泄経路：肝代謝．排泄経路は特定されていない

主な副作用：
　　＞10%…骨髄抑制(特に血小板減少)，食欲不振，下痢，皮疹，悪心，末梢神経障害
　　1～10%…間質性肺炎

併用注意：CYP3A4 阻害薬・誘導薬

投与量調整：
　　・肝機能障害時…中等度以上の肝機能障害では減量

9. bosutinib ★★

商品名：ボシュリフ®

付録1 抗悪性腫瘍薬の種類

剤形，用量：錠：100 mg
適応：慢性骨髄性白血病
作用機序：Bcr-Abl チロシンキナーゼおよび Src ファミリーキナーゼ選択的阻害
主な代謝・排泄経路：肝代謝
主な副作用：
　　＞10%…下痢，悪心・嘔吐，肝機能障害，皮疹，血小板減少，好中球減少
　　1～10%…体液貯留，QT 間隔延長
　　頻度不明…肝炎，膵炎
併用注意：CYP3A 阻害薬・誘導薬，PPI
投与量調整：
　・腎機能障害時…Ccr＜30 mL/分では減量を考慮
　・肝機能障害時…減量を考慮

10. brigatinib ★★★
商品名：アルンブリグ®
剤形，用量：錠：30・90 mg
適応：ALK 融合遺伝子陽性の切除不能な進行・再発の非小細胞肺癌
作用機序：ALK 融合タンパクのチロシンキナーゼを阻害する
主な副作用：
　　＞10%…肝機能障害，下痢，悪心，CK 上昇，アミラーゼ上昇，リパーゼ上昇
　　1～10%…間質性肺疾患
併用注意：強い CYP3A 阻害薬・誘導薬

11. cabozantinib ★★★
商品名：カボメティクス®
剤形，用量：錠：20・60 mg
適応：根治切除不能または転移性の腎細胞癌，がん化学療法後に増悪した切除不能な肝細胞癌
作用機序：VEGFR-2，肝細胞増殖因子受容体(MET)，AXL などのキナーゼを阻害する
主な副作用：
　　＞10%…高血圧，腎機能障害，肝機能障害，骨髄抑制，手足症候群
　　1～10%…消化管穿孔，出血，血栓塞栓症，心機能障害，重度の下痢
　　＜1%…顎骨壊死，膵炎，横紋筋融解症，間質性肺疾患，創傷治癒遅延
併用注意：CYP3A 阻害薬・誘導薬
使用上の注意：食後に投与した場合，Cmax および AUC が増加するため食事1 時間前から食後 2 時間までの間の服用は避ける

12. capmatinib ★★
商品名：タブレクタ®
剤形，用量：錠：150・200 mg
適応：MET 遺伝子エクソン 14 スキッピング変異陽性の切除不能な進行・再発の非小細胞肺癌
作用機序：受容体型チロシンキナーゼである間葉上皮転換因子(MET)のリン酸化を阻害する

分子標的薬　595

主な副作用：
>10%…体液貯留，肝機能障害，腎機能障害，悪心，嘔吐，下痢，リパーゼ増加
1〜10%…間質性肺疾患
併用注意：CYP3A 阻害薬・誘導薬，CYP1A2・P 糖タンパク（P-gp）・BCRP 基質薬剤，PPI

13. carfilzomib ★★★

商品名：カイプロリス®
剤形，用量：注：10・40 mg
適応：再発または難治性の多発性骨髄腫
作用機序：プロテアソームのキモトリプシンを阻害することにより腫瘍細胞のアポトーシスを誘導する
主な副作用：
（レナリドミド，デキサメタゾンと併用）
>10%…リンパ球減少症，血小板減少，高血糖，肝酵素上昇

14. ceritinib ★★★

商品名：ジカディア®
剤形，用量：カプセル：150 mg
適応：ALK 融合遺伝子陽性の切除不能な進行期または再発の非小細胞肺癌
作用機序：ALK チロシンキナーゼを阻害する
主な代謝・排泄経路：肝代謝，胆汁排泄
主な副作用：
>10%…悪心，肝酵素上昇，下痢
併用注意：CYP3A 阻害薬・誘導薬・基質薬剤，CYP2C9 基質薬剤，徐脈・QT 間隔延長のリスクとなる薬剤，PPI
使用上の注意：食事 1 時間前から食後 2 時間までの間の服用は避ける

15. crizotinib ★★★

商品名：ザーコリ®
剤形，用量：カプセル：200・250 mg
適応：ALK 融合遺伝子または ROS1 融合遺伝子陽性の切除不能な進行・再発の非小細胞肺癌
作用機序：ALK，c-Met/HGFR，ROS1 のチロシンキナーゼを阻害する
主な代謝・排泄経路：肝代謝，胆汁排泄
主な副作用：
>10%…悪心，下痢，視覚障害，浮腫，肝機能障害
1〜10%…間質性肺疾患
併用禁忌：ロミタピド
併用注意：CYP3A4 阻害薬・誘導薬・基質薬剤，QT 間隔延長のリスクとなる薬剤
使用上の注意：視覚障害が現れることがあるので，自動車運転など機械操作時には注意する

16. dabrafenib ★★★

商品名：タフィンラー®
剤形，用量：カプセル：50・75 mg
適応：BRAF 遺伝子変異陽性の悪性黒色腫および非小細胞肺癌

付録1
抗悪性腫瘍薬の種類

作用機序：RAF-MEK-ERK シグナル伝達経路を選択的に阻害し，細胞増殖を抑制する

主な代謝・排泄経路：肝代謝，胆汁排泄

主な副作用：
>10%…発熱，悪寒，AST 増加，浮腫
1～10%…皮膚有棘細胞癌

併用注意：CYP3A・CYP2C8 阻害薬・誘導薬，CYP2C9・OATP1B1/3 基質薬剤

投与量調整：
・肝機能障害時…中等度以上の肝機能障害では慎重投与
・心疾患のある場合は慎重投与

使用上の注意：食事の影響を避けるため空腹時に内服する

17. dacomitinib ★★★

商品名：ビジンプロ®

剤形，用量：錠：15・45 mg

適応：EGFR 遺伝子変異陽性の手術不能または再発非小細胞肺癌

作用機序：活性型変異（エクソン 19 欠失およびエクソン 21L858R 点突然変異）を有する EGFR などのチロシンキナーゼを阻害することにより腫瘍の増殖を抑制する

主な代謝・排泄経路：肝代謝

主な副作用：
>10%…重度の皮膚障害，肝機能障害，口内炎，結膜炎
1～10%…間質性肺疾患，重度の下痢

併用注意：CYP2D6 阻害薬・誘導薬（SSRI など），H_2 ブロッカー，PPI

18. dasatinib ★★★

商品名：スプリセル®

剤形，用量：錠：20・50 mg

適応：慢性骨髄性白血病，再発または難治性のフィラデルフィア染色体陽性急性リンパ性白血病

作用機序：第 2 世代の BCR-ABL 阻害薬。Bcr-Abl（T315I や F317V 以外のイマチニブ耐性変異に有効），c-kit，PDGFRβ，SRC ファミリー，EPHA2 のチロシンキナーゼを阻害

主な代謝・排泄経路：肝代謝，胆汁排泄

主な副作用：
>10%…下痢，皮疹，体液貯留（胸水），骨髄抑制，頭痛，倦怠感，悪心

併用注意：CYP3A4 阻害薬・誘導薬・基質薬剤，制酸薬，H_2 ブロッカー，PPI，QT 間隔延長のリスクとなる薬剤，抗不整脈薬

19. encorafenib ★★★

商品名：ビラフトビ®

剤形，用量：カプセル：50・75 mg

適応：BRAF 遺伝子変異を有する根治切除不能な悪性黒色腫，がん化学療法後に増悪した BRAF 遺伝子変異を有する治癒切除不能な進行・再発の結腸・直腸癌，EGFR 遺伝子変異陽性の手術不能または再発非小細胞肺癌

作用機序：BRAF V600E のキナーゼを阻害し，また MAPK 経路のシグナル伝達分子（MEK および ERK）のリン酸化を阻害する

分子標的薬　597

主な代謝・排泄経路：CYP3A4 による N-脱アルキル化およびグルクロン酸抱合
主な副作用：
　　　　>10%…眼障害(網膜障害，ぶどう膜炎)，皮疹，下痢，悪心
　　1〜10%…心機能障害，肝機能障害，消化管出血
　　　　<1%…皮膚悪性腫瘍，横紋筋融解症，高血圧クリーゼ，手掌・足底発赤
　　　　　　　知覚不全症候群
併用注意：CYP3A 阻害薬
投与量調整：
　・肝機能障害時…減量を考慮
使用上の注意：二次的な皮膚悪性腫瘍に注意する

20. entrectinib ★★★
商品名：ロズリートレク®
剤形，用量：カプセル：100・200 mg
適応：NTRK 融合遺伝子陽性の進行・再発の固形癌，ROS1 融合遺伝子陽性の
切除不能な進行・再発の非小細胞肺癌
作用機序：トロポミオシン受容体キナーゼ(TRK)，ROS1 などのチロシンキ
ナーゼを阻害し，融合タンパクおよび下流のシグナル伝達分子のリン酸化を阻
害する
主な副作用：
　　　　>10%…認知症，運動失調，味覚異常，便秘，下痢，浮腫
　　1〜10%…心機能障害，QT 間隔延長，間質性肺疾患
併用注意：CYP3A 阻害薬・誘導薬

21. erlotinib ★★★
商品名：タルセバ®
剤形，用量：カプセル：25・100・150 mg
適応：がん化学療法施行後に増悪した非小細胞肺癌，EGFR 遺伝子変異陽性
のがん化学療法未治療の切除不能再発・進行性非小細胞肺癌，治癒切除不能な
膵癌(GEM との併用)
作用機序：EGFR のチロシンキナーゼを阻害
主な代謝・排泄経路：肝代謝，胆汁排泄
主な副作用：
　　　　>10%…皮疹，下痢，皮膚乾燥，搔痒症
　　1〜10%…間質性肺炎，肝機能障害
併用注意：CYP3A4 阻害薬・誘導薬，シプロフロキサシン，H$_2$ ブロッカー，
PPI，ワルファリン，タバコ
投与量調整：
　・肝機能障害時…減量を考慮。T-Bil>3 mg/dL で特に注意
使用上の注意：食事 1 時間前から食後 2 時間までの間の服用は避ける

22. everolimus ★★★
商品名：アフィニトール®
剤形，用量：錠：2.5・5 mg，分散錠：2・3 mg
適応：根治切除不能または転移性の腎細胞癌，神経内分泌腫瘍，手術不能また
は再発乳癌，結節性硬化症に伴う腎血管筋脂肪腫および上衣下巨細胞性星細胞
腫
作用機序：mTOR 阻害

付録1　抗悪性腫瘍薬の種類

598 付録 1 抗悪性腫瘍薬の種類

主な代謝・排泄経路：肝代謝，胆汁排泄
主な副作用：
　　　＞10％…口内炎，皮疹，貧血，疲労，下痢，食欲不振，高血糖，高コレス
　　　　　　テロール血症，高トリグリセリド血症，間質性肺炎，感染
併用禁忌：生ワクチン
併用注意：CYP3A4 阻害薬・誘導薬，P-gp 阻害薬・誘導薬，不活化ワクチン，
グレープフルーツ含有食品
投与量調整：
　　　・肝機能障害時…減量を検討
使用上の注意：食事 1 時間以上前あるいは食後 2 時間以降に内服する

23. forodesine ★★
商品名：ムンデシン®
剤形，用量：カプセル：100 mg
適応：再発または難治性の末梢性 T 細胞リンパ腫
作用機序：プリンヌクレオシドホスホリラーゼ(PNP)を阻害することにより
デオキシグアノシン(dGuo)がリン酸化され，デオキシグアノシン三リン酸
(dGTP)が蓄積することにより腫瘍の増殖を抑制する
主な代謝・排泄経路：腎排泄
主な副作用：
　　　＞10％…リンパ球減少症，白血球減少，貧血，好中球減少，鼻咽頭炎，頭
　　　　　　痛，帯状疱疹，肝機能障害，タンパク尿
　　　1～10％…ニューモシスチス肺炎，EBV(Epstein-Barr Virus)関連悪性リン
　　　　　　パ腫

24. gefitinib ★★★
商品名：イレッサ® など
剤形，用量：錠：250 mg
適応：EGFR 遺伝子変異陽性の手術不能または再発非小細胞肺癌
作用機序：EGFR のチロシンキナーゼを阻害
主な代謝・排泄経路：肝代謝，胆汁排泄
主な副作用：
　　　＞10％…皮疹，皮膚乾燥，下痢，肝機能障害
　　　1～10％…間質性肺炎
併用注意：CYP3A4 阻害薬・誘導薬，H₂ ブロッカー，PPI，ワルファリン

25. gilteritinib ★★★
商品名：ゾスパタ®
剤形，用量：錠：40 mg
適応：再発または難治性の FLT3 遺伝子変異陽性の急性骨髄性白血病
作用機序：FLT3 などのチロシンキナーゼを阻害することにより腫瘍の増殖を
抑制する
主な代謝・排泄経路：肝代謝
主な副作用：
　　　＞10％…骨髄抑制，下痢，肝機能障害
　　　1～10％…QT 間隔延長，疲労，発熱
併用注意：CYP3A 阻害薬・誘導薬，P-gp 阻害薬・誘導薬，QT 間隔延長のリ
スクとなる薬剤

分子標的薬 | 599

26. ibrutinib ★★★

商品名：イムブルビカ®

剤形，用量：カプセル：140 mg

適応：慢性リンパ性白血病，再発または難治性のマントル細胞リンパ腫

作用機序：B細胞性腫瘍の発生，増殖にかかわるB細胞受容体およびB細胞の遊走，接着などにかかわるケモカイン受容体下流に位置するブルトン型チロシンキナーゼ(BTK)の活性部位にあるシステイン残基と結合し阻害する

主な副作用：

> 10％…好中球減少症，貧血，皮疹，ビリルビン増加，下痢，口内炎

1〜10％…感染症，不整脈

併用禁忌：ケトコナゾール，イトラコナゾール，クラリスロマイシン

併用注意：CYP3A阻害薬・誘導薬，グレープフルーツ含有食品，抗凝固・抗血小板薬

投与量調整：

・肝機能障害時…減量を考慮

27. imatinib ★★★

商品名：グリベック®など

剤形，用量：錠：100・200 mg

適応：慢性骨髄性白血病，KIT(CD117)陽性消化管間質腫瘍，フィラデルフィア染色体陽性急性リンパ性白血病，FIP1L1-PDGFRα陽性の好酸球増多症候群(HES)，慢性好酸球性白血病(CEL)

作用機序：BCR-ABL，c-kit，PDGFRのチロシンキナーゼを阻害する

主な代謝・排泄経路：肝代謝，胆汁排泄

主な副作用：

> 10％…悪心，下痢，骨髄抑制，肝機能障害，浮腫，皮疹

1〜10％…体液貯留

併用注意：CYP3A4阻害薬・誘導薬，グレープフルーツ含有食品

投与量調整：

・腎機能障害時…Ccr<40〜60 mL/分で減量

・肝機能障害時…重度の肝機能障害で減量

28. ixazomib ★★★

商品名：ニンラーロ®

剤形，用量：カプセル：2.3・3・4 mg

適応：再発または難治性の多発性骨髄腫，多発性骨髄腫における自家造血幹細胞移植後の維持療法

作用機序：20Sプロテアソームのβ5サブユニットに結合し，キモトリプシンを阻害することにより腫瘍細胞のアポトーシスを誘導する

主な副作用：

（レナリドミド，デキサメタゾンと併用）

> 10％…好中球減少症，血小板減少，皮疹，疲労，末梢神経障害

1〜10％…めまい，味覚異常

併用注意：CYP3A誘導薬

29. lapatinib ★★★

商品名：タイケルブ®

剤形，用量：錠：250 mg

付録1 抗悪性腫瘍薬の種類

適応：HER2 過剰発現が確認された手術不能または再発乳癌（カペシタビンまたはアロマターゼ阻害薬との併用）

作用機序：HER2，EGFR のチロシンキナーゼ活性を可逆的に阻害する

主な代謝・排泄経路：肝代謝，胆汁排泄

主な副作用：
　　＞10%…下痢，悪心，食欲不振，皮疹，疲労
　　1〜10%…左室駆出率低下

併用注意：CYP3A4 阻害薬・誘導薬，CYP2C8 で代謝される薬剤，パクリタキセル，P-gp 阻害薬・誘導薬・基質薬剤，パゾパニブ，イリノテカン，PPI，QT 間隔延長のリスクとなる薬剤，抗不整脈薬，グレープフルーツ含有食品

投与量調整：
　　・肝機能障害時…Child-Pugh C では減量する

使用上の注意：食事の影響を避けるため食事の前後 1 時間以内の服用は避ける

30. larotrectinib ★★

商品名：ヴァイトラックビ®

剤形，用量：カプセル：25・100 mg，内用液：20 mg/mL

適応：NTRK 融合遺伝子陽性の進行・再発の固形癌

作用機序：NTRK 遺伝子がコードするトロポミオシン受容体キナーゼ（TRK）ファミリータンパクのチロシンキナーゼを阻害し，TRK 融合タンパクおよび下流のシグナル伝達分子のリン酸化を阻害する

主な副作用：
　　＞10%…肝機能障害，骨髄抑制，中枢神経系障害，悪心，便秘

併用注意：CYP3A 阻害薬・誘導薬・基質薬剤

31. lenvatinib ★★★

商品名：レンビマ®

剤形，用量：カプセル：4・10 mg

適応：根治切除不能な甲状腺癌，肝細胞癌，切除不能な胸腺癌

作用機序：VEGFR，FGFR，PDGFRα，KIT，RET などのチロシンキナーゼを阻害する

主な代謝・排泄経路：肝代謝，胆汁排泄

主な副作用：
　　＞10%…高血圧，タンパク尿，出血
　　1〜10%…下痢，悪心，食欲不振，手足症候群，感染症，肺塞栓症，肝機能障害，骨髄抑制
　　＜1%…創傷治癒遅延，消化管穿孔

併用注意：P-gp および CYP3A4 阻害薬・誘導薬

投与量調整：
　　・肝機能障害時…Child-Pugh C では減量を考慮

32. lorlatinib ★★★

商品名：ローブレナ®

剤形，用量：錠：25・100 mg

適応：ALK チロシンキナーゼ阻害薬に抵抗性または不耐容の ALK 融合遺伝子陽性の切除不能進行・再発非小細胞肺癌

作用機序：既存の ALK チロシンキナーゼに耐性である L1196M，G1269A，

分子標的薬 | 601

I1171T および G1202R 変異にも活性を有し，ALK 融合タンパクを阻害することにより腫瘍の増殖を抑制する

主な副作用：

>10%…中枢神経障害，肝機能障害

1～10%…QT 間隔延長，膵炎

併用禁忌：リファンピシン

併用注意：CYP3A 阻害薬・誘導薬・基質薬剤，P-gp 基質薬剤，QT 間隔延長のリスクとなる薬剤

33. nilotinib ★★★

商品名：タシグナ®

剤形，用量：カプセル：50・150・200 mg

適応：慢性期または移行期の慢性骨髄性白血病

作用機序：dasatinib と同様（⇒596 頁）

主な代謝・排泄経路：肝代謝，胆汁排泄

主な副作用：

>10%…皮疹，搔痒症，骨髄抑制，頭痛，倦怠感，悪心

併用注意：CYP3A4 阻害薬・誘導薬，ミダゾラム，グレープフルーツ含有食品，イマチニブ，抗不整脈薬，QT 延長のリスクとなる薬剤，PPI

使用上の注意：食事の影響を避けるため，食事 1 時間前または食後 2 時間以降に内服する

34. niraparib ★★★

商品名：ゼジューラ®

剤形，用量：カプセル：100 mg

適応：卵巣癌における初回化学療法後の維持療法，白金系抗悪性腫瘍薬感受性の再発卵巣癌における維持療法，白金系抗悪性腫瘍薬感受性の相同組換え修復欠損を有する再発卵巣癌

作用機序：ヒト PARP-1 および PARP-2 の酵素を阻害する

主な副作用：

>10%…骨髄抑制，悪心，便秘，嘔吐

1～10%…高血圧

<1%…間質性肺疾患

35. olaparib ★★★

商品名：リムパーザ®

剤形，用量：錠：100・150 mg

適応：白金系抗悪性腫瘍薬感受性の再発卵巣癌における維持療法，BRCA 遺伝子変異陽性の卵巣癌における初回化学療法後の維持療法，がん化学療法歴のある BRCA 遺伝子変異陽性かつ HER2 陰性の手術不能または再発乳癌，BRCA 遺伝子変異陽性の遠隔転移を有する去勢抵抗性前立腺癌，BRCA 遺伝子変異陽性の治癒切除不能な膵癌における白金系抗悪性腫瘍薬を含む化学療法後の維持療法

作用機序：PARP を阻害することにより DNA 修復を阻害し，細胞死を誘導する

主な副作用：

>10%…骨髄抑制，悪心，嘔吐，下痢

併用注意：CYP3A 阻害薬・誘導薬，グレープフルーツ含有食品

付録1 抗悪性腫瘍薬の種類

602 付録 1　抗悪性腫瘍薬の種類

36. osimertinib ★★★
商品名：タグリッソ®
剤形，用量：錠：40・80 mg
適応：EGFR 遺伝子変異陽性の手術不能または再発非小細胞肺癌
作用機序：EGFR 活性化変異のみでなく，T790M 変異も有する腫瘍の増殖を抑制する
主な代謝・排泄経路：肝代謝，胆汁排泄
主な副作用：
　　＞10%…下痢，皮疹
　　1〜10%…間質性肺疾患
併用注意：CYP3A 誘導薬，P-gp・BCRP 基質薬剤，QT 間隔延長のリスクとなる薬剤

37. palbociclib ★★★
商品名：イブランス®
剤形，用量：カプセル：25・125 mg，錠：25・125 mg
適応：手術不能または再発乳癌
作用機序：CDK4 および 6 を阻害し，Rb タンパクのリン酸化を阻害することにより腫瘍の増殖を抑制する
主な副作用：
　　＞10%…好中球減少症，貧血，血小板減少，悪心，疲労，口内炎，脱毛，下痢，発疹
　　1〜10%…肝酵素上昇
投与量調整：
　　・肝機能障害時…重度の肝障害がある患者では慎重投与
使用上の注意：カプセル剤は食後投与が必要。錠剤は食後の制限なし

38. panobinostat ★★★
商品名：ファリーダック®
剤形，用量：カプセル：10・15 mg
適応：再発または難治性の多発性骨髄腫
作用機序：クラス I・II・IV のヒストン脱アセチル化酵素（HDAC）を阻害し，がん抑制遺伝子の転写促進，腫瘍細胞のアポトーシスや細胞周期停止を誘導する
主な副作用：
　　＞10%…重度の下痢，血小板減少症，貧血，好中球減少症
　　1〜10%…感染症，QT 間隔延長，肝機能障害
併用注意：強い CYP3A4 阻害薬・誘導薬，CYP2D6 基質薬剤，QT 間隔延長のリスクのある薬剤，抗不整脈薬
投与量調整：
　　・肝機能障害時…中等度以上で減量を考慮

39. pazopanib ★★★
商品名：ヴォトリエント®
剤形，用量：錠：200 mg
適応：悪性軟部腫瘍，根治切除不能または転移性の腎細胞癌
作用機序：VEGFR-1・2・3，PDGFR-α/β，c-kit などのチロシンキナーゼを阻害する

分子標的薬 | 603

主な代謝・排泄経路：肝代謝，胆汁排泄

主な副作用：高血圧，下痢，疲労，骨髄抑制，肝機能障害，毛髪変色，手足症候群，眼障害

投与量調整：
・肝機能障害時…中等度の肝機能障害では減量，重度の肝機能障害では推奨しない

併用注意：CYP3A4 阻害薬・誘導薬，PPI，シンバスタチン，QT 間隔延長のリスクとなる薬剤，抗不整脈薬

40. pemigatinib ★★

商品名：ペマジール®

剤形，用量：錠：4.5 mg

適応：がん化学療法後に増悪した FGFR2 融合遺伝子陽性の治癒切除不能な胆道癌

作用機序：FGFR のチロシンキナーゼを阻害し，FGFR 融合タンパクおよび下流のシグナル伝達分子のリン酸化を阻害する

主な副作用：
>10%…高 P 血症，ドライアイ，下痢，口内炎，口腔乾燥，味覚異常，脱毛症，爪の障害

1〜10%…網膜剝離

併用注意：CYP3A 阻害薬・誘導薬

使用上の注意：本剤投与中は定期的に眼科検査や血清リン濃度測定を行う

41. ponatinib ★★★

商品名：アイクルシグ®

剤形，用量：錠：15 mg

適応：前治療に抵抗性または不耐容の慢性骨髄性白血病，再発または難治性のフィラデルフィア染色体陽性急性リンパ性白血病

作用機序：T315I 変異型を含む Bcr-Abl チロシンキナーゼおよび Src ファミリーキナーゼ選択的阻害

主な代謝・排泄経路：肝代謝

主な副作用：
>10%…発熱，血小板減少，高血圧，リパーゼ増加，好中球減少，肝機能障害，薬疹，浮腫，腹痛，体液貯留

1〜10%…冠動脈疾患，脳血管障害，膵炎

併用注意：CYP3A 阻害薬・誘導薬

42. quizartinib ★★★

商品名：ヴァンフリタ®

剤形，用量：錠：17.7・26.5 mg

適応：再発または難治性の FLT3-ITD 変異陽性の急性骨髄性白血病

作用機序：ITD 変異を有する FLT3 に結合し，FLT3 の受容体型チロシンキナーゼとしてのシグナル伝達機能を阻害する

主な副作用：
>10%…QT 間隔延長，骨髄抑制

1〜10%…感染症

<1%…頭蓋内出血，心筋梗塞，間質性肺疾患

併用注意：強い CYP3A4 阻害薬・誘導薬，QT 間隔延長のリスクのある薬剤

付録1 抗悪性腫瘍薬の種類

604 | 付録 1 抗悪性腫瘍薬の種類

使用上の注意：投与開始前，増量前，その後も定期的(最初の 2 週間は週に 1 回，その後は月に 1 回を目安)に心電図検査を行う

43. regorafenib(REG) ★★★

商品名：スチバーガ®
剤形，用量：錠：40 mg
適応：根治切除不能な進行・再発の結腸・直腸癌，がん化学療法後に増悪した消化管間質腫瘍，がん化学療法後に増悪した切除不能な肝細胞癌
作用機序：VEGFR，FGFR，PDGFR，KIT，RET，RAF などのチロシンキナーゼを阻害する
主な代謝・排泄経路：肝代謝，胆汁排泄
主な副作用：
　　　　>10%…手足症候群，高血圧，血小板減少，下痢，食欲不振
　　　1〜10%…出血，肝機能障害，甲状腺機能低下症，タンパク尿
　　　　　<1%…血栓塞栓症
　　頻度不明…劇症肝炎，重篤な皮膚障害(TEN，Stevens-Johnson 症候群)，間質性肺疾患
併用注意：CYP3A4 阻害薬・誘導薬，イリノテカン，BCRP 基質薬剤
投与量調整：
　・肝機能障害時…Child-Pugh C では検討されていない

44. romidepsin ★★

商品名：イストダックス®
剤形，用量：注：10 mg
適応：再発または難治性の末梢性 T 細胞リンパ腫
作用機序：HDAC を阻害し腫瘍細胞のアポトーシスや細胞周期停止を誘導する
主な副作用：
　　　　>10%…骨髄抑制，味覚異常，悪心，発熱，嘔吐
　　　1〜10%…感染症，QT 間隔延長，腫瘍崩壊症候群
併用注意：CYP3A 阻害薬，リファンピシン，抗不整脈薬，QT 間隔延長のリスクとなる薬剤
投与量調整：
　・肝機能障害時…中等度以上で減量を考慮

45. ruxolitinib ★★★

商品名：ジャカビ®
剤形，用量：錠：5・10 mg
適応：骨髄線維症
作用機序：骨髄線維症で恒常的に活性化している JAK2 キナーゼの活性と，IL-6 の細胞内伝達にかかわる JAK1 キナーゼを阻害する
主な副作用：
　　　　>10%…血小板減少，貧血，感染症
　　　1〜10%…好中球減少，肝機能障害
併用注意：CYP3A4 阻害薬・誘導薬
投与量調整：
　・腎機能障害時…Ccr<30 mL/分 では慎重投与
　・肝機能障害時…慎重投与

分子標的薬 | 605

46. sorafenib ★★★

商品名：ネクサバール®

剤形，用量：錠：200 mg

適応：根治切除不能な腎細胞癌，肝細胞癌，分化型甲状腺癌

作用機序：VEGFR-1・2・3，PDGFRβ，Raf，c-kit，FLT3，RET などのチロシンキナーゼを阻害する

主な代謝・排泄経路：肝代謝，胆汁排泄

主な副作用：

　　＞10％…手足症候群，皮疹，高血圧，出血，疲労，食欲不振，肝機能障害，リパーゼ上昇，アミラーゼ上昇

　　＜1％…急性膵炎，消化管穿孔，甲状腺機能低下症

併用注意：CYP3A4 誘導剤，イリノテカン，ワルファリン

投与量調整：

　・肝機能障害時…Child-Pugh C では検証されていない

使用上の注意：高脂肪食では食事1時間前から食後2時間までの間の服用は避ける

47. sunitinib ★★★

商品名：スーテント®

剤形，用量：カプセル：12.5 mg

適応：イマチニブ抵抗性の消化管間質腫瘍（GIST），根治切除不能または転移性の腎細胞癌，膵神経内分泌腫瘍

作用機序：VEGFR，PDGFR，KIT，FLT3，RET などのチロシンキナーゼを阻害する

主な代謝・排泄経路：肝代謝，胆汁排泄

主な副作用：

　　＞10％…高血圧，骨髄抑制，手足症候群，皮膚変色，悪心，口内炎，下痢，味覚障害，肝機能障害，リパーゼ上昇

　1～10％…血栓症

　　＜1％…急性膵炎，消化管穿孔

併用注意：CYP3A4 阻害薬・誘導薬，QT 間隔延長のリスクとなる薬剤，抗不整脈薬，ビスホスホネート系製剤

使用上の注意：QT 間隔延長の既往のある患者には原則投与禁忌。投薬前に心機能検査を行う

48. tazemetostat ★★

商品名：タズベリク®

剤形，用量：錠：200 mg

適応：再発または難治性の EZH2 遺伝子変異陽性の濾胞性リンパ腫（標準的な治療が困難な場合に限る）

作用機序：ヒストンなどのメチル基転移酵素である EZH2 の酵素を阻害し，変異型 EZH2(Y646F など)のメチル化活性を阻害することで，ヒストン H3 の27番目のリジン残基などのメチル化を阻害し，細胞周期停止およびアポトーシスを誘導する

主な副作用：

　　＞10％…骨髄抑制，感染症，悪心，味覚異常，肝機能障害，口内炎，脱毛症

付録 1 抗悪性腫瘍薬の種類

606 付録 1 抗悪性腫瘍薬の種類

併用注意：CYP3A 阻害薬・誘導薬，CYP2C8 基質薬剤
使用上の注意：白血病やリンパ腫など，二次性悪性腫瘍の発現の可能性がある

49. temsirolimus ★★★
商品名：トーリセル®
剤形，用量：注：25 mg
適応：根治切除不能または転移性の腎細胞癌
作用機序：mTOR 阻害
主な代謝・排泄経路：肝代謝，胆汁排泄
主な副作用：
　　　＞10%…皮疹，口内炎，悪心，食欲不振，貧血，肝機能障害，高血糖，高
　　　　　　コレステロール血症，高トリグリセリド血症，間質性肺炎
併用注意：CYP3A 阻害薬・誘導薬，不活化ワクチン，ACE 阻害薬，グレープ
フルーツ含有食品
使用上の注意：infusion reaction 予防のため，抗ヒスタミン薬の前投与を行
う
投与量調整：
　・肝機能障害時…重度の肝機能障害では減量を検討

50. tepotinib ★★
商品名：テプミトコ®
剤形，用量：錠：250 mg
適応：MET 遺伝子エクソン 14 スキッピング変異陽性の切除不能な進行・再
発の非小細胞肺癌
作用機序：受容体型チロシンキナーゼである MET のリン酸化を阻害する
主な副作用：
　　　＞10%…体液貯留，肝機能障害，腎機能障害，悪心，下痢
　　　1～10%…間質性肺疾患
併用注意：P-gp 基質薬剤

51. tirabrutinib ★★
商品名：ベレキシブル®
剤形，用量：錠：80 mg
適応：再発または難治性の中枢神経系原発リンパ腫，原発性マクログロブリン
血症およびリンパ形質細胞リンパ腫
作用機序：B 細胞受容体の下流シグナル伝達分子であるブルトン型チロシンキ
ナーゼ(BTK)と結合しキナーゼを阻害する
主な代謝経路：肝代謝
主な副作用：
　　　＞10%…発疹，骨髄抑制
　　　1～10%…感染症，重度の皮膚障害(多形紅斑など)，肝機能障害
併用注意：CYP3A 阻害薬・誘導薬

52. trametinib ★★★
商品名：メキニスト®
剤形，用量：錠：0.5・2 mg
適応：BRAF 遺伝子変異陽性の悪性黒色腫および非小細胞肺癌
作用機序：RAF-MEK-ERK シグナル伝達経路を選択的に阻害し，細胞増殖を
抑制する

分子標的薬　607

主な代謝・排泄経路：主に肝代謝，胆汁排泄
主な副作用：
　　＞10%…発疹，下痢，肝機能障害
　　1〜10%…骨髄抑制，CK 上昇
投与量調整：
　　・肝機能障害時…中等度以上の肝機能障害では慎重投与
　　・心疾患のある場合は慎重投与

53. tucidinostat ★★
商品名：ハイヤスタ®
剤形，用量：錠：10 mg
適応：再発または難治性の成人 T 細胞白血病リンパ腫
作用機序：HDAC を阻害し，ヒストンなどの脱アセチル化が阻害され，細胞周期停止およびアポトーシスを誘導する
主な副作用：
　　＞10%…骨髄抑制，下痢，悪心
　　1〜10%…間質性肺疾患，感染症，不整脈，QT 間隔延長
併用注意：強い CYP3A 阻害薬，QT 間隔延長のリスクのある薬剤

54. vandetanib ★★★
商品名：カプレルサ®
剤形，用量：錠：100 mg
適応：根治切除不能な甲状腺髄様癌
作用機序：VEGFR-2，EGFR，RET などのチロシンキナーゼを阻害する
主な代謝・排泄経路：肝代謝，胆汁排泄
主な副作用：
　　＞10%…皮疹，下痢，高血圧，角膜混濁，疲労，QT 間隔延長
　　1〜10%…心機能障害，出血
　　＜1%…消化管穿孔，間質性肺疾患
　　頻度不明…重篤な皮膚障害（TEN，Stevens-Johnson 症候群）
併用注意：CYP3A 阻害薬・誘導薬，OCT2・P-gp 基質薬剤，QT 間隔延長のリスクのある薬剤，抗不整脈薬

55. vemurafenib ★★★
商品名：ゼルボラフ®
剤形，用量：錠：240 mg
適応：BRAF 遺伝子変異陽性の根治切除不能な悪性黒色腫
作用機序：RAF-MEK-ERK シグナル伝達経路を選択的に阻害し，細胞増殖を抑制する
主な代謝・排泄経路：肝代謝，胆汁排泄
主な副作用：
　　＞10%…皮膚有棘細胞癌，皮疹，薬剤性過敏症症候群
　　1〜10%…QT 間隔延長，肝機能障害，光線過敏，眼障害
　　頻度不明…2 次発がん，重篤な皮膚障害，アナフィラキシー
併用注意：CYP3A4 阻害薬・誘導薬，CYP3A4・CYP1A2・CYP2C9・P-gp 基質薬剤，QT 間隔延長のリスクのある薬剤，抗不整脈薬
投与量調整：
　　・肝機能障害時…重度の肝機能障害では慎重投与

付録1 抗悪性腫瘍薬の種類

608 付録 1 抗悪性腫瘍薬の種類

使用上の注意：食事 1 時間前から食後 2 時間までの間の服用は避ける

56. venetoclax ★★★

商品名：ベネクレクスタ®

剤形，用量：錠：10・50・100 mg

適応：再発または難治性の慢性リンパ性白血病(小リンパ球性リンパ腫を含む)，急性骨髄性白血病

作用機序：抗アポトーシス作用を有する Bcl-2 に結合し，抗アポトーシス作用を阻害する

主な副作用：
> \>10%…骨髄抑制，感染症，下痢，悪心，嘔吐
> 1〜10%…腫瘍崩壊症候群

併用禁忌(慢性リンパ性白血病の用量漸増期)：強い CYP3A 阻害薬(リトナビル，クラリスロマイシン，イトラコナゾール，ボリコナゾールなど)

併用注意：他の CYP3A 阻害薬・誘導薬，P-gp 阻害薬・基質薬剤，ワルファリン，アジスロマイシン，生ワクチン，グレープフルーツ含有食品

投与量調整：
> ・肝機能障害時…減量を考慮

57. vorinostat ★★

商品名：ゾリンザ®

剤形，用量：カプセル：100 mg

適応：皮膚 T 細胞性リンパ腫

作用機序：HDAC 阻害

主な代謝・排泄経路：肝代謝

主な副作用：
> \>10%…悪心，下痢，食欲不振，疲労，血小板減少，貧血

■ 抗体薬

1. aflibercept(AFL) ★★★

商品名：ザルトラップ®

剤形，用量：注：100・200 mg

適応：治癒切除不能な進行・再発の結腸・直腸癌

作用機序：ヒト化抗 VEGFR-1, 2 モノクローナル抗体(血管新生阻害)

主な副作用：
> \>10%…高血圧，鼻出血，infusion reaction，タンパク尿，好中球減少
> 1〜10%…血栓塞栓症，消化管出血，消化管穿孔，肝機能障害，貧血

併用注意：抗凝固薬

2. alemtuzumab ★★

商品名：マブキャンパス®

剤形，用量：注：30 mg

適応：再発または難治性の慢性リンパ球性白血病，同種造血幹細胞移植の前治療

作用機序：ヒト化抗 CD52 モノクローナル抗体〔抗体依存性細胞傷害(ADCC)，補体依存性細胞傷害(CDC)〕

主な副作用：
> \>10%…infusion reaction，感染症，好中球減少症

抗体薬 609

　　1〜10%…心毒性
　　頻度不明…B型肝炎ウイルス再活性化
　併用注意：生ワクチン・不活化ワクチン，免疫抑制薬，降圧薬
　使用上の注意：infusion reaction を軽減させるために，投与30分前に抗ヒスタミン薬，解熱鎮痛薬などの前投与を行う。ステロイドを追加してもよい

3. bevacizumab(BV) ★★★
　商品名：アバスチン® など
　剤形，用量：注：100・400 mg
　適応：治癒切除不能な進行・再発の結腸・直腸癌，扁平上皮癌を除く切除不能な進行・再発の非小細胞肺癌，手術不能または再発乳癌，悪性神経膠腫，卵巣癌，進行または再発の子宮頸癌，切除不能な肝細胞癌
　作用機序：ヒト化抗 VEGF モノクローナル抗体(血管新生阻害)
　主な副作用：
　　＞10%…高血圧，タンパク尿，出血
　　　＜1%…腸管穿孔，創傷治癒遅延
　併用注意：抗凝固薬
　使用上の注意：創傷治癒遅延による合併症が起こることがあるため，投与終了からその後の手術までには十分な期間(臨床試験では28日以上)をおく

4. cetuximab(Cmab) ★★★
　商品名：アービタックス®
　剤形，用量：注：100 mg
　適応：KRAS遺伝子変異野生型の治癒切除不能な進行・再発の結腸・直腸癌，頭頸部癌
　作用機序：キメラ型抗 EGFR モノクローナル抗体
　主な副作用：
　　＞10%…皮疹，皮膚乾燥，瘙痒症，爪囲炎，下痢，食欲不振，疲労，低Mg血症，infusion reaction
　使用上の注意：infusion reaction を軽減させるため投与前に抗ヒスタミン薬の投与を行う

5. daratumumab ★★★
　商品名：ダラザレックス®
　剤形，用量：注：100・400 mg
　適応：多発性骨髄腫
　作用機序：ヒト化抗 CD38 モノクローナル抗体〔ADCC，抗体依存性細胞貪食(ADCP)，CDC〕
　主な副作用：
　　＞10%…infusion reaction，好中球減少症，血小板減少
　　1〜10%…貧血，発熱
　使用上の注意：間接 Coombs 試験が偽陽性になることがあるため投与開始前に輸血前検査を施行しておく

6. daratumumab/vorhyaluronidase alfa ★★★
　商品名：ダラキューロ®
　剤形，用量：皮下注：ダラツムマブとして 1,800 mg・ボルヒアルロニダーゼアルファとして 30,000 単位
　適応：多発性骨髄腫

付録
1

抗悪性腫瘍薬の種類

610 付録1 抗悪性腫瘍薬の種類

作用機序：ヒト CD38 に結合し，CDC 活性，ADCC 活性，ADCP 活性などにより，腫瘍の増殖を抑制する。ボルヒアルロニダーゼ アルファは，結合組織におけるヒアルロン酸を加水分解する酵素である

主な副作用：
　　＞10%…infusion reaction，骨髄抑制
　1～10%…感染症，注射部位反応
　　＜1%…間質性肺疾患

使用上の注意：infusion reaction を軽減させるために，本剤投与開始1～3時間前に副腎皮質ホルモン，解熱鎮痛薬および抗ヒスタミン薬を投与する。遅発性の infusion reaction を軽減させるために，必要に応じて本剤投与後に副腎皮質ホルモンなどを投与する。本剤は赤血球上の CD38 と結合し間接 Coombs 試験の結果が偽陽性となる可能性があるため，本剤投与前に不規則抗体のスクリーニングを含めた一般的な輸血前検査を施行しておく。本剤は IgGκ 型モノクローナル抗体であり，IgGκ 型多発性骨髄腫細胞を有する患者における奏効・再発の評価に影響を及ぼす可能性があることに留意する

7. dinutuximab ★★

商品名：ユニツキシン®

剤形，用量：注：17.5 mg

適応：大量化学療法後の神経芽腫

作用機序：神経芽腫細胞などに発現するヒトジシアロガングリオシド(GD)2 に対する抗体であり，ADCC 活性および CDC 活性を有する

主な副作用：
　　＞10%…infusion reaction，疼痛，眼障害，低血圧，感染症，骨髄抑制，電解質異常，顔面浮腫，肝機能障害

8. elotuzumab ★★

商品名：エムプリシティ®

剤形，用量：注：300・400 mg

適応：再発または難治性の多発性骨髄腫

作用機序：ヒト化抗ヒト SLAMF7 モノクローナル抗体

主な副作用：
　　＞10%…infusion reaction，好中球減少，貧血，血小板減少，疲労，下痢
　1～10%…肺炎，リンパ球減少

併用注意：抗凝固薬

9. isatuximab ★★★

商品名：サークリサ®

剤形，用量：注：100・500 mg

適応：再発または難治性の多発性骨髄腫

作用機序：ヒト CD38 に結合し，ADCC，ADCP および CDC 活性ならびにアポトーシスを誘導する

主な副作用：
　　＞10%…infusion reaction，骨髄抑制，感染症，下痢
　1～10%…悪心，嘔吐

使用上の注意：infusion reaction を軽減させるために，本剤投与開始15～60分前にデキサメタゾン，H₁・H₂ ブロッカーおよび解熱鎮痛薬を投与する。本剤は赤血球上のヒト CD38 と結合し間接 Coombs 試験の結果が偽陽性となる

抗体薬 | 611

可能性があるため，本剤投与前に不規則抗体のスクリーニングを含めた一般的な輸血前検査を施行しておく．本剤は IgGκ 型モノクローナル抗体であり，IgGκ 型多発性骨髄腫細胞を有する患者における奏効・再発の評価に影響を及ぼす可能性があることに留意する

10. mogamulizumab ★★

商品名：ポテリジオ®

剤形，用量：注：20 mg

適応：CCR4 陽性の成人 T 細胞白血病リンパ腫，再発または難治性の CCR4 陽性の末梢性 T 細胞リンパ腫および皮膚 T 細胞性リンパ腫

作用機序：ヒト化抗 CC ケモカイン受容体 4 モノクローナル抗体

主な副作用：

　　＞10%…infusion reaction，骨髄抑制，肝機能障害

　　1～10%…皮膚障害，感染，HBV 再活性化，腫瘍崩壊症候群

併用注意：生ワクチン，不活化ワクチン

使用上の注意：infusion reaction を軽減させるために前投薬後 2 時間かけて点滴静注する

11. necitumumab ★★★

商品名：ポートラーザ®

剤形，用量：注：800 mg

適応：切除不能な進行・再発の扁平上皮非小細胞肺癌

作用機序：EGFR に対する IgG1 モノクローナル抗体であり，EGFR に結合し，EGFR を介したシグナル伝達を阻害する

主な副作用：

　　＞10%…皮膚障害，低 Mg 血症

　　1～10%…重度の皮膚障害，動脈血栓塞栓症，静脈血栓塞栓症，infusion reaction，重度の下痢，口内炎

　　　＜1%…間質性肺疾患

使用上の注意：

　　低 Mg 血症があらわれることがありモニタリングを要する

12. obinutuzumab ★★★

商品名：ガザイバ®

剤形，用量：注：1,000 mg

適応：CD20 陽性の濾胞性リンパ腫

作用機序：抗 CD20 モノクローナル抗体（ADCC，ADCP）

主な副作用：

　　＞10%…infusion reaction（約 60%），骨髄抑制，感染症

　　頻度不明…感染，HBV 再活性化，腫瘍崩壊症候群

使用上の注意：infusion reaction を軽減させるために，投与 30 分～1 時間前に抗ヒスタミン薬，解熱鎮痛薬などの前投与を行う．初回投与時は 50 mg/時の点滴速度で開始し，その後 30 分ごとに 50 mg/時ずつ上げて 400 mg/時まで速度を上げることが可能

13. ofatumumab ★★★

商品名：アーゼラ®

剤形，用量：注：100・1,000 mg

適応：再発または難治性の CD20 陽性の慢性リンパ性白血病

612 | 付録 1　抗悪性腫瘍薬の種類

作用機序：抗 CD20 モノクローナル抗体（ADCC，ADCP）
主な副作用：
　　＞10%…infusion reaction（100%），骨髄抑制，LDH 上昇
併用注意：生ワクチン，降圧薬
使用上の注意：infusion reaction を軽減させるために，投与 30 分～2 時間前に抗ヒスタミン薬，解熱鎮痛薬などの前投与を行う。初回投与時は 12 mL/時の点滴速度で開始し，その後 30 分ごとに 2 倍ずつ上げて 400 mL/時まで速度を上げることが可能

14. panitumumab（Pmab）★★★
商品名：ベクティビックス®
剤形，用量：注：100・400 mg
適応：KRAS 遺伝子野生型の治癒切除不能な進行・再発の結腸・直腸癌
作用機序：ヒト化抗 EGFR モノクローナル抗体
主な副作用：
　　＞10%…皮疹，皮膚乾燥，搔痒症，爪囲炎，口内炎，食欲不振，低 Mg 血
　　　　　　症
使用上の注意：インラインフィルター（0.2 または 0.22 μm）を用いて投与する

15. pertuzumab ★★★
商品名：パージェタ®
剤形，用量：注：420 mg
適応：HER2 陽性の乳癌
作用機序：ヒト化抗 HER2 モノクローナル抗体（HER2/HER3 の heterodimerization 阻害）
主な副作用：
　　＞10%…白血球減少，好中球減少，末梢性ニューロパチー，下痢，悪心，
　　　　　　脱毛症，発疹
　　1～10%…infusion reaction
併用注意：アンスラサイクリン系薬剤

16. ramucirumab（RAM）★★★
商品名：サイラムザ®
剤形，用量：注：100・500 mg
適応：切除不能な進行・再発胃癌，大腸癌，非小細胞肺癌，がん化学療法後に増悪した血清 AFP 値が 400 ng/mL 以上の切除不能な肝細胞癌
作用機序：ヒト化抗 VEGFR-2 モノクローナル抗体（血管新生阻害）
主な副作用：
　　＞10%…高血圧
　　1～10%…動脈血栓塞栓症，静脈血栓塞栓症，消化管出血，消化管穿孔，
　　　　　　infusion reaction，タンパク尿，肝機能障害，貧血
　　　＜1%…好中球減少症
併用注意：抗凝固薬
使用上の注意：infusion reaction を軽減させるために，投与 30 分前に抗ヒスタミン薬の投与を行う。解熱鎮痛薬やステロイドを追加してもよい

17. rituximab（RTX，RIT）★★★
商品名：リツキサン® など
剤形，用量：注：100・500 mg

抗体薬 | 613

適応：CD20 陽性の B 細胞性非 Hodgkin リンパ腫・慢性リンパ性白血病・免疫抑制状態下の B 細胞性リンパ増殖性疾患，indium(^{111}In) ibritumomab tiuxetan および yttrium(^{90}Y) ibritumomab tiuxetan の前投与

作用機序：キメラ型抗 CD20 モノクローナル抗体（ADCC，CDC）

主な副作用：

　＞10%…infusion reaction（約 90%），骨髄抑制

　　頻度不明…感染，HBV 再活性化，腫瘍崩壊症候群

併用注意：生ワクチン・不活化ワクチン，免疫抑制薬，降圧薬

使用上の注意：infusion reaction を軽減させるために，投与 30 分前に抗ヒスタミン薬，解熱鎮痛薬などの前投与を行う。初回投与時は 25 mg/時の点滴速度で 1 時間観察し，その後 100 mg/時に上げて 1 時間，さらにその後に 200 mg/時で投与可能

18. trastuzumab(Tmab) ★★★

商品名：ハーセプチン® など

剤形，用量：注：60・150 mg

適応：HER2 過剰発現が確認された乳癌，HER2 過剰発現が確認された治癒切除不能な進行・再発の胃癌

作用機序：ヒト化抗 HER2 モノクローナル抗体（ADCC，HER2 から細胞内へのシグナル伝達の阻害，HER2 細胞外ドメイン遊離の阻害など）

主な副作用：

　＞10%…infusion reaction（約 40%），悪心，嘔吐，発熱，悪寒

　1〜10%…心機能障害・左室駆出率低下，骨髄抑制

併用注意：アンスラサイクリン系薬剤

使用上の注意：投与開始前には，必ず心機能を確認する。アンスラサイクリン系抗悪性腫瘍薬との併用は心毒性を増強するので禁忌である

[薬剤結合抗体]

19. brentuximab vedotin ★★★

商品名：アドセトリス®

剤形，用量：注：50 mg

適応：CD30 陽性の Hodgkin リンパ腫，末梢性 T 細胞リンパ腫

作用機序：抗 CD30 モノクローナル抗体の brentuximab と微小管重合阻害薬のモノメチルアウリスタチン E（MMAE）の抗体薬物複合体（ADC）。CD33 陽性の腫瘍細胞に取り込まれたのちに MMAE が遊離して細胞周期を G2/M 期で停止，アポトーシスを誘導する

主な副作用：

　＞10%…末梢神経障害，骨髄抑制，感染症，悪心

　1〜10%…infusion reaction，肝機能障害

　その他…腫瘍崩壊症候群（0.5%），肺障害（1.2%）

併用禁忌：ブレオマイシン

併用注意：CYP3A4 阻害薬・誘導薬

投与量調整：

　・腎機能障害時…eGFR＜30 mL/分では投与を避ける

　・肝機能障害時…中等度以上の肝機能障害患者では投与を避ける

20. denileukin diftitox ★★

商品名：レミトロ®

付録 1 抗悪性腫瘍薬の種類

614 付録1 抗悪性腫瘍薬の種類

剤形, 用量：注：300 μg
適応：再発または難治性の末梢性 T 細胞リンパ腫, 再発または難治性の皮膚 T 細胞性リンパ腫
作用機序：ジフテリア毒素（DT）の一部のアミノ酸配列とヒト IL-2 の全アミノ酸配列を融合した遺伝子組換え融合タンパクであり, 腫瘍細胞上の IL-2 受容体に結合し細胞内に取り込まれた後に DT が切断され, 遊離した DT が腫瘍のタンパク合成を阻害する
主な副作用：
　　＞10%…骨髄抑制, 毛細血管漏出症候群, 肝機能障害, 感染症, infusion reaction
　1～10%…横紋筋融解症, 視力障害, 不整脈
使用上の注意：毛細血管漏出症候群を軽減させるために, 本剤投与の前後に生理食塩水などの輸液を行う。infusion reaction を軽減させるために, 本剤投与開始 30 分前に抗ヒスタミン薬, 解熱鎮痛薬, 副腎皮質ホルモン薬の前投与を行う

21. gemtuzumab ozogamicin（GO）★★
商品名：マイロターグ®
剤形, 用量：注：5 mg
適応：再発または難治性の CD33 陽性の急性骨髄性白血病
作用機序：抗 CD33 モノクローナル抗体の hP67.6 と抗腫瘍性抗生物質の calicheamicin 誘導体を結合した抗体薬物複合体（ADC）。CD33 陽性の白血病細胞内に取り込まれたのちに calicheamicin が遊離し, DNA を切断, アポトーシスを誘導する
主な代謝・排泄経路：腎排泄
主な副作用：
　　＞10%…infusion reaction, 骨髄抑制, 感染, 出血, 肝機能障害
　1～10%…肺障害, 腎機能障害, 腫瘍崩壊症候群
　　＜1%…静脈閉塞性肝疾患
併用注意：CYP3A4 により代謝される薬剤
使用上の注意：infusion reaction を軽減させるために, 投与 1 時間前に抗ヒスタミン薬および解熱鎮痛薬の投与を行う

22. inotuzumab ozogamicin ★★★
商品名：ベスポンサ®
剤形, 用量：注：1 mg
適応：再発または難治性の CD22 陽性の急性リンパ性白血病
作用機序：CD22 抗原を発現した白血病細胞に結合し, 細胞内に取り込まれた後に活性体となり DNA 2 本鎖を切断することにより腫瘍増殖抑制作用を示す
主な代謝・排泄経路：腎排泄
主な副作用：
　　＞10%…骨髄抑制, infusion reaction, 悪心, 疲労, 肝機能障害
　1～10%…静脈閉塞性肝疾患, リパーゼ増加, アミラーゼ増加
　　＜1%…膵炎

23. lutetium oxodotreotide ★★★
商品名：ルタテラ®
剤形, 用量：注：7.4 GBq

適応：ソマトスタチン受容体陽性の神経内分泌腫瘍

作用機序：ソマトスタチン受容体サブタイプ 2（SSTR2）との結合を介して腫瘍細胞に集積し，^{177}Lu から放出される β 線により，腫瘍増殖抑制作用を示す

主な排泄経路：腎排泄

主な副作用：
    ＞10%…骨髄抑制，悪心，嘔吐
    1～10%…腎機能障害，骨髄異形成症候群

併用注意：ソマトスタチンアナログ製剤

使用上の注意：腎被曝の低減のため，1,000 mL 中にアミノ酸として L-リシン塩酸塩および L-アルギニン塩酸塩をそれぞれ 25 g のみを含有する輸液製剤を本剤投与 30 分前から投与する

24. polatuzumab vedotin ★★

商品名：ポライビー®

剤形，用量：注：30・140 mg

適応：再発または難治性のびまん性大細胞型 B 細胞リンパ腫

作用機序：抗 CD79b ヒト化 IgG1 モノクローナル抗体と微小管重合阻害作用を有するモノメチルアウリスタチン E（MMAE）を結合させた抗体薬物複合体（ADC）。CD79b を発現する腫瘍細胞に取り込まれた後に MMAE が細胞内に遊離し，MMAE が微小管に結合し細胞分裂を阻害してアポトーシスを誘導する

主な代謝経路：肝代謝

主な副作用：
    ＞10%…骨髄抑制，感染症，末梢性ニューロパチー，infusion reaction，肝機能障害，悪心・嘔吐，下痢，発熱
    1～10%…腫瘍崩壊症候群

併用注意：強い CYP3A 阻害薬

使用上の注意：infusion reaction を軽減させるために投与 30 分～1 時間前に抗ヒスタミン薬，解熱鎮痛薬またはステロイドの前投与を考慮する

25. Radium-223 dichloride ★★★

商品名：ゾーフィゴ®

剤形，用量：注：5.6 mL（ラジウム 223 を 6,160 kBq 含有）

適応：骨転移のある去勢抵抗性前立腺癌

作用機序：骨転移のように骨代謝が亢進している部位に集積し α 線を放出することにより腫瘍細胞の DNA 2 本鎖切断を誘発する

主な代謝・排泄経路：糞中排泄

主な副作用：
    ＞10%…貧血，リンパ球減少，血小板減少，下痢
    1～10%…発熱，頭痛，関節痛
    ＜1%…肝酵素上昇

26. trastuzumab deruxtecan ★★

商品名：エンハーツ®

剤形，用量：注：100 mg

適応：化学療法歴のある HER2 陽性の手術不能または再発乳癌（標準的な治療が困難な場合に限る），がん化学療法後に増悪した HER2 陽性の治癒切除不能な進行・再発の胃癌

616 付録1 抗悪性腫瘍薬の種類

作用機序：HER2 に対するヒト化モノクローナル抗体とトポイソメラーゼ I 阻害作用を有するカンプトテシン誘導体を結合させた抗体薬物複合。HER2 を発現する腫瘍細胞に取り込まれた後にカンプトテシン誘導体が遊離し，DNA 傷害およびアポトーシス誘導作用を示す

主な代謝・排泄経路：肝代謝，胆汁排泄
>10%…間質性肺疾患，骨髄抑制，悪心・嘔吐，脱毛
1～10%…infusion reaction，心機能障害

使用上の注意：
間質性肺疾患が日本人で高頻度にみられ，注意を要する

27. trastuzumab emtansine(T-DM1) ★★★
商品名：カドサイラ®
剤形，用量：注：100・160 mg
適応：HER2 陽性の手術不能または再発乳癌，HER2 陽性の乳癌における術後薬物療法
作用機序：抗 HER2 モノクローナル抗体の Tmab と微小管重合阻害薬の emtansine の抗体薬物複合体(ADC)。HER2 陽性の腫瘍細胞に取り込まれた後に emtansine が遊離して細胞周期を G2/M 期で停止，アポトーシスを誘導する
主な副作用：
>10%…末梢神経障害，血小板減少，肝機能障害
1～10%…infusion reaction，左室駆出率低下，間質性肺疾患

併用注意：抗凝固薬，放射線療法

28. yttrium ibritumomab tiuxetan ★★★
商品名：ゼヴァリン® イットリウム
剤形，用量：注：ibritumomab tiuxetan 3.2 mg，yttrium(^{90}Y) 1,850 MBq
適応：CD20 陽性の再発または難治性の低悪性度 B 細胞性非 Hodgkin リンパ腫，マントル細胞リンパ腫(rituximab による治療歴があるもの)
作用機序：抗 CD20 モノクローナル抗体の ibritumomab に，キレート剤の tiuxetan を共有結合させた修飾抗体に，放射性同位体の ^{90}Y を標識したアイソトープ標識抗体
主な副作用：
>10%…骨髄抑制(血球減少は遅延性である)，倦怠感，頭痛，便秘，口内炎，発熱，悪心

併用注意：生ワクチン
使用上の注意：事前に生体内分布を確認するため indium (^{111}In)ibritumomab tiuxetan(ゼヴァリン® インジウム)を投与し，ガンマカメラによりシンチグラムを撮像する。また，腫瘍細胞への効率的な集積を目的として ^{90}Y ibritumomab tiuxetan の投与 4 時間以上前に rituximab を投与する

[免疫チェックポイント阻害薬]

29. atezolizumab ★★★
商品名：テセントリク®
剤形，用量：注：1,200 mg
適応：切除不能な進行再発の非小細胞肺癌，進展型小細胞肺癌，PD-L1 陽性のホルモン受容体陰性かつ HER2 陰性の手術不能または再発乳癌，切除不能な肝細胞癌
作用機序：ヒト PD-L1 に対する抗体であり，PD-L1 とその受容体である

PD-1 との結合を阻害し，T 細胞の細胞傷害活性を増強することなどにより腫瘍の増殖を抑制する

主な副作用：
　　1〜10%…間質性肺疾患，肝機能障害，下痢，皮疹，甲状腺機能低下
　　　<1%…1 型糖尿病，膵炎，下垂体機能低下

30. avelumab（AVE）★★★

商品名：バベンチオ®

剤形：注：200 mg

適応：根治切除不能な Merkel 細胞癌，根治切除不能または転移性の腎細胞癌，根治切除不能な尿路上皮癌における化学療法後の維持療法

作用機序：atezolizumab と同様

主な副作用：
　　　>10%…infusion reaction
　　1〜10%…疲労，甲状腺機能低下症，副腎機能不全，皮疹
　　　<1%…間質性肺疾患，肝機能障害，大腸炎，副腎機能障害，1 型糖尿病

31. durvalumab ★★★

商品名：イミフィンジ®

剤形，用量：注：120・500 mg

適応：切除不能な局所進行非小細胞肺癌における根治的化学放射線療法後の維持療法，進展型小細胞肺癌

作用機序：atezolizumab と同様

主な副作用：
　　　>10%…発疹
　　1〜10%…甲状腺機能低下症，甲状腺機能亢進症，下痢，間質性肺疾患，
　　　　　　infusion reaction
　　　<1%…大腸炎，副腎機能障害，1 型糖尿病

32. ipilimumab（IPI）★★★

商品名：ヤーボイ®

剤形，用量：注：50 mg

適応：根治切除不能な悪性黒色腫，根治切除不能または転移性の腎細胞癌，がん化学療法後に増悪した治癒切除不能な進行・再発の高頻度マイクロサテライト不安定性（MSI-High）を有する結腸・直腸癌，切除不能な進行・再発の非小細胞肺癌，切除不能な進行・再発の悪性胸膜中皮腫

作用機序：CD8 陽性 T 細胞の CTLA-4-抗原提示細胞上の CD80・86 経路の阻害により腫瘍抗原特異的な細胞傷害活性を増強する。Treg 細胞上の CTLA-4 に結合し，ADCC 作用によって腫瘍組織内の Treg 細胞を減少させることで，抗腫瘍効果を亢進させる

主な副作用：
　　1〜10%…消化管穿孔，重度の下痢，下垂体炎，甲状腺機能低下症，副腎機
　　　　　　能不全
　　　<1%…腎機能障害，間質性肺疾患，infusion reaction，肝機能障害，重
　　　　　　度の皮膚障害

投与量調整：
　　・肝機能障害時…重度の肝機能障害患者には慎重投与

618 付録 1 抗悪性腫瘍薬の種類

33. nivolumab(NIV) ★★★
商品名：オプジーボ®
剤形，用量：注：20・100・120・240 mg
適応：悪性黒色腫，非小細胞肺癌，腎細胞癌，古典的 Hodgkin リンパ腫，頭頸部癌，胃癌，悪性胸膜中皮腫，MSI-High を有する結腸・直腸癌，食道癌
作用機序：CD8 陽性 T 細胞上の PD-1-腫瘍細胞上の PD-L1・PD-L2 経路の阻害により，腫瘍抗原特異的な CD8 陽性 T 細胞の細胞傷害活性を増強する。Treg 細胞上の PD-1 に結合し機能低下させることで，抗腫瘍効果を亢進させる
主な副作用：
　　　＞10%…甲状腺機能低下症
　　　1～10%…間質性肺疾患，肝機能障害，肝炎

34. pembrolizumab ★★★
商品名：キイトルーダ®
剤形，用量：注：20・100 mg
適応：悪性黒色腫，非小細胞肺癌，古典的 Hodgkin リンパ腫，化学療法後に増悪した尿路上皮癌，高頻度マイクロサテライト不安定性(MSH-High)を有する固形癌，根治切除不能または転移性の腎細胞癌，再発または遠隔転移を有する頭頸部癌，化学療法後に増悪した PD-L1 陽性の根治切除不能な進行・再発の食道扁平上皮癌
作用機序：nivolumab と同様
主な副作用：
　　　1～10%…間質性肺疾患，大腸炎，甲状腺機能低下症，肝機能障害
　　　＜1%…Guillain-Barré 症候群，副腎機能不全，1 型糖尿病

[二重特異性抗体]

35. blinatumomab ★★★
商品名：ビーリンサイト®
剤形，用量：注：35 μg
適応：再発または難治性の B 細胞性急性リンパ性白血病
作用機序：T 細胞に発現する CD3 と B 細胞性腫瘍に発現する CD19 に結合し架橋することで，T 細胞を活性化し腫瘍細胞を傷害する
主な副作用：
　　　＞10%…神経系事象，infusion reaction，サイトカイン放出症候群，発熱，感染症，骨髄抑制，頭痛，肝機能障害
　　　1～10%…腫瘍崩壊症候群，膵炎
併用注意：生ワクチン
使用上の注意：サイトカイン放出症候群が発現する可能性があるため，本剤投与前および増量前はデキサメタゾンを投与する

[抗体-光感受性物質複合体]

36. cetuximab sarotalocan ★★
商品名：アキャルックス®
剤形，用量：注：250 mg
適応：切除不能な局所進行または局所再発の頭頸部癌
作用機序：キメラ型抗 EGFR モノクローナル抗体(IgG1)であるセツキシマブと光感受性物質である色素 IR 700 を結合させた抗体薬物複合体。腫瘍細胞の

免疫細胞療法 | 619

細胞膜上の EGFR に結合し波長 690 nm のレーザ光照射により励起された IR700 が光化学反応を起こし腫瘍細胞の細胞膜を傷害する

主な副作用：
>10%…顔面浮腫，舌腫脹，嚥下障害，適用部位疼痛，紅斑
1～10%…infusion reaction，腫瘍出血，喉頭浮腫

使用上の注意： infusion reaction を軽減させるため，本剤投与前にステロイド・抗ヒスタミン薬の前投与を行う

■ 免疫細胞療法

1. axicabtagene ciloleucel ★★

商品名： イエスカルタ®

適応： 再発または難治性の大細胞型 B 細胞リンパ腫（びまん性大細胞型 B 細胞リンパ腫，原発性縦隔大細胞型 B 細胞リンパ腫，形質転換濾胞性リンパ腫，高悪性度 B 細胞リンパ腫）

作用機序： CD19 キメラ抗原受容体（CAR）をコードする遺伝子を患者自身の T 細胞に導入した CAR 発現生 T 細胞を構成細胞とし，CAR が CD19 を発現した細胞を認識すると，導入 T 細胞に対して増殖，活性化，標的細胞に対する攻撃および細胞の持続・残存に関する信号を伝達し抗腫瘍効果を発揮する

主な副作用：
>10%…サイトカイン放出症候群，神経系事象，血球減少
1～10%…感染症，発熱性好中球減少症，低 γ グロブリン血症，infusion reaction
<1%…腫瘍崩壊症候群

併用注意： 生ワクチン，抗 EGFR モノクローナル抗体

使用上の注意： 重度のサイトカイン放出症候群があらわれ，死亡に至る例が報告されている。また，脳症などの重篤な神経系事象があらわれることがある。infusion reaction を軽減するため，投与の約30～60分前に，抗ヒスタミン薬，解熱鎮痛薬の前投与を行う。生命を脅かす緊急事態の場合を除き，副腎皮質ステロイドは使用しない。サイトカイン放出症候群の緊急時に備えて，トシリズマブの在庫を本品投与前に確保する。本品は HIV-1 をもとに開発されたレンチウイルスベクターを使用して製造されるため，HIV 核酸増幅検査で偽陽性になるおそれがある

2. lisocabtagene maraleucel ★★

商品名： ブレヤンジ®

適応： 再発または難治性の大細胞型 B 細胞リンパ腫（びまん性大細胞型 B 細胞リンパ腫，原発性縦隔大細胞型 B 細胞リンパ腫，形質転換低悪性度非 Hodgkin リンパ腫，高悪性度 B 細胞リンパ腫），再発または難治性の濾胞性リンパ腫（Grade 3B）

作用機序： axicabtagene ciloleucel と同様

主な副作用：
>10%…サイトカイン放出症候群，神経系事象，血球減少
1～10%…感染症，発熱性好中球減少症，低 γ グロブリン血症，infusion reaction
<1%…腫瘍崩壊症候群

併用注意： 生ワクチン，抗 EGFR モノクローナル抗体

付録1 抗悪性腫瘍薬の種類

620 付録 1 抗悪性腫瘍薬の種類

使用上の注意：axicabtagene ciloleucel と同様

3. tisagenlecleucel ★★
商品名：キムリア®
適応：再発または難治性の CD19 陽性の B 細胞性急性リンパ芽球性白血病，再発または難治性のびまん性大細胞型 B 細胞リンパ腫
作用機序：axicabtagene ciloleucel と同様
主な副作用：
　　　＞10％…サイトカイン放出症候群，神経系事象，感染症，発熱性好中球減少症，低 γ グロブリン血症，血球減少
　　1～10％…腫瘍崩壊症候群，infusion reaction
併用注意：生ワクチン
使用上の注意：axicabtagene ciloleucel と同様

■ ホウ素中性子捕捉療法

1. borofalan(^{10}B) ★★
商品名：ステボロニン®
剤形，用量：注：9,000 mg/300 mL
適応：切除不能な局所進行または局所再発の頭頸部癌
作用機序：フェニルアラニン誘導体である 4-ボロノ-L-フェニルアラニンに含まれるホウ素中の ^{10}B の存在比を高めた薬剤である。体外より中性子線を照射することで腫瘍細胞に取り込まれた ^{10}B が中性子を捕捉し，核反応により生成された α 線およびリチウム原子核を放出することにより，腫瘍増殖抑制作用を示す
主な代謝・排泄経路：主に腎臓から排泄される。フェニルアラニントランスアミナーゼによりフェニルピルビン酸体やフェニル乳酸体に代謝され，一部がフェニルアラニンヒドロキシラーゼによりチロシンに代謝されることが推定される
主な副作用：
　　　＞10％…アミラーゼ増加，悪心，嘔吐，口内炎，口渇，唾液腺炎，結膜炎，味覚異常，脱毛症，血中プロラクチン異常
　　1～10％…脳膿瘍，重度の皮膚障害，白内障，血尿
使用上の注意：腫瘍が頸動脈を全周性に取り囲んでいる患者では，頸動脈出血を起こすおそれがあり使用禁忌である

【水野　孝昭】

付録 2 抗悪性腫瘍薬の略名

略名	一般名	商品名
2-CdA	cladribine（クラドリビン）	ロイスタチン
5'-DFUR	doxifluridine（ドキシフルリジン）	フルツロン
5-FU	fluorouracil（フルオロウラシル）	5-FU
6-MP	6-mercaptopurine（メルカプトプリン）	ロイケリン
Ab, ABI	abiraterone（アビラテロン）	ザイティガ
ACNU	nimustine（ニムスチン）	ニドラン
ACR	aclarubicin（アクラルビシン）	アクラシノン
ACT-D	actinomycin D（アクチノマイシンD）	コスメゲン
AFL	aflibercept（アフリベルセプト）	ザルトラップ
Am80	tamibarotene（タミバロテン）	アムノレイク
AMR	amrubicin（アムルビシン）	カルセド
ANA, ANZ	anastrozole（アナストロゾール）	アリミデックス
APA	apalutamide（アパルタミド）	アーリーダ
Ara-C	cytarabine（シタラビン）	キロサイド
Ara-G	nelarabine（ネララビン）	アラノンジー
ATO	arsenic trioxide（亜ヒ酸，三酸化ヒ素）	トリセノックス
ATRA	tretinoin（トレチノイン）	ベサノイド
AVE	avelumab（アベルマブ）	バベンチオ
AZA, 5-AZA	azacitidine（アザシチジン）	ビダーザ
BCNU	carmustine（カルムスチン）	ギリアデル
BCT	bicalutamide（ビカルタミド）	カソデックス
BH-AC	enocitabine（エノシタビン）	サンラビン
BLM	bleomycin（ブレオマイシン）	ブレオ
BOR	bortezomib（ボルテゾミブ）	ベルケイド
BU, BUS, BSF	busulfan（ブスルファン）	ブスルフェクス，マブリン
BV	bevacizumab（ベバシズマブ）	アバスチン
Cap, CAP	capecitabine（カペシタビン）	ゼローダ
CBDCA	carboplatin（カルボプラチン）	パラプラチン
CBZ, CTX	cabazitaxel（カバジタキセル）	ジェブタナ
CDDP	cisplatin（シスプラチン）	ランダ
CMA	chlormadinone acetate（クロルマジノン酢酸エステル）	プロスタール
Cmab	cetuximab（セツキシマブ）	アービタックス

621

付録2 抗悪性腫瘍薬の略名

略名	一般名	商品名
CPA, CPM, CY	cyclophosphamide（シクロホスファミド）	エンドキサン
DAR	darolutamide（ダロルタミド）	ニュベクオ
Dara	daratumumab（ダラツムマブ）	ダラザレックス
DCF	pentostatin（ペントスタチン）	コホリン
DEX	dexamethasone（デキサメタゾン）	デカドロン，レナデックスなど
DNR	daunorubicin（ダウノルビシン）	ダウノマイシン
DTIC	dacarbazine（ダカルバジン）	ダカルバジン
DTX, TXT	docetaxel（ドセタキセル）	タキソテール，ワンタキソテール
DXR, ADR, ADM	doxorubicin（ドキソルビシン）	アドリアシン
EE	ethinylestradiol（エチニルエストラジオール）	プロセキソール
EP, EMP	estramustine（エストラムスチン）	エストラサイト
EPI, epi-ADM, FAMP	epirubicin（エピルビシン）	ファルモルビシン
ERI	eribulin（エリブリン）	ハラヴェン
ETOP, ETP, VP-16	etoposide（エトポシド）	ベプシド，ラステット
EXE	exemestane（エキセメスタン）	アロマシン
EZ, ENZ	enzalutamide（エンザルタミド）	イクスタンジ
FLU	flutamide（フルタミド）	オダイン
Flu, F-ara-A	fludarabine（フルダラビン）	フルダラ
FT, TGF	tegafur（テガフール）	フトラフール
FTD/TPI	trifluridine and tipiracil hydrochloride（トリフルリジン・チピラシル塩酸塩）	ロンサーフ
FUL	fulvestrant（フルベストラント）	フェソロデックス
GEM	gemcitabine（ゲムシタビン）	ジェムザール
GO	gemtuzumab ozogamicin（ゲムツズマブオゾガマイシン）	マイロターグ
HU	hydroxycarbamide（ヒドロキシカルバミド）	ハイドレア
IDR	idarubicin（イダルビシン）	イダマイシン
IFM, IFO, IFX	ifosfamide（イホスファミド）	イホマイド
IFN	interferon（インターフェロン）	スミフェロン，フエロン，イムノマックス-γ
IL-2	interleukin-2（インターロイキン）	イムネース
IPI	ipilimumab（イピリムマブ）	ヤーボイ
IRI, CPT-11	irinotecan（イリノテカン）	トポテシン，カンプト
L-ASP	L-asparaginase（L-アスパラギナーゼ）	ロイナーゼ
Len, LEN	lenalidomide（レナリドミド）	レブラミド

略名	一般名	商品名
LET，LTZ	letrozole（レトロゾール）	フェマーラ
LEU	leuprolide（リュープロライド）	リュープリン
l-LV	levofolinate calcium/ *l*-leucovorin（レボホリナート）	アイソボリン
L-OHP	oxaliplatin（オキサリプラチン）	エルプラット
L-PAM	melphalan（メルファラン）	アルケラン
LV	calcium folinate/ leucovorin（ホリナート，ロイコボリン）	ロイコボリン，ユーゼル
MCNU	ranimustine（ラニムスチン）	サイメリン
MEP	mepitiostane（メピチオスタン）	チオデロン
MIT，MXT，DHAD	mitoxantrone（ミトキサントロン）	ノバントロン
MMC	mitomycin C（マイトマイシン C）	マイトマイシン
MPA	medroxyprogesterone（メドロキシプロゲステロン）	ヒスロン
MST-16	sobuzoxane（ソブゾキサン）	ペラゾリン
MTX	methotrexate（メトトレキサート）	メソトレキセート
nab-PTX	nab-paclitaxel（ナブパクリタキセル）	アブラキサン
NDP	nedaplatin（ネダプラチン）	アクプラ
NGT，TPT	nogitecan（ノギテカン），topotecan（トポテカン）	ハイカムチン
NIV	nivolumab（ニボルマブ）	オプジーボ
OCT	octreotide（オクトレオチド）	サンドスタチン
OK-432	OK-432	ピシバニール
O，P′-DDD	mitotane（ミトタン）	オペプリム
PCZ	procarbazine（プロカルバジン）	塩酸プロカルバジン
PEM，MTA	pemetrexed（ペメトレキセド）	アリムタ
PEP	peplomycin（ペプロマイシン）	ペプレオ
Pmab	panitumumab（パニツムマブ）	ベクティビックス
PSL	prednisolone（プレドニゾロン）	プレドニゾロン，プレドニンなど
PTX，TAX，TXL	paclitaxel（パクリタキセル）	タキソール
RAM	ramucirumab（ラムシルマブ）	サイラムザ
REG	regorafenib（レゴラフェニブ）	スチバーガ
RTX，RIT	rituximab（リツキシマブ）	リツキサン
S-1	tegafur・gimeracil・oteracil（テガフール・ギメラシル・オテラシル）	ティーエスワン
SPAC	cytarabine ocfosfate（シタラビンオクホスファート）	スタラシド
STZ	streptozocin（ストレプトゾシン）	ザノサー
TAM	tamoxifen（タモキシフェン）	ノルバデックスなど

624 | 付録2 抗悪性腫瘍薬の略名

略名	一般名	商品名
T-DM1	trastuzumab emtansine（トラスツズマブ エムタンシン）	カドサイラ
T-DXd	trastuzumab deruxtecan（トラスツズマブ デルクステカン）	エンハーツ
Thal, THAL	thalidomide（サリドマイド）	サレド
THP-ADM	pirarubicin（ピラルビシン）	テラルビシン，ピノルビン
Tmab	trastuzumab（トラスツズマブ）	ハーセプチン
TMZ	temozolomide（テモゾロミド）	テモダール
TOR	toremifene（トレミフェン）	フェアストン
UFT	tegafur・uracil（テガフール・ウラシル）	ユーエフティ
VBL, VLB	vinblastine（ビンブラスチン）	エクザール
VCR	vincristine（ビンクリスチン）	オンコビン
VDS	vindesine（ビンデシン）	フィルデシン
VEN	venetoclax（ベネトクラクス）	ベネクレクスタ
VNR, VNB, VRL	vinorelbine（ビノレルビン）	ナベルビン
ZOL	goserelin（ゴセレリン）	ゾラデックス

あとがき

　本書を最後までお読みいただきありがとうございました。『がん診療レジデントマニュアル』は，国立がん研究センター中央病院ならびに東病院のレジデントが中心となり，最新のエビデンスに基づき，3年ごとに改訂しているものです。今回で，第9版を数えることになりました。分子標的薬，免疫チェックポイント阻害薬，抗体薬物複合体の導入により，各癌種の治療が大幅に近年変わってきており，改訂を重ねるごとに情報が増えています。本書も改訂のたびに厚みを増しています。昨今は，電子版の書籍も多数発行されていますが，診療において，白衣のポケットに入れて携帯ができることも個人的には重要と思っています。診療中にレジデントの先生に，「レジデントマニュアルのどこどこに書いてあるよ」というやり取りもありますし，病棟でレジデントマニュアルを開きながら診療しているレジデントの先生もいます。こういった光景を目の当たりにすると，とてもうれしく思います。

　第9版の改訂作業のスタートアップ，執筆，編集の期間は，なんといっても，COVID-19感染症が，世の中そして医療の現場に与えた影響は計り知れない時期でした。COVID-19感染症は，がん診療においても，多くの医療機関での診療に影響を及ぼし，検診控えや症状があっても受診控えするなど問題になっています。がんの撲滅には，新たな治療法の確立だけでは達成は困難であり，早期発見，早期治療が重要なだけにCOVID-19感染症とがん診療の両立がよりいっそう求められています。

　今回の改訂に関わって下さいました，レジデントの先生方，また，中央病院ならびに東病院のスタッフの先生方に，心より感謝申し上げます。3年ごとの改訂のため，執筆中に最新エビデンスが発出され間に合わない分野（記憶に新しいところではASCO 2022での，HER2-low乳癌に対するT-DXdは，発表後にスタンディングオベーションで迎えられたというインパクトの高い結果でした）もありますので，そこは次回の改訂（ついに次回は第10版）にということと，今後も新たなエビデンスが創出され，先ざきの改訂に盛り込まれることと思います。

625

第 9 版の本書が，多くの医療者の診療の一助となり，がん患者さんの診療へ還元されることを切に願います。

2022 年 9 月

国立がん研究センター中央病院先端医療科医長　岩佐　悟

◆ **お世話になった先生方**

冲中敬二先生	国立がん研究センター東病院・感染症科
小林英介先生	国立がん研究センター中央病院・骨軟部腫瘍・リハビリテーション科
高橋雅道先生	国立がん研究センター中央病院・脳脊髄腫瘍科
並川健二郎先生	国立がん研究センター中央病院・皮膚腫瘍科
原野謙一先生	国立がん研究センター東病院・先端医療科/腫瘍内科
平野秀和先生	国立がん研究センター中央病院・消化管内科

和文索引

- 用語の配列は，片仮名・平仮名・漢字（第 1 字の読み）の順の電話帳方式に従った（同音の場合は字画数順）。ただし，濁音，半濁音で始まる用語は清音の後に配列した。
- イタリックのページ数は付録 1「抗悪性腫瘍薬の種類」中にあることを示す。

あ

アーゼラ *611*
アービタックス *609*
アーリーダ *586*
アイクルシグ *603*
アイソボリン *589*
アカラブルチニブ単剤療法　351
アキシカブタゲンシロルユーセル　339
アキシチニブ　249
アキャルックス *618*
アクプラ *568*
アクラシノン *577*
アグリリン *575*
アザシチジン　288, 298
── ＋ベネトクラクス療法　288
アスベスト　77
アスペルギルス　455
アスペルギルス（ガラクトマンナン）抗原　455
アセトアミノフェン　466
アテゾリズマブ
── ＋ベバシズマブ併用療法　181
── 単剤療法　64, 72
アドセトリス *613*
アドバンス・ケア・プランニング　5
アドリアシン *577*
アドレナリン　541
アナフィラキシー　540
アバスチン *609*
アピキサバン　532
アファチニブ療法　60
アフィニトール *597*
アブラキサン *581*
アベマシクリブ　103
アベルマブ　256
── ＋アキシチニブ併用療法　247

アミロイドーシス　517
アムノレイク *590*
アモキシシリン・クラブラン酸　452
アラノンジー *572*
アリミデックス *583*
アリムタ *574*
アルキル化薬　10, *563*
アルケラン *565*
アルプラゾラム　482
アルンブリグ *594*
アレクチニブ　360
── 療法　61, 361
アレセンサ *592*
アレルギー反応　540
アロプリノール　537
アロマシン *583*
アロマターゼ阻害薬　93, *583*
アンスラサイクリン　25, 105, 525, *577*
アンブレラ試験　46
亜急性感覚性ニューロパチー　519
悪性胸膜中皮腫　77
悪性黒色腫　402, 405
悪性骨腫瘍，TNM 分類　392
悪性軟部腫瘍，TNM 分類　393
悪性リンパ腫　320
安全性マーカー　14

い

イエスカルタ *619*
イクスタンジ *585*
イストダックス *604*
イソソルビド　444
イダマイシン *577*
イトラコナゾール　457
イノツズマブ オゾガマイシン　310
イブランス *602*
イブルチニブ単剤療法　349, 350, 357

イホマイド　*564*
イマチニブ　208, 301, 305
イミフィンジ　*617*
イムネース　*588*
イムノブラダー膀注用　*588*
イムノマックス-γ　*588*
イムブルビカ　*599*
イレッサ　*598*
インスリノーマ　200
インターフェロン(IFN)　15
インターロイキン(IL)-2　15
インフォームド・コンセント　1
インライタ　*592*
医師研究者主導臨床試験　36
医師主導治験　36
医療用麻薬　6
胃 MALT リンパ腫　352
胃がん　141
異所性 ACTH 症候群　513
異所性 PTHrP 産生腫瘍　533
遺伝子検査　152, 387
遺伝性膵がん症候群　191
遺伝性乳がん卵巣がん症候群(HBOC)
　82, 99
痛みの病態による分類　465
痛みの包括的評価　464

う

ヴァイトラックビ　*600*
ヴァンフリタ　*603*
ヴォトリエント　*602*
うつ病　482

え

エキスパートパネル　556
エクザール　*579*
エストラサイト　*586*
エストロゲン製剤　*586*
エドキサバン　532
エヌトレクチニブ療法　61
エピジェネティクス　12
エピボドフィロトキシン　*578*
エベロリムス　203, 249
エムプリシティ　*610*
エリブリン　105, 399

エルプラット　*569*
エルロチニブ
　── +ラムシルマブ併用療法　60
　── 療法　59
エンコラフェニブ+ビニメチニブ療法
　411
エンドキサン　*564*
エンドポイント　43
エンハーツ　*615*
液性免疫不全　449
腋窩リンパ節のマネジメント　89
炎症性関節炎　552
炎症性薬剤　523
嚥下障害　448

お

オキシコドン　470
オキシコンチン　469
オクトレオチド　440, 507
オクトレオチド LAR　203
オシメルチニブ療法　60
オダイン　*586*
オニバイド　*576*
オビヌツズマブ　346
オピオイド　529
　── の副作用　473
オピオイドスイッチング　468
オプジーボ　*618*
オフターゲット効果　11
オペプリム　*587*
オラパリブ　100, 108, 198
　── +BV 併用療法　235
　── 維持療法　235, 239
　── 療法　268
オンコビン　*579*
オンコロジック・エマージェンシー
　445, 527
悪心・嘔吐　475, 497
　──, 小児における　505
横紋筋肉腫　395, 397

か

カイプロリス　*595*
カソデックス　*585*
カドサイラ　*616*

和文索引

カバジタキセル　267
カブマチニブ療法　62
カブレルサ　*607*
カボザンチニブ　130, 181, 247, 249
カボメティクス　*594*
カルケンス　*591*
カルシトリオール〔1,25(OH)$_2$-D$_3$〕産
　生　183
カルバペネム　452
カルボプラチン　24
カンジダ　455, 457
カンプト(カンプトテシン)　*575*
ガザイバ　*611*
ガストリノーマ　200
がん遺伝子パネル検査　555
　── の適応　557
がんゲノム医療　555
がんゲノム医療(中核)拠点病院　557
がんゲノム医療連携病院　557
がんゲノム情報管理センター
　(C-CAT)　558
がん細胞増殖モデル　16
がん診療と患者医療者間のコミュニ
　ケーション　1
がん性胸膜炎　432
がん性心膜炎　432, 445
がん性髄膜炎　432, 441
がん性腹膜炎　432, 437
がん治療における救急処置　527
がん治療誘発性下痢のマネジメント
　　　　　　　　　　　　506
がん疼痛
　──, 難治性の　476
　── の治療と緩和ケア　463
　── マネジメントの基本原則　465
がん薬物療法
　──, 高齢患者への　26
　──, 妊娠中の　28
　── の基本概念　10
　── の適応　19
下咽頭がん　115
下垂体炎　551
下垂体機能障害　551
化学放射線療法　136, 159
加速型漸増デザイン　40

可溶性 IL-2 受容体　321
家族性大腸腺腫症(FAP)　151
回答に困る質問　4
改訂 Rai 分類　348
拡大コホート　41
獲得耐性　19
肝移植　181
肝機能障害　548
肝機能障害時のがん薬物療法　24
肝細胞がん　175
肝臓がん　174
肝転移　160
肝動注化学療法(TAI)　180
肝動脈塞栓療法(TA[C]E)　179
寛解導入療法　284
感染症対策　448
緩下剤　474
緩和ケア　463
　── の WHO 定義　463

き

キイトルーダ　*618*
キザルチニブ　287
キムリア　*620*
キメラ抗原受容体 T(CAR-T)細胞療
　法　16
キメラ受容体(CAR)遺伝子　338
キロサイド　*571*
ギリアデル　*564*
ギルテリチニブ　287
企業主導治験　35
希少疾患に対する臨床試験　45
起壊死性薬剤　523
機能性 NET　200
急性呼吸促迫症候群　436
急性骨髄性白血病　281
急性転化期(BP)　305
急性リンパ性白血病　306
救済(サルベージ)手術　136
虚血性大腸炎　508
胸腔鏡下タルク撒布　437
胸腔穿刺　433
胸腔留置カテーテル　434
胸部 CT　445
胸膜生検　433

胸膜癒着術　435
強オピオイド　467
強度変調放射線治療　215
筋炎　552

く

クリゾチニブ療法　61
クレアチニンクリアランス（Ccr）　24
クロストリディオイデス・ディフィシ
　ル感染症による下痢　508
クロライドチャネルアクチベーター
　　　　　　　　　　　　　474, 510
グアニル酸シクラーゼ C 受容体アゴ
　ニスト　474, 510
グリベック　599
グルカゴノーマ　200
グルカゴン　542
腔内照射　215

け

ゲノム薬理学　23
ゲフィチニブ療法　59
ゲムツズマブ オゾガマイシン　286
下痢　505
　── を起こしやすい抗悪性腫瘍薬
　　　　　　　　　　　　　　　507
経口 ETP 療法　240
経口抗悪性腫瘍薬の悪心・嘔吐の頻度
　　　　　　　　　　　　　　　499
経口末梢性 μ オピオイド受容体拮抗薬
　　　　　　　　　　　　　　　474
経静脈抗悪性腫瘍薬の悪心・嘔吐の頻
　度　498
経静脈的肝内門脈静脈シャント造設術
　（TIPS）　440
経腸栄養法　509
経皮経肝腹腔静脈シャント（TTPVS）
　　　　　　　　　　　　　　　440
痙攣　426
軽鎖 MGUS　365
血液凝固亢進状態　515
血液培養　450
血管外漏出　522
　── の危険因子　523
血管新生阻害薬　12, 163, 165

血管肉腫　398
血小板凝集阻害薬　575
血小板減少症　515
　── に対するアプローチ　493
血小板増多症　515
血小板輸血に関してのガイドライン
　　　　　　　　　　　　　　　493
結節性リンパ球優位型 Hodgkin リン
　パ腫　333
剣状突起下心膜開窓術　447
検体検査　403
原発性悪性脳腫瘍　431
原発性脳腫瘍　421, 423, 427
原発性副腎機能不全　551
原発性腹膜がん　229
原発不明がん　415

こ

コスメゲン　566
コデイン　472
コホリン　573
コミュニケーション　1
コミュニケーションスキル　1
コルチコステロイド　478
コンパニオン診断　555
コンパニオン診断薬　15
ゴナックス　584
呼吸困難　478
呼吸抑制　475
孤立性形質細胞腫　365
口腔乾燥症　512
口腔内感染　512
口唇・口腔がん　114
口内炎・消化管粘膜炎　510
口内炎予防　511
口内粘膜炎関連疼痛治療　511
甲状腺がん　125
甲状腺機能亢進症　550
甲状腺機能障害　549
甲状腺機能低下症　550
光線力学療法　139
好酸球増多症　508
好中球減少症　448
　── の発症リスク　490
好中球減少性腸炎　508

和文索引 | **631**

好中球数減少　450
好中球増多症　514
抗 CTLA-4 抗体　412
抗 EGFR 抗体薬　164, 165
抗 NMDA 受容体脳炎　519
抗 PD-1 抗体　412
抗 RANKL 抗体　268
抗 Tg 抗体　126
抗悪性腫瘍薬　10
　――の危険度分類　521
　――の種類　563
　――の調製方法　520
　――の投与方法　521
抗アンドロゲン薬　585
抗うつ薬　477, 484, 485
抗エストロゲン薬　93, 582
抗凝固療法　531
抗痙攣薬　476
抗腫瘍性抗生物質　11, 566
抗精神病薬　487
抗体-光感受性物質複合体　*618*
抗体薬　*608*
抗ヒスタミン薬　475, 541
抗不安薬　478, 482
抗不整脈薬　477
抗利尿ホルモン不適合分泌症候群　514
効果判定規準　30
効果予測マーカー　14
高 Ca 血症　533
　――, 主に異所性 PTHrP 産生腫瘍
　　　　　　　　　　　　　　514
高次脳機能障害　421
高齢者機能評価　26
喉頭温存　121
喉頭がん　116
硬化性胆管炎　548
酵素製剤　*591*
膠芽腫　422
合成 Xa 阻害薬　531, 532
合成致死　14
黒色表皮腫　517
骨腫瘍の分類, WHO による　390
骨髄異形成症候群　293
骨髄腫円柱腎症　517
骨髄穿刺　321

骨髄抑制　490
骨転移　268
骨転移部の体動時痛　476
骨軟部悪性腫瘍　384, 401
骨軟部組織発生未分化小円形細胞肉
　　腫, WHO による分類　390
骨肉腫　396
混合診療　33

さ

サークリサ　*610*
サイトカイン療法　297
サイトカイン療法薬　15
サイメリン　*565*
サイラムザ　*612*
サブグループ解析　45
サレド　*589*
サンドスタチン LAR　*587*
サンラビン　*572*
ザーコリ　*595*
ザイティガ　*585*
ザノサー　*566*
ザルトラップ　*608*
再建手術　88
再発性多発軟骨炎　518
細菌感染予防　459
細胞障害性抗がん薬　10, 19
細胞性免疫不全　449
最大耐量　39
先駆け審査指定制度　46

し

シチジン　*571*
シプロフロキサシン　452
シャント造設　440
ジェブタナ　*580*
ジェムザール　*572*
ジオトリフ　*592*
ジカディア　*595*
ジフォルタ　*574*
ジメチルスルホキシド（DMSO）　526
ジャカビ　*604*
子宮頸がん　210
子宮頸がん進行期分類　212
子宮内膜がん　219

死前喘鳴　479
自然耐性　19
刺激性下剤　509
紫外線　402
次世代シークエンサー（NGS）　555
地固め療法　284, 291
自家移植適応　354
自家末梢血幹細胞移植（ASCT）　374
自律神経障害　553
持続胸腔ドレナージ　434
腫瘍縮小効果　41
腫瘍随伴症候群　513
腫瘍随伴性天疱瘡　517
腫瘍崩壊症候群　535
腫瘍マーカー，原発巣精査目的に測定
　が推奨される　416
終末期せん妄　486
集学的治療　22
重症筋無力症（MG）　519, 552
縦隔照射　309
術後 CDK4/6 阻害薬　93
術後 PARP 阻害薬　95
術後化学療法　22
術後カペシタビン　95
術後放射線療法　98
術後補助 CDDP＋ETP 療法　73
術前 CF 療法　138
術前化学療法　22
小リンパ球性リンパ腫　347
消化管間質腫瘍　206
消化器症状に対するアプローチ　497
消化器毒性　547
上咽頭がん　115, 121
上顎洞がん　114
上大静脈症候群　527
上皮性卵巣がん　227
上部消化管内視鏡検査　322
上部尿路がん　251
静脈血栓塞栓症（VTE）　516
食道胃接合部腺癌の定義　143
食道がん　131
食欲低下　7
食欲不振　479
心機能障害時のがん薬物療法　25
心臓超音波　445

心電図　445
心嚢穿刺　446
心嚢ドレナージ　446
心膜癒着術　446
侵襲性アスペルギルス症　457
神経膠腫　422, 424
神経障害性疼痛　476
神経内分泌腫瘍　200
浸透圧性下剤　509
浸透圧性脱髄症候群　539
真菌感染症　455
真菌感染予防　459
進行・再発がんに対するがん薬物療法
　21
進行・再発髄様癌　129
進行性小脳変性症　518
進行性胚細胞腫瘍　274
滲出性胸水の診断　433
人工肛門　159
腎盂・尿管がん　251
腎機能障害時　23
腎細胞がん　242
腎疾患　517

す

スーテント　*605*
スキンタイプ　402
スタラシド　*571*
スチバーガ　*604*
ステボロニン　*620*
ステロイド
　500-502, 504, 529, 545, *582*
ステント留置　528
ストレプトゾシン　203
── ＋5-FU 療法　203
スニチニブ　203, 208, 248
スプリセル　*596*
スミフェロン　*588*
水痘・帯状疱疹ウイルス（VZV）　460
推奨用量　40
膵がん　191
錐体外路症状に伴う悪心・嘔吐　503
髄液検査　322, 442
髄芽腫　422
髄注化学療法　312, 442

和文索引 **633**

髄様癌　128

せ

セツキシマブ
――＋PTX 療法　124
――＋RT 療法　123
セフェピム　452
セミノーマ　276
セリチニブ療法　61
セロトニン産生腫瘍　200
センチネルリンパ節生検　88, 408
ゼヴァリンイットリウム　*616*
ゼジューラ　*601*
ゼルボラフ　*607*
ゼローダ　*569*
せん妄　485
生殖細胞遺伝子変異　384
生殖年齢　27
成人 CINV のマネジメント　500
成人 T 細胞白血病/リンパ腫　314
星細胞腫　424
精神疾患　481
精神的ケア　480
精神療法　482
脊髄圧迫　528
脊髄炎　553
赤血球増多症　515
赤血球輸血に関してのガイドライン
　　　　　　　　　　　　　　495
節外性鼻型 NK/T 細胞リンパ腫　361
選択圧　19
全身性 AL アミロイドーシス　366
全人的な苦痛　463
前立腺がん　257
前立腺全摘　260

そ

ソマチュリン　*587*
ソマトスタチンアナログ　202, *587*
ソラフェニブ　129
――療法　181
ゾーフィゴ　*615*
ゾスパタ　*598*
ゾラデックス　*584*
ゾリンザ　*608*

増殖シグナル伝達阻害薬　11

た

タイケルブ　*599*
タキサン　*580*
タキソール　*581*
タキソテール　*580*
タグリッソ　*602*
タシグナ　*601*
タズベリク　*605*
タゼメトスタット単剤療法　347
タゾバクタム　452
タフィンラー　*595*
タブレクタ　*594*
タペンタドール　471
タモキシフェン　29, *583*
タルク　435
タルグレチン　*592*
タルセバ　*597*
ダーウィン進化論　18
ダーモスコピー　403
ダカルバジン　*564*
ダコミチニブ療法　60
ダサチニブ　301, 305, 312
ダブラフェニブ＋トラメチニブ療法
　　　　　　　　　　62, 409, 411
ダラキューロ　*609*
ダラザレックス　*609*
ダリナパルシン　360
――単剤療法　361
ダルテパリンナトリウム　532
他職種とのコミュニケーション　8
多群第 II 相試験　42
多元受容体作用抗精神病薬（MARTA）
　　　　　　　　　　　　500, 501
多剤併用地固め療法　285, 291, 292
多発筋痛症様症候群　552
多発性筋炎　518
多発性骨髄腫　364
唾液腺がん　117
大量 Ara-C
――±アンスラサイクリン療法　286
――療法　285
大量放射線被曝　125
大量補液　537

代謝拮抗薬　10, *569*
大うつ病　482
大腸炎　547
大腸がん　151
第Ⅰ相試験　38
第2世代 CAR　339
第Ⅱ相試験　41
第Ⅲ相試験　43
単群第Ⅱ相試験　42
単剤＋BV療法　240
単純ヘルペスウイルス(HSV)　460, 512
胆汁酸(再吸収)トランスポーター阻害薬　474, 510
胆道がん　183
淡明細胞癌　245

ち

チオ硫酸ナトリウム　525
チサゲンレクルユーセル　310, 339
チラブルチニブ単剤療法　341
チロシンキナーゼ阻害薬(TKI)　300
治験　35
治療関連2次がん　29
遅発性悪心・嘔吐　498
中咽頭がん　115
中間解析　44
中枢神経原発悪性リンパ腫　422
中枢性ドパミン D_2 受容体拮抗薬　475
中毒性表皮壊死融解症　546
腸閉塞　478
直接経口抗凝固薬　516
直接第 Xa 因子阻害薬(DOAC)　531
鎮静　7, 480

つ・て

ツシジノスタット　360
—— 単剤療法　319, 361
ティーエスワン　*570*
テセントリク　*616*
テプミトコ　*606*
テポチニブ療法　62
テムシロリムス　249
テモダール　*566*
テラルビシン　*578*
デカドロン　*582*

デクスラゾキサン　525
デニロイキン ジフチトクス　360
—— 単剤療法　361
デノスマブ　534
デブリドマン　526
デュルバルマブ療法　57
デンバーシャント　440
低 Na 血症　537
低分子化合物　11
低分子ヘパリン　532, 533
低分子薬　*591*
低用量 Ara-C　289
—— ＋ベネトクラクス療法　289
低用量 CBDCA ＋根治的胸部放射線照射療法　57
適応障害　481
適者生存　18
転移・再発乳がん　101
転移性去勢抵抗性前立腺がん　266
転移性脳腫瘍　421, 425, 431
転移性ホルモン感受性前立腺がん　263

と

トータルペイン　463
トーリセル　*606*
トポイソメラーゼ阻害薬　10, *575*
トポテカン療法　75
トポテシン　*575*
トラスツズマブ　25, 29
—— ＋PTX療法　110
トラスツズマブ エムタンシン　98
トラスツズマブ デルクステカン　109
—— 療法　150
トラベクテジン　399
トラマドール　472
トリセノックス　*590*
トリプルネガティブ乳がん　91, 104
—— に対する免疫チェックポイント阻害薬　107
トレアキシン　*563*
ドキシル　*578*
ドパミン受容体拮抗薬　505
ドライバー遺伝子変異陰性　62
ドライバー遺伝子変異陽性　58
投与時反応　540

和文索引　635

疼痛の強さの評価法　464
糖質コルチコイド　542
糖尿病　551
頭蓋内圧亢進症状　425
頭頸部がん　112
同時化学放射線療法（CCRT）　215
同種造血幹細胞移植　297, 298
特定臨床研究　35
突出性悪心・嘔吐　498

な

ナベルビン　*580*
ナロキソン　476
内視鏡的胃瘻造設術（PEG）　139
内視鏡的粘膜下層剝離術　135, 155
内視鏡的粘膜切除術　155
内分泌毒性　549
内分泌放射線療法（HT-RT）　261
内分泌療法　103, 226
軟部腫瘍，WHO による分類　388
軟部肉腫　394

に

ニドラン　*565*
ニボルマブ　138, 249, 460
　――　＋イピリムマブ±CBDCA/
　　CDDP＋PEM 療法　66
　――　＋イピリムマブ±CBDCA＋
　　PTX 療法　67
　――　＋イピリムマブ療法
　　　　　67, 80, 171, 246
　――　＋カボザンチニブ併用療法
　　　　　　　　　248
　――　単剤療法　72, 81
　――　単独療法　124
　――　療法　171, 332
ニューモシスチス肺炎　454, 458
ニュベクオ　*586*
ニラパリブ維持療法　235, 239
ニラパリブ単剤療法　239
ニロチニブ　301, 305, 312
ニンラーロ　*599*
二重特異性抗体　*618*
日光曝露　402
乳がん　82

乳頭癌　128
乳房切除術後放射線療法（PMRT）　98
妊孕性温存療法　224, 236
妊孕能温存　28

ね

ネクサバール　*605*
ネダプラチン＋DTX 療法　70
ネララビン　309
眠気　475

の

ノバントロン　*578*
ノルバデックス　*583*
脳炎　553
脳室腹腔シャント　444
脳腫瘍　421
濃グリセリン　444

は

ハーセプチン　*613*
ハイカムチン　*576*
ハイドレア　*575*
ハイヤスタ　*607*
ハリコンドリン B 誘導体　*581*
バイオマーカー　14, 46
バスケット試験　46
バッドニュース　1
バベンチオ　*617*
バリア障害　448
バンコマイシン　453
バンデタニブ　129
パージェタ　*612*
パゾパニブ　248, 399
パノビノスタット＋BD 療法　380
パラプラチン　*568*
パルボシクリブ　103
肺がん　49
肺尖部胸壁浸潤癌　55
肺塞栓　530
肺転移　160
肺毒性　549
胚細胞腫瘍　270, 422
白金（プラチナ）製剤　10, *568*
白血球減少へのアプローチ　490

発熱性好中球減少症　450
晩期毒性　280

ひ

ヒアルロニダーゼ　526
ヒスロン H　*584*
ヒドロキシカルバミド　290
ヒドロモルフォン　472
ビーリンサイト　*618*
ビジンプロ　*596*
ビスホスホネート（BP）製剤
　　　　　268, 382, 534
ビダーザ　*571*
ビラフトビ　*596*
ビンカアルカロイド　525, *579*
ピシバニール　*589*
ピノルビン　*578*
ピペラシリン　452
びまん性大細胞型 B 細胞リンパ腫
　　　　　334
皮膚がん　402
皮膚筋炎　518
皮膚疾患　517
皮膚毒性　546
皮膚粘膜眼症候群　546
肥大性骨関節症　518
肥満患者　25
泌尿器腫瘍　242
非 IgM 型 MGUS　365
非壊死性薬剤　523
非オピオイド鎮痛薬　466
非小細胞肺がん　54
非浸潤性乳管癌　87
非セミノーマ　277
非定型抗精神病薬　475
非転移性去勢抵抗性前立腺がん　265
非転移性ホルモン感受性前立腺がん
　　　　　262
非劣性試験　44
微小管阻害薬　10, *579*
微小変化型ネフローゼ症候群　517
鼻腔・篩骨洞がん　114
鼻腔・副鼻腔がん　114
評価指標　43

貧血　515
　── に対するアプローチ　495

ふ

ファリーダック　*602*
ファルモルビシン　*577*
フィルグラスチム　492
フィルデシン　*580*
フェアストン　*583*
フェソロデックス　*582*
フェブキソスタット　537
フェマーラ　*584*
フエロン　*588*
フェンタニル　471
フォロデシン　359
　── 単剤療法　360
フッ化ピリミジン　*569*
フトラフール　*570*
フルコナゾール　457
　── の予防投与　459
フルダラ　*573*
フルツロン　*569*
ブスルフェクス　*563*
ブプレノルフィン　473
ブリグチニブ療法　61
ブリナツモマブ　310
ブレオ　*567*
ブレヤンジ　*619*
ブレンツキシマブ ベドチン　359
　── ＋AVD 療法　331
　── 療法　332, 361
プライマリエンドポイント　43
プラチナ感受性再発　236
プラチナ（白金）製剤　10, *568*
　── ＋ETP＋デュルバルマブ療法
　　　　　74
プラチナ抵抗性再発　239
プラチナ併用化学療法＋BV 療法　238
プラチナ併用療法＋BV＋ペムブロリ
　ズマブ　218
プラットフォーム試験　46
プララトレキサート　359
　── 単剤療法　360
プリン拮抗薬　*572*
プレドニン，プレドニゾロン　*582*

和文索引 637

プロカルバジン *565*
プロゲステロン製剤 *584*
プロスタール *585*
プロセキソール *587*
プロテアソーム阻害薬 13
不正性器出血 219
不眠 488
副腎皮質ホルモン 525
腹腔-静脈シャント(PVS) 440
腹腔神経叢ブロック 509
腹腔穿刺 438, 439
腹腔内化学療法 236
腹腔内薬物療法(IP療法) 439
腹水濾過濃縮再静注法(CART) 439
分化誘導薬 *590*
分子標的薬 11, 58, *591*
── に伴う下痢 508

へ

ヘパリン 516
ヘルシンキ宣言 33
ベージニオ *591*
ベクティビックス *612*
ベサノイド *590*
ベスポンサ *614*
ベネクレクスタ *608*
ベネトクラクス減量，CYP3A阻害薬
　併用時の 289
ベプシド *578*
ベムラフェニブ療法 411
ベルケイド *593*
ベレキシブル *606*
ペグフィルグラスチム 493
ベプレオ *567*
ペマジール *603*
ペミガチニブ療法 189
ペムブロリズマブ 96, 107, 139, 256
── ＋アキシチニブ併用療法 247
── ＋レンバチニブ併用療法 248
── 単剤療法 63
── 単独療法 124
── 療法 149, 171, 333, 409, 413
ペラゾリン *579*
ペンタゾシン 473
辺縁系脳炎 519

便潜血検査 151
便秘 473, 509

ほ

ホウ素中性子捕足療法 *620*
ホルモン受容体陽性乳がん 103
ホルモン療法薬 15
ボシュリフ *593*
ボスチニブ 301, 305, 313
ボリコナゾール 457
ポートラーザ *611*
ポテリジオ *611*
ポナチニブ 301, 305, 312
ポマリスト *589*
ポマリドミド(P) ＋ 低用量 DEX(Pd)
　療法 380
ポライビー *615*
ポラツズマブ ベドチン 339
ポリエチレングリコール製剤 509
保険外併用療養費制度 33
放射性ヨード内用療法 128
放射線照射の悪心・嘔吐 504
放射線治療による下痢 508
放射線併用 TMZ療法 429
放射線療法 529
胞巣状軟部肉腫 398
乏突起膠腫 424
傍腫瘍性神経症候群 518
膀胱がん 251
膀胱鏡 251

ま

マイクロサテライト不安定性(MSI)
　　　　　　　　　　　　　　226
── 検査 15, 152
マイトマイシン *567*
マイナートランキライザー 487
マイロターグ *614*
マスタープロトコール 46
マブキャンパス *608*
マントル細胞リンパ腫 352
マンモグラフィ 83
膜性腎症 517
末梢神経障害 553
末梢性μオピオイド受容体拮抗薬 510

638 索引

末梢性 T 細胞リンパ腫　357
　──，非特異型　357
末梢性ドパミン D_2 受容体拮抗薬　475
慢性骨髄性白血病　299
慢性リンパ性白血病　347

み

ミダゾラム　8
ミノサイクリン塩酸塩　436
ミリプラ　*568*
未分化癌　130
未分画ヘパリン　531

む

ムンデシン　*598*
無菌性髄膜炎　553
無効中止　45
無作為割付　44

め

メキニスト　*606*
メクトビ　*593*
メサドン　472
メジャートランキライザー　487
メソトレキセート　*574*
免疫寛容　14
免疫関連有害事象　543
免疫細胞療法　*619*
免疫染色　386, 404, 417
免疫染色抗体　386
免疫チェックポイント阻害薬
　　　　　　14, 518, 543, *616*
免疫調節（調整）薬　15, *588*
免疫不全　448
免疫抑制療法　297
免疫療法再開の基準　553
免疫療法の有害事象　543

も

モガムリズマブ　359
　──　単剤療法　319, 360
モノクローナル抗体　11
モルヒネ　469

や

ヤーボイ　*617*
薬剤結合抗体　*613*
薬剤耐性　19
薬物動態学　23
薬物動態評価　41
薬力学　23

ゆ

ユーエフティ　*570*
ユーゼル　*588*
ユニタルク　*590*
ユニツキシン　*610*
輸血後鉄過剰症　297
有害事象共通用語規準（CTCAE）　31
有害事象の評価　31
有効中止　45
融合遺伝子を有する主な骨軟部腫瘍
　　　　　　　　　　　　387
優越性試験　44

よ

ヨンデリス　*582*
予期性悪心・嘔吐　498, 503
予後予測マーカー　14
予防的全脳照射　76
用量制限毒性　39
葉酸拮抗薬　*574*

ら

ラジオ波熱凝固療法（RFA）　179
ラスブリカーゼ　537
ラパチニブ＋Cap　110
　──　＋トラスツズマブ　110
ラムシルマブ療法　181
ランダ　*568*
ランダム化　44
ランダム化スクリーニングデザイン
　　　　　　　　　　　　42
ランダム化選択デザイン　42
ランダム化第Ⅱ/Ⅲ相試験　42
ランレオチド　202
卵巣がん　227

和文索引 639

和文索引

り

リウマチ性多発筋痛症 518
リコール現象 523
リサイオ *566*
リスク軽減乳房切除（RRM） 100
リスク軽減卵巣卵管摘出術（RRSO）
　　　　　　　　　　　　　　 100
リソカブタゲンマラルユーセル 339
リツキサン *612*
リツキシマブ 460
リツキシマブ/ベネトクラクス療法
　　　　　　　　　　　　　　 350
リバーロキサバン 531
リポソーム製剤 *576*
リムパーザ *601*
リュープリン *584*
リンパ節郭清 408
リンパ節腫大 321
臨床研究の分類と規制 37
臨床試験 33

る・れ

ルタテラ *614*
ルミナルタイプ 91
レゴラフェニブ 208
　── 療法 181
レスキュー 469

レナリドミド単剤療法 319
レノグラスチム 492
レブラミド *588*
レミトロ *613*
レンバチニブ 129, 130
　── 療法 181
レンビマ *600*
連続再評価法 40

ろ・わ

ロイケリン *572*
ロイコボリン *588*
ロイスタチン *573*
ロイナーゼ *591*
ローブレナ *600*
ローマⅣ基準 509
ロズリートレク *597*
ロペラミド 506
ロミデプシン 359
　── 単剤療法 360
ロルラチニブ療法 61
ロンサーフ *570*
濾胞癌 128
濾胞性リンパ腫 343
漏出性皮膚障害 522
ワルファリン 533
ワンタキソテール *580*

欧文索引

・イタリックのページ数は付録1「抗悪性腫瘍薬の種類」中にあることを示す。

数字

3+3デザイン　39
3例コホート(cohort)法　39
5-FU(fluorouracil)　507
　――＋CDDP/CBDCA＋ペムブロリズマブ療法　123
　――＋MMC＋RT療法　159
　――持続静注＋RT療法　158
　――またはCap＋CDDP＋Tmab療法　147
5-HT₃受容体拮抗薬
　　　　　　　499, 500-502, 504
5 point scale　326
6-mercaptopurine(6-MP)　*572*
⁹⁰Y-イブリツモマブ チウキセタン　347
¹³¹I治療不応の甲状腺分化癌　129

ギリシャ文字

β-D-グルカン　455
β-hCG　271

A

ABCDEルール　403
abemaciclib　*591*
abiraterone(Ab, ABI)　*585*
　――＋PSL療法　266
ABL1変異型　304
ABPC療法　65
abscopal効果　414
ABVD療法　331
AC療法　94, 105
AC followed by Taxane　94
　――＋トラスツズマブ療法　97
　――＋トラスツズマブ＋ペルツズマブ療法　97
acalabrutinib　*591*
accelerated titration design　40
aclarubicin(ACR)　*577*
actinomycin D(ACT-D)　*566*

activated B-cell(ABC) type　335
acute lymphoblastic leukemia(ALL)
　　　　　　　306
acute myeloid leukemia(AML)　281
adjustment disorders　481
ADM(doxorubicin)　105
　――単剤療法　400
ADT
　――＋ABI併用療法　264
　――＋APA併用療法　264, 265
　――＋DTX併用療法　263
　――＋ENZ併用療法　264, 265
adult T-cell leukemia/lymphoma
　(ATL)　314
afatinib　*592*
aflibercept(AFL)　*608*
AFP　175, 271
aggressive ATL　315
AI療法　399
AITL　358
ALCHEMIST　46
ALCL　358
alectinib　*592*
alemtuzumab　*608*
ALK融合遺伝子陽性　60
ALK-TKI　60
Am80(tamibarotene)　292
AMR療法　75
anagrelide　*575*
anaplastic lymphoma kinase(ALK)
　　　　　　　51
anastrozole(ANA, ANZ)　*583*
AP療法　224, 226
apalutamide(APA)　*586*
Ara-C(cytarabine)　443
arsenic trioxide(ATO)　293, *590*
atezolizumab　*616*
ATLの臨床病型　316
ATRA(tretinoin)　290, 292
　――併用化学療法レジメン　291

欧文索引　　641

avelumab（AVE）　*617*
axicabtagene ciloleucel　*619*
axitinib　*592*
azacitidine（AZA, 5-AZA）　*571*

B

B 型肝炎ウイルス（HBV）　460
B 症状　321, 324
BAP1 腫瘍素因症候群　77
Barrett 食道　136
Bastian らによる分類　404
Bayesian Optimal INterval design
　（BOIN）　40
BCD 療法　373
BCG　*588*
BCL-2-IgH 転座　343
BCLC 分類　178
BCR-ABL1 遺伝子変異　303
BD 療法　373
Bd 療法（ボルテゾミブ＋DEX）　377
bendamustine　*563*
BEP 療法　278
bevacizumab（BV）　*609*
bexarotene　*592*
bicalutamide（BCT）　*585*
biliary tract cancer　183
Binet 分類　348
binimetinib　*593*
bladder cancer/renal pelvis and
　ureter cancer　251
BLd 療法　373, 376
bleomycin（BLM）　436, 447, *567*
blinatumomab　*618*
borofalan（¹⁰B）　*620*
bortezomib（BOR）　*593*
bosutinib　*593*
BR 療法　350, 356
BRACAnalysis 診断システム　100
BRAF　152
BRAF 遺伝子変異　410
BRAF 遺伝子変異陽性　61
BRAF タンパク質　51
BRAF V600E 遺伝子変異陽性　166
BRCA 遺伝子　99
breakthrough therapy, FDA の　45

breast cancer　82
brentuximab vedotin　*613*
brigatinib　*594*
Burkitt リンパ腫/白血病（BL）　342
busulfan（BU, BUS, BSF）　*563*
BV（bevacizumab）　428
──　＋アテゾリズマブ維持療法　65
──　＋CHP 療法　360
──　＋PTX　106
──　維持療法　235
──　単剤療法　429
──　療法　240

C

CA19-9　192
CA125　228
cabazitaxel（CBZ, CTX）　*580*
cabozantinib　*594*
CA（G）療法　290
calcium folinate（LV）　*588*
Calvert の式　24
cancer-treatment induced diarrhea
　（CTID）　506
capecitabine（Cap, CAP）
　　　　　　　　106, 507, *569*
──　＋L-OHP（CapeOX）療法
　　　　　　　　　　　145, 147
──　＋RT 療法　158
──　療法　157
CapeIRI＋BV 療法　170
CapeOX
──　＋BV 療法　168
──　療法　158
capmatinib　*594*
carboplatin（CBDCA）　*568*
carfilzomib　*595*
carmustine（BCNU）　*564*
CAR-T 療法　337, 338
CAT（cancer associated
　thrombosis）　515
CBDCA（carboplatin）
──　＋ETP＋アテゾリズマブ療法
　　　　　　　　　　　　　74
──　＋ETP 療法　74

CBDCA(carboplatin)
　── +nab-PTX+アテゾリズマブ
　療法　65
　── +nab-PTX療法　69, 71
　── +PEM→PEM維持療法　68
　── +PTX/nab-PTX+ペムブロリ
　ズマブ療法　66
　── +PTX+BV+アテゾリズマブ
　療法　65
　── +PTX療法　70
　── +S-1療法　70
　── 単剤療法　278
　── の遅発性過敏反応　239
C-CAT　558
CD4/CD8比　545
CD30　358
CDDP(cisplatin)　568
　── +CPT-11療法　74
　── +DTX+根治的胸部放射線照
　射　57
　── +DTX療法　70
　── +ETP+胸部加速過分割照射
　療法　73
　── +ETP+胸部放射線照射　56
　── +ETP療法　74
　── +GEM療法　70
　── +PEM療法　81
　── +RT療法　123
　── +S-1療法　70
　── +VNR+根治的胸部放射線照
　射　57
　── +VNR療法　55
CDDP/CBDCA+PEM+ペムブロリ
　ズマブ療法　64
CDK4/6阻害薬　14
Center for Cancer Genomics and
　Advanced Therapeutic(C-CAT)
　　　　　　　　　　　　558
central nervous system tumors　421
ceritinib　595
cervical cancer　210
cetuximab(Cmab)　609
cetuximab sarotalocan　618
CF療法　138
CF-RT療法　137

CHASER療法　355
chemotherapy-induced nausea and
　vomiting(CINV)　497
Child-Pugh分類　177
chlormadinone acetate(CMA)　585
chronic lymphocytic leukemia
　(CLL)　347
chronic myelogenous leukemia
　(CML)　299
CISNEスコア　451
cisplatin(CDDP)　568
CIViC　559
cladribine(2-CdA)　573
Clark分類　404
Clinical TLS　535
ClinVar　558
Cmab(cetuximab)　609
　── +BRAF阻害薬±MEK阻害薬
　　　　　　　　　　　　171
　── 単独療法　172
colorectal cancer　151
combined modality　22
complete surgery　232
continual reassessment methods
　(CRM)　40
COSMIC　558
COVID-19　462
Cowden症候群　82
CPT-11(irinotecan)　507
　── +CDDP併用療法　204
　── +Cmab療法　172
　── 単独療法　169
　── 療法　150
crizotinib　595
CRP　450
cyclophosphamide(CPA, CPM,
　CY)　564
cytarabine(Ara-C)　571
cytarabine ocfosfate(SPAC)　571
cytotoxic drug　10

D

dabrafenib　595
dacarbazine(DTIC)　564
dacomitinib　596

欧文索引 643

daratumumab *609*
daratumumab/vorhyaluronidase alfa *609*
daratumumab and hyaluronidase-fihj 376
darolutamide *586*
dasatinib *596*
DBd 療法 381
DDS 製剤 15
Deauville criteria 326
degarelix *584*
del(5q)を有する MDS 297
del(17p) 349
delirium 485
denileukin diftitox *613*
dexamethasone(DEX) 444, *582*
DIC 515
diffuse large B-cell lymphoma (DLBCL) 334
dinutuximab *610*
direct oral anticoagulants(DOAC) 516
DKd 療法 381
DLBCL 352
DLd 療法 375, 381
DMPB 療法 376
DNA ミスマッチ修復遺伝子 152
DNA メチル化阻害薬 12, 297, 298
DNAR(do not attempt resuscitation) 6
DNR + Ara-C 療法 284
docetaxel(DTX, TXT) *580*
dose-dense AC followed by PTX 95
dose-dense TC 療法 233
dose-limiting toxicity(DLT) 39
double hit lymphoma 340
doxifluridine(5'-DFUR) *569*
doxorubicin(DXR, ADR, ADM) *577*
DTX(docetaxel) 105
── +ペルツズマブ+トラスツズマ ブ 108
── +ラムシルマブ療法 71
── +PSL 療法 266
── 単独療法 124

E

── 療法 71, 139, 149, 240
ductal carcinoma *in situ*(DCIS) 85
Durie & Salmon 分類 367
durvalumab *617*

EBM と臨床試験 33
EBV(Epstein-Barr virus)感染 112
EC 療法 94, 105
ECOG(Eastern Cooperative Oncology Group)の PS 21
ectopic adrenocorticotropic hormone syndrome(EAS) 513
EGFR(epidermal growth factor receptor) 51
EGFR 遺伝子変異陽性 58
ELd 療法 382
elotuzumab *610*
encorafenib *596*
end of life chemotherapy 20
endometrial cancer 219
endoscopic mucosal resection (EMR) 155
endoscopic submucosal dissection (ESD) 135, 155
enocitabine(BH-AC) *572*
entrectinib *597*
enzalutamide(EZ, ENZ) 266, *585*
EP 療法 278
EPd 療法 382
epirubicin(EPI) *577*
epithelial ovarian cancer 227
eribulin(ERI) *581*
erlotinib *597*
ESMO ガイドライン 419
esophageal cancer 131
estramustine(EP, EMP) *586*
ethinylestradiol(EE) *587*
etoposide(ETP, ETOP, VP-16) 525, *578*
── +CDDP 併用療法 204
European LeukemiaNet(ELN)リス ク分類 283
everolimus *597*
Ewing 肉腫 395, 397

exemestane(EXE) *583*

expansion cohort 41

exponential growth model 16

extranodal marginal zone lymphoma of mucosa-associated lymphoid tissue lymphoma 351

extranodal NK/T-cell lymphoma, nasal type(ENKL) 361

F

FAB 分類 282

FCR 療法 350

FDA の breakthrough therapy 45

febrile neutropenia(FN) 450

febrile neutrophilic dermatosis 517

FIGO 分類 230

FIGO2018 212

FL International Prognostic Index (FLIPI) 344

FLA(G)療法 286

flower cell(花細胞) 314

FLT3-ITD 変異 287

fludarabine(Flu, F-ara-A) *573*

fluorouracil(5-FU) *569*

flutamide(FLU) *586*

FN の発症リスク 490

FOCUS4 46

FOLFIRI
—— +AFL 療法 170
—— +BV 療法 168
—— +RAM 療法 170

FOLFIRINOX 療法 197

FOLFOXIRI+BV 療法 169

follicular lymphoma(FL) 343

forodesine *598*

FoundationOne 558

FoundationOne Liquid 558

FTD/TPI(trifluridine and tipiracil hydrochloride) *570*
—— 単独療法 172
—— 療法 150

fulvestrant(FUL) *582*

G

gastric cancer 141

gastrointestinal stromal tumor (GIST) 206

GC 療法(GEM+CBDCA) 238

GC 療法(GEM+CDDP) 254, 256

G-CSF 製剤 490
—— の適応 491

gefitinib *598*

GELF 規準 345

GemCarbo 療法 256

gemcitabine(GEM) 106, *572*
—— +エルロチニブ療法 196
—— +CDDP(GC)療法 188
—— +CDDP+S-1 療法 188
—— +nab-PTX 療法 197
—— +PTX 106
—— +S-1 療法 188, 195
—— 療法 194, 196, 240

gemtuzumab ozogamicin(GO) *614*

Geriatric 8(G8) 26

geriatric assessment(GA) 26

germ cell tumor 270

germinal center B-cell(GCB) type 335

gilteritinib *598*

Gleason score 258

Gn-RH アンタゴニスト *584*

Goldie-Coldman 仮説 17

Gompertzian model 17

goserelin(ZOL) *584*

GPA 分類 425

Grocott 染色 456

Guillain-Barré 症候群 553

H

HBOC のスクリーニングに必要な問診 100

HDAC 阻害薬 12

head and neck cancer 112

Helicobacter pylori
—— 感染 141
—— 除菌療法 352

HER2 87

HER2 陰性乳がん 91, 94

HER2 検査 84

HER2 陽性乳がん 96

欧文索引　645

hereditary breast and ovarian cancer（HBOC）　82
high dose rate（HDR）　215
high-grade B-cell lymphoma with MYC and BCL2 and/or BCL6 rearrangements　340
historical control　42
Hodgkin リンパ腫（HL）　327
HPV（human papillomavirus）感染　112
HPV ワクチン　211
HPV-DNA　210
hydroxycarbamide（HU）　*575*
Hyper-CVAD/MA　309

I

ibrutinib　*599*
idarubicin（IDR）　*577*
── ＋Ara-C 療法　284
IDH（isocitrate dehydrogenase）阻害薬　288
IFN-α　*588*
IFN-β　*588*
IFN-γ1a　*588*
ifosfamide（IFM，IFO，IFX）　*564*
IGCCCG リスク分類　274
IgM 型 MGUS　365
ILd（イキサゾミブ＋Len＋DEX）療法　379
imatinib　*599*
immune checkpoint inhibitor（ICI）　22, 543
immune-related adverse event（irAE）　543
IMWG 2014 改訂診断規準　369
IMWG MRD 基準　371
induction chemotherapy　22
indwelling pulmonary catheter（IPC）　434
infusion reaction　540
infusion-related toxicity　540
inotuzumab ozogamicin　*614*
insomnia　488
intensity-modulated radiation therapy（IMRT）　215

intention to treat analysis　44
interferon（IFN）　*588*
interim analysis　44
interleukin-2（IL-2）　*588*
International Myeloma Working Group（IMWG）診断基準　364
International Prognostic Index（IPI）　327, 335
International Prognostic Score（IPS）　329
interval debulking surgery（IDS）　232
ipilimumab（IPI）　*617*
── 療法　412
IPSS（International Prognostic Scoring System）　295
IPSS-R（Revised International Prognostic Scoring System）　295, 296
irinotecan（IRI，CPT-11）　*575*
── 療法　240
IRIS 療法　169
irritant drug　523
Isa-Pd 療法　382
isatuximab　*610*
ISS（International Staging System）　368
ITT 解析　44
IVC フィルター　533
ixazomib（IXA）　*599*
── 維持療法　374

J・K

JALSG ALL202-O レジメン　308
JALSG Ph（＋）ALL213 レジメン　311
Kd 療法（カルフィルゾミブ＋DEX）　379
Ki-67　342
KLd 療法（カルフィルゾミブ＋Len＋DEX）　379
KRAS　51, 152

L

Laboratory TLS　535
Lambert-Eaton 筋無力症症候群　519
lanreotide　*587*

lapatinib *599*
larotrectinib *600*
L-asparaginase（L-ASP）*591*
Ld 維持療法 376
Ld 療法（Len + DEX）373, 380
LDH 271
lenalidomide（Len，LEN）297, *588*
── 維持療法 374
LENT score 432
lenvatinib *600*
Leser-Trelat 徴候 517
letrozole（LET，LTZ）*584*
leucovorin（LV）*588*
leuprolide（LEU）*584*
levofolinate calcium（*l*-LV）*589*
LH-RH アゴニスト 261
LH-RH アナログ *584*
LH-RH アンタゴニスト 262
Li-Fraumeni 症候群 82, 99
Light の基準 433
liposomal doxorubicin *578*
liposomal irinotecan *576*
lisocabtagene maraleucel *619*
liver cancer 174
l-leucovorin（*l*-LV）*589*
local osteolytic hypercalcemia 533
log-kill 仮説 16
lorlatinib *600*
Lugano 分類 324
lung cancer 49
lutetium oxodotreotide *614*
lymphoid BP 305
Lynch 症候群 151, 153, 219

M

M タンパク 368
M3G（モルヒネ-3-グルクロン酸抱合体）469
M6G（モルヒネ-6-グルクロン酸抱合体）470
m7-FLIPI 344
major depressive disorder 482
malignant lymphoma 320
malignant mesothelioma 77
MALT リンパ腫 351

mantle cell lymphoma（MCL）352
MAP 療法 396
MASCC スコア 451
maximum tolerated dose（MTD）39
MEC 療法 286
medroxyprogesterone（MPA）
226, *584*
melphalan（L-PAM）*565*
MET 遺伝子変異 51
MET 遺伝子変異陽性 62
metastatic castration resistant
prostate cancer（mCRPC）266
metastatic hormone sensitive
prostate cancer（mHSPC）263
methotrexate（MTX）*574*
mFOLFOX6
── ＋BV 療法 167
── 療法 148, 157
MGUS（monoclonal gammopathy of
undetermined significance）365
Milan 基準 181
MiNEN 201
mini MEC 286
MIPI score 353
miriplatin *568*
mitomycin C（MMC）*567*
mitotane（O, P′-DDD）*587*
mitoxantrone（MIT，MXT，DHAD）
578
MLL2 遺伝子変異 343
MM 364
MMR 機能欠損 166
modified Fletcher 分類 207
modified FOLFIRINOX 療法 197
modified LSG15 療法 318
mogamulizumab *611*
monoclonal antibody 11
monthly FP 療法 215
MSI-High（MSI-H）227
MTX（methotrexate）443
multi-acting receptor-targeted
antipsychotics（MARTA）500
multiple myeloma（MM）364
M-VAC 療法 254
MVP ＋胸部放射線照射 56

欧文索引 647

myelodysplastic syndromes(MDS) 293

myeloid BP 305

myeloma cast nephropathy 517

N

nab-paclitaxel(nab-PTX) 106, *581*
　—— ＋アテゾリズマブ 107
　—— 療法 71

nal-IRI 197, 507
　—— ＋5-FU＋LV 療法 198

NaSSA 484

NBI 併用拡大内視鏡 132

NCC オンコパネル 558

NCCN リスク分類 260

necitumumab *611*

nedaplatin(NDP) *568*

nelarabine(Ara-G) *572*

neuroendocrine neoplasm(NEN) 200

nilotinib *601*

nimustine(ACNU) *565*

niraparib *601*

nivolumab(NIV) *618*
　—— ＋IPI 併用療法 413
　—— 療法 150, 409, 413

NK1 受容体拮抗薬 499, 501

NMDA 受容体拮抗薬 478

nodular lymphocyte predominant HL(NLPHL) 333

nogitecan(NGT) *576*

non-metastatic castration resistant prostate cancer(nmCRPC) 265

non-metastatic hormone sensitive prostate cancer(nmHSPC) 262

non-vesicant drug 523

Norton-Simon 仮説 17

NRAS 152

NSAIDs 466, 529

O

obinutuzumab *611*

octreotide(OCT) *587*

ofatumumab *611*

OK-432 435, *589*

olaparib *601*

Ommaya リザーバー 442

OnCoKB 560

Oncotype DX 89

optimal surgery 232

osimertinib *602*

osmotic demyelination syndrome (ODS) 539

oxaliplatin(L-OHP) *569*

P

paclitaxel(PTX, TAX, TXL) *581*

PALB(partner and localized BRCA2) 82

palbociclib *602*

pancreatic cancer 191

panitumumab(Pmab) *612*

panobinostat *602*

paraneoplastic pemphigus 517

paraneoplastic syndrome(PNS) 513

PARP 阻害薬 13, 100, 107

pazopanib *602*

PBd 療法 380

PD-L1 免疫染色検査 15

PEI 療法 75

pembrolizumab *618*

pemetrexed(PEM, MTA) *574*
　—— ＋ペムブロリズマブ維持療法 64
　—— 療法 72

pemigatinib *603*

pentostatin(DCF) *573*

peplomycin(PEP) *567*

peptide receptor radionuclide therapy(PRRT) 204

peripheral T-cell lymphoma(PTCL) 357
　——, NOS 357

pertuzumab *612*

PF＋セツキシマブ療法 124

Ph 陰性 ALL 307, 313

Ph 陽性 ALL 310, 313

pharmacodynamics(PD) 23

pharmacogenomics(PGx) 23

pharmacokinetics(PK) 23

photodynamic therapy (PDT)　139
PHQ-9　482
PI3K 阻害薬　347
PINK (Prognostic Index for Natural Killer Cell Lymphoma)　362
pirarubicin (THP-ADM)　*578*
PIT score　357
PIVKA-Ⅱ　175
PLD　16
—— 療法　240
PLD-C 療法　238
Pmab 単独療法　172
POD24　344
POEMS 症候群　366
Pola-BR 療法　340
polatuzumab vedotin　*615*
pomalidomide　*589*
ponatinib　*603*
pralatrexate　*574*
predictive biomarker　14
prednisolone (PSL)　*582*
primary debulking surgery (PDS)　232
procarbazine (PCZ)　*565*
prognostic biomarker　14
prophylactic cranial irradiation (PCI)　76
prostate cancer　257
PTX (paclitaxel)　105
—— + トラスツズマブ　97
—— 単独療法　124
—— 毎週投与法　398
pulmonary embolism (PE)　530

Q

quality assurance (QA)　35
quality control (QC)　35
quizartinib　*603*

R

R2 (リツキシマブ・レナリドミド) 療法　347
radiation-induced nausea and vomiting (RINV)　497, 504
Radium-223 dichloride　267, *615*

ramucirumab (RAM)　*612*
—— 療法　149
randomized screening design　42
randomized selection design　42
ranimustine (MCNU)　*565*
R-CHOP
—— + リツキシマブ維持療法　356
—— 療法　337
RECIST　30
recommended dose (RD)　40
refractory relapse　75
regorafenib (REG)　*604*
—— 単独療法　172
remitting seronegative symmetrical synovitis with pitting edema　518
renal cell carcinoma　242
response guided 治療　89
RET (rearranged during transfection)　51
Revised International Prognostic Scoring System (IPSS-R)　295, 296
R-high-CHOP 療法　354
Richter 症候群　348
risk-reducing salpingo-oohorectomy (RRSO)　236
R-ISS (Revised-International Staging System)　368
rituximab (RTX, RIT)　*612*
R-MPV 療法　341
romidepsin　*604*
ROS1 タンパク質　51
ROS1 融合遺伝子陽性　61
RS3PE 症候群　518
RT-2/3DeVIC 療法　363
ruxolitinib　*604*

S

S-1 (tegafur gimeracil oteraci)　106
—— + CDDP 療法　147
—— + CPT-11 + BV 療法　170
—— + DTX 療法　145
—— + L-OHP (SOX) 療法　147
—— 単剤療法　145
—— 単独療法　124
—— 療法　72, 189, 194, 196

欧文索引　**649**

safety biomarker　14
selective pressure　19
sensitive relapse　75
SHARE プロトコール　2
Siewert 分類　143
skin cancer　402
Skipper　16
small lymphocytic lymphoma（SLL）
　　347
small molecule　11
SMILE 療法　363
SMM　364
SNRI　484
sobuzoxane（MST-16）　*579*
soft tissue and bone malignant
　tumors　384
sorafenib　*605*
SOX + BV 療法　168
SPIKES　2
spinal cord compression　528
SSRI　484
ST 合剤　458
St. Gallen 2017 サブグループ分類　90
staging laparotomy　231
Stevens-Johnson 症候群（SJS）
　　319, 546
streptozocin（STZ）　*566*
suboptimal surgery　232
sunitinib　*605*
SVC syndrome　527
Sweet 症候群　517
syndrome of inappropriate antidi-
　uresis（SIAD）　538
syndrome of inappropriate secre-
　tion of antidiuretic hormone
　（SIADH）　514
synthetic lethality　14

T

TAC 療法　95
talc　*590*
tamibarotene（Am80）　*590*
tamoxifen（TAM）　*583*
target sequence　556
tazemetostat　*605*

TC 療法（CBDCA + PTX）
　　218, 224, 226, 420
TC 療法（DTX + CPA）　94
TCH 療法　97
T-DM1（trastuzumab emtansine）　98
T-DXd（trastuzumab deruxtecan）
　　109
tegafur（FT, TGF）　*570*
tegafur gimeracil oteraci（S-1）　*570*
tegafur uracil（UFT）　*570*
temozolomide（TMZ）　*566*
temsirolimus　*606*
tepotinib　*606*
thalidomide（Thal, THAL）　*589*
thiotepa　*566*
thyroid cancer　125
TIP 療法　279
tirabrutinib　*606*
tisagenlecleucel　*620*
TKD 変異　287
TKI　11, 58, 300
──　+ ステロイド　312
TLS リスク評価　535
TME（total mesorectal excision）　156
TMZ（temozolomide）　428
──　+ Cap 併用療法　204
topotecan（TPT）　*576*
toremifene（TOR）　*583*
toxic epidermal necrolysis（TEN）
　　546
TP
　──　+ BV 療法　217
　──　療法　217
TP53 遺伝子変異　349
TPT（topotecan）療法　240
trabectedin　*582*
trametinib　*606*
trastuzumab（Tmab）　*613*
trastuzumab deruxtecan（T-Dxd）
　　615
trastuzumab emtansine（T-DM1）
　　616
tretinoin（ATRA）　*590*
trifluridine and tipiracil hydrochlo-
　ride（FTD/TPI）　*570*

triweekly DC 療法　234
triweekly TC
　——　＋BV 療法　233
　——　療法　233, 238
Trousseau 症候群　515
TSH 抑制療法　129
TSME（tumor-specific mesorectal excision）　156
TTF（交流電場腫瘍治療システム）428
tucatinib＋カペシタビン＋トラスツズマブ　109
tucidinostat　*607*
tumor lysis syndrome（TLS）　535

U・V

UFT（tegafur uracil）療法　55
UGT1A1　152
VAC 療法　398
vandetanib　*607*
VCAP-AMP-VECP　318
VDC-IE 療法　397
VeIP 療法　279
vemurafenib　*607*
venetoclax　*608*
vesicant drug　523
vinblastine（VBL, VLB）　*579*
vincristine（VCR）　*579*

vindesine（VDS）　*580*
vinorelbine（VNR, VNB, VRL）
　　　　　　　　　　　106, *580*
VIP オーマ　200
VIP 療法　278
von Hippel-Lindau 病（VHL 病）　242
vorinostat　*608*
VP シャント　444
VR-CAP 療法　356

W・Y

weekly CBDCA＋PTX＋根治的胸部放射線照射　56
weekly CDDP 療法　215
weekly nab-PTX 療法　149
weekly PTX
　——　＋RAM 併用療法　149
　——　療法　139, 149, 240
weekly TC 療法　234
WHO 分類
　——，急性骨髄性白血病の　282
　——，慢性骨髄性白血病の　300
　——，リンパ系腫瘍の　322
whole-genome-sequence　555
WPSS（WHO classification-based Prognostic Scoring System）　295
yttrium ibritumomab tiuxetan　*616*

有害事象	Grade			
	1	2	3	4
傷害，中毒および処置合併症 Injury, poisoning and procedural complications				
放射線性皮膚炎	わずかな紅斑や乾性落屑	中等度から高度の紅斑；まだらな湿性落屑，ただしほとんどが襞や襞に限局している；中等度の浮腫	襞や襞以外の部位の湿性落屑；軽度の外傷や擦過により出血する	生命を脅かす；皮膚全層の壊死や潰瘍；病変部より自然に出血する；皮膚移植を要する
注入に伴う反応	軽度で一過性の反応；点滴の中断を要さない；治療を要さない	治療または点滴の中断が必要．ただし症状に対する治療には速やかに反応する；≤24時間の予防的投薬を要する	遷延；一度改善しても再発する；続発症により入院を要する	生命を脅かす；緊急処置を要する
臨床検査 Investigations				
アラニンアミノトランスフェラーゼ増加	BL が基準範囲内の場合>ULN-3.0×ULN；BL が異常値の場合1.5-3.0×BL	BL が基準範囲内の場合>3.0-5.0×ULN；BL が異常値の場合>3.0-5.0×BL	BL が基準範囲内の場合>5.0-20.0×ULN；BL が異常値の場合>5.0-20.0×BL	BL が基準範囲内の場合>20.0×ULN；BL が異常値の場合>20.0×BL
アルカリホスファターゼ増加	BL が基準範囲内の場合>ULN-2.5×ULN；BL が異常値の場合2.0-2.5×BL	BL が基準範囲内の場合>2.5-5.0×ULN；BL が異常値の場合2.5-5.0×BL	BL が基準範囲内の場合>5.0-20.0×ULN；BL が異常値の場合>5.0-20.0×BL	BL が基準範囲内の場合>20.0×ULN；BL が異常値の場合>20.0×BL
アスパラギン酸アミノトランスフェラーゼ増加	BL が基準範囲内の場合>ULN-3.0×ULN；BL が異常値の場合1.5-3.0×BL	BL が基準範囲内の場合>3.0-5.0×ULN；BL が異常値の場合3.0-5.0×BL	BL が基準範囲内の場合>5.0-20.0×ULN；BL が異常値の場合>5.0-20.0×BL	BL が基準範囲内の場合>20.0×ULN；BL が異常値の場合>20.0×BL
血中ビリルビン増加	BL が基準範囲内の場合>ULN-1.5×ULN；BL が異常値の場合>1.0-1.5×BL	BL が基準範囲内の場合>1.5-3.0×ULN；BL が異常値の場合1.5-3.0×BL	BL が基準範囲内の場合>3.0-10.0×ULN；BL が異常値の場合3.0-10.0×BL	BL が基準範囲内の場合>10.0×ULN；BL が異常値の場合>10.0×BL
CPK 増加	>ULN-2.5×ULN	>2.5×ULN-5×ULN	>5×ULN-10×ULN	>10×ULN
クレアチニン増加	>ULN-1.5×ULN	>1.5-3.0×ULN	>3.0-6.0×ULN	>6.0×ULN
心電図 QT 補正間隔延長	平均 QTc 450-480 ms	平均 QTc 481-500 ms	平均 QTc≧501 ms；BL から>60 ms の変化	Torsade de pointes 多形性心室頻拍；重篤な不整脈の徴候，症状
好中球数減少	<LLN-1,500/mm³；<LLN-1.5×10e9/L	<1,500-1,000/mm³；<1.5-1.0×10e9/L	<1,000-500/mm³；<1.0-0.5×10e9/L	<500/mm³；<0.5×10e9/L
血小板数減少	<LLN-75,000/mm³；<LLN-75.0×10e9/L	<75,000-50,000/mm³；<75.0-50.0×10e9/L	<50,000-25,000/mm³；<50.0-25.0×10e9/L	<25,000/mm³；<25.0×10e9/L
血清アミラーゼ増加	>ULN-1.5×ULN	>1.5-2.0×ULN；2.0-5.0×ULN で症状がない	>2.0-5.0×ULN で徴候や症状がある；>5.0×ULN で症状がない	>5.0×ULN で徴候や症状がある
体重増加	BL より 5-<10% 増加	BL より 10-<20% 増加	BL より≧20% 増加	—
体重減少	BL より 5-<10% 減少；治療を要さない	BL より 10-<20% 減少；栄養補給を要する	BL より≧20% 減少；経管栄養または TPN を要する	—
白血球減少	<LLN-3,000/mm³；<LLN-3.0×10e9/L	<3,000-2,000/mm³；<3.0-2.0×10e9/L	<2,000-1,000/mm³；<2.0-1.0×10e9/L	<1,000/mm³；<1.0×10e9/L
代謝および栄養障害 Metabolism and nutrition disorders				
食欲不振	摂食習慣の変化を伴わない食欲低下	顕著な体重減少や栄養失調を伴わない摂食量の変化；栄養補助剤による補充を要する	顕著な体重減少または栄養失調を伴う（例：経口摂取が不十分）；静脈内輸液/経管栄養/TPN を要する	生命を脅かす；緊急処置を要する
脱水	経口水分補給の増加を要する；粘膜の乾燥；皮膚ツルゴールの低下	静脈内輸液を要する	入院を要する	生命を脅かす；緊急処置を要する
高カルシウム血症	補正血清カルシウム>ULN-11.5 mg/dL；>ULN-2.9 mmol/L；イオン化カルシウム>ULN-1.5 mmol/L	補正血清カルシウム>11.5-12.5 mg/dL；>2.9-3.1 mmol/L；イオン化カルシウム>1.5-1.6 mmol/L；症状がある	補正血清カルシウム>12.5-13.5 mg/dL；>3.1-3.4 mmol/L；イオン化カルシウム>1.6-1.8 mmol/L；入院を要する	補正血清カルシウム>13.5 mg/dL；>3.4 mmol/L；イオン化カルシウム>1.8 mmol/L；生命を脅かす